LE CONTE DU GRAAL
OU LE ROMAN DE PERCEVAL

Dans Le Livre de Poche
« Lettres gothiques »

LA CHANSON DE LA CROISADE ALBIGEOISE.
TRISTAN ET ISEUT (Les poèmes français - La saga norroise).
JOURNAL D'UN BOURGEOIS DE PARIS.
LAIS DE MARIE DE FRANCE.
LA CHANSON DE ROLAND.
LE LIVRE DE L'ÉCHELLE DE MAHOMET.
LANCELOT DU LAC (tomes 1 et 2).
LA FAUSSE GUENIÈVRE (tome 3).
L'ENLÈVEMENT DE GUENIÈVRE (tome 5).
FABLIAUX ÉROTIQUES.
LA CHANSON DE GIRART DE ROUSSILLON.
PREMIÈRE CONTINUATION DE PERCEVAL.
LE MESNAGIER DE PARIS.
LE ROMAN DE THÈBES.
CHANSONS DES TROUVÈRES.
LE CYCLE DE GUILLAUME D'ORANGE.
RAOUL DE CAMBRAI.
NOUVELLES COURTOISES.
LE ROMAN D'ENÉAS.
POÉSIE LYRIQUE LATINE DU MOYEN-ÂGE.
MYSTÈRE DU SIÈGE D'ORLÉANS.

Chrétien de Troyes :
LE CHEVALIER DE LA CHARRETTE.
EREC ET ENIDE.
LE CHEVALIER AU LION.
CLIGÈS.

François Villon : POÉSIES COMPLÈTES.
Charles d'Orléans : BALLADES ET RONDEAUX.
Guillaume de Lorris et *Jean de Meun :*
LE ROMAN DE LA ROSE.
Alexandre de Paris : LE ROMAN D'ALEXANDRE.
Adam de la Halle : ŒUVRES COMPLÈTES.
Antoine de La Sale : JEHAN DE SAINTRÉ.
Louis XI : LETTRES CHOISIES.
Benoît de Sainte-Maure : LE ROMAN DE TROIE.
Guillaume de Machaut : LE LIVRE DU VOIR-DIT.
Marco Polo : LA DESCRIPTION DU MONDE.
Christine de Pizan : LE CHEMIN DE LONGUE ÉTUDE.
Rutebeuf : ŒUVRES COMPLÈTES.
Froissart : CHRONIQUES.
Philippe de Commynes : MÉMOIRES.
Joinville : VIE DE SAINT LOUIS.
Jean d'Arras : LE ROMAN DE MÉLUSINE.
René d'Anjou : LE LIVRE DU CŒUR D'AMOUR ÉPRIS.

LETTRES GOTHIQUES

Collection dirigée par Michel Zink

Chrétien de Troyes

LE CONTE DU GRAAL

ou

LE ROMAN DE PERCEVAL

Edition du manuscrit 354 de Berne, traduction critique,
présentation et notes
de Charles Méla

LE LIVRE DE POCHE

REMERCIEMENTS

Toute notre reconnaissance aux bibliothécaires de la Burger-bibliothek de Berne et à M. Christoph von Steiger, conservateur des manuscrits : leur courtoisie, leur bienveillance et leur dévouement ne purent qu'ajouter au plaisir des lieux.

Olivier Collet, assistant de langue médiévale à l'Université de Genève, a mené à bien avec la meilleure diligence l'exécution matérielle de notre texte. Tâche « cléricale », combien ingrate, mais qui exige autant d'intelligence que d'abnégation. A laquelle a aussi collaboré, généreuse de son temps et de sa peine, Colette Isoz, secrétaire du département de Langues et Littératures françaises et latines du Moyen Age, de la Faculté des Lettres.

Puisse tout fervent lecteur de Chrétien de Troyes se joindre à nous pour leur en savoir chaleureusement gré !

Charles Méla, né en 1942, ancien élève de l'Ecole Normale Supérieure, agrégé des Lettres classiques et docteur d'Etat, est professeur ordinaire de littérature française médiévale à l'Université de Genève.

Il est l'auteur de deux ouvrages aux éditions du Seuil, *Blanchefleur et le saint homme, ou la semblance des reliques. Etude comparée de littérature médiévale*, Paris, 1979 (Connexions du Champ freudien) 125 p. et *La Reine et le Graal. La Conjointure dans les romans du Graal, de Chrétien de Troyes au Livre de Lancelot*, Paris, 1984, 480 p., ouvrage couronné par l'Académie française en 1985. Coéditeur avec Brigitte Cazelles du Colloque de Stanford, *Modernité au Moyen Age : le défi du passé,* Genève, Librairie Droz, 1990 (Recherches et Rencontres 1, Publications de la Faculté des Lettres de Genève) 316 p.

© Librairie Générale Française, 1990.

ISBN : 978-2-253-05369-9 – 1re publication - LGF

Avant-propos

La légende des siècles a, pour le Moyen Age, laissé dans notre imaginaire la trace de ces deux noms : le Graal, la Table Ronde. Synonymes, l'un, d'une quête spirituelle, l'autre, d'aventures chevaleresques. Le mystère d'une initiation et les brumes d'Avalon. Des récits propres à enchanter notre enfance ou des enseignements ésotériques réservés aux sages. Le tout, aux accents d'une musique wagnérienne et d'un nom germanisé : Parsifal !

Mais, hormis d'anciens souvenirs scolaires, en dépit d'un film d'Eric Rohmer en 1979, et en dehors, bien sûr, du cadre universitaire, qui, dans le grand public, connaît le beau nom de Perceval et celui de son inventeur : Chrétien de Troyes, lequel écrivit cinq romans entre 1160 et 1180 environ et vécut, pour l'essentiel, sous le règne de Louis VII (1137-1180) ?

Mais nous ne brosserons pas ici le tableau d'une époque et d'une œuvre où se mêlèrent, autour de la puissante cité des comtes de Champagne et de la richesse de ses foires annuelles, à la croisée stratégique des grandes routes médiévales, les écoles talmudiques issues du grand Salomon ben Isaac, connu sous le nom de Rachi (1040-1105) ; l'Ordre des Templiers, auquel appartint le comte Hugues de Champagne (1097-1124) ; l'Ordre de Prémontré, dont le fondateur, Norbert, persuada le comte Thibaut (1125-1152), fils du précédent, d'épouser l'Autrichienne Mathilde de Carinthie ; l'exégèse des Pères de l'Eglise, avec le formidable Pierre le Mangeur, doyen du chapitre de la cathédrale Saint-Pierre de Troyes entre 1147 et 1164, mais aussi avec la correspondance échangée sur les plus hautes questions théologiques et littéraires entre le grand humaniste de l'Ecole de Chartres, Jean de Salisbury (ca.1115-1180) et Henri Ier le Libéral qui succéda à Thibaut (1152-1181) ; la parfaite courtoisie d'un art d'aimer et la poésie lyrique des troubadours, grâce à Marie de Champagne, la fille aînée d'Aliénor d'Aquitaine et de Louis VII, le roi de France, qui épousa Henri en 1164 et prit pour chapelain

André de Luyères, auteur d'un Art d'aimer ; la fascination des
légendes arthuriennes, par la voie de l'abbaye de Glastonbury, dont
fut abbé, avant de devenir évêque de Winchester, ce faiseur de rois
que fut Henri de Blois (mort en 1171), l'oncle de Henri le Libéral ;
le mirage de la Terre Sainte et l'élan des Croisades, avec Henri le
Libéral, toujours, parti pour la seconde croisade sur le conseil de
saint Bernard et armé chevalier en 1147 par l'empereur byzantin
Manuel Comnène ; avec Philippe d'Alsace surtout (1142-1191), le
puissant comte de Flandre, autour de Bruges, entre l'Empire et le
royaume, dont le père fit quatre voyages en Terre Sainte et en ramena
en 1146 la relique des gouttes de sang du Christ, occasion d'une
procession célèbre à Bruges, et qui lui-même rencontra à Saint-Jean-
d'Acre en 1177 son cousin Baudoin IV, le roi lépreux, refusa la
régence du royaume latin de Jérusalem et mourut en vue de Saint-
Jean-d'Acre au cours de la troisième croisade, celle de Frédéric
Barberousse et de Richard Cœur de Lion ; la haute politique, enfin,
puisqu'Adèle, la sœur de Henri le Libéral, la onzième enfant de
Mathilde, fut la troisième femme de Louis VII et la mère de Philippe
Auguste, et que Philippe d'Alsace, après avoir donné asile en 1164
à l'archevêque de Canterbury en fuite, saint Thomas Beckett, devint
en 1178 tuteur, précepteur et parrain, pendant sa minorité, du futur
roi de France, Philippe Auguste et, de fait, le régent officieux du
royaume, et qu'en 1182, il chercha, en vain, à épouser Marie de
Champagne devenue veuve.

Notre ambition pour le présent ouvrage ? Donner enfin au plus
grand nombre accès à l'un des tout premiers chefs-d'œuvre de notre
littérature et renouveler, si possible, par la fraîcheur toute moderne
d'une traduction, le plaisir, jamais innocent, qu'on prend à lire un
roman. Mais avec le texte en regard, par respect d'une langue qui fut
belle et artistement travaillée, et aussi une préface, difficile, qu'on
lira donc après coup, pour qu'on sache les enjeux de réel sur lesquels
mise l'expérience littéraire. Nous faisons nôtre, ici, cet extrait d'une
page de Michel Leiris :

> « Sonner du cor, demander l'accès de ce château où vous attend
> une épreuve qui peut être aussi bénigne, en apparence, qu'une
> partie d'échecs avec la Dame du lieu, alors qu'elle n'engage
> guère moins qu'affronter la Gorgone ou répondre à la question
> du Sphinx. » (*Frêle bruit*, p. 324)

Plus simplement, que le lecteur garde en mémoire que nous
viennent de l'époque et de l'œuvre de Chrétien de Troyes ces deux
mots dont notre langue et notre culture ne peuvent plus se passer :
le « roman » et la « courtoisie ».

Préface

Pour Pascale

J'ai rêvé la nuit verte aux neiges éblouies
(Rimbaud, *Le Bateau ivre*).

Qu'une blanche fleur s'illumine de rouges merveilles ou que la nuit s'enlumine d'or dans le soleil du Graal, la grande clarté qui soudain a jailli n'est pourtant jamais venue au jour de la parole, puisque l'âme de Perceval obstinément s'est faite obscure. L'enfant, inconscient, a préféré dans son orgueil s'approprier le pouvoir de l'Ange plutôt que d'être, dans la piété, comme l'Ange qui contemple le Dieu invisible (saint Augustin, *La Trinité*, VIII, VII, 11). Car il s'agit de voir, mais avec d'autres yeux que ceux du corps. Tout ce qui brille n'est pas or, tout habit de lumière ne peut être pris pour Dieu, mais tout est correspondance. Quand paraît l'astre vermeil, il figure « l'or riant » d'une renaissance tout intérieure, promise à ceux qui sont allés au bout de leur nuit attendre là-bas, en Avalon, dans les îles fortunées de l'Occident extrême, la révélation de cet autre soleil qui vit caché, soleil nocturne et impossible dont le feu mêlé à l'eau empourpre l'émeraude, le soleil osiriaque de l'Eternité retrouvée :

C'est la mer allée
Avec le soleil
(Rimbaud, *l'Eternité*).

A moins d'avoir acquis cet autre regard (Plotin, *Ennéades*, I, 6, 8), comment s'arracher aux jouissances de l'apparence pour passer de l'autre côté, dans la chambre où vit, mystérieusement spirituel, l'autre roi du Graal, le vieux père du Riche Roi Pêcheur ? Il y faudrait cette conversion au

Maître intérieur que saint Augustin, après saint Paul, requiert
en préalable pour que fasse sens ce qui se voit ou s'entend.
Mais le chevalier errant, « s'efforçant tout au dehors, déserte
l'intérieur qui est sien, à l'intime duquel est Dieu » (saint
Augustin, *ibid*). Ainsi s'éclairent le cours étrange des
aventures comme la construction déconcertante du roman
médiéval. Rien n'y est insignifiant. L'insu que le héros porte
en soi depuis les origines (de l'homme, de lui-même, de sa
lignée) resurgit du dehors à ses yeux, tandis qu'il croit
marcher à l'aventure, et prolifère en autant de semblances,
dont la diversité ou le contraste figurent à l'envi la butée sur
une même énigme. Pas ou peu de psychologie des
personnages, dès lors cantonnés à leur valeur de figures ou
de fonctions; mais c'est justement le roman tout entier qui
participe de l'expression d'une psyché qui s'ignore ou se
trouve.

Une « veuve dame », qui vivait retirée, apprend un jour à
un fils subjugué par la vision de chevaliers rencontrés en forêt
quelles furent l'infirmité, puis la mort de son père. Comme
il n'en veut rien savoir de plus, il se retrouve homicide d'un
chevalier aux armes rouges et parvient, plus tard, au Château
du Graal où l'attend le spectacle d'une Lance qui saigne et
d'un roi infirme. Un détail, toutefois, suffit à faire de ce père
absent du récit le revenant qui hante la scène tout entière : le
Roi Pêcheur a été, comme le père, mutilé *entre les hanches*,
mais l'arme qui le frappa fut un *javelot*, comme celui dont
mourut le Chevalier Vermeil, auquel Perceval s'identifiait
sitôt après l'avoir tué et avoir revêtu ses armes. Au lecteur de
suivre ces retours du même entre des scènes tout autres, voire
sans rapport, s'il ne veut être « indiligent » ni s'égarer
derechef dans la forêt des aventures ! Ainsi, l'épisode du
Château du Graal est-il encadré par deux visions amoureuses
d'une fraîche couleur vermeille enluminant le visage de
blancheur de la femme aimée. Mais, la seconde fois, c'est par
métaphore : trois gouttes de sang mêlées à la neige rappellent
aux yeux éblouis de Perceval l'éclat du visage naguère
entrevu. Si le phénomène concentre en lui l'essence de l'art
d'amour, si le sang sur la neige est devenu la « semblance »
de Blanchefleur, il fallait aussi bien lire sur son visage de
merveille le secret de la Lance de « sang, blanc(h)e », au
château de tous les mystères. L'énigme du Graal est comme

portée par un mystère d'amour. Tel est le sens de ce qui s'écrit avec le sang sur la neige.

Dans le labyrinthe des aventures, le fil d'Ariane propre à nous guider prend ainsi corps d'une lettre enluminée dont le récit s'éclaire, d'une seule touche de vermeil posée sur fond d'argent. Il s'ensuit que la place d'un épisode dans l'ensemble décide de son sens, d'autant plus qu'elle surprend. Les révélations de l'ermite à Perceval sur la scène invisible où l'on fait le service du Graal à l'Autre Roi qui vit en esprit, s'inscrivent en plein cœur des aventures en terres enchantées que traverse Gauvain, le neveu du roi Arthur, l'autre héros du roman, mis en miroir de Perceval. Tandis que l'eau des larmes que celui-ci verse en repentir rappelle et efface en même temps les larmes de sang que pleurait la Lance, pour réunir enfin dans le mystère eucharistique du temps pascal l'eau et le sang que la Lance (de Longin) fit jaillir de la plaie de Jésus-Christ, Gauvain reparti en Avalon par delà maintes pauvres terres et revenu en quête d'une Lance, digne des Temps Derniers, qui, dit-on, détruira le royaume, s'enfonce toujours plus avant, prisonnier de charmes ou d'injonctions, dans un Autre Monde bordé de mer et de rivières profondes, jusqu'au pays sans retour où règnent, le temps aboli, d'étranges reines mortes, les Mères.

Est-ce une façon d'opposer à la Vie éternelle les sortilèges de l'apparence et le monde illusoire du sensible à la révélation spirituelle? Mais, chez les auteurs médiévaux, les merveilles celtiques, dont s'inspirent tous les romans arthuriens, composent autrement avec les lectures bibliques. Que le monde de la mort soit enchanté, que sa féerie soit maternelle ou sororale signifie bien plutôt l'attente d'une autre gestation, d'une plus profonde métamorphose qui s'apparente à une nouvelle naissance. La foi en la *Résurrection*, à laquelle l'ermite a rappelé le cœur de Perceval, s'harmonise avec l'œuvre d'une transmutation. La certitude qu'au terme les puissances de la mort ne prévaudront pas convie à une *renaissance*, dont la charge incombe à tout sujet. Subtil partage entre la voix du père et la voie des mères! La Loi a garanti le sens; encore faut-il que chacun meure à la mort pour naître à la vie nouvelle.

Perceval quitte une mère, parce que le drame du père préside à sa destinée. Gauvain repart, incriminé du meurtre d'un père en Avalon, pour s'enchaîner aux séductions des

Mères. Tel est le chiasme du *Conte du Graal*. Reprenons-en
autrement la lecture.

*

La première énigme des scènes du Graal tient au spectacle
d'une Lance qui saigne en présence d'un roi « mehaigné »,
comme si l'étrange puissance de l'une se détachait du fond
d'impuissance et d'impotence de l'autre. Or, la Lance au sang
vermeil permet d'organiser en série : les chevaliers rencontrés
en forêt, les armes du Chevalier Vermeil et les diverses figures
d'orgueil (l'Orgueilleux de la Lande, Clamadieu), qui tirent
elles-mêmes leur origine des « Iles de la mer » dont le père du
héros fut le plus prestigieux chevalier. A lecture attentive, en
effet, se recoupe en réseau l'ensemble signifiant formé des
récurrences de *lance, vermeil, îles de la mer, orgueil*. C'est à
quoi le jeune Gallois, ignorant de son nom, primitivement
s'identifie : les insignes du père.

Mais, on l'a vu, le père se représente aussi à travers la
blessure du roi *mehaigné* (hanches, terre *gaste*), le javelot
servant à relier ses deux « semblances » : celle du Chevalier
Vermeil, celle du Roi Pêcheur. La mise en regard de la Lance
et de l'infirme signifie que le maléfice que la parole seule doit
rompre : ce qu'on attend de Perceval, parvenu, dans
l'ignorance, au lieu où la réponse se sait, n'est plus affaire
d'arme, mais d'une question à poser pour restaurer le roi dans
son intégrité, sa puissance et sa gloire. Il y aurait du même
coup appris son identité et l'histoire de son lignage. En clair,
il eût fallu mettre en fonction le Nom du père en ces lieux
investis par l'image maternelle (le péché de la mort de sa
mère, l'oncle maternel), mais c'eût été au prix de reconnaître
son « péché » (voir la tradition incestueuse du « silence ») et
d'avoir renoncé à la fascination initiale des armes.

Dans ce passage de ce qui fait insigne à ce qui ferait sens,
une autre dichotomie se présente, non plus à partir de ce père
qui fut le Chevalier des Iles de la mer, mais du Riche Roi
Pêcheur, son proche parent : ses cheveux grisonnants le
vieillissent d'une génération, mais l'arbre généalogique le
place au même étage que Perceval, son cousin germain.
Façon de dire que sa blessure regarde le héros et que le Coup
félon dont un père fut meurtri exige un jour ou l'autre le Coup
en retour qui doit traverser le jeune inconscient (le *nice*). D'où

le symbole de l'épée qu'on lui destine et qui se brisera au fort du péril (ici, à l'arrière-plan, se devine le cycle plus archaïque du Forgeron mythique et de la vengeance du père). D'où la surgie d'une figure de cauchemar, la Demoiselle Hideuse, humiliant en public le héros pour que son errance emporte désormais la nuit du malheur.

Mais le Roi Pêcheur regarde aussi du côté de l'invisible, là où survit le vieux roi, le frère de la Veuve Dame, par le mystère de « l'hoiste », l'hostie consacrée sans doute, mais plus secrètement, par jeu de mots, dans ce « plat à poissons » qu'est un graal, l'*ostrea* (l'huître), dont le coquillage avait fourni aux anciens l'*ostrum*, la pourpre éclatante pour teindre les étoffes (cf. R. Lejeune, dans *Studi Medievali*, XVII, II, 1951, p. 15 et Ovide, *Métamorphoses*, X, 211-213). Saint Isidore de Séville lui consacre un lumineux commentaire dans ses *Etymologies*, XIX, 28, 2-4, et Geoffroi de Vinsauf la mentionne en décrivant un repas dans sa *Poetria Nova* (v. 635). Aussitôt s'évoque le merveilleux rouge tyrien de l'universelle teinture des alchimistes, comme une lumière purpurine qui laisse à deviner dans le couple formé par le vieux roi et le jeune élu le mystérieux échange par lequel le vieil homme renaîtrait dans le jeune roi destiné au Graal. L'incrédule le vérifiera aisément, s'il consent à casser l'écorce de certains mots ou de certains noms, comme celui de « Guinganbrésil » ou de la « Roche de Sanguin », puisque teindre « en bresil », c'est-à-dire en rouge, c'est aussi bien ce qui se pratique au Palais des Reines sur « maint bon drap vermeil et sanguin ». Dès lors se mettent en perspective ces couples formés d'un frère et d'une sœur : Veuve Dame et Roi du Graal, le beau roi d'Avalon (en miroir à Gauvain) et sa sœur amoureuse, Gauvain lui-même et Clarissant ou Clariant (Clair riant), sa sœur au Palais des Merveilles. Célébrerait-on, à l'abri du profane, les Noces Chimiques, renouvelées, des Luminaires célestes, Soleil et Lune, Or et Argent, qui se donnent à lire dans la description de la grande clarté du Graal au passage du cortège et à quoi Gauvain et Lunete dans un autre roman de Chrétien, le *Chevalier au lion,* nous avaient préparés ? A la castration du Coup en retour répond, au plus intime, la transmutation par le Grand Œuvre.

Mais il y faut une condition amoureuse, qu'incarne celle dont le visage détient tous les secrets du Graal, Blanchefleur. Elle est ce qui fait *signe*, au point de fracture qui, pour le sujet, fait *sens* : signe d'amour, une fois intériorisé dans le repentir le sens de la Loi, par la renonciation aux *insignes* de la puissance. Véritable « fée amante », telle la Demoiselle du Pavillon, dans la tradition de la Matière de Bretagne, elle porte sur fond nocturne et maternel de désolation et de « terres gastes », les couleurs vives de la scène du Graal. Aussi bien sa silhouette se dessine-t-elle à travers l'apparition de la Porteuse du Graal qui personnifie la Royauté promise à l'élu. Il s'agit là du vieux fonds irlandais des récits de la Souveraineté, mis en lumière par les analyses de G. Dumézil (*Mythe et Epopée*, II, 331 ss), où la fille du Roi du Monde transmet à qui l'épouse « la gloire royale » (le *xvarnah* iranien), synthèse des trois fonctions sociales (sacrée, guerrière, féconde) nécessaires à la réussite du règne. Le mythe lui donne tour à tour le double visage d'une sorcière hideuse et de la plus belle des fées, à quoi fait écho, dans le *Le Conte du Graal*, l'infernale figure de la Laide Demoiselle venue accabler Perceval. Les récits du *Bel Inconnu* en témoignent : le héros épouse Celle qui le fait roi, quand il a su, pour l'approcher, dissoudre les monstres qui lui reviennent de ses terreurs. A ce titre, elle est la Femme, qui n'existe pas, sinon à travers ce qu'en retient, dans l'ordre symbolique, le nom royal d'un père. Mais celui-ci est en défaut dans l'histoire de Perceval et le récit en mesure les conséquences ravageantes jusque dans le déchaînement annoncé de la Lance fatale au royaume des hommes, où se pressent confusément la mort du roi Arthur.

Cependant le schéma trifonctionnel de la « Sorcière Souveraineté » n'épuise pas la signification de Blanchefleur. Une même beauté, une même vêture, parées des mêmes couleurs, illuminent la fin du roman, quand apparaît aux yeux de Gauvain la merveille de Clariant, sa sœur. Comment interpréter une telle lumière au pays de la mort ? La triade féminine qui préside en effet à l'ultime aventure de Gauvain : l'aïeule, la mère, la sœur, évoque irrésistiblement les trois femmes du Destin, les trois Parques : la mère, l'amante, la mort, qui scandent aussi bien toute la vie de Tristan (Yseut la mère, Yseut la blonde, Yseut aux blanches mains). Pourtant, comme avec Cordélie, de Wace à Shakespeare, sur laquelle s'interrogeait Freud, ce n'est plus la mort qui clôt la série. La pâleur du plomb inaugure bien plutôt la matière du Grand Œuvre, en puissance de l'or de la régénération intérieure. La jeune fille amoureuse substituée à Atropos dans la série fatale ne ressortit plus au schéma mythologique des trois femmes du Destin (Clotho, Lachesis, Atropos). Elle ne se réduit pas non plus à la signification du schéma trifonctionnel de la Souveraineté (Héra, Pallas, Cypris), même si elle en renouvelle la promesse. Du côté indo-européen, il faudrait plutôt en appeler à l'autre schéma, eschatologique, du désastre final qui prélude au renouveau du monde (cf. *La Mort le roi Artu*). Mais l'équivoque qui confond, un instant, dans l'aura des mères, l'épouse-amante et la sœur suggère la présence d'un autre modèle, isiaque, de la déesse qui est tout ensemble mère, sœur et épouse pour la naissance d'un nouveau soleil riche de tous les savoirs (Osiris). Scénario alchimique de l'inceste du frère et de la sœur, de Gabertin, l'homme rouge (Soufre) et de Beya, la blanche (Mercure), pour que ressuscite le fils du Roi, selon la Vision d'Arisleus dans le célèbre traité alchimique de la *Turba Philosophorum* ou « Synode des Philosophes » (texte arabe du Xe siècle, traduit et assimilé au XIIe siècle). Les sceptiques gagneront ici à relire la mort et la résurrection de « Fenice » (le Phénix) dans la Tour de Jean à la fin du roman de *Cligès*, ou la description de l'étrange fontaine d'émeraude et de rubis en Brocéliande, au début du *Chevalier au lion*.

L'enfermement de Gauvain au Palais des Reines préfigure d'ailleurs la future prison de Merlin, « l'Enchanteur pourrissant », amoureux de Niniane, la Dame du Lac. Les aventures du neveu d'Arthur, « soleil de la chevalerie » brillant dans les palais de verre des profondeurs marines ou lacustres, tendent en symétrie inverse leur miroir d'eau et de lumière à celles de Perceval : Sœur d'Avalon et Demoiselle du Pavillon, Méliant de Lis et Clamadieu, Orgueilleuse Pucelle et Orgueilleux de la Lande, Palais des Merveilles et Château du Graal, Guinganbresil et Messagère Hideuse. Le non-dit du Gallois resurgit en autant de souillures sur le chemin de Gauvain : l'homicide d'un père tué en trahison, la coupable luxure en Avalon ou en Galvoie. Mais l'errance est ici porteuse de « l'espoir breton » et de l'attente messianique d'une délivrance du pays des morts : il suffirait qu'un homme, prédestiné, pût enfin renaître, « plus vermeil que le soleil quand il paraît à l'Orient » (Or-riant), par la grâce d'une blanche fleur, à sa vérité intérieure.

*

Le roman, par la mort de Chrétien, selon la tradition que rapporte Gerbert de Montreuil, l'auteur de la *Troisième Continuation de Perceval*, s'interrompt pourtant. Pouvait-il en être autrement, quand son auteur forçait le destin en rejouant interminablement son œuvre entière au soir de sa vie ? « Tintagel », en souvenir de l'histoire de Tristan récrite dans *Cligès* ; « Avalon » (Escavalon, Escalibur), obsession sous-jacente à l'aventure du *Chevalier au lion*, Yvain, le fils de la fée Morgain ; le Verger et la compagnie de la Mauvaise Pucelle, en écho au Verger de la Joie et à la chevauchée d'Enide dans *Erec et Enide* ; la « Borne de Galvoie », aux frontières du pays dont nul n'est jamais revenu, à l'instar de Lancelot, parti dans l'humiliante *charrette* jusqu'au royaume de Gorre (l'Ile de Verre).

Tandis que l'ermite révèle à Perceval (qui l'avait pourtant vu « à découvert ») l'autre face, invisible, purement spirituelle du Graal, Gauvain explore au pays de toutes les féeries l'envers d'épouvante et d'horreur de la Merveille. Telles furent, réinventées par Chrétien dans son œuvre ultime, les Portes du Songe d'une nouvelle Psyché, à l'entrée du Palais, « d'ivoire et d'ébène, illuminées d'or et de gemmes ».

Si l'ombre s'est refermée sur les visions et que le silence finisse par prévaloir, c'est aussi bien que la vérité ne peut pas toute se dire, « car il n'est raison que nul n'en fasse mémoire, ne dise ni n'entende pareille joie d'amour, s'il n'en vit lui-même l'attente » (*La Châtelaine de Vergi*, v. 436 ss).

Colorless green ideas sleep furiously
(N. Chomsky, *Syntactic Structures*, 1957).

Argument du *Conte du Graal*

Un sauvageon s'arrachant à sa mère, sitôt apparus des chevaliers en habits de lumière, déshonorant en chemin une demoiselle surprise dans la féerie de sa tente, puis meurtrier d'un chevalier dont il convoite les belles armes vermeilles, tel se présente à la cour du roi Arthur, à Carlisle-en-Galles, l'élu que désigne la prophétie.

Il s'initie aux armes, puis à l'amour, en triomphant des meilleurs, mais, un soir, dans un château surgi de nulle part, à la vue des « merveilles », il reste muet.

Le voici maudit, cependant que, partis à sa recherche, le roi Arthur et Gauvain, son neveu, le plus célèbre des chevaliers de la Table Ronde, le comblent d'honneurs.

Et il s'efface du récit, en quête des impossibles merveilles, avant de trouver son chemin de Damas, bien plus tard, un Vendredi Saint, auprès d'un saint homme d'ermite qui lui apporte des révélations religieuses et familiales.

Dans l'intervalle, Gauvain est entré en aventure : humilié, il brille dans un tournoi, au service d'une toute jeune demoiselle ; accusé de meurtre par trahison, il file le parfait amour avec celle dont il a tué le père.

Après quoi, il s'engage par des voies sans retour dans des terres toujours plus étranges où l'entraîne une demoiselle mauvaise et le guide un passeur de l'Autre Monde : s'y entrecroisent les sourires des Mortes, les Enchantements du destin et les figures de l'amour.

Remarques sur la présente édition

Pourquoi une nouvelle édition et selon quels principes ?

Il existe, en effet, l'indépassable édition critique d'Alfons Hilka, de 1932, sur la base du manuscrit français 794 de la B.N., accompagnée de presque toutes les variantes de tous les manuscrits (au nombre de 15), puis deux éditions fondées sur un seul manuscrit : de William Roach, en 1959 (2e éd.), d'après le manuscrit français 12576 de la B.N. (T) ; de Félix Lecoy, en 1972 (t. I) et 1975 (t. II), d'après la célèbre copie de Guiot (A). Toutefois, l'œuvre maîtresse de la littérature médiévale du XIIe s. mérite à ce titre que d'autres témoins importants de sa tradition manuscrite soient à leur tour accessibles.

Pour les études de langue d'abord : le manuscrit A est en dialecte *champenois* (le pays de Chrétien de Troyes) ; le manuscrit T est de coloris *picard*, le plus proche de la langue littéraire commune alors en usage (le francien-picard); le manuscrit 354 de la Bibliothèque de la Bourgeoisie de Berne (B) a été copié dans un atelier *bourguignon*, dans la première moitié du xive s.

Cette diversité dialectale est précieuse pour l'éditeur des textes médiévaux: la valeur d'un manuscrit, le choix d'une meilleure leçon ne se déterminent plus seulement dans un rapport à l'archétype suivant un tableau généalogique (le *stemma*), qui classe les différentes familles d'après leurs fautes communes. Au reste, pour le *Le Conte du Graal*, aucun classement satisfaisant ne parvient à s'imposer; la tradition, étudiée par A. Micha, en est trop complexe et brouillée par l'enchevêtrement successif des groupes repérés (dû, peut-être, au mélange des cahiers de quatre feuilles, ou « quaternions », distribués aux copistes au fur et à mesure de leur travail). Mais, comme l'a finement montré J. Rychner sur le recueil de Berne, à côté de la passivité des fautes, certaines innovations témoignent d'un travail intentionnel, d'une volonté éditoriale propre à des ateliers qui servent de « relais sur les chemins de la littérature » et relancent les œuvres à l'adresse de nouveaux publics, dans de nouvelles régions. D'où l'hypothèse d'un chef d'atelier ou d'un préparateur distinct des scribes, qui préalablement à la copie a procédé à ce travail sur le texte pour adapter sa langue et son lexique à la compréhension d'un public bourguignon.

On voit aisément ce que gagne le philologue à introduire ce point de vue géolinguistique dans son rapport au texte original: une saisie plus fine des variantes, une chance supplémentaire d'argumenter la bonne version. L'historien peut, quant à lui, en tirer parti pour documenter une théorie de la réception.

Aux yeux du littéraire, enfin, le choix des pièces d'un recueil n'est plus, dans ces conditions, indifférent: la première partie du ms. de Berne compose ainsi « toute une petite bibliothèque d'œuvres le plus souvent courtes des xiie et xiiie siècles » (J. Rychner), une majorité de fabliaux, des poèmes satiriques sur professions et états, des pièces allégoriques (la *Voie d'Enfer*, la *Bataille d'Enfer et de Paradis*), morales et religieuses (*Marcoul et Salomon*, les *Quinze signes de la Fin du Monde*), des récits bretons (*Cort Mantel*, *Folie Tristan*, les aventures de Gauvain: le *Chevalier à l'épée*, la

Mule sans frein) et, encore, une version en prose du roman des
Sept Sages de Rome. Quelles affinités président à un tel
rassemblement, selon quelle ordonnance ? Pourquoi mettre
en regard de ces textes courts le plus long des romans de
Chrétien, un récit dont le héros prête d'abord à sourire mais
s'élève aussi aux plus hauts enseignements religieux ? etc.

Le manuscrit de Berne mérite donc à plus d'un titre
l'attention des éditeurs. Oublierait-on qu'il fut jadis la
propriété de l'imprimeur et humaniste Henri Estienne (1528-
1598), qui a écrit son nom au recto du premier folio ? Ce
florilège médiéval devait paraître significatif. Mais il offre,
avec *Le Conte du Graal*, un ultime intérêt, qui n'est pas le
moindre.

Nous avons, en effet, découvert que cette partie du
manuscrit, à l'instar de celle étudiée par Jean Rychner à
propos des fabliaux, n'est pas d'une seule main. A côté d'un
premier copiste auquel on doit les six premiers cahiers (ff.
208-255), les septième et huitième cahiers (ff. 256-271) se
distinguent : le changement d'écriture est à peine perceptible
(par exemple la forme du *s*, la confusion désormais entre *n*
et *u* ou encore une légère variation dans la notation abrégée
du *et*), mais certaines abréviations ne répondent plus aux
mêmes habitudes (*cū* au lieu de la note tironienne ⁊ ; *gn̄t* au
lieu de *gnt* avec *a* suscrit) ; surtout, l'adversatif s'écrit *mas*,
non plus *mais*, et on note une fois la forme *segure* pour *seüre*
(fol. 264 vb) et *sigre* pour *sivre* (fol. 267 ra), formes non
relevées par Hilka aux vrs 6866 et 7151 respectivement (mais
cf. *seguremant, ibid.*, v.3170, var.). Autre particularité :
Dameldex, au lieu du précédent *Damedex*. On sait que *a* pour
français *ai* se rencontre dans les parlers de la Bourgogne
occidentale (Auxois, Châtillonnais, cf. Philipon, *Romania*,
41, 578). *Mas* pour *mais*, qui caractérise le second copiste,
permettrait donc aussi de préciser la localisation en Basse-
Bourgogne. *Segur* et *sigre* en appelleraient plutôt, il est vrai,
au franco-provençal (cf. *Girart de Roussillon* et FEW, XI :
segur en lyonnais), mais ces formes, attestées ailleurs, ont très
bien pu voyager. On retrouve le premier scribe au neuvième
cahier (ff. 272-279), avec les mêmes habitudes de réclame et
de numérotation en fin de cahier que pour les cahiers 2 à 6,
ainsi qu'au début du dixième (fol. 280 r). Mais le verso du fol.
280 comporte deux graves lacunes (58 vers), la tradition se
brouille, puis les ff. 281-283 r sont de la main du second

copiste (avec le retour de la forme *mas*; toutefois deux lacunes de 12 et 8 vers). Le verso de l'ultime feuillet semble en revanche de la main du premier dont l'écriture est, d'ailleurs, de belle venue.

Sans doute est-il émouvant de sortir ainsi de l'oubli un copiste méconnu (appelons-le B4!), mais l'essentiel est ailleurs. Contrairement à ce qui a été soutenu, le texte offert par le ms. B est dans l'ensemble beaucoup moins proche de la copie de Guiot (A), qu'il ne l'est de T, édité par W. Roach (sans en avoir le passage interpolé sur l'épée brisée). A l'évidence, il disposait d'un modèle excellent, attestant la supériorité de ces versions sur le ms. 794. Plus: T et A ont des leçons communes dont B se sépare à son avantage (on relèvera d'après Hilka certains groupements variables BFLMRSU contre T et A). Sa tradition serait-elle alors la plus voisine de l'original (cf. la leçon «boissel» de BCFMQ au lieu de «bacin» des mss. T et A au v. 6506 de l'éd. Hilka)? Le patron médiéval de l'entreprise bourguignonne aurait-il su se procurer l'un des meilleurs textes (B est le seul, avec A, à clore la copie là où Chrétien avait laissé son œuvre inachevée)? Malheureusement, le premier copiste est assez médiocre. A l'inverse, le second est, tout au long des cahiers 7 et 8, remarquable de scrupule et d'exactitude (quand il lui arrive d'intervertir deux vers, il le note soigneusement en marge par *b* et *a*). Dès lors, le ms. de Berne offrirait pour *Le Conte du Graal* le vestige d'un des plus fidèles modèles de la tradition et, pour les cahiers 7 et 8, peut-être le meilleur texte existant (très proche, au reste de l'édition critique de Hilka!).

Cette réunion d'un bon et d'un moins bon copiste travaillant sur le même modèle, dans le même dessein d'adapter au Sud-Est du domaine d'Oïl le chef-d'œuvre du roman médiéval, encourage l'éditeur moderne à ne plus s'asservir à son manuscrit de base, mais à oser le corriger même lorsque le texte fait sens, s'il le fait pauvrement au regard d'autres témoins de la tradition:

« Nous devrions nous souvenir que, lorsque nous disposons des moyens de la critique, respecter le copiste, c'est bien souvent mépriser l'auteur. Entre l'un et l'autre pourtant, notre choix ne devrait plus balancer » (Jean Rychner, « La critique textuelle de la branche III du *Roman de Renart* et l'édition des textes littéraires français du Moyen Age »).

Ainsi s'éclaire et se justifie le parti de la présente édition :

1. Offrir au lecteur le texte du ms. B, purgé des fautes grossières dont la raison est évidente (même si le sens est rattrapé), en exploitant sa grande proximité avec le ms. T.

2. Reporter en bas de page les leçons rejetées pour témoigner de l'état réel de la copie conservée. Dans le même souci, nous avons reproduit en lettres grasses les initiales ornées du ms., même si, pour le sens, elles ne viennent pas à la meilleure place, et limité chaque page à une seule colonne (en général 30 vers) d'un feuillet (soit 4 pages pour un feuillet recto-verso).

3. Indiquer enfin dans la partie inférieure de l'apparat critique le texte de l'édition critique de Hilka, chaque fois qu'un sens insuffisant appelle une meilleure leçon ou qu'une lacune doit être comblée ou lorsque la comparaison fournit une variante littérairement intéressante, sans qu'on puisse cette fois décider de ce que devait être l'original de l'auteur.

4. Présenter en regard une « traduction critique » (selon une expression de Madeleine Tyssens), qui soit fidèle à l'auteur plutôt qu'asservie à son copiste, faute de pouvoir sans artifice reconstituer le texte premier. Pour que Chrétien revive, sans plus être « méhaigné » !

L'établissement du texte

Le *Perceval* est conservé dans quinze manuscrits :

A   Paris, Bibliothèque Nationale, fonds français 794.
B   Berne, Burgerbibliothek, 354.
C   Clermont-Ferrand, Bibliothèque Municipale, 248.
E   Edimbourg, National Library of Scotland, 19.1.5.
F   Florence, Biblioteca Riccardiana, 2943.
H   Londres, Herald's College, Arundel 14.
L   Londres, British Museum, Additional 36614.
M   Montpellier, Bibliothèque de la Faculté de Médecine, H. 249.
P   Mons, Bibliothèque Publique, 331/206.
Q   Paris, Bibliothèque Nationale, fonds français 1429.
R   Paris, Bibliothèque Nationale, fonds français 1450.
S   Paris, Bibliothèque Nationale, fonds français 1453.

T   Paris, Bibliothèque Nationale, fonds français 12576.
U   Paris, Bibliothèque Nationale, fonds français 12577.
V   Paris, Bibliothèque Nationale, nouvelles acquisitions françaises 6614.

On retrouvera ces sigles en bas de page. Nous n'avons pas su nous résigner au manuscrit de base, même corrigé de ses non-sens, mais nous n'avons pas voulu proposer à la place un texte de toutes pièces reconstruit, tandis que les textes réels en seraient réduits à fournir des variantes. D'où l'idée de renverser simplement le dispositif : en bas, les éléments pour une reconstitution, tirés du texte de Hilka ou de son apparat critique ; au centre, le texte de notre manuscrit, dont la qualité est cependant relevée par des corrections signalées en première ligne de notes, suivant ses affinités de groupe, chaque fois que la leçon fautive ou faible est isolée ou que s'explique une faute commune.

La traduction

Les deux précédentes traductions, de L. Foulet, puis de J. Ribard, sont remarquables. Leur précision vaut souvent un commentaire et nous leur devons, au second surtout, nombre d'heureuses tournures. Fallait-il en tenter une nouvelle ? Mais J. Ribard a conformé la sienne au texte de l'édition de F. Lecoy, qui n'est pas notre manuscrit, ni non plus notre choix pour le texte de Chrétien.

Nous ne chercherons pas ici d'autres effets que voulus, de façon manifeste ou implicite, par l'auteur dans son texte et, s'il le faut, notre style se fera le plus quotidien, puisque notre clerc a parlé leur langue aux laïcs de la cour et précisément celle des dames « bien parlant en langue française » (*La Charrette*, v. 40). Nous bannirons donc toutes les expressions du genre « belle et gente pucelle ». Elles créent un dépaysement factice au détriment de la seule étrangeté qui compte : celle qui est intérieure au texte, quand son langage nous est le plus familier.

Indications bibliographiques

Éditions :

Der Percevalroman (Li Contes del Graal) von Christian von Troyes... herausgegeben von Alfons Hilka, Halle (Saale), Max Niemeyer Verlag, 1932.

Chrétien de Troyes, *Le Roman de Perceval ou le Conte du Graal*, publié par William Roach, Genève, Droz, Paris, Minard, 1959 (2ᵉ édition).

Les Romans de Chrétien de Troyes, édités d'après la copie de Guiot VI. *Le Conte du Graal (Perceval)*, publié par Félix Lecoy, Paris, Champion, 2 vol., 1972 et 1975 (Classiques Français du Moyen Age 100 et 103).

Chrétien de Troyes, *The Story of the Grail or Perceval (Li Contes del Graal)*, ed. Rupert T. Pickens, tr. William W. Kibler, Garland Publishing, New York and London, 1990 (The Garland Library of Medieval Literature, Series A, vol. 62).

Traductions :

Chrétien de Troyes, *Perceval le Gallois* ou *le Conte du Graal*, par Lucien Foulet, Paris, 1947 (Coll. Cent Romans Français), réimprimé Stock, 1978.

Chrétien de Troyes, *Le Conte du Graal*, par Jacques Ribard, Paris, Champion, 1979 (Traductions des Classiques Français du Moyen Age).

Études :

Reto R. Bezzola, *Le Sens de l'aventure et de l'amour* (Chrétien de Troyes), Paris, La Jeune Parque, 1947.

Roger Dragonetti, *La Vie de la lettre au Moyen Age. Le Conte du Graal*, Paris, Seuil, 1980 (Connexions du Champ freudien).

Paulette Duval, *La Pensée alchimique et le Conte du Graal*, Paris, Champion, 1979.

Jean Frappier, *Chrétien de Troyes et le mythe du Graal*, Paris, SEDES, 1972.

Jean Frappier, *Autour du Graal*, Genève, Droz, 1977 (Publications Romanes et Françaises, 147).

Pierre Gallais, *Perceval et l'initiation*, Paris, Editions du Sirac, 1972.

J.C. Gouttebroze, *Qui perd gagne. Le Perceval de Chrétien de Troyes comme représentation de l'Œdipe inversé*, Centre d'études médiévales de Nice, 1983, Textes et Essais.

Jean-Charles Huchet, *Littérature médiévale et psychanalyse*, Paris, P.U.F., 1990, pp. 193-236.

Paule Le Rider, *Le Chevalier dans le Conte du Graal*, Paris, SEDES, 1978, Bibliothèque du Moyen Age.

Claude Lévi-Strauss, *Le Regard éloigné*, Paris, Plon, 1983, (pp. 301-318).

Claude Lévi-Strauss, *Paroles données*, Paris, Plon, 1984 (pp. 129-140).

Jean Marx, *La Légende arthurienne et le Graal*, Paris, P.U.F, 1952.

Charles Méla, *Blanchefleur et le saint homme ou la semblance des reliques*, Paris, Seuil, 1979 (Connexions du Champ freudien), pp. 13-46.

Charles Méla, *La Reine et le Graal*, Paris, Seuil, 1984, pp. 85-105.

Leonardo Olschki, *The Grail Castle and its Mysteries*, Berkeley et Los Angeles, University of California Press, 1966.

Rupert T. Pickens, *The Welsh Knight. Paradoxality in Chrétien's Conte del Graal*, Lexington, 1977 (French Forum Monographs, 6).

Daniel Poirion, *Résurgences*, Paris, P.U.F., 1986, pp. 189-215.

Leo Pollmann, *Chrétien de Troyes und der Conte del Graal*, Tübingen, Niemeyer, 1965 (Beihefte zur Zeitschrift für Romanische Philologie, 110).

Jacques Ribard, *Du philtre au Graal*, Paris, Champion, 1989 (Collection Essais, 12).

Martin de Riquer, *La Leyenda del Graal y temas epicos medievales*, Prensa Española, 1968 (El Soto).

Jacques Roubaud, *Graal-fictions*, Paris, Gallimard, 1978.

Eugene T. Weinraub, *Chretien's Jewish Grail*, Chapell Hill, University of North Carolina Press, 1976.

Jessie Weston, *From Ritual to Romance*, Cambridge, 1920 (rééd. Anchor Books, 1957).

Etudes sur le manuscrit 354 de Berne :

Luciano Rossi, « A propos de l'histoire de quelques recueils de fabliaux. I : Le Code de Berne », dans *Le Moyen Français* 13, 1983, pp. 58-94.

Jean Rychner, « Deux copistes au travail. Pour une étude textuelle globale du manuscrit 354 de la Bibliothèque de la Bourgeoisie de Berne », dans *Medieval French Textual Studies in Memory of T.B.W. Reid*, ed. by Ian Short, London, 1984, pp. 187-218, (Anglo-Norman Text Society Occasional Publications Series n° 1).

Philippe Vernay, *Richeut*, Berne, Editions Francke, 1988 (Romanica Helvetica, 103).

Le Conte du Graal
ou Le Roman de Perceval

208 ra* **Q**ui petit seime petit quiaut   [1er cahier]
         Et qui auques recoillir viaut
         En tel leu sa semence espande
   4   Que fruit a cent doble li rande,
         Car en terre qui rien ne vaut
         Bone semence seiche et faut.
         Crestïens seime et fait semence
   8   D'un romanz que il encommence
         Et si lo seime en sin bon leu
         Qu'il ne puet estre sanz grant preu.
         Il le fait por lo plus prodome
  12   Qui soit en l'empire de Rome,
         C'est li cuens Felipes de Flandres
         Qui miax valt ne fist Alisandres,
         Cil que l'en dit que tant fu boens.
  16   Mais je proverai que li cuens
         Vaut mielz que cil ne fist assez,
         Car il ot an li amassez
         Toz les vices et toz les maux
  20   Don li cuens est mondes et saux.
         Li cuens est tex qu'il n'escoute
         Vilain gap ne parole estoute
         Et s'il ot mau dire d'autrui,
  24   Qui que il soit, ce poise lui.
         Li cuens aime droite jostice
         Et loiauté et sainte yglise

---

* *Miniature initiale d'un semeur, tête encapuchonnée, à cheval.*

Leçons du manuscrit B non conservées:
10. Qui. **22.** escoute.

Variantes de l'édition critique:
11. qu'il. **15.** Qui. **18.** lui.

Qui sème peu récolte peu,
et qui veut avoir belle récolte,
qu'il répande sa semence en un lieu
qui lui rende fruit au centuple !
Car en terre qui ne vaut rien
la bonne semence se dessèche et meurt.
Chrétien sème et fait semence
d'un roman qu'il commence,
et il le sème en si bon lieu
qu'il ne peut être sans grand profit.
Il le fait pour le meilleur homme
qui soit dans l'empire de Rome,
c'est le comte Philippe de Flandre,
qui vaut mieux que ne fit Alexandre,
lui dont on dit qu'il eut tant de valeur.
Mais je prouverai que le comte
vaut bien mieux qu'il ne le fit,
car il avait réuni en lui
tous les vices et tous les maux
dont le comte est pur et intact.
Le comte est ainsi fait qu'il n'écoute
ni laide moquerie ni parole d'orgueil,
et s'il entend médire d'autrui,
qui que ce soit, il en a le cœur lourd.
Le comte aime la vraie justice
la loyauté et la sainte Eglise,

208 rb Et toute vilenie het,
28   S'est plus larges que l'en ne set,
     Qu'il done selonc l'evangile
     Sanz ypocrisie et sanz guile
     Qui dit : ne saiche la senestre
32   Lo bien quant le fera la destre.
     Cil lo saiche qui lou reçoit
     Et Dex qui toz les secrez voit
     Et set toutes les repotailles
36   Qui sont ou cuer et es entrailles.
     La senestre selonc l'estoire
     Senefie la vaine gloire
     Qui vient par fause ypocrisie.
40   Et la destre que senefie?
     Charité, qui de sa boene oevre
     Pas ne se vante, ançois se coevre
     Si qu'il ne la set se cil non
44   Qui Dex et charitez a non.
     Dex est charitez, et qui vit
     En charité, selonc l'escrit
     Sainz Polz ou je lo vi et lui,
48   Il meint an Deu et Dex en lui.
     Don saichiez bien de verité
     Que li don sont de charité
     Que li boens cuens Felipes done,
52   Onques nelui n'en araisone
     Fors son franc cuer lo debonaire
     Qui li loe lo bien a faire.
     Don vaut mielz cil que ne valut
56   Alixandres cui ne chalut

---

28. qu'en. 29. Qui. 31. Dit que. 32. que li. 47. en. 55. qui.

---

31. ta. 32. ta. *Après* 36. *om.* : L'evangile por quoi dit ele / Tes biens a ta senestre cele ? 43. Si que ne. 54. Ne vaut ...?

et il hait toute laideur ;
il est plus généreux qu'on ne peut le savoir,
car il donne sans hypocrisie ni calcul,
conformément à l'Evangile
qui dit : « Que ta main gauche ignore
le bien que fera ta main droite ! »
Que seuls le sachent celui qui le reçoit
et Dieu, qui voit tous les secrets
et qui sait toutes les choses cachées
au fond du cœur et des entrailles.
[Pourquoi dit-on dans l'Evangile :
« Cache tes bienfaits à ta main gauche ? »]
La gauche, dans la tradition,
veut dire l'ostentation
qui vient d'hypocrite fausseté.
Et la droite, que veut-elle dire ?
La charité, qui de ses bonnes œuvres
ne se vante pas, mais qui se cache,
si bien que personne ne le sait,
sinon Celui qui a nom Dieu et Charité.
Dieu est charité et celui qui vit
en charité, comme l'écrit
saint Paul, où je l'ai lu de mes yeux,
demeure en Dieu et Dieu en lui.
Sachez-le donc en vérité,
ce sont des dons qui viennent de charité
ceux que donne le bon comte Philippe.
Il n'en consulte personne
sinon la générosité et la bonté de son cœur
qui l'exhorte à faire le bien.
Ne vaut-il donc pas mieux que ne le fit
Alexandre qui n'eut souci

208 va De charité ne de nul bien.
    Oïl, n'en dotez ja de rien.
    Dont aura bien sauve sa poine
60 Crestïens qui entant et poine
    Par lo commandemant lo comte
    A arimer lo meillor conte
    Qui soit contez en cort reial.
64 Ce est li contes do greal
    Don li cuens li bailla lo livre.
    Or oez commant s'an delivre.
    Ce fu au tans qu'arbre florissent,
68 Foillent bochaische, pré verdisent
    Et cil oisel an lor latin
    Docemant chantent au matin
    Et tote riens de joie enflame,
72 Que li filz a la veve dame
    De la gaste forest soutaine
    Se leva et ne li fu paine
    Que il sa sele ne meïst
76 Sor un chaceor et preïst
    Trois javeloz et tot ensin
    Ors do menoir sa mere issi
    Et pansa que veoir iroit
80 Hercheors que sa mere avoit
    Qui ses avaines li erchoient.
    Bues .X. et .V. erches avoient.
    Ensi en la foret s'en entre.
84 Tot maintenant li cuers do ventre
    Por lo dous tanz li resjoï
    Et por lo chant que il oï

---

57. ne d'autre rien. **68.** Foille. **75.** ne preïst. **76.** et meïst.

---

62. rimoier. **64.** graal. **84.** doze et sis.

de charité ni de nul bien?
Oui, n'en ayez pas le moindre doute.
Chrétien n'aura donc pas perdu sa peine,
lui qui, sur l'ordre du comte,
s'applique et s'évertue
à rimer le meilleur conte
jamais conté en cour royale:
c'est *Le Conte du Graal*
dont le comte lui a remis le livre.
Ecoutez donc comment il s'en acquitte.

C'était au temps où les arbres fleurissent,
les bois se feuillent, les prés verdissent,
où les oiseaux dans leur latin
avec douceur chantent au matin,
et où toute chose s'enflamme de joie:
le fils de la Veuve Dame
de la Déserte Forêt perdue
se leva et de bon cœur
sella son cheval de chasse,
se saisit de trois javelots
et sortit ainsi du manoir de sa mère
en se disant qu'il irait voir
les herseurs qui pour sa mère
hersaient les avoines,
avec leurs douze bœufs et leurs six herses.
Ainsi pénètre-t-il dans la forêt
et aussitôt, au fond de lui, son cœur
fut en joie pour la douceur du temps
et pour le chant qu'il entendait

208 vb Des oisiaus qui joie faisoient.
   88 Totes ces choses li plaisoient.
      Por la doçor dou tans serain
      Osta au checeor son frain,
      Si lo laisa aler paissant
   92 Par la fresche erbe verdoient,
      Et cil qui bien lancier savoit
      Des javeloz que il avoit
      Aloit environ lui lancent
   96 Une ore arriere et autre avant,
      Une ore en bas et autre en haut,
      Tant qu'il oï parmi lo gaut
      Venir .V. chevaliers armez,
  100 De totes armes acesmez,
      Et moult grant noise demenoient
      Les armes de ces qui venoient
      Et sovant hurtoient as armes
  104 Li rain des chanes et des charmes.
      Sonoit li fus, sonoit li fers
      Et des escuz et des auberz.
      Li vallez ot et ne voit pas
  108 Ces qui vienent plus que lo pas,
      Si se merveille et dit : « Par m'ame,
      Voir me dit ma mere, ma dame,
      Qui me dit que deiable sont
  112 Plus esfraee chosse do mont,
      Et si dist por moi ensaignier
      Que por aus se doit en saignier,
      Mais ja voir ne m'en seignerai
  116 Que cest ensaig desdaignerai,

---

101. joie.

Après 104. *om.* Les lances as escuz hurtoient / Et tuit li hauberc fresteloient.
110. dist. 111. dist. 115-116. *intervertis.*

des oiseaux qui menaient joie.
Toutes ces choses lui plaisaient.
Le temps était doux et serein :
il ôta au cheval son frein
et le laissa librement paître
à travers la nouvelle herbe qui verdoyait.
En homme très habile au lancer,
il allait lançant tout alentour
les javelots qu'il portait,
en arrière, en avant, en bas, en haut.
Pour finir, il entendit parmi le bois
venir cinq chevaliers armés,
de toutes pièces équipés.
Elles faisaient un grand vacarme,
les armes de ceux qui venaient !
A tout instant se heurtaient aux armes
les branches des chênes et des charmes,
[les lances se heurtaient aux écus,
les mailles des hauberts crissaient],
tout résonnait, bois ou fer
des écus et des hauberts.
Le jeune homme entend, mais sans les voir,
ceux qui arrivent à vive allure.
Il s'en émerveille et se dit : « Sur mon âme,
elle a dit vrai, madame ma mère,
quand elle m'a dit que les diables
sont la plus effrayante chose du monde !
Elle a dit encore, pour m'enseigner,
qu'il faut, pour eux, se signer.
Mais non ! Jamais je ne ferai le signe de croix,
je n'ai pas besoin de cet enseignement.

209 ra Ainz ferrai si tot lo plus fort
        D'un des javeloz que je port
        Que ja n'aprocheront de moi
120   Nus des autres si con je croi. »
        Ensin a soi meïsmes dist
        Li vallez, einz qu'il les veïst.
        Et quant il les vit en apert
124   Que do bois furent descovert,
        Si vit les hauberz fremïenz
        Et les hiaumes clerz et luisanz
        Et vit lo vert et lo vermoil
128   Reluire contre lo soloil
        Et l'or et l'azur et l'argent,
        Si li fu molt tres bel et gent
        Et dit : « Biaus sire Dex, merci !
132   Ce sont ange que je voi ci.
        Et voir or ai je molt pechié,
        Or ai je molt mal esploitié
        Qui dis que c'estoient deiable.
136   Ne me dist pas ma mere fable
        Qui me dist que li ange sont
        Les plus beles choses qui sont
        Fors Deu qui est plus bel que tuit.
140   Si voi je Damedeu, ce cuit,
        Car un si bel en i esgart
        Que li autre, se Dex me gart,
        N'ont mie de biauté lo disme.
144   Et ce dit ma mere meïsme
        Qu'an doit croirre et aorer
        Celui qui doit nos cors salver,

---

119. il. 125. qui.

---

117. *Var. CHS* si tost. 119. n'aprochera. *Après* 126. *om.* Et les lances et les
escuz / Que onques mes n'avoit veüz. 131. dist : Ha ! 133. He ! 137. estoient.
138. soient. 141. ci. 144. dist. 145. Qu'an doit Deu. 146. et soploier et
enorer.

Au contraire ! Je serai si prompt à frapper le plus fort
d'un des javelots que je porte
que, certes, n'approchera de moi
aucun des autres, j'en suis sûr ! »
Voilà ce que se dit à lui-même
le jeune homme, avant de les voir.
Mais quand il les vit tout en clair,
au sortir du bois, à découvert,
quand il vit les haubers étincelants,
les heaumes clairs et brillants
[et les lances et les écus,
choses qu'il n'avait jamais vues],
quand il vit le vert et le vermeil
reluire en plein soleil,
et l'or, et l'azur et l'argent,
il trouva cela vraiment beau et noble
et s'écria : « Doux Seigneur, mon Dieu, pardon !
Ce sont des anges que je vois là !
C'est vraiment grand péché de ma part,
et bien mauvaise action
d'avoir dit que c'étaient des diables.
Elle ne m'a pas raconté d'histoire, ma mère,
en me disant que les anges
sont les plus belles choses qui soient,
Dieu excepté, qui est plus beau que tout.
Mais c'est Notre Seigneur Dieu lui-même, c'est sûr, que
Car il en est un de si beau, que je regarde,   [je vois ici !
que les autres, Dieu me garde !
n'ont pas le dixième de sa beauté.
C'est ma mère elle-même qui m'a dit
qu'on doit croire en Dieu et l'adorer,
s'incliner devant lui et l'honorer.

209rb Et je aorerai cetui
148 Et toz ses anges aviau lui. »
     Maintenant vers terre se lance
     Et a dit toute sa creance
     Et oroisons que il savoit
152 Que sa mere apris li avoit.
     Et li maistres des chevaliers
     Lo voit et dit : « Estez arriers,
     Qu'a terre est de paor chaüz
156 Cil vallez qui nos a veüz.
     Se nos aleiens tuit ensanble
     Vers lui, il avroit, ce me sanble,
     Si grant paor que il morroit
160 Ne respondre ne nos porroit
     A rien que je li demandase. »
     Il s'arestent et cil s'en passe
     Vers lo vallet grant aleüre,
164 Si lo salue et aseüre
     Et dit : « Vallez, n'aiez peor !
     — Non ai je, par le Salveor,
     Lo Criator an cui je croi.
168 Estes vos Dex ? — Nenil, par foi.
     — Qui estes vos ? — Chevaliers sui.
     — Ainz mes chevalier ne conui,
     Fait li vallez, ne nul n'en vi
172 N'onques mes parler n'en oï,
     Mais vos estes plus bes que Dex.
     Car fusse je orre autretex,
     Ensi luisanz et ensin faiz ! »
176 A ce mot prés de lui s'est traiz

---

162. Cil s'areste.

---

160. me.

Je vais donc adorer celui-ci
et tous ses anges avec lui. »
Aussitôt il se jette à terre
et récite tout son credo,
toutes les prières connues de lui,
que sa mère lui avait apprises.
Alors le chef des chevaliers
le voit : « N'avancez plus ! leur dit-il,
ce jeune homme, en nous voyant,
de peur est tombé à terre.
Si tous ensemble nous allions
vers lui, il aurait, je pense,
si grand peur qu'il en mourrait
et ne pourrait me répondre
à rien que je lui demanderais. »
Ils s'arrêtent et lui se hâte
d'avancer vers le jeune homme.
Il le salue et le rassure
en disant : « Jeune homme, n'ayez pas peur !
— Mais je n'ai pas peur, par la foi
que je porte au Dieu Sauveur !
Etes-vous Dieu ? — Non, vraiment !
— Qui êtes-vous ? — Je suis un chevalier.
— Je n'ai jamais connu de chevalier,
dit le jeune homme, je n'en ai vu aucun,
jamais je n'en ai entendu parler.
Mais vous, vous êtes plus beau que Dieu.
Ah ! si je pouvais être pareil,
tout de lumière et fait comme vous ! »
Comme il parlait, s'est approché

209 va Et li chevaliers li demande :
        « Veïs tu hui en cele lande
        .V. chevaliers et .III. puceles ? »
180   Li vallez a autres noveles
        Enquerre et demander entant.
        A sa lance sa main li tant,
        Si prant et dit : « Biaus sire chiers,
184   Vos qui avez non chevaliers,
        Que est ice que vos tenez ?
        — Or sui je molt bien asenez,
        Fait li chevaliers, ce m'est vis.
188   Je cuidoie ores, dox amis,
        Noveles apanre de toi,
        Et tu les viaux savoir de moi.
        Jo te dirai : ce est ma lance.
192   — Dites vos, fait il, qu'en la lance
        Si con je faz mes javeloz ?
        — Nenil, vallez, tu ies toz soz,
        Ainz en fiert en tot demenois.
196   — Don vaut mielz li .I. de ces .III.
        Javeloz que vos veez ci,
        Car quant que je voil en oci,
        Oisiaus et bestes au besoig
200   Et si les oci de si loig
        Com en porroit un bozon traire.
        — Valez, de ce n'ai je que faire,
        Mais des chevaliers me respont.
204   Di moi se tu sez ou il sont,
        Et les puceles veïs tu ? »
        Li vallez au pain de l'escu

---

187. Biaux amis. **192.** en en.

---

177. Li chevaliers, si li demande. **183.** Sel.

le chevalier, qui lui demande :
« As-tu vu, ce jour, dans cette lande,
cinq chevaliers et trois jeunes filles ? »
Mais ce sont de tout autres nouvelles
que cherche le jeune homme et qu'il veut demander !
Vers la lance, il tend la main,
s'en saisit et dit : « Cher et doux seigneur,
vous qui avez pour nom chevalier,
qu'est-ce là que vous tenez ?
— Me voilà vraiment bien tombé,
semble-t-il ! dit le chevalier.
C'est moi, mon doux ami, qui pensais
savoir des nouvelles par toi,
et toi, tu veux les apprendre de moi !
Je vais te dire : ça, c'est ma lance.
— Voulez-vous dire qu'on la lance
tout comme je fais mes javelots ?
— Mais non, jeune ami, quel sot tu fais !
C'est de près qu'on en frappe.
— Mieux vaut alors un seul de ces trois
javelots que vous voyez là.
Je tue avec tout ce que je veux,
oiseaux ou bêtes, au besoin,
et je les tue d'aussi loin
qu'on tirerait une grosse flèche.
— Mon jeune ami, je n'en ai que faire !
Réponds-moi plutôt au sujet des chevaliers.
Dis-moi si tu sais où ils sont.
Et les jeunes filles, les as-tu vues ? »
Le jeune homme, par le bord de l'écu,

209 vb Lo prant et dit tot en apert :

208 « Ce que est et de coi vos sert ?

   — Vallez, fait il, ce est abez,

   Qu'an autres noveles me mez

   Que je ne t'anquier et demant.

212 Je cuidoie, se Dex m'amant,

   Noveles apanre de toi

   Et tu les viaus savoir de moi,

   Et tu viaux que je les t'apraigne.

216 Jes te dirai, commant qu'il praigne,

   Car a toi volantiers m'acort.

   Escuz a non ce que je port.

   — Escuz a non ? — Voire, fait il,

220 Ne lo doi mie tenir vil,

   Car il m'et tant de bone foi

   Que se nus lance o trait a moi

   Encontre toz les cos se trait,

224 C'est li servises qu'il me fait. »

   Atant cil qui furent arriere

   S'an vinrent tote la charriere

   Vers lor seigneur trestout lou pas,

228 Si li dient eneslopas :

   « Sire, que vos dit cil Gualois ?

   — Il ne set mie totes lois

   Fait li sire, se Dex m'amant,

232 Car a rien que je li demant

   Ne respont il onques a droit,

   Einz demande [de] quant que il voit

---

209. hauberz. **210.** Puis qu'an a. n. mez. **225.** vinrent. **227.** *Sur deux lignes.*
231. ne sai fait il. **234.** *Sur deux lignes.*

213-214. Que tu noveles me deïsses / Einz que de moi les apreïsses.

le saisit et lui dit tout net :
« Et ça, qu'est-ce que c'est ? A quoi cela vous sert-il ?
— Mon jeune ami, répond-il, tu te moques.
Tu me mets en autre propos
que ce que je cherche et te demande.
Je croyais, Dieu me pardonne,
pouvoir te faire parler,
au lieu d'avoir à te répondre.
Et tu veux avoir une réponse !
Je te la donnerai malgré tout,
car j'ai de la sympathie pour toi.
Un écu, c'est le nom de ce que je porte.
— Un écu, c'est son nom ? — Tout à fait,
et je ne dois pas en faire piètre cas,
car il m'est si fidèle
que si quelqu'un lance ou tire contre moi,
il vient au-devant de tous les coups.
Voilà le service qu'il me rend. »
Alors ceux qui étaient restés en arrière
s'en vinrent par la charrière,
au pas, jusqu'à leur seigneur,
et sur-le-champ lui disent :
« Seigneur, que vous dit ce Gallois ?
— Il n'est pas, Dieu me pardonne,
bien dressé à nos usages, répond le seigneur.
Il ne répond comme il faut
à aucune de mes questions,
mais, pour tout ce qu'il voit, demande

210 ra Comant a non et qu'en l'en fait.

236 — Sire, sachiez tot entresait
Que Galois sont tuit par nature
Plus fol que bestes en pasture.
Il est ensin comme une beste.

240 Fos est qui delez lui s'areste,
S'a la muse ne viaut muser
Et lo tans en folie user.
— Ne sai, fait il. Se Dex me voie,

244 Ainz que soie mis a la voie,
Quant que il vodra li dirai,
Ja autremant n'en partirai. »
Lors li demande derechief :

248 « Vallez, fait il, ne te soit grief,
Mais des .V. chevaliers me di
Et des puceles autresin
Se les encontras ne veïs. »

252 Et li vallez lo tenoit pris
Au pain do haubert, si lo tire
« Or me dites, fait il, biaus sire,
Qu'est ce que vos avez vestu ?

256 — Vallez, fait il, don ne voiz tu ?
— Je, non. — Vallez, c'est mes auberz,
Si est ensin pessanz com fers,
Qu'il est de fer, ce voiz tu bien.

260 — De ce, fait il, ne sai je rien,
Mais molt est genz, se Dex me saut.
Q'an faites vos et que vos vaut ?
— Vallez, c'est a dire legier.

264 Se voloies a moi lancier

---

236. Ainz dem vos di s. e. : *le copiste s'avise de sa dittographie, exponctue et rajoute une cheville maladroite.* **244.** Qu'ainz. **254.** Et li vallez commance a dire.

---

239. cist. **256.** nel sez tu. **259.** De fer est il ?

quel en est le nom et ce qu'on en fait.
— Seigneur, sachez sans faute
que les Gallois sont tous par nature
plus sots que bêtes menées en pâture.
Celui-ci a tout d'une bête.
Il faut être fou pour s'arrêter à lui,
à moins de vouloir flâner
et perdre son temps en sottises.
— Je ne sais trop, fait-il. Dieu m'en soit témoin,
avant de me remettre en route,
je lui dirai tout ce qu'il voudra.
Je ne le quitterai pas avant. »
Et il renouvelle sa demande :
« Mon jeune ami, je ne veux pas te fâcher,
mais dis-moi au sujet de ces cinq chevaliers
et des jeunes filles également,
si tu les as rencontrés ou vus. »
Le jeune homme le tenait agrippé
par le pan du haubert, il le tire à lui :
« Et maintenant dites-moi, cher seigneur,
qu'est-ce que c'est que ce vêtement ?
— Mon jeune ami, fait-il, tu ne le sais donc pas ?
— Moi, non. — Mon ami, c'est mon haubert,
il pèse aussi lourd que du fer.
— Il est de fer ? — Tu le vois bien.
— Là-dessus, je n'y connais rien,
mais, Dieu ait mon âme, il est bien beau.
Qu'en faites-vous ? Quel est son intérêt ?
— Mon jeune ami, c'est facile à dire.
Si tu voulais contre moi lancer

210 rb Javeloz ou saietes traire,
      Ne me porroies nul mal faire.
      — Danz chevaliers, de tes hauberz
268   Guart Dex les biches et les cerz,
      Que nus ocirre n'en porroie
      Ne jamais aprés ne corroie. »
      Et li chevaliers li redit :
272   « Vallez, se Damedex t'aïst,
      Se tu me sez dire noveles
      Des chevaliers et des puceles ? »
      Et cil qui petit fu senez
276   Li dist : « Fustes vos ensin nez ?
      — Nenil, vallez, ce ne puet estre
      Que nule riens puise ansin nestre.
      — Qui vos atorna donc ensin ?
280   — Vallez, je te dirai bien qui.
      — Dites lo donc. — Molt volantiers.
      N'a pas encore .V. jors antiers
      Que tot ce hernois me dona
284   Li rois Artus qui m'adoba.
      Mais ores me di que devinrent
      Li chevalier qui par ci vindrent,
      Qui les .III. puceles conduient.
288   Vont il lo pas o il s'en fuient ? »
      Et cil dit : « Sire, or esgardez
      Ce plus haut bois que vos veez
      Qui cele montaigne avirone.
292   La sont li destroit de Valdone.
      — Et que de ce, fait il, biaux frere ?
      — La sont li ercheor ma mere,

---

278. Que chevaliers. 292. C'est li d. de Vaucoigne.

---

282. *Var. FLQRT* ans. 293. Et qu'est de ce ?

un javelot ou tirer une flèche,
tu ne pourrais me faire aucun mal.
— Monseigneur le chevalier, de tels hauberts
Dieu garde biches et cerfs !
Car je ne pourrais plus en tuer.
Inutile, alors, de courir après ! »
Au chevalier de lui dire à son tour :
« Mon jeune ami, Dieu soit avec toi,
peux-tu me donner des nouvelles
des chevaliers et des jeunes filles ? »
Et l'autre, qui était bien peu sensé,
reprit : « Fûtes-vous ainsi né ?
— Mais non ! mon jeune ami, cela ne peut pas être.
Il n'est rien au monde qui puisse ainsi naître !
— Qui donc alors vous équipa ainsi ?
— Mon jeune ami, je vais bien te dire qui.
— Eh bien, dites-le ! — Très volontiers !
Il ne s'est pas encore passé cinq jours
que le roi Arthur, en m'adoubant,
m'a fait don de tout ce harnais.
Et maintenant dis-moi ce que sont devenus
les chevaliers qui sont passés par ici
en escortant les trois jeunes filles.
Marchent-ils au pas ou s'enfuient-ils ?
— Seigneur, répond-il, regardez donc
ce bois que vous voyez là-haut,
entourant la montagne.
C'est le col de Valdone.
— Oui, mon frère, et alors ?
— C'est là que se trouvent les herseurs de ma mère,

210va Qui sa terre sement et erent.
296   Se ces genz par iqui passerent,
     Il les virent, ço vos diront. »
     Et cil dient qu'il i eront
     Aviau lui, se il les i maine
300   Jusqu'a ces qui erchent l'avaine.
     Li vallez prant son chaceor
     Et vient la ou li ercheor
     Herchoient les terres arees
304   Ou les avaines sont semees.
     Et quant il virent lor seignor,
     Si tranblerent tuit de paor.
     Et savez por coi il lo firent ?
308   Por les chevaliers que il virent,
     Et lor seignor avoques voient
     Et bien sorent, s'il li avoient
     Lor afaire dit et lor estre,
312   Que il vodroit chevaliers estre
     Et sa mere istroit do san,
     Que destorner l'en cuidoit l'en
     Que ja chevalier ne veïst
316   Ne lor afaire n'apreïst.
     Et li vallez dit as boviers :
     « Veïstes vos .V. chevaliers
     Et .III. puceles ci passer ?
320   — Il ne finerent hui d'aler
     Par les destroiz » font li bovier.
     Et li vallez au chevalier
     Qui tant avoit a lui parlé
324   Dit : « Sire, par ci sont alé

_____

_____

295. ses terres. 309. Qui avoec li armé venoient. 317. dist. 321. ces. 324. dist.

ceux qui sèment et labourent ses terres.
Si ces gens ont passé par là,
ils ont dû les voir, ils vous le diront. »
Eh bien, lui disent-ils, ils iront là-bas
avec lui, s'il veut bien les mener
jusqu'à ceux qui hersent l'avoine.
Le jeune homme saute à cheval
et se rend là où les herseurs
étaient en train de herser les terres labourées
où sont semées les avoines.
Dès que ceux-ci virent leur seigneur,
ils tremblèrent tous de peur.
Et savez-vous pourquoi ?
A cause des chevaliers qu'ils ont vus,
avec lui, venir en armes.
Ils savaient bien que s'ils lui ont parlé
de ce qu'ils font et de ce qu'ils sont,
il voudrait être chevalier
et que sa mère en perdrait la raison.
On avait cru pouvoir éviter
qu'il vît jamais un chevalier
ou connût rien de leur affaire !
Le jeune homme s'adressa aux bouviers :
« Avez-vous vu cinq chevaliers
et trois jeunes filles passer par ici ?
— Ils n'ont cessé de la journée
de traverser le col », répondent les bouviers.
Le jeune homme dit alors au chevalier
qui lui avait longuement parlé :
« Monseigneur, c'est par ici que sont allés

210 vb   Li chevalier et les puceles.
       Mais or me dites la novele
       Do roi qui les chevaliers fait
328   Et do leu o il plus se trait.
       — Vallez, fait il, dire te voil
       Que li rois sejorne a Cardoil,
       Car je i fui et si lo vi.
332   Et se tu nel troves iqui
       Bien est qui lo t'anseignera,
       Ja si destornez ne sera. »
       Tantost li chevaliers s'en part
336   Les granz gualoz, molt li fu tart
       Qu'il aüst les autres atainz.
       Et li vallez ne s'est pas fainz
       De repairier a son menoir
340   Ou sa mere dolant et noir
       Avoit lo cuer por sa demore.
       Grant joie en a aü en l'ore
       Qu'ele lo vit, que pas ne pot
344   celer la joie que ele ot,
       Car comme fame qui molt aime
       Cort contre lui et si lo claime
       « Biaus filz, biax filz » plus de .C. foiz.
348   « Biaux filz, molt a esté destroiz
       Mes cuers por vostre demoree.
       De doel dui estre afolee,
       Si que por po morte ne sui.
352   Ou avez vos tant esté hui?
       — Ou, dame? je le vos diré,
       Que ja ne vos en mentiré,

---

344. que il ot.

---

326. me redites novele. **330.** *om.* N'a mie encor passé quint jor / Que il i estoit a sejor. **333.** iert. *Après* **334.** *seulement dans AL, probablement interpolé :* Que tu la n'an oies anseignes. / Mes or te pri que tu m'anseignes / Par quel non je t'apelerai. / Sire, fet il, jel vos dirai, / J'ai non Biaus Filz. — Biaus Filz as ores ? / Je cuit bien que tu as ancores / Un autre non.

les chevaliers et les jeunes filles.
Mais parlez-moi donc
du roi qui fait les chevaliers
et du lieu où il se rend le plus.
— Mon jeune ami, fait-il, je veux bien te dire
que c'est à Carduel que le roi réside.
[Il n'y a pas encore cinq jours
qu'il y prenait du repos],
j'y étais moi-même et je l'ai vu.
Et si tu ne le trouves pas là-bas,
il y aura bien quelqu'un pour te renseigner,
où qu'il ait pu se retirer. »
Là-dessus, le chevalier s'éloigne
au grand galop, dans sa hâte
d'avoir rattrapé les autres.
Le jeune homme ne traîne pas
pour rentrer au manoir
où sa mère, à cause de son retard,
l'attendait, le cœur triste et noir.
Grande est sa joie sitôt
qu'elle l'a vu ! Il ne lui est pas possible
de cacher la joie qu'elle ressent.
En effet, en mère très aimante
elle court à sa rencontre et plus de cent fois
l'appelle : « Oh ! mon fils ! Mon fils aimé ! »
« Mon fils aimé, votre retard
a mis mon cœur en détresse.
Le chagrin a manqué me tuer,
j'ai failli en mourir.
Où donc, aujourd'hui, avez-vous tant été ?
— Où, madame ? Je vais vous le dire,
sans vous mentir d'un mot,

— Sire, par foi, / J'ai non Biaus Frere. — Bien t'an croi, / Mes se tu me
viaus dire voir, / Ton droit non voldrai je savoir. / — Sire, fet il, bien vos
puis dire / Qu'a mon droit non ai non Biaus Sire. / — Si m'aït Deus, ci
a bel non. / As an tu plus ? — Sire, je non, / Ne onques certes plus n'an
oi. / — Si m'aït Deus, mervoilles oi, / Les greignors que j'oïsse mes / Ne
ne cuit que j'oie ja mes. **345.** mere.

211 ra Que je ai molt grant joie aüe
356   D'une chosse que j'ai veüe.
       — Di me quel. — Ne solez vos dire
       Que li ange Dé nostre sire
       Sont si tres bel c'onques Nature
360   Ne fist si bele criature,
       N'o monde n'a si bele rien?
       — Biaus filz, encor lo di je bien,
       Jo di por voir et di encore.
364   — Taisiez, mere, ne vi je or
       Les plus beles choses qui sont,
       Qui par la gaste foret vont?
       Qu'il sont plus bel, si con je cuit,
368   Que Dex ne que si enge tuit.
       — Filz, dit ele, si con je croi,
       Tu as veü au mien espoir
       Les angles don les genz se plaignent,
372   Qui ocient quant qu'il ataignent.
       — Non ai, mere, voir, non ai, non !
       Chevalier dient qu'il ont non. »
       La mere se pasme a ce mot,
376   Qant chevalier nomer li ot.
       Et quant ele fu redreciee,
       Dist comme fame correciee :
       « A ! lasse, com sui mal baillie !
380   Ha ! dox filz, de chevalerie
       Vos cuidoie je bien guarder
       Que ja n'en oïssiez parler

359-360. si tres bele criature / Que onques mes nule figure : *bourdon du copiste et remplissage. Après* **362.** En totes les illes de mer : *le même vers se lit à la même place dans la colonne d'en face, cf. v.* **391.** *Après* **363.** Biauz filz, encor lo di je or : *reprise du vers supérieur. L'attention s'est relâchée sur tout ce passage.* **364.** je les vi or.

---

357. Don ne me solïez. **369-370.** La mere antre ses braz le prant / Et dit : Biaus filz, a Deu te rant, / Que mout ai grant peor de toi. / Tu as veü, si con je croi. **380.** biaus. **381.** si bien.

car j'ai connu une très grande joie
à cause d'une chose que j'ai vue.
N'aviez-vous pas coutume de me dire
que les anges de Notre Seigneur Dieu
sont si beaux que jamais Nature
ne fit d'aussi belles créatures,
et qu'il n'y a rien de plus beau au monde ?
— Je le dis encore, mon fils aimé,
oui, je l'ai dit et je le redis.
— Taisez-vous, ma mère ! Est-ce que je ne viens pas de voir
passer dans la Forêt Déserte
les plus belles choses qui existent ?
Oui, plus belles, je le pense,
que Dieu et que tous ses anges. »
[La mère le prend dans ses bras
et lui dit : « Je te remets à Dieu, mon fils bien aimé,
car j'ai très grand peur pour toi.]
Tu as vu, je le crois,
les anges dont se plaignent les gens,
ceux qui tuent tout ce qu'ils atteignent.
— Mais non, ma mère ! Mais non ! De vrai, non !
Des chevaliers ! Ils disent que c'est leur nom. »
La mère à ce mot tombe pâmée,
quand elle l'entend dire ce nom de chevalier.
Quand elle se fut relevée,
c'est une femme profondément troublée qui parle :
« Hélas ! Quel triste sort est le mien !
Ah, mon doux enfant, cette chevalerie,
j'avais bien cru vous en garder :
vous n'en auriez jamais entendu parler,

211 rb Ne que ja nul n'en veïsiez.

384   Chevaliers estre deüsiez,
      Biaux filz, se Damedex plaüst
      Que vostre pere vos aüst
      Guardé et vos autres amis.

388   N'ot chevalier de si haut pris
      Tant redoté ne tant cremu,
      Biauz filz, com vostre peres fu
      En totes les illes de mer.

392   De ce me puis je bien vanter
      Que vos ne descheez de rien
      De son lignaige ne do mien,
      Que je sui de ceste contree,

396   Voir, des meillors chevaliers nee.
      Es illes de mer n'ot lignaige
      Meillor do mien en mon aaige.
      Mais li meillor sont decheü,

400   S'est bien en plussors leus saü
      Que les mescheances avienent
      As prodomes qui se maintienent
      A grant enor et a proesce.

404   Malveistiez, honte ne paresce
      Ne dechiet pas, qu'ele ne puet,
      Mais les bons decheoir estuet.
      Vostre peres, si nou savez,

408   Fu par mi les anches navrez
      Si que il mehaigna do cors.
      Ses granz avoirs, ses granz tressors,
      Que il avoit come prodom,

412   Ala toz a perdetiom,

---

385. taust (?). 402. A celui qui mielz. 408. la anche *BCHL, corr. d'après MQRU*.

---

392. De ce vos poez. 395-396. Que je sui de chevaliers nee, / Des meillors de ceste contree. *(Dans B, le rattrapage du copiste est adroit).* 410. Sa granz terre.

ni vous n'en auriez vu aucun.
Chevalier ! Vous auriez dû l'être,
mon fils aimé, s'il avait plu au Seigneur Dieu
de vous garder votre père
ainsi que tous vos autres amis !
Il n'y eut pas de chevalier d'aussi haute valeur,
aussi respecté ni aussi craint
que le fut, mon fils aimé, votre père
dans toutes les Iles de la mer.
Vous pouvez en tirer gloire :
Vous n'avez à rougir en rien
de votre lignage, ni de son côté, ni du mien.
Car je descends de chevaliers,
et des meilleurs de ce pays.
Dans les Iles de la mer, il n'y avait pas de mon temps
de lignage supérieur au mien.
Mais il arrive aux meilleurs de tomber.
Il est bien connu de partout
que les malheurs surviennent
aux hommes de bien, à ceux qui persistent
dans l'honneur et la vaillance.
La lâcheté, la honte, la paresse
ne risquent pas la chute, elles ne le peuvent !
Mais les bons, c'est leur destin que de tomber.
Votre père, vous ne le savez pas,
fut blessé entre les hanches,
son corps en resta infirme.
Ses larges terres, ses grands trésors,
qu'il devait à sa valeur,
tout partit en ruine.

211 va Si chaï en grant provreté.
    Apovri et desserité
    Et essillié furent a tort
416 Li gentil home aprés la mort
    Uter Pandragon, qui rois fu
    Et pere lo bon roi Artu.
    Les terres furent essilliees
420 Et les povres genz avilliees,
    Si s'en foï qui foïr pot.
    Vostre peres ce menoir ot
    Ici en ceste foret gaste.
424 Ne pot foïr, mais a grant haste
    En litiere aporter s'an fist,
    Qu'aillors ne sot ou s'en foïst.
    Et vos, qui petiz esteiez,
428 .II. molt biaux freres aveiez.
    Petiz esteiez, aleitanz,
    Po aveiez plus de .II. anz.
    Quant furent grant vostre .II. frere,
432 Au los et au consoil lor pere
    Alerent a .II. cors reiaus
    Por avoir armes et chevaus.
    Au roi d'Escavalon ala
436 Li ainznez et tant servi l'a
    Que chevaliers fu adobez.
    Et li autres, qui puis fu nez,
    Fu au roi Ban de Gomorret.
440 En .I. jor andui li vallet
    Adobé et chevalier furent
    Et en .I. jor amedui murent

---

417. Au tans P. **418.** Et pere lo roi Artu fu. **430.** .V. anz. **435.** alon. **439.** au bon roi.

---

425. *Var. TU*: s'i fist.

Il tomba dans une grande pauvreté.
Appauvris, déshérités, chassés
ainsi en advint-il, contre toute justice,
aux nobles familles, après la mort
d'Uter Pandragon, qui fut roi
et qui fut le père du bon roi Arthur.
Les terres furent dévastées,
et les pauvres gens, rabaissés.
S'enfuit qui pouvait fuir.
Votre père possédait ce manoir,
ici, dans la Forêt Déserte.
Incapable de s'enfuir, en grande hâte
il s'y fit transporter dans une litière,
car il ne savait où fuir ailleurs.
Vous, vous étiez petit,
vous aviez deux frères, qui étaient beaux.
Vous étiez petit, vous tétiez encore,
vous n'aviez guère plus de deux ans !
Quand vos deux frères furent grands,
sur le conseil et l'exhortation de leur père,
ils se rendirent dans deux cours royales,
pour recevoir armes et chevaux.
Auprès du roi d'Escavalon s'en alla
l'aîné et, pour prix de son service,
il fut adoubé chevalier.
L'autre, le puîné,
s'en fut chez le roi Ban de Gomorret.
Le même jour les deux jeunes gens
furent adoubés et furent des chevaliers,
et le même jour tous deux partirent

211 vb Por revenir a lor repaire,
444   Que joie me voloient faire
      Et lor pere qui puis nes vit,
      Qu'as armes furent desconfit.
      Par armes furent mort endui,
448   Don j'ai au cuer dol et anui
      Aüe puis qu'il furent mort.
      Vos esteiez toz li confors
      Que je avoie et toz li biens,
452   Car il n'i avoit plus des miens. »
      Li vallez entant molt petit
      A ce que sa mere li dit.
      « A mangier, fait il, me donez !
456   Ne sai de coi m'araissonez,
      Mais molt iroie volantiers
      Au roi qui fait les chevaliers
      Et g'i erai cui qu'il en poist. »
460   La mere, tant com il li loist,
      Le retient et si le sejorne,
      Si li aparoille et atorne
      De chenevaz grosse chemise
464   Et braies faites a la guise
      De Gales, o l'en fait ensamble
      Braies et chauces, ce me sanble.
      Et si ot cote et chaperon
468   De cuir de cerf clos environ
      Ensin la mere l'atorna.
      .III. jorz senz plus lo sejorna,
      Que plus n'i ot mestier losange,
472   Lors fist la mere doel estrange,

---

445. nel. 449. *Texte visiblement fautif.* 461-462. Au plus qu'ele puet lo detient / Et si li aparoillement. 465. Gualois. 469. s'en torna.

Après 448. *om.* De l'ainzné avindrent mervoilles, / Que li corbel et les cornoilles / Anbedeus les iauz li creverent. / Ensi les genz morz les troverent. / Del duel des filz morut li pere / Et je ai vie molt amere / Soferte puis que il fu morz. *Après* 452. *om.* Rien plus ne m'avoit Deus leissiee / Don je fusse joianz et liee.

pour rentrer chez eux :
ils voulaient me faire cette joie
ainsi qu'à leur père, qui ne les revit plus,
car ils furent défaits aux armes.
Les armes furent cause de leur mort à tous deux
et j'en garde au cœur chagrin et souci.
[De l'aîné il advint merveille,
car les corbeaux et les corneilles
lui crevèrent les deux yeux.
C'est ainsi qu'on les retrouva morts.
Du deuil de ses fils mourut leur père,
et moi je mène une vie bien amère
que j'ai endurée depuis sa mort.]
Vous étiez la seule consolation,
le seul bien qui me restait,
car je n'avais plus personne des miens.
[Dieu ne m'avait rien laissé d'autre
qui pût faire ma joie et mon bonheur.] »
Le jeune homme ne prête guère attention
à ce que lui dit sa mère.
« Donnez-moi donc à manger ! fait-il.
Je ne sais de quoi vous me parlez.
Ce qui est sûr, c'est que j'aurais plaisir à aller
chez le roi qui fait les chevaliers,
et j'y irai, n'en déplaise à personne ! »
Sa mère fait tout son possible
pour le retenir et le faire rester,
le temps de lui préparer son équipement :
une grosse chemise de chanvre,
des culottes faites à la mode galloise,
avec les chausses d'un seul tenant, sauf erreur.
Il y avait aussi une tunique et un capuchon
en cuir de cerf qui fermait bien tout autour.
Ainsi l'équipa sa mère.
Elle réussit à le garder trois jours, pas un de plus !
Toute cajolerie devenait inutile.
Sa mère en conçut alors un deuil insolite.

212ra So baise et acole en plorant
      Et dit : « Or ai je doel molt grant,
      Biaux filz, quant aler vos en voi.
476   Voz iroiz a la cort lo roi
      Si li diroiz armes vos doint.
      De contredit n'i aura point,
      Qu'il les vos donra, bien lo sai.
480   Mais quant vos vanroiz a essai
      D'armes porter, commant ert donques ?
      Ce que vos ne feïstes onques
      N'autrui ne lo veïstes faire,
484   Commant en savroiz a chief traire ?
      Malveisemant, voire, ce dot.
      Mal seroiz afaitiez do tot,
      N'il n'et merveille, ce m'et vis,
488   S'an ne set ce qu'an [n']a apris.
      Mais merveille est que l'an [n']aprant
      Ce que l'an ot et voit sovant.
      Biaux filz, un san vos voil apanre,
492   Cil vos est molt bons a entandre.
      Se il vos plaist a retenir,
      Granz biens vos en porroit venir.
      Chevaliers seroiz jusqu'a po,
496   Se Deu plaist, et je lo vos lo.
      Se vos trovez ne pres ne loig
      Dame qui d'aïe ait besoig
      Ne pucele desconseilliee,
500   La vostre aide apareilliee
      Lor soit, s'eles vos en requierent,
      Car totes enors i afierent.

_____

485. M. faire.

Avec des baisers, les bras à son cou, en pleurs,
elle lui dit : « Je ressens bien de la tristesse,
mon fils aimé en vous voyant partir.
Vous allez vous rendre à la cour du roi,
vous lui direz qu'il vous donne des armes.
Il n'y aura pas d'opposition,
il vous les donnera, je le sais bien.
Mais quand viendra le moment de les porter
et de s'en servir, qu'arrivera-t-il ?
Ce que vous n'avez jamais fait
ni vu personne d'autre le faire,
comment en viendrez-vous à bout ?
Bien mal, en vérité, je le crains.
Vous en serez instruit tout à fait mal.
Il n'y a rien d'étonnant, à mon avis,
à ne pas savoir ce qu'on n'a pas appris.
L'étonnant c'est plutôt de ne pas apprendre
ce qu'on entend et ce qu'on voit souvent.
Je veux, mon fils aimé, vous apprendre une leçon,
qui mérite toute votre attention.
Si vous voulez bien la retenir,
beaucoup de bien pourrait vous en venir.
D'ici peu vous serez chevalier,
si Dieu le veut, et vous avez mon approbation.
Si vous rencontrez ici ou là
une dame qui ait besoin d'aide,
ou une jeune fille sans secours,
soyez tout prêt à les aider,
si elles vous en font la requête,
car tout honneur en relève.

212rb Qui aus dames enor ne porte,
504   La soe anor doit estre morte.
       Dames et puceles servez,
       Si seroiz par tot enorez.
       Et se vos aucune en avez
508   Aamee contre ses grez,
       Ne [faites] rien qui li desplaisse.
       De pucele a molt qui la baisse.
       Se lo baisier vos en consent,
512   Lo soreplus vos en desfant,
       Se laisier lo volez por moi.
       Mais s'ele a agnel en son doi
       Ou a sa ceinture aumoniere,
516   Se par amor ou par proiere
       La vos done, molt an est bel
       Se vos enportez son agnel.
       De l'aumoniere vos doig gié
520   Et de l'anel panre congié.
       Biaux filz, encor vos dirai el :
       Ja en chemin ne en ostel
       N'aiez longuemant compaignon
524   Que vos ne damandez son non
       Et lo sornon a la parsome.
       Par lo sornon conoist en l'ome.
       Biaux filz, as prodomes parlez
528   Et compaignie lor tenez.
       Prodom ne forconsoille mie
       Ces qui tienent sa compaignie.
       Sor tote riens vos voil proier
532   Qu[e] an eglise et en moutier

---

508. outre. 515. ou c. ou a. 527. au.

507-508. Et se vos aucune an proiiez / Gardez que ne li enuiiez. 517. *LMS* :
molt m'an iert bel. 519-520. *Débuts de vers intervertis.* 525. Le non sachiez.
526. Car par le non. 528. Avuec les prodomes alez.

Celui qui n'honore les dames
a perdu lui-même tout honneur.
Mettez-vous au service des dames et des jeunes filles,
et vous aurez l'estime de tous.
Et si vous priez l'une d'amour,
gardez-vous de lui être importun,
ne faites rien qui lui déplaise.
Une jeune fille accorde beaucoup, si on obtient d'elle un
Mais si elle consent à ce baiser,   [baiser.
ce qui vient de surcroît, je vous l'interdis,
si vous voulez bien pour moi y renoncer.
Si elle a au doigt un anneau
ou une aumônière à la ceinture,
et qu'elle vous en fasse don
par amour pour vous ou sur votre prière,
je verrai d'un bon œil que vous preniez l'anneau.
L'anneau, je vous autorise
à le prendre, et l'aumônière aussi.
Mon fils aimé, j'ai encore autre chose à vous dire :
Sur la route comme à l'étape,
si quelqu'un vous tient longue compagnie,
ne manquez pas de lui demander son nom.
Vous devez finir par savoir son nom.
C'est par le nom qu'on connaît l'homme.
Mon fils aimé, c'est avec les hommes d'honneur
qu'il faut parler et avoir compagnie.
Un homme d'honneur ne donne jamais de mauvais conseil
à ceux qui lui tiennent compagnie.
Mais par-dessus tout je vous prie instamment
d'aller dans les églises et les abbayes

212va Ailliez proier nostre Seignor
       Q'an cest siegle vos doint enor
       Et si vos i doint contenir
536   Qu'a bone fin puissiez venir.
       — Mere, fait il, que est eglise ?
       — Uns leus ou en fait lo servise
       Celui qui ciel et terre fist
540   Et homes et bestes i mist.
       — Et mostiers qu'est ? — Filz, ce meïsme :
       Une maison bele et saintime
       Et de cors sainz et de tressors.
544   S'i sacrefie l'en lo cors
       Jhesu Crit, la profete sainte,
       Cui Juif firent honte mainte.
       Traïz fu et jugiez a tort
548   Et soffri engoisse de mort
       Por les homes et por les fames,
       Q'an enfer aloient les ames
       Qant eles issoient do cors,
552   Et il les en regita ors.
       Cil fu a l'estaiche liez
       Et puis aprés crucefïez
       Et porta querone d'espines.
556   Por oïr messes et matines
       Et por cel Seignor aorer
       Vos lo je au mostier aler.
       — Donc irai je molt volantiers
560   Es eglises et es mostiers,
       Fait li vallez, d'or en avant.
       Ensin le vos met en covant. »

---

536. puise. 541. Es m. que il fist meïsme.

---

554. Batuz et puis c.

pour y prier Notre Seigneur
qu'il vous donne honneur en ce siècle
et vous permette de vous y conduire
si bien que vous fassiez une sainte fin.
— Mais, ma mère, fait-il, qu'est-ce qu'une église ?
— Un lieu où on célèbre le service
de Celui qui a créé le ciel et la terre
et y plaça hommes et bêtes.
— Et une abbaye, qu'est-ce que c'est ? — Exactement ceci,
une demeure belle et très sainte,   [mon fils :
pleine de reliques et de trésors,
où on consacre le corps
de Jésus-Christ, le saint prophète,
à qui les juifs ont fait mainte honte.
Il fut trahi et condamné injustement,
il souffrit les affres de la mort
pour les hommes et pour les femmes
dont les âmes allaient en enfer,
quand elles sortaient du corps,
et lui les en arracha.
Il fut attaché au poteau,
battu et puis crucifié,
et il porta une couronne d'épines.
C'est pour entendre messes et matines
et pour adorer le Seigneur
que je vous conseille d'aller à l'église.
— Dorénavant, dit le jeune homme,
j'irai donc de très bon cœur
dans les églises et les abbayes,
je vous le promets. »

212 vb **A**tant n'i ot plus de demore,
564 Congié prant et la mere plore
Et sa sele li fu ja mise.
A la maniere et a la guise
De Gualois fu apareilliez.
568 Uns revelins ot an ses piez
Et partot la ou il aloit
.III. javeloz o soi portoit.
Ses javeloz en vost porter,
572 Mais .II. l'an fist sa mere oster
Por ce que trop sambloit Galois.
Si aüst ele fait toz .III.
Molt volantiers, s'il poïst estre.
576 Une reorte en sa main destre
Porte por son cheval ferir.
Plorant lo baise au departir
La mere qui molt chier l'avoit
580 Et prie Deu que il l'avoit :
« Filz, fait ele, Dex vos ramaint !
Joie plus qu'il ne me remaint
Vos doint, il ou que vos ailliez. »
584 Qant li vallez fu esloigniez
Lo giet d'une pierre menue
Si se retorne et voit chaüe
Sa mere au chief do pont arriere,
588 Et gist pasmee an tel maniere
Con c'ele fust chaüe morte.
Et sil sille de sa reorte
Son chaceor parmi la crope,
592 Et cil s'en va qui pas ne çope,

---

587. Sa more. **588.** autel. **589.** chaoite et m.

---

570. porter soloit. **581.** Biaux f., fait ele, D. vos maint. **590.** cingle.

Dès lors, il n'y eut plus à s'attarder.
Il prend congé de sa mère et elle pleure.
Déjà la selle avait été mise.
Il était exactement équipé à la mode galloise,
chaussé de gros brodequins,
avec l'habitude, partout où il allait,
de porter trois javelots.
Il voulait donc les prendre avec lui,
mais sa mère lui en fit enlever deux :
il avait vraiment trop l'allure d'un Gallois !
Et même, s'il avait été possible,
elle l'aurait fait de tous les trois.
Il tient à la main droite une baguette d'osier
pour en fouetter son cheval.
C'est le départ. Sa mère, qui l'aimait,
en pleurant lui donne un baiser,
et elle prie Dieu de lui servir de guide.
« Mon fils aimé, dit-elle, que Dieu vous conduise !
Et qu'il vous donne, où que vous alliez,
plus de joie qu'il ne m'en reste ! »
Une fois qu'il se fut éloigné
à distance de jet d'une petite pierre,
le jeune homme se retourne et voit sa mère
tombée, derrière lui, au bout du pont-levis,
gisant là, évanouie,
comme si elle était tombée morte.
Lui, d'un coup de baguette, cingle
la croupe de son cheval,
qui s'en va d'un bond

213ra Ainz l'enporte grant aleüre
        Parmi la grant forest oscure
        Et chevauche des lo matin
596   Tant que li jorz vint a de[c]lin.
        En la foret cele nuit jut
        Tant que li clerz jorz aparut.
        Au main, au chant des oiselez,
600   Se leva et monte li vallez,
        S'a au chevauchier entandu
        Tant que il vit un tref tandu
        En une praarie bele
604   Lez lo sort d'une fontenele.
        Li trez fu genz a grant merveille,
        L'une partie fu vermoille
        Et l'autre fu d'orfrois brodee,
608   Desus ot une aigle doree,
        En l'aigle feroit li solaus
        Qui molt estoit clerz et vermaus,
        Et reluisoient tuit li pré
612   De l'anlumi[ne]ment dou tré.
        Entor lo tré a la reonde,
        Qui estoit li plus biaus do monde,
        Avoit ramees et foilliees
616   Et loiges galeiches dreciees.
        Li vallez vers lo tref ala
        Et dit ainz qu'il parvenist la :
        « Dex, or voi je vostre maison !
620   Or feroie je desraison
        Se aorer ne vos aloie.
        Voir dit ma mere tote voie,

---

607. d'or fin doree.

---

595. chevaucha. **600.** Se lieve. **605.** biaus. **607.** Et l'autre verz, d'orfrois bandee. **611.** Si. **615.** *Var. A* : deus ramees foillies. **618.** dist. **622.** dist.

et l'emporte à vive allure
à travers la grande forêt obscure.

Il chevaucha depuis le matin
jusqu'à ce que déclinât le jour.
La nuit, il dormit dans la forêt,
jusqu'au moment où apparut la clarté du jour.
De bon matin, au chant des oiseaux,
le jeune homme se lève et monte à cheval.
Il n'a eu en tête que de chevaucher
jusqu'à ce qu'il voie une tente, dressée
au milieu d'une belle prairie,
tout près de l'eau qui jaillissait d'une source.
La tente était merveilleusement belle,
vermeille d'un côté,
verte de l'autre, avec des galons d'or.
Au sommet il y avait un aigle doré.
Le soleil frappait sur cet aigle
qui brillait d'une clarté vermeille.
La prairie tout entière s'éclairait
aux reflets de lumière de la tente,
qui était la plus belle du monde.
Autour de celle-ci et tout à la ronde,
on voyait des feuillées, des ramées
et des loges galloises, qui avaient été dressées.
Le jeune homme se dirigea vers la tente
et se dit avant même d'y parvenir :
« Mon Dieu, c'est votre demeure que je vois là !
J'aurais perdu la raison
si je n'y allais pas vous adorer.
Ma mère, je l'avoue, disait vrai,

213rb Qui me dist que ja ne trovasse
624   Moutier ou aorer n'alasse
      Lo Criator an cui je croi.
      Et je l'irai proier par foi
      Qu'il me doint ancui a mangier,
628   Que j'en avroie grant mestier. »
      Lors vint au tref, so trove overt,
      A mi lo tref un lit covert
      D'une coute de paille, et voit :
632   El lit une dame gissoit,
      Qui estoit iqui andormie,
      Mais loig estoit sa compaignie,
      Qu'alees erent les puceles
636   Por coillir floretes noveles
      Que par lo tref jonchier voloient
      Ensin comme faire soloient
      En un vergier d'iluec molt prés,
640   Si aporterent molt grant fais.
      Quant li vallez el tré entra,
      Ses chevaus si fort s'açopa
      Que la damoisele l'oï,
644   Si tressailli et esperi.
      Et li vallez qui nices fu
      Dit : « Pucele, je vos salu,
      Si com ma mere lo m'aprist.
648   Ma mere m'enseigna et dist
      Que les puceles saluasse
      En quel que leu que les trovasse. »
      La pucele de paor tranble
652   Por lo vallet qui fol li sanble,

_____

625. La. 629. je.

_____

Après 622. *om.* Qui me dist que mostiers estoit / La plus bele chose qui
soit / Et m. d. 624. qu'a. n'i a. 629. vient. 632. El lit tote sole gisoit / Une
dameisele andormie. 639-640. *Seulement dans B et L* (s'en aportoient).
646. Dist.

[quand elle me disait qu'une église était
la plus belle chose qui soit,]
et que, si j'en rencontrais une,
je ne devais pas manquer d'y entrer pour adorer
le Créateur en qui je crois.
Eh bien ! j'irai le prier, je m'y engage,
qu'il me donne à manger aujourd'hui,
car j'en aurais grand besoin ! »
Il s'approcha de la tente et la trouve ouverte :
au milieu, un lit recouvert
d'une couverture de soie et, sur le lit,
il voit une demoiselle endormie
qui y était, toute seule, couchée.
Sa compagnie était au loin.
Ses suivantes s'en étaient allées
cueillir les petites fleurs du printemps
pour en joncher le sol de la tente,
comme elles en avaient coutume,
(non loin de là dans un verger,
d'où elles les apportaient, les bras chargés).
Quand le jeune homme pénétra dans la tente,
son cheval broncha si fort
que la demoiselle l'entendit.
Elle se réveilla en sursaut.
Le jeune homme, en ignorant qu'il était,
lui dit : « Ma demoiselle, je vous salue,
comme ma mère me l'a appris.
Car ma mère m'a dit et enseigné
de saluer les jeunes filles
partout où je pourrais les rencontrer. »
La jeune femme tremble de peur
à la vue du jeune homme, elle le prend pour un fou,

213va Si se tient por fole provee
       De ce qu'il l'a soele trovee.
       « Vallet, fait ele, tien ta voie.
656   Fui, que mes amis ne te voie !
       — Ainz vos baiserai, par mon chief,
       Fait li vallez, cui que soit grief,
       Que ma mere lo m'ensaignai.
660   — Je voir ne vos baiserai ja,
       Fait la pucele, que je puise.
       Fui, que mes amis ne te truise,
       Que s'il te troeve, tu ies morz. »
664   Li vallez avoit les bras fors,
       Si l'enbraça molt nicemant,
       Qu'il ne le sot faire autremant,
       Mist la soz lui tote estandue
668   Et cele s'et bien desfandue
       Et gandilla quant qu'ele pot,
       Mais desfanse mestier n'i ot,
       Que li vallez tot de randon
672   La baissa, vosist ele o non,
       Vint foiz, si com li contes dit,
       Tant c'un anel en son doi vit
       A une esmeraude molt clere.
676   « Ansin, fait il, me dit ma mere
       Qu'an vostre doi l'anel presisse,
       Mais que rien plus ne vos feïsse.
       Or ça l'anel, jo voil avoir !
680   — Mon anel n'avras tu ja voir. »
       Li vallez par lo poig la prant,

_____

657. Qu'ainz. 667. Et jut sor le lit estandue. 675. Et une aumoniere.
681. *Sur deux lignes.*

_____

676. Encor f. i. me dist. *Après* 680. *om.* Fet la pucele, bien le saches / S'a
force del doi nel m'araches.

elle se tient elle-même pour une folle finie
d'être restée toute seule, là où il l'a trouvée.
« Jeune homme, dit-elle, passe ton chemin.
Va-t'en, que mon ami ne te voie !
— Pas avant de vous avoir pris un baiser, je le jure,
répond-il. Et tant pis pour qui s'en plaint !
Cet enseignement vient de ma mère.
— Un baiser ! Non vraiment ! tu ne l'auras pas de moi,
dit la jeune femme, si du moins je le puis.
Va-t'en, que mon ami ne te trouve !
S'il te trouve ici, tu es un homme mort ! »
Le jeune homme avait les bras solides,
il l'a prise dans ses bras non sans gaucherie,
car il ne savait pas s'y prendre autrement.
Il l'a renversée sous lui,
elle s'est bien défendue,
elle s'est dégagée tant qu'elle a pu,
mais c'était peine perdue !
Le jeune homme lui prit d'affilée,
bon gré mal gré,
vingt fois des baisers, suivant l'histoire,
tant et si bien qu'il aperçut à son doigt un anneau,
où brillait une claire émeraude.
« Ma mère, fait-il, m'a dit aussi
de vous prendre l'anneau que vous avez au doigt,
à condition de ne rien vous faire de plus.
Allez ! L'anneau ! Je veux l'avoir !
— Non ! C'est mon anneau ! Tu ne l'auras pas,
dit la jeune femme, sache-le bien,
à moins de me l'arracher de force ! »
Le jeune homme lui saisit le poignet,

213 vb A force lo doi li estant,
    Si a l'anel en son doi pris
684 Et ou sien doi meïsmes mis.
    Si dit : « Pucele, bien aiez !
    C'or m'an iré je bien paiez,
    Et molt meillor baisier vos fait
688 Que chanberiere que il ait
    En tote la maison ma mere,
    Vos n'avez pas la boche amere. »
    Et cele plore et dit : « Vallet,
692 N'en portez pas mon agnelet,
    Que j'en seroie mal baillie
    Et tu en perdroies la vie,
    Que qu'il tardast, jo te promet. »
696 Li vallez a son cuer ne met
    Rien nule de ce que il ot,
    Mais de ce que geüné ot
    Moroit de fain a male fin.
700 Un bocel trove plain de vin
    Et un enap d'argent selonc,
    Et voit sor un trossel de jonc
    Une toaille blanche et noeve.
704 Il la soulieve et si [i] troeve
    Trois bons pastez d'un chevrol fres,
    Ne li anuia pas cist mes !
    Por la fain qui formant l'angoise
708 Un des pastez devant lui froisse,
    Si manjue par grant talant
    Et verse an la cope d'argent
    Do vin qui n'estoit mie leiz,

---

685. dist. **690.** Que n'avez pas.

lui déplie le doigt de force,
lui arrache du doigt l'anneau
qu'il passe à son propre doigt,
en disant : « Ma demoiselle, soyez-en récompensée !
Maintenant je vais partir, je m'en tiens pour bien payé.
Des baisers de vous sont bien meilleurs
que ceux de n'importe quelle femme de chambre
de chez ma mère.
Vous n'avez pas la bouche amère. »
Elle est en pleurs, elle dit au jeune homme :
« N'emportez pas mon petit anneau !
Cela me mettrait dans une mauvaise passe
et toi tu en perdrais la vie,
tôt ou tard, je te le garantis. »
Mais rien de ce qu'il entend
ne vient toucher le cœur du jeune homme.
D'être à jeun, en revanche,
le mettait au supplice. Il mourait de faim.
Il trouve un barillet plein de vin,
avec, à côté, une coupe en argent,
et voit sur une botte de joncs
une serviette blanche, bien propre.
Il la soulève et découvre
trois bons pâtés de chevreuil tout frais.
Voilà un mets qui fut loin de le chagriner !
Vivement tenaillé par la faim,
il brise le premier qui se présente,
mange sans retenue
et se verse à boire dans la coupe d'argent
d'un vin qui faisait plaisir à voir.

712 Si en boit sovent et granz traiz
    Et dit : « Pucele, cil pasté
    Ne seront hui par moi gasté.
    Venez mangier, qu'il sont molt bon,
716 Chacuns aura assez do son
    Et en remanra uns entiers. »
    Et cele plore andemantiers,
    Que que il la prie et semont,
720 Et cele un mot ne li respont
    La damoisele, ainz plore fort,
    Mout duremant ses poinz detort.
    Et cil manja tant con li plot
724 Et but do vin tant con il pot.
    Et pris congié tost maintenent,
    Si recovri lo remenant,
    Et commanda a Deu celi
728 Cui ses saluz point n'abeli.
    « Dex vos saut, fait il, bele amie !
    Mais por Deu ne vos en poist mie
    De vostre enel, se je l'en port.
732 Ençois que je muire de mort
    Je vos guerredonerai bien.
    Je m'en vois, si n'en port plus rien. »
    Car il li covenra por lui
736 Soffrir tant honté et anui
    Que ja n'en ot nule chative,
    Ne ja tant con ele soit vive
    N'en avra secors ne haïe :
740 « Or sai je bien qu'il m'a traïe. »
    Ensin remest cele plorant.

---

724. li. 730. poise.

---

712. S'en ... et a. 719. Cil. 720. C'onques. 725-726. *Intervertis.* 733-734. Le vos guerredonerai gié / Je m'an vois a vostre congié. *Après 734. om.* Et cele plore et dit que ja / A Deu ne le comandera. 736. et tant. 738. Ne ja par lui tant come il vive. 740. Si sache bien qu'il l'a traïe.

Il la vide d'un coup à plusieurs reprises,
puis dit : « Ma demoiselle, je ne serai pas seul
aujourd'hui à faire table rase de ces pâtés.
Venez manger, il sont vraiment bons.
Chacun trouvera largement son compte avec le sien,
il en restera même un entier. »
Elle, pendant ce temps, pleure,
en dépit de ses prières et de ses invites.
Elle ne répond pas un mot,
la demoiselle, mais elle pleure très fort
et de désespoir se tord les poignets.
Quant à lui, il mangea tout à sa guise
il but jusqu'à plus soif,
puis, brusquement, il prit congé,
après avoir recouvert les restes,
et il recommanda à Dieu celle
qui ne goûta guère son salut.
« Dieu vous garde, ma belle amie ! dit-il,
mais, par Dieu, ne soyez pas fâchée
pour votre anneau, si je l'emporte.
Avant de mourir de ma belle mort,
je saurai bien vous en récompenser.
Avec votre permission, je m'en vais. »
[Elle pleure toujours, mais elle peut l'assurer
que jamais elle ne le recommandera à Dieu,]
car elle devra, à cause de lui,
subir plus d'affronts et de peines
que n'en eut jamais une malheureuse femme,
et jamais, jour de sa vie,
elle n'en aura secours ni aide.
Qu'il sache bien qu'il l'a trahie !
Et elle resta là tout en pleurs.

214rb Puis n'ala guaires demorant
    Que ses amis do bois revint.
744 Do vallet qui sa voie tint
    Voit les esclos, si li greva,
    Et s'amie plorant trova :
    « Dame, dame, fait il, je croi
748 A ces ensaignes que je voi
    Que chevalier a aü ci.
    — Non a, sire, jo vos afi,
    Mais un vallet gualois i ot,
752 Enïeus et vilein et sot,
    Qui de vostre vin a beü
    Tant con li plot et bon li fu,
    Et manja de vos .III. pastez.
756   — Et por ce, bele, si plorez ?
    S'il aüst beü et mangié
    Trestout, si lo vosise gié.
    — Il i a plus, sire, fait ele,
760 Mes agnés est an la querele,
    Qu'il lo m'a tolu, si l'en porte.
    Mielz vosisse ores estre morte
    Qu'il l'en eüst ensin porté. »
764 Ez vos celui desconforté
    Et engoiseus en son coraige.
    « Par foi, fait il, ci ot oltraige !
    Se plus i ot, no celez ja.
768   — Par foi, sire, il me baisa.
    — Baisa ? — Voire, jo vos di bien,
    Mais ce fu maleoit gré mien.
    — Ançois vos sist et si vos plot,

---

745. Vit. **747.** Si dist : Dameisele. *Après* **766.** *om.* Et des qu'il l'an porte, si l'ait / Mais je cuit qu'il i ot plus fait. **769.** Sire, fait ele.

Puis il ne tarda guère
que son ami revînt du bois.
Il a vu les traces laissées en chemin
par le cheval du jeune homme, et il en est contrarié.
Il a trouvé son amie en pleurs :
« Ma demoiselle, lui dit-il, je pense
d'après les signes qui sont visibles
qu'un chevalier est ici venu.
— Non, monseigneur, vous avez ma parole,
ce n'était qu'un jeune Gallois,
un importun, un rustre et un sot
qui a bu de votre vin
tant et plus, à volonté,
et qui a mangé de vos trois pâtés.
— Et c'est pour cela, belle amie, que vous pleurez ainsi ?
Il aurait pu boire et manger
le tout, avec mon consentement.
— Il y a autre chose, monseigneur, fait-elle,
mon anneau est dans cette affaire,
car il me l'a enlevé pour l'emporter. »
Le voici sous le coup d'une impression pénible,
il en a le cœur tout serré.
« Ma parole, dit-il, voilà qui passe la mesure !
[mais puisqu'il l'emporte, qu'il le garde !
Seulement j'ai l'idée qu'il s'est passé encore autre chose.]
Y a-t-il eu plus ? Ne me cachez rien !
— Monseigneur, fait-elle, il m'a pris un baiser.
— Un baiser ? — Oui, c'est bien ce que je dis,
mais ce fut bien malgré moi.
— Dites plutôt avec votre accord et avec plaisir,

772 Onques nul contredit n'i ot.
  Fait cil, cui jalosie engoise.
  Cuidiez, fait il, ne vos conoise?
  Si fais, certes, bien vos conois,
776 Ne sui si borgnes ne si lois
  Que vostre fauseté ne voie.
  Entree estes en male voie,
  Entree estes en male paine,
780 Ne ja ne mangera d'avaine
  Vostre chevaus, ne n'iert ferrez
  Tant que cil estera tuez,
  Et la o il desferrera
784 Jamais referrez ne sera.
  S'i[l] muert, vos me sivroiz a pié
  Ne jamais ne seront changié
  Li drap que vos avez vestue,
788 Ainz me sivrez a pié et nue
  Tant que la teste en avrai prise,
  Ja n'en ferai autre jostise. »
  Atant s'asist et si menja.
792 Et li vallez tant chevaucha
  Qu'i[l] vit un charbonier venant,
  Devant lui un asne menant.
  « Vilains, fait il, ensaigne moi,
796 Qui l'asne meine[s] devant toi,
  La plus droite voie a Cardoeil.
  Li rois Artus, que veoir voil,
  I fait chevaliers, ce dit l'en.

---

780. mangeroiz. **784.** desferrez. **794.** venant. **797.** *Sur deux lignes.* **799.** *Sur deux lignes.*

---

781. Seigniez. **782.** Tant que je m'an serai vangiez.

sans qu'il y ait eu le moindre contredit,
s'écrie-t-il, soudain fou de jalousie.
Croyez-vous que je ne vous connaisse pas?
Oh oui, c'est sûr, je vous connais!
Je ne suis pas si aveugle, je n'ai pas les yeux si de travers
que je ne perçoive bien votre fausseté.
Mais vous voilà dans une mauvaise passe,
avec bien des tourments en cours de route!
Je vous le jure, votre cheval
ne mangera pas d'avoine, ne sera pas saigné
avant que je ne me sois vengé,
et, s'il vient à perdre ses fers,
il ne sera pas referré.
S'il meurt, vous me suivrez à pied.
Jamais non plus vous ne changerez
les vêtements que vous portez.
Vous finirez par me suivre nue et à pied
et cela jusqu'à ce que je lui aie tranché la tête:
c'est la justice que je prendrai de lui. »
Sur ce, il s'assit et mangea.

Pendant ce temps, le jeune homme chevauchait.
A un moment, il vit venir un charbonnier
qui poussait un âne devant lui.
« Manant, fait-il, enseigne-moi,
oui, toi, qui pousses cet âne devant toi,
le chemin le plus court pour aller à Carduel.
Je veux voir le roi Arthur,
et c'est là, dit-on, qu'il fait des chevaliers.

800 — Vallez, fait il, en icel sen
A un chastel sor mer assis.
Lo roi Artu, biaus dos amis,
Lié et dolant i troveras
804 A cel chastel, se tu i vas.
— Or me rediras tu, mon voel,
De coi li rois a joie et doel.
— Jo to dirai, fait il, molt tost.
808 Li rois Artus o tote s'ost
S'est au roi Rion conbatuz.
Li rois des Illes est vaincuz,
Et de c'est li rois Artus liez,
812 Et de ses barons correciez
Qui as chastés se departirent,
La ou lor meillor sejor virent,
N'il ne set comant il lor va.
816 De c'est li diaux qui li rois a. »
Li vallez ne prisse un denier
Les noveles au charbonier
Fors tant que en la voie entra,
820 Cele part o il li mostra,
Tant que sor mer vit un chastel
Molt bien seant et fort et bel,
Et vit issir parmi la porte
824 Un chevalier qui armé porte
Une cope d'or en sa main.
Sa lance tenoit et son frain
Et son escu a la senestre
828 Et la coupe d'or en la destre,
Et ses armes bien li seoient,

---

802. Lié et joient, b. d. a. / Lo roi Artu i troveras / Lié et joient se tu i vas. **814.** seignor.

---

810. fu. **823.** voit.

— Jeune homme, répond-il, c'est dans ce sens :
Tu verras une citadelle bâtie en bordure de mer,
et le roi Arthur, bien cher ami,
c'est là, dans ce château, si tu y vas,
que tu le trouveras, triste et joyeux à la fois.
— Et peux-tu me dire, si je le souhaite,
à quel propos le roi a de la joie et de la tristesse ?
— Je vais m'empresser de te le dire.
Le roi Arthur avec toute son armée
a combattu le roi Rion.
C'est le roi des Iles, le vaincu !
Voilà qui réjouit le roi Arthur.
Mais il est contrarié à cause de ses barons :
ils sont partis dans leurs châteaux,
là où chacun se plaît le mieux à résider,
et le roi n'a plus de leurs nouvelles.
C'est la raison de sa tristesse. »
Le jeune homme n'accorde aucun prix
à ce que lui annonce le charbonnier,
sinon pour emprunter le chemin
du côté qu'il lui a montré.
Pour finir, il vit en bord de mer une ville forte,
majestueuse, puissante et belle.
Il en vit sortir par la porte
un chevalier en armes qui tient
une coupe d'or à la main.
Il tenait sa lance, les rênes
et son écu de la gauche,
et, de la droite, cette coupe d'or.
Son armure lui seyait bien,

215 ra   Qui totes vermoilles estoient.
          Li vallez vit les armes beles,
832   Qui erent freiches et noveles,
          Si li plorent et dit : « Par foi,
          Ces demanderai je lo roi.
          S'il les me done, bel m'en iert,
836   Et daaz ait qui autres quiert ! »
          Atant vers lo chastel s'en torne,
          Que mestier n'i a de demore,
          Tant que pres do chevalier vint.
840   Et li chevaliers lo retint
          Un petit, si li demanda :
          « Ou iras tu, vallet, di va ?
          — Je voil, fait il, a cort aler
844   Au roi ces armes demander.
          — Vallez, fait il, tu feras bien.
          Or vas don tost et si revien,
          Et tant diras au malveis roi
848   Que s'il ne viaut tenir de moi
          Sa terre, que il la me rande
          O il envoit qui la desfande
          Vers moi qui di que ele est moie.
852   Et a ces ensaignes t'en croie
          Que devent lui pris orendroit
          A tout lo vin que il bevoit
          Cete cope que je en port. »
856   Or quier[e]autre qui li recort,
          Que cil n'i a mot antandu.
          Jusqu'a la cort n'a atandu,
          O li rois et li chevalier

___

842. di va di va.

___

833. dist. 837-838. s'en cort / Que tart li est qu'il vaigne a cort.

elle était entièrement vermeille.
Le jeune homme vit la beauté de ces armes,
qui étaient toutes neuves.
Elles lui plurent et il se dit : « Ma parole,
voilà bien celles que je vais demander au roi.
S'il me les donne, j'en serai réjoui,
et au diable qui en cherche d'autres ! »
Il se précipite alors vers le château,
tant il lui tarde d'arriver à la cour.
Mais le voici venu devant le chevalier.
Le chevalier l'a retenu
un instant pour lui demander :
« Dis-moi, jeune homme, où cours-tu ainsi ?
— Je veux, dit-il, me rendre à la cour
pour demander vos armes au roi.
— Très bien, jeune homme ! répond-il.
Va donc et reviens vite.
Et tu pourras dire à ce mauvais roi
qu'il me rende sa terre,
s'il refuse de la tenir de moi,
ou bien qu'il envoie quelqu'un pour la défendre
contre moi, car je la revendique comme mienne,
à telles enseignes, là-dessus il te croira,
que je me suis tout à l'heure emparé sous ses yeux
de la coupe que voici, avec tout le vin qu'il buvait,
et que je l'emporte. »
Il ferait mieux de chercher un autre messager,
car celui-ci n'a pas prêté attention à un seul mot.
Il a couru d'une traite jusqu'à la cour,
où le roi et ses chevaliers

860 Estoient assis au mangier.
     La sale fu a terre aval,
     Et li vallez entre a cheval
     En la sale qui fu pavee
864 Et autant longue come lee.
     Et li rois Artus est assis
     Au chief d'une table pansis
     Et tuit li chevalier parloient
868 Et li un as autres disoient :
     « Qu'a li rois, qu'est pensis et muz ? »
     Li vallez est atant venez,
     Ne ne set lo quel il salut,
872 Que do roi mie no conut,
     Tant qu'Ivonez contre lui vint,
     Qui un costel en sa main tint.
     « Vallez, fait il, tu qui ça viens,
876 Qui lo costel en ta main tiens,
     Mostre moi li ques est li rois. »
     Ivonez, qui molt fu cortois,
     Li dist : « Amis, veez lo la. »
880 Et cil tantost vers lui ala,
     So salue si com il sot.
     Li rois pensa, qu'il ne dit mot,
     Et cil autre foiz l'araisone.
884 Li rois pansa et mot ne sone.
     « Par foi, fait li vallez adonques,
     Cist rois ne fist chevaliers onques.
     Qant on parole n'en puet traire,
888 Comant porroit chevalier faire ? »
     Tantost de retorner s'atorne,

---

865. ert. 868-869. Li un as a. deduisoient (*var.* gaboient) / Fors il qui fu
p. et m. 870. avant. 881. salua. 882. et ne dist.

étaient attablés pour leur repas.
La grande salle était de plain-pied au rez-de-chaussée.
Le jeune homme y pénètre à cheval.
C'était une salle au sol dallé,
et parfaitement carrée.
Le roi Arthur était assis
en haut bout d'une table, abîmé dans ses pensées,
tandis que tous ses chevaliers discouraient
et se divertissaient entre eux.
Mais lui restait à part, songeur et muet.
Le jeune homme s'est alors avancé
et ne sait qui il doit saluer,
car il ne connaissait en rien le roi,
lorsqu'Ivonet vint à sa rencontre.
Il tenait un couteau à la main.
« Jeune homme, lui dit-il, toi qui t'approches de moi,
avec ton couteau à la main,
montre-moi celui qui est le roi. »
Ivonet, qui était rempli de courtoisie,
lui dit : « Le voilà, mon ami. »
Et lui de se diriger vers le roi.
Il le salue, à sa façon.
Le roi songeait et ne dit mot.
L'autre, de nouveau, s'adresse à lui.
Le roi songeait et ne souffle mot.
« Ma parole, se dit alors le jeune homme,
le roi que voici n'a jamais fait de chevaliers !
Si on ne peut lui tirer la moindre parole,
comment pourrait-il faire un chevalier ? »
Aussitôt il s'apprête à s'en retourner,

215va Lou chief de son chaceor torne,
      Mais si pres do roi l'a mené
892   A guise d'ome mal sené
      Que devant lui, sanz nule fable,
      Li abati de sor la table
      Dou chief un chapel de bonet.
896   Li rois torne vers lo vallet
      Lo chief que il tenoit baisié,
      Si a tot son panser laisié
      Et dit : « Biaux frere, bien vaigniez.
900   Pri vos que en mal ne taigniez
      Ce qu'a vostre salu me toi,
      Que mot respondre ne vos poi,
      Que li plus maus guerriers que j'aie,
904   Qui plus me het et plus m'esmaie,
      M'a ci ma terre contredite
      Et tant est fox que tote quite
      Dit qu'il l'avra, o voille o non.
908   Li Vermaus Chevaliers a non
      De la foret de Guingueroi.
      Et la raïne devant moi
      Estoit ci venue seoir
912   Por conforter et por veoir
      Ces chevaliers qui sont blecié.
      Ne m'aüst guaires correcié
      Li chevaliers de quant qu'il dit,
916   Mais devant moi ma cope prist
      Et si folemant l'an leva
      Que sor la raïne versa
      Tot lo vin de coi estoit plaine.

---

907. Qui dit qui l'avra, voille o non.

---

902. D'ire. 903. li pire anemis. 909. *Var.* Quinqueroi. 915. Dist.

il fait tourner bride à son cheval,
mais il était venu avec si près du roi,
en homme mal élevé qu'il était,
que devant lui, je ne vous raconte pas d'histoires,
il lui fit tomber sur la table
son chapeau de feutre de la tête.
Le roi tourne vers le jeune homme
sa tête qu'il gardait baissée,
il a quitté toutes ses pensées
et il lui dit : « Mon frère, soyez le bienvenu.
Je vous prie de ne pas le prendre en mal
si je me suis tu quand vous me saluiez.
Le chagrin m'empêchait de vous répondre,
car le pire ennemi que je puisse avoir,
celui qui me hait le plus et qui d'autant plus m'inquiète,
vient ici de me contredire ma terre,
et il est assez fou pour dire
qu'il l'aura toute à lui, sans restriction, que je le veuille ou
Il s'appelle le Chevalier Vermeil   [non.
de la Forêt de Guingueroi.
Et la reine, en face de moi,
était ici venue s'asseoir
pour apporter le réconfort de sa présence
aux chevaliers qui sont là, blessés.
Au vrai, rien de tout ce qu'a dit le chevalier
ne m'aurait beaucoup troublé,
s'il n'avait sous mes yeux pris ma coupe.
Il la souleva si furieusement
qu'il a, sur la reine, renversé
tout le vin dont elle était pleine.

920 Ci ot oevre laide et vilaine,
     Que la raïne en est entree,
     De dol et d'ire enflamee,
     En sa chambre, ou ele s'ocit,
924 Ne ne cuit pas, que Dex m'aït,
     Que ja en puise eschaper vive. »
     Li vallez ne prise une cive
     Quant que li rois li dit et conte,
928 Ne de son doel ne de la honte
     La raïne ne li chaut il.
     « Faites moi chevalier, fait il,
     Sire rois, car aler m'en voil. »
932 Cler et rient furent si oil
     An la teste au vallet salvaige.
     Nus ne l'ot qui lo taigne a saige,
     Mais tuit cil qui lo regardoient
936 Por bel et por gent lo tenoient.
     « Amis, fait li rois, descendez
     Et vostre chaceor randez
     A ce vallez, sou gardera
940 Et vostre volantez fera.
     Fait iert, a Damedeu lo veu,
     En m'anor et a vostre preu. »
     Et li vallez a respondu :
944 « Ja n'estoient pas descendu
     Cil que je vi ore en la lande,
     Et vos volez que je descende ?
     Ja, par mon chief, ne descendrai,
948 Mais faites tost, si m'en irai.
         — Ha ! fait li rois, dox amis [chiers],

---

928. sa. **934.** ne lo *(en contradiction avec le contexte)*. **941.** Faites. **948.** Haï.
Réclame en bas de page : Je lo ferai.

---

932. li. **934.** Nus qui le voit nel tient a sage (*mais la var.* l'ot, *BCHR,
cf. aussi MSU, offre un subtil contraste*). **945.** que je trovai (*var.* j'ancontrai).

Quelle laide et grossière action !
Sous le coup de la douleur et rouge de fureur
la reine s'en est retournée
dans sa chambre. Elle se tue de rage,
si bien, par Dieu, que je ne pense pas
qu'elle puisse en réchapper vive. »
Le jeune homme se moque comme d'une prune
de tout ce que le roi peut lui dire ou conter.
Quant au chagrin ou à la honte
de la reine, il n'en a cure !
« Faites-moi chevalier, monseigneur le roi !
dit-il, car je veux m'en aller. »
Ses yeux clairs riaient
dans son visage, c'était un jeune homme des bois :
personne, à l'entendre, ne le prenait pour sensé,
mais tous ceux qui le regardaient
le trouvaient beau et noble.
« Mon ami, fait le roi, mettez pied à terre
et remettez votre cheval
au jeune serviteur que voici, il en prendra soin
et répondra à vos désirs.
Tout sera fait, j'en fais le vœu à Notre Seigneur Dieu,
à votre avantage comme à mon honneur.
— Oui, mais, a répondu le jeune homme,
ils n'avaient pas pied à terre
ceux que j'ai rencontrés dans la lande,
et vous voulez que je le fasse !
Eh bien non ! Sur ma tête, je n'en ferai rien !
Mais faites vite, que je m'en aille.
— Oh, fait le roi, mon bien cher ami,

216ra Je lou ferai molt volantiers   [2e cahier]

A vostre preu et a m'anor.

952 — Mais, foi que doi lo Criator,

Fait li vallez, biax sire rois,

Ne serai chevaliers des mois,

Se chevaliers vermaus ne sui.

956 Donez moi les armes celui

Que j'encontrai de ors la porte,

Qui vostre cope d'or en porte. »

Li senechaus s'est correciez

960 De ce que ot et fu iriez

Et dit : « Amis, vos avez droit.

Alez li tolir orandroit

Les armes, que eles sont vos.

964 Ne feïstes mie que sos,

Qant vos por ce venistes ci.

— Keux, fait li rois, por Dé merci,

Trop dites volantiers anui,

968 Si ne vos chaut onques a cui.

A prodome est ce trop leiz vices.

Por ce, se li vallez est nices,

S'et il espoir molt gentis hom,

972 Ou ce li vient voir d'aprison,

Que il et aüz vilain mestre,

Encor puet preuz et saiges estre.

Vilenie est d'atrui guaber

976 Et de promettre sanz doner.

Prodom ne se doit antremetre

De rien nule a autrui promettre

Que doner ne li puise et voille,

---

963. vostres. 964. mornes. 973. Qu'il est aüz a v. m. *(corr. d'après FQUV).*

959-960. qui fu bleciez / De ce qu'il ot s'est correciez. 972-973. Et se ce li vient d'aprison / Qu'il ait esté.

mais je vais le faire de bonne grâce,
à votre avantage comme à mon honneur.
— A une condition, mon cher seigneur le roi ! dit-il,
Je ne serai pas chevalier avant des mois
si je ne deviens un chevalier vermeil.
Donnez-moi les armes de celui
que j'ai rencontré là-dehors, devant la porte,
celui qui emporte votre coupe d'or. »
Le sénéchal, qui était parmi les blessés,
s'est irrité de ce qu'il vient d'entendre,
et il dit : « Mon ami, vous avez raison.
N'attendez pas ! Allez lui enlever
ses armes, elles sont à vous.
Vous n'avez certes pas agi en sot
en étant pour cela venu ici !
— Keu, fait le roi, miséricorde !
Vous êtes trop enclin à dire des choses désagréables,
et peu vous importe à qui.
Chez un honnête homme, c'est un défaut très laid.
Ce jeune homme a beau être un ignorant,
il est peut-être de noble famille,
et s'il lui vient de son éducation
qu'il ait eu un maître indigne,
il peut encore devenir sage et vaillant.
C'est une bassesse que de se moquer d'autrui
et de promettre sans donner.
Un homme d'honneur ne doit s'engager
à rien promettre à personne
sans l'intention ni la possibilité de le faire,

980 Que lo maugré celui n'acoille
    Qui sanz promettre est si amis
    Et, des que il li a promis,
    Si bee a la promese avoir.
984 Et por ce si poez savoir
    Qu'asez vauroit il mieulz veer
    A home que faire beer.
    Et qui lo voir dire an vodroit,
988 Lui meïsmes gabe et deçoit. »
    Ensin li rois a Keu parloit.
    Et li vallez qui s'an aloit
    A une pucele veüe
992 Bele et gente, si la salue
    Et cele lui et si li rist
    Et en rient itant li dist :
    « Vallez, se tu viz par aaige,
996 Je pans et cuit en mon coraige
    Q'an trestot lo monde n'avra
    N'il n'iert ne l'an ni savra
    Nul chevalier meillor de toi,
1000 Ensin lo pans et cuit et croi. »
    Et la pucele n'avoit ris
    Anz avoit passé plus de dis,
    Et ce dit ele si en haut
1004 Que tuit l'oïrent. Et Kex saut,
    Cui la parole enuia molt,
    Si li done un cop si estout
    De sa paume en la face tandre
1008 Que il la fist a terre estandre.
    Qant la pucele ferue ot,

---

986. qu'a faire. **992.** lo. **998.** n'i est *(leçon de BC)*. **1002.** Ainz.

---

981. ses. *Après* **988.** *om.* Qui fet promesse et ne la sout / Car le cuer son ami se tout. **1002.** dis *(BCQRU)* ou sis ? **1003.** dist.

sinon l'autre lui en sait mauvais gré.
Avant la promesse, c'était son ami,
mais, la promesse faite,
il n'a qu'une envie, c'est de l'avoir.
C'est pourquoi, sachez-le,
il vaudrait beaucoup mieux refuser une chose
à un homme que de la lui faire attendre.
Et pour dire franchement la vérité,
[celui qui promet sans tenir]
ne moque ou ne trompe personne d'autre que lui-même,
[car il vient de s'aliéner le cœur d'un ami.] »
Tandis que le roi parlait ainsi à Keu,
le jeune homme, en partant,
aperçoit une jeune fille,
pleine de beauté et de grâce, il la salue
et elle, lui. Et elle lui rit,
et tout en lui riant, elle lui dit :
« Jeune homme, si tu vis tout ton temps,
mon cœur me fait croire et penser
que dans le monde entier, il n'y aura pas,
on n'y verra pas, on n'y saura pas
de meilleur chevalier que toi.
Oui, je le crois, je le pense, je le sais. »
Il y avait plus de dix ans
que cette jeune fille n'avait ri.
Elle a parlé à voix bien haute
et tous l'ont entendue. Keu bondit.
Ces paroles lui furent odieuses.
Il lui porte de la paume de la main
un coup si rude sur son tendre visage
qu'il l'a laissée étendue au sol.
Après avoir frappé la jeune fille,

216va An son retor trova un sot
   Lez une cheminee estant,
1012 Si lo bota el feu ardant
   Do pié par corroz et par ire
   Por ce que li soz soloit dire :
   « Ceste pucele ne rira
1016 Jusque tant que ele verra
   Celui qui de chevalerie
   Avra tote la seignorie. »
   Ensin cil crie et cele pleure,
1020 Et li vallez plus ne demeure,
   Ainz s'en retorne sanz consoil
   Aprés lo Chevalier Vermoil.
   Ivonez, qui les droiz sentiers
1024 Savoit toz et molt volantiers
   Aportoit noveles a cort,
   A toz .V. conpaignons acort
   Par un vergier delez la sale
1028 Et par une poterne avale
   Tant que vint au chemin tot droit
   Ou li chevaliers atandoit
   Chevalerie et avanture.
1032 Et li vallez grant aleüre
   Vint vers lui por les armes pranre.
   Et li chevaliers por atandre
   Avoit la cope d'or jus mise
1036 Sor un perron de maubre bise.
   Qant li vallez aproichié l'ot
   Si que li uns l'autre oïr pot,
   Si li cria : « Metez les jus

1030. l'atandoit.

1026. aportoit ... / A toz ses c. *ou* : toz seus sanz c. s'an cort.
1036. Roche (marbre : *BSU*).

il trouva, en revenant, un fou
qui se tenait debout près d'une cheminée.
De colère et de dépit, d'un coup de pied
il le lança dans le feu qui brûlait bien,
simplement parce que ce fou avait coutume de dire :
« Cette jeune fille ne rira
que le jour où elle verra
celui dont la gloire chevaleresque
sera sur toutes les autres souveraine. »
Et lui de crier et elle de pleurer.
Le jeune homme sans plus s'attarder
ni sans prendre conseil s'en repart
après le Chevalier Vermeil.
Ivonet, à qui les plus courts chemins
étaient tous familiers et qui se faisait un plaisir
de rapporter des nouvelles à la cour,
laisse ses compagnons et, tout seul, en hâte,
passe par un verger qui flanquait la grande salle,
dévale par une poterne
et débouche tout droit sur le chemin
où le chevalier se tenait, en attente
d'aventure et de gloire chevaleresque.
Or, le jeune homme arrivait vers lui,
à toute allure, pour s'emparer de ses armes.
Le chevalier, cependant, avait, pour mieux attendre,
déposé la coupe d'or
sur un bloc de pierre grise.
Dès que le jeune homme fut assez près
pour être à portée de voix,
il lui cria : « Mettez-les bas,

1040 Les armes, nes porterez plus,
     Que li rois Artus lo vos mande.
     — Vallez, fait il, je te demande
     Se nus a ossé ça venir
1044 Por lo droit lo roi maintenir.
     Se nus i vient no celez ja.
     — Comant, deiable, est ce or gas,
     Dans chevaliers, que vos me faites
1048 Q'ancor n'avez mes armes traites ?
     Ostez les tost, jo vos comant !
     — Vallez, fait il, je te demant
     Se nus vient ci de par le roi
1052 Qui conbatre se voille a moi.
     — Dans chevaliers, car ostez tost
     Les armes, que je nes vos ost,
     Que plus ne vos en sofferroie.
1056 Bien saichiez que je vos ferroie
     Se plus parler m'en feïssiez. »
     Lors fu li chevaliers iriez,
     La lance a en .II. poinz levee
1060 Et si l'en done grant colee
     Par les espaules en travers
     Par la ou n'estoit pas li fers,
     Qu'il lo fist enbronchier aval
1064 Jusque sor lo col do cheval.
     Et li vallez s'est correciez
     Qant il santi qu'i[l] fu bleciez
     De la colee qu'il ot prise.
1068 A l'oil au mielz qu'il puet l'avise
     Et laise aler lo javelot,

1040. et ses metez jus. 1041. mandez. 1054. je les.

1042-1043. Et li chevaliers li demande / V. ose nus ça venir. 1045. celer.

vos armes, vous ne devez plus les porter,
c'est un ordre du roi Arthur ! »
Mais le chevalier lui demande :
« Jeune homme, quelqu'un a-t-il l'audace de venir
pour soutenir ici la cause du roi ?
Si quelqu'un vient, il ne faut rien cacher.
— Eh quoi, par tous les diables, est-ce une plaisanterie
que vous me faites, seigneur chevalier,
d'attendre encore pour retirer vos armes ?
Quittez-les sur-le-champ, c'est un ordre !
— Jeune homme, fait-il, je te le demande,
quelqu'un vient-il ici au nom du roi,
dans la volonté de me livrer combat ?
— Seigneur chevalier, quittez sur-le-champ
vos armes, ou c'est moi qui vous les enlève !
Je ne pourrais vous permettre un instant de plus.
Soyez sûr que j'irais vous frapper
si vous m'obligiez à parler davantage. »
Le chevalier a, cette fois, perdu son calme,
à deux mains il brandit sa lance
et lui en assène un grand coup
par le travers des épaules,
avec la partie où n'était pas le fer.
Il lui a fait courber la tête
jusqu'à l'encolure de son cheval.
Le jeune homme s'est pris de colère
à sentir la blessure
du coup qu'il a reçu.
Il le vise à l'œil, du mieux qu'il peut,
et laisse partir son javelot.

217 ra Si qu'il n'entant ne voit ne ot,
        Lo fiert tres parmi lo cervel
1072 Si qu'i[l] li fet ou haterel
        Saignier et la cervele espant.
        De la dolor li cuers li mant,
        Si verse et chiet toz estanduz,
1076 Et li vallez est descenduz,
        Si met la lance a une part
        Et l'escu do col li depart,
        Mais il n'en set venir a chief
1080 Do hiaume qu'il ot sor lo chief,
        Qu'il ne set comant il lo praigne
        Et l'espee, qu'il li desceigne
        Maintenant, mes il no set fere
1084 Ne do desarmer a chief traire.
        Lors prant lo feurre et sache [et] tire.
        Ivonez comença a rire
        Qant lo vallet voit entrepris :
1088 « Ice que est, fait il, amis ?
        Que faites vos ? — Je ne sai coi.
        Je cuidoie de vostre roi
        Qu'il m'aüst ces armes donees,
1092 Mais ainz avroie a charbonees
        Trestot esbraoné ce mort
        Que nules des armes en port.
        — Or ne vos esmaiez de rien,
1096 Que je les departirai bien,
        Se vos volez, fait Ivonez.
        — Faites don tost, fait li vallez,
        Ses me donez senz nul arest. »

1070. Cil qui *(leçon de BQU).* **1099.** Sel.

1071. parmi l'uel el cervel. **1072-1073.** Que d'autre part del haterel / Le
sanc. **1082-1084.** Et s'a talent qu'il li desceigne / L'espee, mais il nel set
faire / Ne del fuerre ne la puet traire. **1085.** Ainz. *Après* **1094.** *om.* Qu'eles
se tienent si au cors / Que ce dedanz et ce defors / Est trestot un si con
moi sanble / Qu'eles se tienent si ansanble.

Avant qu'il y prenne garde ou qu'il ait rien vu ou entendu,
le coup a traversé l'œil et atteint le cerveau.
Le sang et la cervelle
jaillissent par la nuque.
La douleur le fait défaillir,
il tombe à la renverse et gît tout à plat.
Le jeune homme a mis pied à terre,
il met la lance de côté
et lui ôte du cou son écu,
mais il ne peut venir à bout
du heaume qu'il avait sur la tête,
car il ne sait par où le prendre.
Il a aussi le désir de lui déceindre
l'épée, mais il ne sait pas y faire.
Il est même incapable de la sortir du fourreau.
Alors il saisit le fourreau et le secoue dans tous les sens.
Ivonet se mit à rire
en le voyant si embarrassé :
« Qu'y a-t-il, mon ami ? fait-il,
Que faites-vous ? — Je ne sais pas trop.
Je m'imaginais que votre roi
m'avait fait don de ces armes,
mais j'aurais tout découpé ce mort
en tranches de viande bonnes à griller
avant d'avoir pu emporter une seule de ses armes !
[Elles adhèrent si bien à son corps
que le dedans et le dehors
ne font qu'un, c'est mon avis.
Tout est d'un seul tenant.]
— Ne vous faites plus aucun souci,
je peux facilement les détacher,
si vous le voulez, dit Ivonet.
— Alors, faites vite ! dit le jeune homme,
et donnez-les moi tout de suite. »

1100 Tantost Yonez lo devest
     Et jusqu'an l'artoil lo deschauce,
     Ne li laisse haubert ne chauce
     Ne hiaume o chief n'autre armeüre.

1104 Mais li vallez sa vesteüre
     Ne vost laisier ne ne preïst
     Por rien que Yonez deïst
     Une cote bien aaisiee,

1108 De drap de soie gambesiee,
     Que desoz son aubert vestoit
     Li chevaliers quant vis estoit,
     N'oster ne li pooit des piez

1112 Les revelins qu'il ot chauciez :
     « A, deaibles ! et ce or gas ?
     Je changeroie mes bons dras
     Que ma mere me fist l'autrier

1116 Por les dras a ce chevalier !
     Ma grosse chemisse de chanvre
     Por ceste qui est mole et tanre
     Vodreiez or que je laisaise ?

1120 Ma cote ou eve ne passe
     Por ceti qui n'en tanroit gote ?
     Mal daez ait sa gorge tote
     Qui changera ne loig ne pres

1124 Ses bons dras por autrui malveis ! »
     Molt grief chose est de fol apanre,
     N'il ne vost fors les armes panre
     Por priere que l'en li face.

1128 Ivonez les chauces li lace,
     Les esperons desor la chauce

1109. desus.

1102. N'i a lessié. 1113. Ainz dist : Deable, est ce or gas. 1122. Maldite soit.

Ivonet a vite fait de le déshabiller
et de le déchausser jusqu'au bout du pied.
Il ne lui a rien laissé, ni haubert, ni chausses,
ni heaume sur la tête, ni autre pièce d'armure.
Mais ses propres habits, le jeune homme
n'a pas voulu les laisser, ni prendre,
quoi qu'ait pu lui dire Ivonet,
une confortable tunique de soie
bien rembourrée
dont le chevalier était, de son vivant,
vêtu par-dessous le haubert.
Impossible également de lui enlever des pieds
les gros brodequins dont il était chaussé !
« Par tous les diables, vous plaisantez !
Moi, changer mes solides vêtements,
ceux que m'a faits ma mère, l'autre jour,
pour ceux de ce chevalier !
Ma bonne grosse chemise de chanvre,
vous voudriez que je la quitte
pour la sienne, qui est trop souple, trop peu résistante ?
Et ma tunique qui ne laisse pas passer l'eau
pour celle-ci qui serait vite trempée ?
Le diable l'étouffe
celui qui veut, d'une façon ou d'autre, changer
les bons habits qui sont à lui pour de mauvais qu'un autre
Lourde tâche que d'enseigner un fou !   [possède ! »
En dépit des prières,
il n'a rien voulu d'autre que les pièces d'armure.
Alors Ivonet lui lace les chausses
et, par-dessus, lui attache les éperons

217va Desor les revelins li chauce,
     Puis li a lo haubert vestu
1132 Tel que onques meildres ne fu,
     Lo hiaume qui molt bien li siet
     Desor la coife li asiet
     Et de l'espee li ensaigne
1136 Que l'ait chiere et si la ceigne.
     Puis li met lo pié a l'estrier
     Et est montez sor lo destrier,
     Ainz mes estrier aü n'avoit
1140 Ne d'esperon rien ne savoit
     Fors do sillent o de reorte.
     Yonez l'escu li aporte
     Et la lance, puis si li baille.
1144 Ençois que Ionez s'en aille,
     Dit li vallez : « Ami, prenez
     Mon chaceor, si l'en menez,
     Et portez sa cope lo roi,
1148 Si lo saluez de par moi
     Et tant dites a la pucele
     Que Keus feri soz la memele
     Que se je puis, ainz que je muire,
1152 Li cuit jo mestre molt bien cuire,
     Que por vangiee se tanra. »
     Et cil dit que il li randra
     Au roi sa cope et son mesaige
1156 Fornira a loi d'ome saige.
     Atant departent et s'en vont.
     En la sale ou li baron sont
     Antre Yonez parmi la porte,

1141. do s. de la r. 1151. se je vif. 1152. nuire. 1154. il li dira.

1129-1130. *Intervertis.* 1132. Tel qu'o. nus m. 1136. que laschet et pandant.
1138. Sel fait monter. 1139. veü. 1145. Dist. *Après* 1146. *om.* Qu'il est mout
bons et jel vos doing / Por ce que je n'an ai mes soing. 1150. sor la meissele.

sur ses gros brodequins.
Puis il l'a revêtu du haubert,
le meilleur qui ait jamais existé.
Sur le capuchon de maille, il lui installe
le heaume, qui lui va à la perfection.
Quant à l'épée, il lui apprend
à ne pas la ceindre serrée, mais à la laisser flottante.
Il lui met ensuite le pied à l'étrier.
Le voilà monté sur son coursier.
A vrai dire, il n'avait jamais vu d'étrier
et, en matière d'éperon, il ne connaissait guère
que lanière ou badine.
Ivonet lui apporte encore l'écu
et la lance, qu'il lui remet.
Avant qu'Ivonet ne s'en aille,
le jeune homme lui dit : « Mon ami,
prenez mon cheval de chasse, et emmenez-le.
[Il est excellent, je vous le donne,
car je n'en ai plus besoin.]
Rapportez au roi sa coupe
et saluez-le de ma part.
Dites encore ceci à la jeune fille
que Keu a frappée sur la joue :
le sénéchal peut être sûr qu'avant ma mort,
je lui aurai chauffé un plat de ma façon !
Elle pourra se tenir pour bien vengée ! »
L'autre s'engage alors à rendre
au roi sa coupe et à exécuter son message
en homme qui sait le faire.
Ils se séparent et s'en vont.
Dans la grande salle où se tiennent les grands du royaume
Ivonet vient d'arriver par la porte d'entrée.

1160 Qui au roi sa cope raporte,
Si li dist : « Sire, or faites joie,
Que vostre cope vos envoie
Vostres chevaliers qui ci fu.

1164 — Do quel chevalier me diz tu ?
Fait li rois, qui en sa grant ire
Estoit encor. — A non Dé, sire,
Fait Ionez, do vallet di,

1168 Qui orandroit parti de ci.
— Diz tu donc do vallet galois
Qui me demanda, fait li rois,
Les armes de sinople taintes

1172 Au chevalier qui hontes maintes
M'a faites selon son pooir ?
— Sire, de celui di je voir.
— Et ma cope comant ot il ?

1176 Aime lo tant et prise cil
Qu'il li a de son gré randue ?
— Ançois li a si chier vandue
Li vallez que il l'a ocis.

1180 — Et comant fu il, dox amis ?
— Sire, ne sai, mes que je vi
Que li chevaliers lo feri
De sa lance et fist [grant] anui,

1184 Et li vallez referi lui
D'un javelot parmi l'oeilliere
Si qu'il li fist par de deriere
Lo sanc et la cervele espandre,

1188 Et si lo vi a terre estandre. »
Lors dit li rois au senechal

1185. l'oroille. 1186. tote vermoille.

1162. renvoie. 1188. Et lui par terre mort estandre. 1189. dist.

Il rapporte au roi sa coupe
et lui dit : « Monseigneur, réjouissez-vous,
voici votre coupe, que vous envoie
celui qui ici même est devenu votre chevalier.
— Mais de quel chevalier me parles-tu ?
dit le roi, qui était encore
tout à son chagrin — Juste Ciel ! monseigneur,
fait Ivonet, mais je parle du jeune homme
qui nous a quittés tout à l'heure.
— Tu veux dire, fait le roi,
ce jeune Gallois qui m'a demandé
les armes de couleur rouge,
celles de ce chevalier qui maintes fois
a recherché ma honte de tout son pouvoir ?
— Oui, seigneur, c'est de lui que je parle.
— Et ma coupe, comment a-t-il pu l'avoir ?
L'autre a-t-il par hasard pour lui assez d'amitié et d'estime
pour la lui avoir rendue de son plein gré ?
— Au contraire ! Le jeune homme la lui a fait payer si cher
qu'il l'a tout bonnement tué.
— Et comment cela est-il arrivé, bien cher ami ?
— Monseigneur, je ne sais pas au juste, sauf que j'ai vu
le chevalier le frapper
avec sa lance et lui faire un mauvais parti.
Alors le jeune homme l'a frappé en retour
avec son javelot en plein dans la visière,
lui faisant derrière la tête
jaillir le sang avec la cervelle.
Puis je l'ai vu à terre, tout étendu. »
Alors le roi dit à son sénéchal :

218ra « A ! Keux, con m'avez fait hui mal !
       Par vostre laingue l'enuieuse,
1192   Dom avez dite mainte oiseuse,
       M'avez tel chevalier tolu
       Qui molt m'a hui ce jor valu.
       — Sire, fait Ionez au roi,
1196   Par mon chief, il mande par moi
       A la pucele la raïne,
       Que Kex feri par aatine,
       Par mau de lui et par despit,
1200   Qu'il la revenchera s'il vit
       Tant que venir en puise en leu. »
       Li fox, qui seoit lez le feu,
       Ot la parole et saut en piez
1204   Et vient devant lo roi toz liez,
       S'a tel joie qu'il tripe et saut,
       Et dit au roi : « Se Dex me saut,
       Or aprochent nos aventures.
1208   De felenauses et de dures
       En verroiz avenir sovant,
       Et si vos met bien en covant
       Que Keus puet estre toz certains
1212   Que mar vit les piez et les mains
       Et sa langue fole et vilaine,
       Q'ainz que past cete karentaine,
       Avra li chevaliers vanchié
1216   Lo cop qu'il me feri do pié,
       Et sa bufe ert molt bien rendue
       Et conparee et chier vandue
       Que il dona a la pucele,

1217. est m. b. vendue.

1206. Danz rois.

« Ah ! Keu, quel tort vous m'avez fait aujourd'hui !
Votre méchante langue,
déjà responsable de tant d'incartades,
m'aura privé d'un chevalier
qui m'a aujourd'hui même été bien utile.
— Monseigneur, dit Ivonet au roi,
je vous le jure, il m'a aussi demandé
de faire savoir à la suivante de la reine,
celle que Keu a frappée par défi
en haine et mépris de lui,
qu'il la vengera, s'il vit assez
pour en avoir un jour l'occasion. »
Le fou, qui était assis au coin du feu,
se lève d'un bond en entendant ces paroles
et arrive tout joyeux devant le roi.
Il en trépigne même et saute de joie !
« Monseigneur le roi, dit-il, Dieu ait mon âme,
voici venir les aventures que nous attendions,
de redoutables et de rudes,
qui, vous le verrez, plus d'une fois surviendront.
Et, je vous le garantis,
Keu peut en être tout à fait certain,
il va maudire le jour où il a eu l'usage de ses membres
et de sa langue si folle et discourtoise,
car avant quarante jours
le chevalier aura vengé
le coup de pied qu'il m'a lancé
et il lui aura en retour
fait payer très cher
la gifle qu'il a donnée à la jeune fille.

1220   Que antre lo cote et l'aisele
        Lo braz destre li brisera,
        Un demi an lou portera
        Au col pandu, et bien lo port !
1224   N'i puet faillir fors qu'a la mort. »
        Ceste parole tant greva
        Keu par po que il ne creva
        De mautalant et de corroz
1228   Qant il ne l'osa veiant toz
        Tel conreer que mort l'aüst.
        Por ce que lo roi desplaüst,
        Laisa que il ne l'anvaï,
1232   Et li rois dit : « Ahi ! ahi !
        Keus, molt m'avez hui correcié !
        Qui ensaignié et adrecié
        Lo vallet as armes aüst
1236   Tant c'un po aidier se saüst
        Et de l'escu et de la lance,
        Bons chevaliers fust sanz dotance.
        Mais il ne set ne po ne bien
1240   D'armes ne [de] nule autre rien,
        Car neïs traire ne savroit
        L'espee, se besoig avoit.
        Or soit armez sor son cheval,
1244   Encontrera aucun vasal
        Qui por son cheval guaaignier
        No dotera a meaignier,
        Tot mort ou mehaignié l'avra,
1248   Ja desfandre ne se savra,
        Tant est nices et bestïaux

1220. col. 1226. Que. 1232. Que. 1244. Encontroit lo. 1247. doteroit.

1224. plus qu'a. 1227-1228. et, de corroz, / Que il ne l'ala. 1232. dist.
1234. assené et a. 1243. siet. 1247. Tost.

Il lui brisera le bras droit
entre le coude et l'épaule.
Keu le portera en écharpe
la moitié d'une année. A lui de le prendre en patience !
Il ne peut y échapper, pas plus qu'un homme à la mort. »
Ces paroles furent si pénibles
pour Keu qu'il faillit pour un peu en éclater
de rage et, dans sa colère,
il serait bien allé, sous les yeux de tous,
l'arranger à sa façon et le laisser mort sur la place.
Mais de crainte de déplaire au roi,
il renonça à l'agression,
tandis que le roi disait : « Oh !
Keu, comme vous m'avez contrarié aujourd'hui !
S'il s'était trouvé quelqu'un pour diriger et guider
le jeune homme dans le métier des armes,
et le rendre tant soit peu capable de se servir
de l'écu et de la lance,
il ne fait aucun doute qu'il serait devenu un bon chevalier.
Mais pour l'heure il s'y entend si peu et si mal,
aux armes comme à tout le reste,
qu'il ne saurait même pas tirer
l'épée au besoin.
Et le voilà qui est assis tout armé sur son cheval !
Il risque de rencontrer un audacieux quelconque
qui n'hésitera pas à le laisser infirme,
histoire d'y gagner un cheval.
Oui, il aura vite fait de le laisser mort ou infirme,
car il sera incapable de se défendre.
Il est trop ignorant, une vraie bête,

218 va S'avra tost fait ses anvïaux. »
    Ensin li rois plaint et regrate
1252 Lo vallet et fait chiere mate,
    Mais il n'i puet rien conquester,
    S'an laisse la parole ester.
    Et li vallez sanz nul arest
1256 Vait chevauchant par la forest
    Tant que a terre plaine vint
    Sor une riviere qui tint
    De lé plus d'une aubelestee,
1260 S'estoit l'aive tote rantree
    Et retraite an son droit conduit.
    Vers la grant riviere qui bruit
    S'an va tote une praerie,
1264 Mais en l'aive n'entra il mie,
    Qu'il la vit molt corrant et noire
    Et assez plus corrant que Loire.
    Si s'en va tot selonc la rive
1268 Lez une grant roiche naïve,
    Qui d'autre part de l'eve estoit,
    Si que l'eve au pié li batoit.
    Sor cele roiche, en un pandant
1272 Qui vers mer aloit descendant,
    Ot un chastel et bel et fort.
    Si con l'eive aloit ou regort,
    Torna li vallez a senestre
1276 Et vit les tors do chastel nestre.
    Avis li fu qu'eles nessoient
    Et que fors do chastel issoient.
    Ami lo chastel en estant

1265. et roide. **1271.** Sor une r. **1276.** la tor.

1259. arbalestee. **1265.** Qu'il la vit molt parfonde.

les jeux seront vite faits ! »
C'est ainsi que le roi pleure et regrette
le jeune homme et qu'il fait sombre visage.
Mais il ne peut rien y gagner,
aussi n'en parle-t-il plus.

Cependant le jeune homme sans le moindre arrêt
chevauche à travers la forêt.
Pour finir, il est parvenu en plaine,
en vue d'une rivière qui faisait
de large plus qu'une portée d'arbalète.
L'eau était tout entière rentrée
dans son cours, en se retirant.
Traversant une prairie, il se dirige
vers la grande rivière qui gronde,
mais il ne se risqua pas dans l'eau,
car il la vit profonde et noire,
et son courant était plus fort que celui de la Loire.
Il longe donc toute la rive,
en suivant une haute paroi rocheuse à nu,
qui se trouvait de l'autre côté de l'eau,
et au pied de laquelle l'eau venait battre.
Sur ce rocher, au penchant de la colline
qui descendait du côté de la mer,
se dressait un superbe château fort.
A l'endroit où l'eau arrivait à son embouchure,
le jeune homme prit à gauche
et ses yeux virent naître les tours du château.
Il avait l'impression de les voir naître
et comme sortir du château.
Au milieu du château se tenait

1280 Ot une tor et fort et grant,
Qui a la mer se conbatoit
Et la mers au pié li batoit.
Au .IIII. parties do mur,

1284 Don li carrel estoient dur,
Avoit .IIII. basses torneles,
Qui molt estoient fors et beles.
Li chastiaus fu molt bien seanz

1288 Et bien aaisiez par dedanz.
Devant lo chastelet reont
Ot sor l'eve drecié un pont
De pierre, d'araine et de chauz.

1292 Li ponz estoit et [f]ors et hauz,
A batailles trestot antor.
Ami lo pont ot une tor
Et, devant, un pont torneïz,

1296 Qui estoit faiz et establiz
A ce que sa droiture porte :
Lo jor est ponz et la nuiz porte.
Li vallet vers lo pont chemine.

1300 Vetuz d'une robe d'ermine
S'aloit un prodom esbatant
Desor lo pont, et si atant
Celui qui vers lo pont venoit.

1304 Li prodom en sa main tenoit
Par contenance un batonet,
Et aprés lui furent vallet
Dui, tuit desafublé, venu.

1308 Cil qui vient ot bien retenu
Ce que sa mere li aprist,

Après **1280.** *om.* Une barbacane mout fort / Avoit tornee vers le gort.

dressée une grande et puissante tour.
Il y avait aussi une fortification avancée
qui regardait vers l'embouchure
où les eaux se heurtaient à la mer,
et la mer venait battre à son pied.
Aux quatre coins de la muraille,
faite de solides pierres de taille,
se trouvaient quatre petites tours basses,
massives et belles à voir.
Le château était bien assis.
L'intérieur en était commodément disposé.
Sur le devant d'un châtelet, de forme ronde,
un pont de pierre bâti à sable et à chaux
enjambait la rivière.
C'était un pont solide et haut,
fortifié sur toute sa longueur.
Au milieu du pont se trouvait une tour,
à l'entrée, un pont-levis,
bien fait et installé
pour répondre à sa destination :
le jour, c'est un pont et la nuit, une porte.
Le jeune homme s'achemine vers le pont.
En vêtements d'hermine,
un noble personnage se distrayait
sur ce pont, tout en attendant
celui qui se dirigeait vers le pont.
Le gentilhomme avait pris une certaine attitude :
il tenait une baguette à la main.
Il était suivi par deux jeunes nobles en service,
qui s'étaient débarrassés de leur manteau.
Le nouvel arrivant avait bien en mémoire
la leçon apprise de sa mère.

219 ra Que il lo salua et dist :

« Sire, ce m'ensaigna ma mere.

1312 — Dex te beneïe, biaus frere ! »
Fait li prodom, qui nice et sot
Au parler lo conut et sot,
Et a dit : « Frere, don viens tu ?

1316 — Don ? De la cort lo roi Artu.
— Qu'i feïs ? — Chevalier m'a fait
Li rois, qui bone aventure ait.
— Chevalier ? se Deu bien me doint,

1320 Je ne cuit ore qu'en ce point
De tel chose li sovenist.
Je cuidoie d'el li tenist
Au roi que de chevalier faire.

1324 Or me di, frere debonaire,
Ces armes, qui les te bailla ?
— Li rois Artus les me dona.
— Di moi comant. » Et cil li conte.

1328 Vos qui avez oï lo conte,
Qui autre foiz lo conteroit,
Anuiz et oiseuse seroit,
Que nus contes de ce n'amande.

1332 Et li prodon li redemande
Qu'il set faire de son cheval.
« Jel cor bien amont et aval
Tot autresin con je corroie

1336 Mon chaceor quant je l'avoie,
Qu'an la maison ma mere pris.
— Et de vos armes, biaux amis,
Me redites qu'en savez faire.

1314. conut a sot. **1330.** ovoisse (?). **1332.** me r. **1338.** tes a.

1320. Ne cuidoie qu'ore. **1323.** D'el cuidoie qu'il li t. **1327.** Dona ? Comant ? **1329.** Si com avez oï el conte.

Il le salua donc, en disant :
« Monseigneur, c'est ce que m'a enseigné ma mère.
— Dieu te bénisse, mon frère ! »
dit le gentilhomme, qui à sa façon de parler
l'a pris à l'évidence pour un ignorant et un sot.
« D'où viens-tu, mon frère ? a-t-il ajouté.
— D'où ? Mais de la cour du roi Arthur.
— Qu'y faisais-tu ? — J'ai été fait chevalier
par le roi, et je lui souhaite bonne chance.
— Chevalier ? Dieu me protège !
Je ne pensais pas qu'il fût encore en mesure
de se souvenir de pareille chose.
Je pensais que le roi avait tout autre chose en tête
que de faire des chevaliers.
Mais, dis-moi, gentil frère,
ces armes, de qui les tiens-tu ?
— C'est le roi Arthur qui me les a données.
— Données ? Et comment ? » Et lui d'en faire le conte.
Mais vous, vous avez déjà entendu ce conte.
Si on s'avisait une fois de plus de le raconter,
ce serait ennuyeux et sans intérêt.
Cela n'est jamais à l'avantage du conte.
Le gentilhomme lui demande aussi
ce qu'il sait faire avec son cheval.
« Je le fais courir par monts et par vaux,
exactement comme je faisais courir
le cheval de chasse qui était à moi,
celui que j'avais emporté de chez ma mère.
— Et vos armes, mon doux ami,
dites-moi encore ce que vous savez faire avec.

1340   — Jes sai bien vestir et retraire
     Si con li vallez m'en arma,
     Qui voient moi en desarma
     Celui que je avoie mort,
1344   Et si legieremant les port
     Qu'eles ne me grievent [de] rien.
     — Par l'arme Dé, ce pris je bien,
     Fait li prodom, et molt me siet.
1348   Or me dites, que ne vos griet,
     Ques besoing vos amena ça.
     — Sire, aventure m'ensaigna,
     Et ma mere, que je alasse
1352   Aus prodomes et (me) conseillase
     Et creüsse que me diroient,
     Que preu i ont cil qui les croient. »
     Et li prodon respont : « Biax frere,
1356   Beneoite soit vostre mere
     Que ele vos ansaigna bien.
     Mais volez vos plus dire rien ?
     — Oïl. — Et coi ? — Tant et ne mes
1360   Que vos me esbergiez huimés.
     — Molt volantiers, fait li prodom,
     Mais que vos m'otroiez un don
     Don grant bien, fait il, vos avroiz.
1364   — Et coi, fait il ? — Que vos creoiz
     Lo conseil vostre mere et moi.
     — Par foi, fait il, je vos otroi.
     — Don descendez. » Et il descent.
1368   Et uns vallez son cheval prant
     Des .II. qui furent venu la,

1344. la. **1346-1347.** Fait li prodom, ce me siet bien / Par l'arme Dé.
1352. *Hypermétrique.*

1350-1351. Sire, ma mere m'e. / Que vers les prodomes alasse / Et que a
aus. **1363.** venir vos verroiz.

— Je sais bien me les mettre et me les enlever,
comme me l'a montré le jeune homme qui m'en arma
et qui sous mes yeux en désarma
celui que je venais de tuer.
Elles me sont si légères à porter
que je n'y prends aucune peine.
— Béni soit Dieu! voilà une parole que j'approuve
et qui me fait plaisir, dit le gentilhomme.
Et maintenant dites-moi, s'il vous plaît,
quel motif vous a poussé jusqu'ici.
— Monseigneur, c'est ma mère qui m'a enseigné
de me rendre auprès des hommes d'honneur
et de prendre conseil d'eux
et d'ajouter foi à ce qu'ils me diraient,
car ceux qui les croient en tirent profit. »
Et le gentilhomme lui répond : « Mon doux frère,
bénie soit votre mère,
car son enseignement était bon.
Avez-vous quelque chose d'autre à me dire?
— Oui. — Quoi donc? — Simplement ceci,
que vous m'accordiez aujourd'hui l'hospitalité.
— C'est très volontiers, fait le gentilhomme,
mais c'est à condition que vous accédiez à une demande
dont vous verrez grand bien vous arriver.
— Laquelle? fait-il — D'ajouter foi
aux avis de votre mère et aussi aux miens.
— Vous avez ma parole, fait-il, je vous l'accorde.
— Et maintenant, pied à terre! » Il descend alors,
et un serviteur prend son cheval,
l'un des deux qui étaient venus là,

219 va   Et li autres lou desarma,
      Si remest en la robe sote,
1372   Es revelins et en la cote
      De cer maufaite et mal tailliee
      Que sa mere li ot chargiee.
      Et li prodom se fait chaucier
1376   Les esperons tranchanz d'acier
      Que li vallez ot aportez,
      Si est sor lo cheval montez
      Et l'escu par la guige pant
1380   A son col et la lance prant
      Et dit : « Amis, or aprenez
      D'armes et garde vos donez
      Comant l'en doit lance tenir
1384   Et chevaux corre et porsaillir. »
      Lors a desploïe l'ensaigne,
      Si l'aprant et si li ensaigne
      Comant en doit son escu prandre.
1388   Un petit lo vait avent pandre
      Tant qu'au col do cheval lo joint
      Et met la lence ou fautre et point
      Lo cheval, qui .C. mars valoit,
1392   Que nus plus volantiers n'aloit
      Plus tost ne de greignor vertu.
      Li prodom sot molt de l'escu
      Et do cheval et de la lance,
1396   Car il l'ot apris des enfance.
      Si plot molt au vallet et sist
      Trestot quant que li prodom fist.
      Quant il ot fait tot son cenbel

1385. Lors li a. 1389. cop.

1384. Et cheval poindre et retenir.

tandis que l'autre lui ôta ses armes.
Il se retrouva dans ses habits ridicules,
avec ses gros brodequins et sa tunique
de cerf mal faite et mal taillée
que sa mère lui avait fait endosser.
Le gentilhomme se fait alors chausser
ses éperons d'acier, bien aigus,
qu'avait apportés son serviteur.
Il est monté sur son cheval.
Il suspend à son cou l'écu
par la courroie, saisit sa lance
et dit : « Mon ami, c'est le moment d'apprendre
à vous servir de vos armes. Faites attention
à la façon dont on doit tenir une lance,
éperonner un cheval et le retenir. »
Alors, mettant l'enseigne au vent,
il lui apprend et enseigne
la façon dont on doit se saisir de son écu.
Il le laisse pendre un peu vers l'avant
jusqu'à toucher le col du cheval,
il met sa lance en arrêt et il éperonne
son cheval. Celui-ci valait bien cent marcs d'argent,
car on n'en trouverait pas de plus enclin
à la course ni de plus puissant.
Le gentilhomme était expert à manier l'écu,
le cheval et la lance,
car il l'avait appris tout enfant.
Le jeune homme prit le plus grand plaisir
à voir tout ce que fit le gentilhomme.
Une fois démontré l'exercice au complet,

1400 Devant lo vallet bien et bel
      Qui bien s'an est garde donee,
      Si s'an revient lance levee
      Au vallet et demande li :
1404 « Amis, savreiez vos ansin
      La lance et l'escu demener
      Et lo cheval poindre et mener ? »
      Et cil li dit tot a delivre
1408 Ne querroit ja un jor plus vivre
      Ne terre ne avoir n'aüst,
      Mais qu'ensin faire lo saüst.
      « Ce qu'en ne set puet l'an aprandre,
1412 Qui i velt pener et entandre,
      Fait li prodom, biax amis chiers.
      Il covient a toz les mestiers
      Et cuer et peine et us avoir,
1416 Par ces .III. puet en tot savoir.
      Et quant vos onques n'apreïstes
      Ne autrui faire nel veïstes,
      Se vos faire ne lo savez,
1420 Honte ne blasme n'i avez,
      Mais se vos ne l'apreneiez
      Honte et blasme i avreiez. »
      Lors lo fist li prodom monter
1424 Et cil comança a porter
      Si a droit la lence et l'escu
      Con s'il aüst toz jorz vescu
      En tornoiemanz et en guerres,
1428 Et alé par totes les terres
      Querant bataille et aventure,

1401. Que bien an est. **1402.** Et vient a lui. **1421-1422.** *Ces deux vers, propres à B et L (British), sont probablement interpolés.*

1407. *Leçon commune à BLMPRSU. Var. AT* : Et cil dit que.

de façon parfaite, sous les yeux du jeune homme
qui a bien pris soin de tout observer,
il s'en revient, lance levée,
jusqu'à lui, pour lui demander :
« Mon ami, sauriez-vous de la sorte
manier la lance et l'écu,
éperonner et conduire votre cheval ? »
L'autre lui répond sans hésiter
qu'il ne voudrait pas vivre un jour de plus
ni posséder terre et richesses,
si seulement il savait en faire autant.
« Ce qu'on ignore, on peut l'apprendre,
si on veut y mettre sa peine et son attention,
mon doux et cher ami, dit le gentilhomme.
Pour tout métier il faut
du goût, de l'effort et de l'habitude.
Ce sont les trois conditions pour savoir quoi que ce soit.
Quand vous-même vous n'avez jamais appris cela
et que vous ne l'avez vu faire par personne,
si vous en ignorez tout,
vous n'en méritez ni honte ni blâme. »
Le gentilhomme le fit alors mettre en selle,
et lui, dès le début, se montra
si adroit dans le port de la lance et de l'écu
qu'on l'eût dit homme à avoir passé sa vie entière
dans les tournois et dans les guerres
et dans l'errance par toutes les terres
en quête de batailles et d'aventures.

220 ra Car il li venoit de Nature
       Et quant Nature li aprant
1432   Et li cuers do tot i entant,
       Ne li puet poine estre grevaigne
       La ou Nature et cuers se paine.
       Par ces .II. si bien lo faisoit
1436   Que au prodome molt plaissoit,
       Si qu'il disoit en son coraige
       Que s'il se fust tot son aaige
       D'armes penez et entremis,
1440   S'an fust il assez bien apris.
       Qant li vallez ot fait son tor,
       Devant lo prodome au retor,
       Lance levee, s'en repaire
1444   Si com il li ot veü faire,
       Et dit : « Sire, ai lo [je] bien fait ?
       Cuidiez vos que ja mestier m'ait
       Poine, se je metre l'i voil ?
1448   Onques rien ne virent mi oil
       Don [je] si grant envie aüsse.
       Molt vodroie que j'en saüsse
       (Autant come nul chevalier
1452   Qui onques montast sor destrier
       Ne qui mielz s'en saüst aidier
       Ne sa lence bien menoier
       Ne de son escu bien covrir
1456   Ne de l'espee escremir
       Et do cheval bien aidier
       Ensin con vos en vi aidier)

1451-1458. *Interpolation maladroite (cf. la rime du même au même, v. 1458, et l'« escremie » dont il ne sera question que plus loin, v. 1476).*

1433. Ne li puet riens.

Car tout cela lui venait de sa nature
et quand sa nature le lui apprend
et qu'il s'y applique de tout son cœur,
il n'y a plus d'effort qui lui pèse,
puisque c'est sa nature et son cœur qui s'y efforcent.
Sous leur double action, il le faisait si bien
que le gentilhomme en avait grand plaisir,
tout en se disant en lui-même
que si ce dernier avait sa vie durant
consacré aux armes sa peine et son temps,
il en serait exactement venu à ce degré d'instruction !
Quand le jeune homme eut fait son tour,
il repique vers le gentilhomme
et s'en revient devant lui, lance levée,
tout comme il lui avait vu faire.
Il lui dit : « Monseigneur, l'ai-je bien fait ?
Pensez-vous que je puisse y arriver
si je veux m'en donner la peine ?
Je n'ai jamais rien vu de mes yeux
dont j'eusse aussi grande envie.
Je voudrais bien en savoir

220 rb Autretant con vos en savez.

1460 — Amis, se lo cuer i avez,
Fait li prodom, molt en savrez,
Ja mar cusançon en avrez. »
Li prodom par .III. foiz monta

1464 Et .III. foiz d'armes li mostra
Tot quant que il mostrer l'en pot,
Tant que assez mostré an ot,
Et par .III. foiz monter lo fist.

1468 A la darreaine li dist :
« Amis, se vos encontreiez
Un chevalier, que fereiez
S'il vos feroit ? — Jo referroie.

1472 — Et se vostre lance peçoie ?
— Aprés ce li corroie sus
A mon poig, n'en feroie plus.
— Amis, ce ne feroiz vos mie.

1476 — Que ferai donc ? — Par escremie
A l'espee l'iroiz requerre. »
Tantost a fichié cil en terre
La lance o pré tote droite,

1480 Li prodom qui tant lo covoite
D'armes ensaigner et apanre
Que il se saiche bien desfandre
De l'espee, s'an lo requiert,

1484 Et envaïr quant leus en iert.
Puis a main a l'espee mise.
« Amis, fait il, en tele guise
Vos desfandroiz, s'en vos assaut.

1488 — De ce, fait il, se Dex me saut,

1464. *BFLMRSU. Var. AT* : l'anseigna. **1473-1474.** Aprés ce n'i avroit il
plus / Mais qu'as poinz li corroie sus. **1478.** Lors fiche devant lui en terre.

autant que vous, vous en savez.
— Mon ami, si le cœur y est,
dit le gentilhomme, vous en saurez beaucoup.
Inutile de vous en inquiéter. »
Le gentilhomme par trois fois se mit en selle
et par trois fois lui fit une démonstration d'armes
sur tout ce qu'il pouvait lui en montrer,
jusqu'à ce qu'il le lui eût bien montré,
et par trois fois il le fit mettre en selle.
A la dernière, il lui dit :
« Mon ami, si vous rencontriez
un chevalier, que feriez-vous
s'il vous frappait ? — Je le frapperais à mon tour.
— Et si votre lance se rompt ?
— Alors je me jetterais sur lui
à coups de poing. Rien d'autre à faire !
— Mon ami, vous n'en ferez rien.
— Mais que ferai-je donc ? — En faisant de l'escrime,
vous irez, avec l'épée, l'attaquer. »
Le gentilhomme plante aussitôt devant lui dans le sol
sa lance qui se tient toute droite,
tant il a le désir
de lui enseigner les armes et de lui apprendre
à bien savoir se défendre
avec l'épée, si on l'attaque,
et mener lui-même l'assaut, le moment venu.
Puis il a mis la main à l'épée.
« Mon ami, dit-il, voici comment
vous vous défendrez, si on vous assaille.
— Là-dessus, dit-il, par Dieu,

220 va N'en set nus autant con je faz,
        Qu'aus borrez et aus talevaz
        Chiés ma mere en apris assez
1492   Tant que sovant an fui lassez.
        — Donc alom hui mes a l'ostel,
        Fait li prodom, il n'i a el,
        Et vos avroiz, cui qu'il anuit,
1496   Ostel sanz vilenie anuit. »
        Lors s'en vont andui coste a coste,
        Et li vallez dit a son oste :
        « Sire, ma mere m'anseigna
1500   Qu'avoc home n'alase ja
        Ne conpaignie a lui n'aüse
        Granzment que son nom ne saüse,
        Et ice m'ensaigna por voir,
1504   Et je voil lo vostre savoir.
        — Biaux amis chiers, fait li prodom,
        Gornemant de Goort ai non. »
        Ensin jusqu'a l'ostel en vienent
1508   Et main a main amedui tienent.
        A la montee d'un degré
        Vint uns vallez tot de son gré
        Qui aporta un mantel cort.
1512   Lo vallet afubler en cort,
        C'aprés lo chaut ne li preïst
        Froidure qui mal li feïst.
        Riches maisons et bones genz
1516   Ot li prodom et bons sergenz,
        Et li mangiers fu atornez
        Bons et biaus et bien conreez,

1506. Groot *(cf. infra 1850).*

1503-1504. Et s'ele m'anseigna savoir / Je vuel le vostre non savoir.
1515. R. m. beles et granz.

personne ne s'y connaît mieux que moi,
car je n'ai pas manqué, chez ma mère,
de plastrons et de gros boucliers contre quoi m'exercer,
jusqu'à en être recru de fatigue.
— Dans ce cas allons à la maison,
dit le gentilhomme, sans plus.
On vous y donnera, n'en déplaise à personne,
avec courtoisie, ce soir, l'hospitalité. »
Ils s'en vont alors tous deux côte à côte.
Le jeune homme dit à son hôte :
« Monseigneur, ma mère m'a enseigné
à ne jamais aller avec quelqu'un
ni à rester longuement
en sa compagnie sans savoir son nom.
Si cet enseignement est sage,
je veux savoir votre nom.
— Mon bel et cher ami, dit le gentilhomme,
Gornemant de Goort est mon nom. »
Ainsi s'en viennent-ils jusqu'à la demeure,
en se tenant tous deux par la main.
Comme ils montaient les marches,
un jeune noble de service arriva de lui-même,
porteur d'un court manteau.
Il court en affubler le jeune homme,
de peur qu'il n'attrapât
un chaud et froid qui le rendît malade.
Riche était la demeure, belle et vaste,
que possédait le gentilhomme, avec de bons serviteurs.
Le repas était préparé.
Il était bon et agréablement disposé.

220 vb Si laverent li chevalier
1520   Et se sont assis au mangier,
       Et li prodon lez lui assist
       Lo vallet et mengier lo fist
       Aviau lui en une escüele.
1524   Des mes ne fais autre novele
       Qanz en i ot et quel i furent,
       Mais assez mangerent et burent.
       Dou mangier ne fais autre fable.
1528   Quant levé furent de la table,
       Li prodom, qui molt fu cortois,
       Proia de remenoir un mois
       Lo vallet qui delez lui sist,
1532   Ou un an tot plain s'il vosist
       Lo retenist il volantiers,
       Si apreïst andemantiers
       Tel chose que bien li pleüst
1536   Qu'au besoig mestier li aüst.
       Et li vallez li dist aprés:
       « Sire, ne sai se je sui pres
       Do menoir ou ma mere esta,
1540   Mais je pri Deu qu'i[l] me maint la
       Tant qu'ancor la puise veoir,
       Que pasmee la vi cheoir
       El pié do pont devant la porte,
1544   Si ne sai s'ele est vive ou morte.
       De doel de moi quant la laisai,
       Chaï pasmee, bien lo sai,
       Et por ce ne porroit pas estre,
1548   Tant que je saüse son estre,

_____

_____

1539-1540. ma m. maint / ... qu'a li me maint.

Les chevaliers se lavèrent les mains
et se sont assis à table.
Le gentilhomme a placé près de lui
le jeune homme et l'a fait manger
avec lui, en partageant la même assiette.
Sur les mets, leur nombre, leur nature,
je ne donne pas d'autres nouvelles,
mais ils mangèrent et ils burent à satiété.
Sur ce repas, je ne raconte rien d'autre.
Quand ils se furent levés de table,
le gentilhomme, en personne très courtoise,
pria le jeune homme, assis à ses côtés,
de rester un mois chez lui.
Il aurait même eu plaisir à le garder
une pleine année, s'il l'avait voulu,
le temps pour lui d'apprendre
à son gré bien des choses
qui lui eussent été utiles au besoin.
Mais le jeune homme lui dit alors :
« Monseigneur, je ne sais pas si je suis près
du manoir où se tient ma mère,
mais je prie Dieu qu'il me mène jusqu'à elle,
si bien que je puisse encore la revoir,
car je l'ai vue tomber évanouie
au bout du pont, devant sa porte,
et je ne sais si elle est vivante ou bien morte.
C'est de chagrin pour moi, à mon départ,
qu'elle est tombée évanouie, je le sais bien,
et c'est pourquoi il ne me serait pas possible,
avant de savoir ce qu'il en est d'elle,

221 ra   Que je feïsse lonc sejor,
      Ainz m'en irai demain au jor. »
      Li prodon ot que rien ne vaut
1552 Preiere, et la parole faut.
      Lors vont cochier sanz plus de plait
      Es liz qui estoient bien fait.
      Li prodom par matin leva,
1556 Au li au vallet en ala
      La o il lo trova gisant,
      Si li fist porter en pressant
      Chemise et braies de chansil
1560 Et chauces taintes en bresil
      Et cote d'un dras de soie inde
      Qui fu tissuz et faiz en Inde.
      Por ce que vestir li feïst
1564 Li envoia et si li dist :
      « Amis, ces dras que ci veez
      Vestiroiz vos, si m'en creez. »
      Et li vallez respont : « Biax sire,
1568 Vos porreiez assez mielz dire.
      Li drap que ma mere me fist
      Don ne valent il mielz que cist ?
      Et vos volez que je les veste !
1572 — Vallez, foi que je doi ma teste,
      Fait li prodom, ainz valent pis.
      Vos me deïstes, biaux amis,
      Qant je vos amenai ceienz,
1576 Que vos toz mes comandemanz
      Fereiez. — Et je si ferai,
      Fait li vallez, ja n'en serai

1559. Chemises. **1577.** je n'en.

de faire un long séjour.
Mais je m'en irai demain, dès le jour. »
Le gentilhomme voit qu'il est inutile
d'insister et l'on n'en parle plus.
Ils vont alors se coucher, sans autre discours.
Leurs lits avaient été bien préparés.
Le gentilhomme se leva de bon matin,
il alla jusqu'au lit du jeune homme
qu'il trouva encore couché.
Il lui fit apporter en présent
une chemise et des culottes de lin fin,
ainsi que des chausses teintes en rouge
et une tunique faite d'une étoffe de soie violette,
qui avait été tissée en Inde.
Il les lui avait envoyées
avec l'intention de les lui faire mettre.
Il lui dit : « Mon ami, vous allez mettre
les habits que voici, croyez-m'en. »
Le jeune homme lui répond : « Mon cher seigneur,
vous pourriez bien mieux dire.
Les habits que ma mère m'a faits
ne valent-ils donc pas mieux que ceux-ci ?
Et vous voulez que je mette les vôtres !
— Mon jeune ami, sur ma tête, vous avez ma parole,
dit le gentilhomme, ils valent bien moins au contraire !
Vous m'aviez bien dit, cher ami,
quand je vous ai amené ici,
que tout ce que je vous commanderais,
vous le feriez. — Oui, et je vais le faire,
dit le jeune homme. Je n'irai jamais

221 rb Encontre vos de nule chose. »
1580 Aus dras vestir plus ne repose,
      Si a les sa mere laisiez.
      Et li prodom s'est abaisiez
      Et li chauce l'esperon destre.
1584 La costume soloit tes estre
      Que cil qui faisoit chevalier
      Li soloit l'esperon chaucier.
      D'autres vaslez assez i ot,
1588 Chacuns qui avenir i pot
      A lui armer a la main mise.
      Et li prodom l'espee a prise,
      Si li ceint et si le baisa,
1592 Et dit que donee li a
      La plus haute ordre aviau l'espee
      Que Dex ot faite et comandee,
      C'est l'ordre do chevalerie
1596 Qui doit estre senz vilenie,
      Et dit : « Amis, or vos sovaigne,
      S'il avient que il vos covaigne
      Conbatre a aucun chevalier,
1600 Ice vos vodroie proier
      Se vos en vaignez au desus
      Que vers vos ne se puise plus
      Desfandre ne contretenir,
1604 Ainz l'estuise a merci venir,
      Qu'a escïent ne l'ocïez.
      Et gardez que vos ne seiez
      Trop parlanz ne trop noveliers.
1608 Nus ne puet estre trop parliers

1585. cil qu'il. 1591. si li b. 1601. Que.

1586. devoit (soloit : *LRSU*). 1591. çainst. 1592. dist. 1597. dist.

à l'encontre de vous, en quoi que ce soit. »
Il met les habits, sans plus tarder,
après avoir laissé ceux de sa mère.
Le gentilhomme s'est alors baissé
et lui chausse l'éperon droit.
C'était en effet la coutume :
celui qui faisait un chevalier
devait lui chausser l'éperon.
Il y avait de nombreux autres jeunes gens.
Chacun de ceux qui réussirent à l'approcher
a mis la main pour l'armer.
Le gentilhomme s'est alors saisi de l'épée,
il la lui a ceinte et lui a donné le baiser.
Il lui dit qu'il lui a conféré
avec l'épée l'ordre le plus élevé
que Dieu a créé et commandé,
c'est à savoir l'ordre de chevalerie,
qui ne souffre aucune bassesse.
Il ajoute : « Mon ami, souvenez-vous-en,
si d'aventure il vous faut
combattre contre quelque chevalier,
voilà la prière que je voudrais vous faire :
si vous avez le dessus
de sorte qu'il ne puisse plus contre vous
se défendre ni se tenir,
et qu'il soit réduit à merci,
ne le tuez pas sciemment.
Gardez-vous aussi d'être homme
à trop parler ou à nourrir des bruits.
On ne peut manquer, quand on parle trop,

221 va   Que sovant tel chose ne die
       Que l'an li torne a vilenie,
       Et li saiges dit et retrait :
1612   Qui trop parole pechié fait.
       Por ce, biaux frere, vos chati
       De trop parler et si vos pri
       Se vos trovez home ne fame,
1616   Ou soit damoisele o soit dame,
       Desconsoilliee de nule rien,
       Conseilliez la, si feroiz bien,
       Se vos conseillier la savez
1620   Et se vos pooir i avez.
       Une autre chose vos apraig,
       Ne lo tenez mie a desdaig,
       Qui ne fait mie a desdaignier :
1624   Volantiers alez au moutier
       Proier celui qui a tot fait
       Que de vostre ame merci ait
       Et qu'an cest siegle terrïen
1628   Vos gart come son crestïen. »
       Et li vallez dit au prodome :
       « De toz les apostres de Rome
       Seiez vos beneïz, biax sire,
1632   Q'autel oï ma mere dire.
       — Or ne dites ja mes, biaux frere,
       Que ce vos aprist vostre mere
       Ne qu'ele vos ait ansaigné.
1636   De ce mie [ne] vos blas gié
       Se vos l'avez dit jusque ci,
       Mais des or mes, vostre merci,

1626. Qui. **1636.** blast.

1617. Desconseilliez. **1618.** les. **1619.** les. **1634-1635.** Fet li prodom que vostre mere / Vos ait apris ne anseigné.

de dire bien souvent chose
qu'on vous impute à bassesse.
Comme le dit si bien le proverbe :
Trop parler c'est pécher.
Voilà pourquoi, mon doux frère, je vous blâme
de trop parler. Mais je vous fais prière,
si vous rencontrez homme ou femme,
et, dans ce cas, jeune fille ou dame,
qui soient démunis de tout conseil,
que vous les aidiez de vos conseils. Ce sera bien agir
que de savoir les conseiller
et de pouvoir le faire.
J'ai encore une autre chose à vous apprendre.
Attachez-y de l'importance,
car ce n'est pas à dédaigner.
Allez de bon cœur à l'église
prier le Créateur de toutes choses
d'avoir pitié de votre âme
et de protéger en ce bas monde
comme son bien le chrétien que vous êtes. »
Le jeune homme répond au gentilhomme :
« Soyez béni, doux seigneur,
de tous les apôtres de Rome,
car j'ai entendu ma mère me dire la même chose.
— Désormais, mon doux frère, dit le gentilhomme,
vous ne direz plus que c'est votre mère
qui vous l'a appris ou enseigné.
Je ne vous blâme pas le moins du monde
si vous l'avez dit jusqu'ici,
mais désormais, de grâce,

221 vb Vos prie que vos an chastoiez,
1640   Que se vos plus lo diseiez,
         A folie lo tanroit an.
         Por ce vos pri, guardez vos an.
         — Et que diré je donc, biax sire?
1644   — Li vavasors, ce poez dire,
         Qui vostre esperon vos chauça
         Lo vos aprist et ensaigna. »
         Et cil li a lo don doné
1648   Que jamais n'i avra soné
         Nul mot tant com il sera vis
         Se de lui non, qu'il li est vis
         Que ce est biens qu'il li ensaigne.
1652   Li prodom maintenant lo saigne
         Et a sa main levee en haut,
         Et dit : « Biaus sire, Dex vos saut !
         Alez a Deu, qui vos conduie,
1656   Que la demore vos anuie. »
         Li noviaux chevaliers s'en part
         De son oste, molt li est tart
         Que a sa mere venir puise
1660   Et que sa mere vive truise.
         Si se met aus forez sotaines,
         Que assez mielz qu'a terres plaines
         As forez se reconoissoit,
1664   Et chevauche tant que il voit
         Un chastel fort et bien seant,
         Mais ors des murs n'avoit noiant
         Fors mer et eve et terre gaste.
1668   D'errer vers lo chastel se haste

1654. dist. **1660.** sainne et v. la t.

je vous prie de vous en corriger,
car si vous le disiez encore,
on le prendrait pour de la sottise.
Aussi, je vous en prie, gardez-vous-en.
— Mais que devrais-je donc dire, mon doux seigneur ?
— L'arrière-vassal, vous pouvez le dire,
qui vous a chaussé l'éperon,
est l'homme qui vous l'a appris et enseigné. »
Et l'autre lui a donné sa promesse
de ne jamais dire mot, de toute sa vie,
de personne d'autre que de lui, car il a le sentiment
que ce qu'il lui enseigne est bien.
Le gentilhomme fait alors sur lui le signe de la croix,
et lui dit : « Monseigneur, Dieu vous protège !
Allez avec Dieu et qu'Il vous guide.
Vous ne supportez plus d'attendre. »
Le nouveau chevalier se sépare
de son hôte, tant il lui tarde
de pouvoir venir auprès de sa mère
et de la retrouver saine et sauve.

Le voici qui s'enfonce dans la solitude des forêts,
car au cœur des forêts il se sentait chez lui
bien mieux qu'en rase campagne.
Il a tant chevauché qu'il voit enfin
une ville forte, très bien située,
mais, à l'extérieur des murs, il n'y avait rien
que la mer, l'eau et la terre déserte.
Il se hâte d'aller de l'avant en direction du château

222 ra Tant que devant la porte vient,
  Mais un pont passer li covient
  Si foible, ainz qu'a la porte vaingne,
1672 Qu'a poines cuit qu'il lo sostaigne.
  Li chevaliers sor lo pont monte
  Et lo passe que mal ne honte
  Ne destorbier ne li avient,
1676 Tant que devant la porte vient,
  Si la trova ferme a la clef
  Mais n'i hurta mie soëf
  Ne n'i apela mie en bas.
1680 Tant a hurté, an el lo pas
  Vint aus fenestres de la sale
  Une pucele tainte et pale
  Et dit : « Qui est qui ça apele ? »
1684 Cil regarda vers la pucele,
  Si la voit et dit : « Bele amie,
  Uns chevaliers sui qui vos prie
  Que laienz me laissiez antrer
1688 Et l'ostel anuit mes prester.
  — Sire, fait ele, vos l'avroiz,
  Mais ja gré ne nos en savroiz,
  Et ne porquant nos vos ferons
1692 Si bel ostel com nos porrons. »
  Lors est la pucele arrier traite,
  Et cil qui la pucele agaite
  Crient ne li face trop ester,
1696 Si recomance a apeler,
  Et tantost .IIII. sergent vindrent
  Qui granz haiches a lor cos tindrent,

1678. n'apela. 1690. je.

1680. i feri qu'e. 1682. meigre et p. (tainte : *BPR*). 1683. dist. 1694. qui a
la porte a. 1696. recomança a hurter.

et, pour finir, il arrive en face de la porte.
Mais il y a un pont à passer
pour l'atteindre, si peu solide,
lui semble-t-il, qu'il aura peine à supporter son poids.
Le chevalier s'engage sur le pont
et le passe sans encombre
ni mal ni déshonneur.
Il est enfin devant la porte.
Il l'a trouvée fermée à clef.
Il n'y a pas frappé en douceur
ni non plus appelé à voix basse,
tant et si bien que soudain
est apparue aux fenêtres de la grande salle
une jeune fille amaigrie et pâle,
qui demande : « Qui est-ce qui appelle, là ? »
Il a levé les yeux vers la jeune fille,
il l'aperçoit et lui dit : « Ma belle amie,
c'est un chevalier qui vous prie
de le laisser entrer ici
et de lui accorder ce soir l'hospitalité.
— Monseigneur, dit-elle, vous l'aurez,
mais vous ne nous en saurez aucun gré,
et pourtant nous vous accueillerons
du mieux que nous pourrons. »
La jeune fille s'est alors retirée
et lui, attendant à la porte,
craint de devoir y rester.
Il s'est remis à frapper.
Survinrent quatre serviteurs,
avec de grandes haches pendues à leur cou,

222rb Et chacuns ot ceinte une espee,
1700 Si ont la porte desfermee
      Et dient : « Sire, venez anz. »
      Se bien esteüst as sergenz,
      Molt fussent bel, mais il avoient
1704 Mesaise aü tant qu'il estoient
      De jeüner et de veillier
      Tel qu'en s'en poïst merveiller.
      Ke il ot bien defors trovee
1708 La terre gaste et escoee,
      Dedanz rien ne li amanda,
      Que partot la ou il ala
      Trova enhermees les rues
1712 Et les maisons toz dechaües,
      C'ome ne fame n'i avoit.
      Dues mostiers en la vile avoit
      Qui estoient .II. abaïes,
1716 L'une de nonains esbaïes,
      L'autre de moines esgarez.
      Ne trova mie bien parez
      Les mostiers ne bien portanduz,
1720 Ançois est crevez et fanduz
      Li murs et les torz descovertes,
      Et les portes erent overtes
      Ansin de nuiz come de jorz.
1724 Molins n'i most ne n'i cuist fors
      An nul leu de tot lo chastel,
      Ne n'i avoit pain ne gastel
      Ne rien nule qui fust a vandre
1728 Don l'an poïst un denier panre.

1706. Tant. **1716.** des n. establies.

1707. Et s'il. **1720.** vit cr.

et chacun, une épée ceinte.
Ils lui ont ouvert la porte :
« Entrez, monseigneur », lui disent-ils.
En meilleur point, ils eussent été
de beaux hommes, mais ils avaient
connu tant de privations qu'ils étaient
à force de jeûnes et de veilles
dans un état incroyable.
S'il n'avait trouvé au-dehors
qu'une terre déserte et détruite,
le dedans ne se présentait pas mieux,
car partout où il allait,
ce n'était que rues désertées
et maisons toutes en ruine,
sans âme qui vive.
Il y avait dans la ville deux monastères,
c'étaient deux abbayes,
l'une de nonnes terrifiées,
l'autre de moines à l'abandon.
Ces monastères, il ne les a pas trouvés
bien décorés ni garnis de belles tentures.
Il ne vit au contraire que des murs
éventrés et fendus, des tours aux toits béants,
des portes grandes ouvertes,
de nuit comme de jour.
Pas un moulin pour moudre, pas un four pour cuire,
en quelque lieu que ce soit de la ville,
ni pain, ni galette
ni rien qui fût à vendre
même pour un denier.

222 va Ansin trova lo chastel gaste
           Qu'il n'i trova ne pain ne paste
           Ne vin ne sidre ne cervoise.
1732   Vers un palais covert de loise
           L'an ont .IIII. sergent mené
           Et descendu et desarmé.
           Et tantost un vallez avale
1736   Par les degrez jus de la sale
           Qui aportoit un mantel gris,
           Au col au chevalier l'a mis,
           Et son cheval ont establé
1740   En l'estable o il n'avoit blé
           Ne fain ne fuerre se po non,
           Car il n'estoit en la maison.
           Li autre devant es lo font
1744   Par les degrez monter amont
           An la sale qui molt fu bele.
           Dui prodome et une pucele
           Li sont a l'encontre venu.
1748   Li prodome estoient chenu,
           Non pas si que tuit fusent blanc.
           De bel aaige o tout lor sanc
           Et a toute lor force fusent
1752   S'anui et pessance n'aüssent.
           Et la pucele vint plus cointe
           Plus acesmee et plus jointe
           Que esperviers ne papeguauz.
1756   Ses mantés fu, et ses bliauz,
           D'une porpre noire estelee
           D'or, n'en estoit mie pelee

1730. Que n'i avoit. **1732.** d'atoise. *La leçon de B est isolée, mais elle est excellente : il s'agit des loses, minces plaques quadrangulaires de pierre schisteuse (lausia).* **1733.** L'ont li .IIII. **1739.** Et uns autres a establé / Son cheval la o.

Ainsi trouva-t-il un château rendu désert,
où il n'y avait ni pain ni pâte,
ni vin, ni cidre, ni bière.
Vers un palais couvert d'ardoise
l'ont mené les quatre serviteurs.
Ils l'ont aidé à descendre et à se désarmer.
Surgit un jeune homme qui descend
les marches de la grande salle
en apportant un manteau gris.
Il l'a mis au cou du chevalier,
tandis qu'un autre a établé son cheval,
mais il n'y avait là blé
ni foin ni paille, du moins à peine,
car il n'y en avait pas dans la maison.
Les autres, en se tenant derrière lui,
lui font gravir les marches
jusqu'à la grande salle, qui était de toute beauté.
Deux gentilshommes et une jeune fille
se sont avancés à sa rencontre.
Les gentilshommes avaient les cheveux blancs,
mais pas totalement.
Ils auraient même été dans toute la force de l'âge,
pleins de vigueur et de sang,
si les soucis n'avaient pesé sur eux.
Mais la jeune fille s'avançait avec plus d'élégance,
de parure et de grâce
qu'un épervier ou un papegai.
Son manteau, sa tunique aussi bien
étaient de pourpre noire étoilée
d'or, fourrée d'une hermine

222 vb La pane qui d'ermine fu.
1760 D'un sebelin noir et chenu
　　　Fu li mantés au col orllez
　　　Ne n'estoit trop lonz ne trop lez.
　　　Et se je onques fis devise
1764 En biauté que Dex aüst mise
　　　An cors de fame ne en face,
　　　Or me replaist que une en face
　　　Ou je ne mantiré de mot.
1768 Deslïee fu et si ot
　　　Les chevox tex, s'estre poïst,
　　　Que bien cuidast qui les veïst
　　　Que il fusent tuit de fin or,
1772 Tant estoient luisant et sor.
　　　Lo front ot blanc et haut et plain
　　　Tes con se fust ovrez de main
　　　Et que de main d'ome ovrez fust
1776 De pierre ou d'ivoire o de fust,
　　　Les sorcis bruns et large antr'oil,
　　　An la teste furent li oil
　　　Rïent et vair, cler et fandu,
1780 Et lo nes droit et estandu,
　　　Et mielz avenoit an son vis
　　　Li vermaus sor lo blanc assis
　　　Que li sinoples sor l'argent.
1784 Por anbler san et cuer de gent
　　　Fist Dex an li passe merveille,
　　　N'onques puis ne fist sa paroille
　　　Ne devant ce faite n'avoit.
1788 Et quant li chevaliers la voit,

1763. lis d. **1770.** quil.

1761-1762. *Intervertis.* qui n'estoit. **1766.** qu'une en reface. **1774.** a main.
1785. de li (an li : *BPT*).

qui n'avait rien de pelé !
Une bordure de zibeline noire et argentée
ornait le col du manteau.
Elle n'était ni trop longue ni trop large.
S'il m'est jamais arrivé de décrire
la beauté que Dieu ait pu mettre
au corps d'une femme ou sur son visage,
je veux maintenant refaire une description
où il n'y aura pas un mot de mensonge.
Elle avait laissé ses cheveux libres
et leur nature était telle, si la chose est possible,
qu'on aurait dit à les voir
qu'ils étaient entièrement d'or pur,
tant leur dorure avait de lumière.
Elle avait le front tout de blancheur, haut et lisse,
comme fait à la main,
d'une main d'artiste travaillant
la pierre, l'ivoire ou le bois.
Ses sourcils étaient bruns, bien écartés l'un de l'autre.
Dans son visage, les yeux,
bien fendus, riaient, vifs et brillants.
Elle avait le nez droit, bien effilé
et sur la blancheur de sa face
mieux lui seyait cette touche vermeille
que sinople sur argent.
Pour ravir l'esprit et le cœur des gens
Dieu lui avait fait passer toute merveille.
Jamais depuis il ne fit sa pareille,
avant non plus il ne l'avait faite.
Quand le chevalier la voit,

223 ra Si la salue et ele lui,
  Et li chevaliers amedui.
  Et la damoisele lo prant
1792 Par la main debonairemant
  Et dit : « Biaus sire, vostre ostex
  Nen iert mie senpres itex
  Con a prodome covenroit.
1796 Se je vos disoie orandroit
  Tot nostre coveigne et nostre estre,
  Vos cuidereiez, puet ce estre,
  Que de malveistié lo deïsse
1800 Por ce qu'aler vos en feïsse.
  Mais se vos plaist, or an venez,
  L'ostel tel con il est prenez,
  Et Dex vos doint meillor demain. »
1804 Ansin l'emmaine main a main
  Jusqu'an une chanbre celee,
  Qui molt fu bele et granz et lee.
  Sor une coute de samit
1808 Qui fu estandue en un lit
  Se sont andui leienz assis.
  Chevalier .IIII., .V. et .VI.
  Vindrent leianz et si s'asistrent
1812 Par tropeaux et mot ne distrent,
  Qu'il virent celui qui se sist
  Delez la dame et mot ne dist.
  Por ce de parler se tenoit
1816 Que do chasti li sovenoit
  Que li prodom li avoit fait,
  S'an tenoient antr'as grant plait

1815. tenoient.

1794. Certes, n'iert pas anquenuit tex. **1813.** Et v.

il la salue, et elle lui,
les deux chevaliers de même.
La demoiselle le prend
de bon cœur par la main,
en lui disant : « Mon doux seigneur, ce soir,
vous ne serez certainement pas reçu
comme il conviendrait à un homme de valeur.
Mais si maintenant je vous disais
toute notre situation et notre état,
vous penseriez peut-être
que c'est dans une mauvaise intention,
pour mieux vous faire partir.
Mais venez, s'il vous plaît,
acceptez telle qu'elle est notre hospitalité,
et que Dieu vous en donne demain une meilleure. »
Ainsi l'emmène-t-elle par la main
jusqu'à une chambre ornée d'un ciel,
qui était très belle, vaste et large.
Sur un couvre-lit de soie
qu'on y avait tendu,
ils se sont là, tous deux, assis.
Quatre, cinq, six chevaliers
entrèrent à leur tour et s'assirent
par groupes, sans mot dire,
observant celui qui se tenait
auprès de leur dame et qui ne disait mot.
Il se retenait en effet de parler,
se souvenant de la leçon
que lui avait faite le gentilhomme.
Tous les chevaliers, à voix basse,

223 rb Tuit li chevalier a consoil.

1820 « Dex, dit li uns, molt me mervoil
     Se cist chevaliers est muaux.
     Granz diaus seroit, c'onques plus biax
     Chevaliers ne fu nez de fame.

1824 Molt avient bien delez ma dame,
     Et ma dame assez delez lui,
     S'il ne fussent muel andui.
     Tant est cist biax et cele bele

1828 C'onques chevaliers ne pucele
     Si bien n'avinrent mes ensanble,
     Et de l'un et de l'autre sanble
     Que Dex l'un et l'autre feïst

1832 Por ce qu'ansanble les meïst. »
     Ansin des .II. qui se taisoient
     Trestuit grant parole tenoient,
     Et la damoisele cuidoit

1836 Qu'il l'araignast de que que soit,
     Tant qu'ele vit tres bien et sot
     Que il ne li diroit ja mot
     S'ele ne l'araignoit avant,

1840 Et dit molt debonairemant :
     « Sire, don venistes vos hui ?
     — Damoisele, fait il, je fui
     Chiés un prodome a un chastel

1844 Ou j'oi ostel et bon et bel,
     S'i a .V. torz fors et eslites,
     Une grant et .IIII. petites.
     Ne sai toute l'ovre asomer

1848 Ne lo chastel ne sai nomer,

1826. fusient. 1847. aconter.

1820. fet chascuns. 1825. aussi d. l. 1831. l'un por l'autre. 1833-1834. Et
tuit cil qui leanz estoient / Antr'ax grant parole an feisoient. *La leçon de
B est commune à QR* (p. faisoient) *qui, pour le sens et la rime, offrent la
meilleure version.* 1835. atandoit. 1840. dist. 1842. jui.

en faisaient entre eux grand état.
« Mon Dieu, disait chacun, je m'en étonne,
ce chevalier est-il donc muet ?
Ce serait grand dommage, car jamais femme
n'a donné naissance à plus beau chevalier.
Il est bien assorti à ma dame,
tout comme ma dame l'est à lui.
S'ils n'étaient pas muets tous deux,
lui est si beau, elle est si belle
que jamais chevalier et jeune fille
ne sont allés si bien ensemble.
A les voir l'un et l'autre, il semble
que Dieu les ait faits l'un pour l'autre,
afin qu'ils fussent ensemble. »
Ainsi ne cessaient-ils tous de parler
des deux qui se taisaient.
La demoiselle, de son côté, attendait
qu'il lui adressât la parole sur quoi que ce fût,
mais elle finit par bien voir et par comprendre
que lui ne dirait jamais mot,
si elle ne lui adressait la parole la première.
Elle lui dit alors gentiment :
« Monseigneur, d'où veniez-vous aujourd'hui ?
— Ma demoiselle, fait-il, j'ai été
chez un gentilhomme, dans un château
où j'ai reçu un bel et bon accueil.
Cinq puissantes tours s'y distinguent,
une grande et quatre petites,
mais je ne saurais détailler l'œuvre entière
et j'ignore le nom de ce château.

223 va Mais je sai bien que li prodom
          Gornemant de Goort a nom.
            — Ha ! biaus amis, fait la pucele,
1852   Con est vostre parole bele
          Et molt avez dit que cortois.
          Gré vos en saiche Dex li rois
          Qant vos prodom l'apelastes.
1856   Onques plus voir mes ne parlastes,
          Il est prodom, par saint Richier,
          De ce l'os je bien afichier.
          Et sachiez que je sui sa niece
1860   Mais je no vi molt a grant piece.
          Et certes puis que vos meüstes
          De vostre ostel, ne coneüstes
          Plus prodome mien esciant.
1864   Molt lié ostel et biau sanblant
          Vos fist, car il lo set bien faire
          Come prodom et debonaire,
          Puisanz et aasiez et riches.
1868   Mais ceianz n'a il que .VI. miches
          C'uns miens oncles qui est prieus
          Molt sainz et molt religieus
          M'anvoia por soper anuit,
1872   Et un bocel plain de vin cuit.
          De vitaille n'a plus ceianz
          Fors c'un chevroil c'uns miens sergenz
          Ocist hui main d'une saiete. »
1876   Atant comande que l'an mete
          Les tables, et eles sont mises
          Et les janz au soper assises.

1850. ai. **1878.** leianz.

1856. voir mot ne p. **1864.** et molt joianz.

Je sais en revanche que cet homme d'honneur
a pour nom Gornemant de Goort.
— Ah ! mon doux ami, fait la jeune fille,
comme cette parole est belle
et comme vous avez parlé en homme courtois !
Puisse Dieu notre roi vous savoir gré
de l'avoir appelé un homme d'honneur.
Jamais vous n'avez rien dit de plus vrai.
Oui, c'est un homme d'honneur, par saint Richier,
je ne crains pas de l'affirmer.
Sachez-le, je suis sa nièce,
mais il y a bien longtemps que je ne l'ai revu.
A coup sûr, depuis que vous êtes parti
de chez vous, vous n'avez pu connaître
un homme de plus d'honneur, je le sais.
C'est avec joie et allégresse
qu'il vous a reçu, comme il sait le faire,
en homme de bien et de bon cœur,
et en homme puissant, bien à l'aise et riche.
Mais ici, chez nous, il n'y a pas plus que six miches de pain,
qu'un oncle à moi qui est prieur,
un saint homme de religieux,
m'a envoyées pour le dîner de ce soir,
avec un barillet de vin cuit.
Pas d'autres provisions en ces lieux,
à part un chevreuil qu'un de mes hommes
a tué ce matin d'une flèche. »
Elle ordonne alors que l'on dresse
les tables, et elles sont mises.
Les gens se sont assis pour dîner.

223 vb Au mangier ont molt petit sis,
1880 Mais par molt grant talant l'ont pris.
Aprés mangier se departirent,
Cil remestrent qui s'an dormirent
Qui l'autre nuit veillié avoient,
1884 Et cil s'en issent qui devoient
La nuit par lo chastel gaitier.
Sergent furent et chevalier
.L. qui la nuit veillierent,
1888 Li autre molt se traveillierent
De lor oste bien aaisier.
Bons dras et covertor molt chier
Et oreillier au chief li metent
1892 Cil qui do cochier s'antremetent.
Trestote l'aise et lo delit
Qu'an saiche deviser en lit
Ot li chevaliers cele nuit,
1896 Fors que solemant le deduit
De pucele que il aüst
O de dame se lui plaüst.
Mais il ne savoit nule rien
1900 D'amor ne de nule autre rien,
Si s'andormi auques par tans,
Qu'il n'estoit de rien en espanz.
Mais s'ostesse pas no repose
1904 Qui dedanz sa chanbre est enclose.
Cil dort a aise et cele panse,
Qui n'a en li nule desfanse
D'une bataille qui l'asaut.
1908 Molt se trestorne et molt tressaut,

1887. Li sergent *(la notation de « cinquante » en chiffres romains a induit le copiste en erreur).* **1890.** ot chier. **1896.** de d. **1899.** n'en. **1908.** se trestote. *Réclame en bas de page:* II' mlt. se giete.

1885. veillier (gaitier: *BQ*). **1886.** *Var.* et escuiier (chevalier: *BFHPRSU*). **1897.** se lui pleüst. **1898.** se lui leüst. **1900.** *Leçon de BLPT. Var.* : N'il n'i pansoit ne po ne bien.

Le repas n'a que peu duré,
mais ils l'ont mangé de très grand appétit.
Après le repas, on se sépara.
Restèrent pour dormir
ceux qui avaient veillé la nuit précédente,
et sortent ceux qui devaient
monter dans le château la garde de nuit.
Serviteurs et chevaliers, ils furent en tout
cinquante qui veillèrent cette nuit.
Les autres mirent toute leur peine
à offrir le meilleur confort à leur hôte.
De bons draps, une couverture de prix,
un oreiller au chevet, c'est ce que lui mettent
ceux qui s'affairent à son coucher.
Tout le confort et le plaisir
qu'on puisse imaginer dans un lit,
le chevalier l'a eu cette nuit-là,
à la seule exception d'un moment agréable
auprès d'une jeune fille, s'il en avait eu envie,
ou d'une dame, si elle le lui avait permis.
Mais il ignorait tout
de l'amour comme du reste,
et il ne tarda guère à s'endormir,
car rien ne troublait sa tranquillité.
Mais son hôtesse, elle, ne trouve pas le repos,
entre les murs clos de sa chambre.
Il dort tranquille, elle est à ses pensées,
car elle est sans défense
contre une bataille qu'on lui livre.
Elle n'arrête pas de se retourner, de tressaillir

224 ra Molt se giete, molt se demaine.   [3e cahier]
         Un mantel cort de soie en graigne
         Ha afublé sor sa chemise,
1912   Si s'et en avanture mise
         Come hardie et coraigeuse,
         Mais ce n'est mie por oiseuse,
         Ainz se porpanse qu'ele ira
1916   A son oste et si li dira
         De son afaire une partie.
         Lors [s']est de son lit departie
         Et issue ors de la chambre,
1920   S'a tel paor que tuit li mambre
         Li tranblent et li cors li sue.
         Plorant est de la chanbre issue
         Et vient au lit ou cil se dort,
1924   Lors plore et sopire molt fort,
         Si s'acline et [si s']agenoille
         Et plore si qu'ele li moille
         De ses lermes tote la face,
1928   Ne hardemant n'a que plus face.
         Tant a ploré que cil s'esvoille,
         Si s'esbaïst molt et mervoille
         De sa face qu'i[l] sant moilliee,
1932   Et voit celi agenoilliee
         Devant son lit, si lo tenoit
         Par le col enbracié estroit,
         Et tant de cortoisie fist
1936   Qu[e] antre ses braz la reprist,
         Maintenant anvers li se trai[s]t,
         Si li demande que li plaist.

1930. s'esboïst.

1920. A tel p. 1937. M. et vers lui la t. 1938. Si li dist Bele, que vos p. ?.

de faire des bonds, de s'agiter.
Mais elle vient d'agrafer par-dessus sa chemise
un court manteau de soie écarlate
et elle se jette à l'aventure,
en femme hardie, d'un cœur brave.
Mais ce n'est pas pour des futilités.
Elle s'est mis en tête d'aller
jusqu'à son hôte pour lui dire
en partie son affaire.
Elle a quitté son lit
et elle est sortie de sa chambre.
Elle a si peur qu'elle tremble
de tous ses membres et qu'elle est en sueur.
Tout en pleurs, elle a quitté la chambre
et parvient au lit où il est en train de dormir.
Pleurs et soupirs se font plus forts,
elle se penche, s'agenouille
et, en pleurant, lui mouille
tout le visage de ses larmes,
mais elle n'a pas l'audace d'en faire plus.
Elle a tant pleuré qu'il se réveille.
Tout surpris, il s'émerveille
de sentir son visage mouillé.
Il aperçoit la jeune fille agenouillée
devant son lit, elle le tenait
étroitement embrassé par le cou.
Il eut un geste de courtoisie
et la prit à son tour dans ses bras.
Il l'a sans attendre attirée à lui :
« Que voulez-vous, la belle ? lui dit-il,

224 rb « Por coi estes venue ci ?
1940   — Ha, gentis chevaliers, merci !
           Por Dé vos pri et por son fil
           Que vos ne m'an aiez plus vil
           De ce que je sui ci venue.
1944   Por ce que je sui pres que nue
           Je n'i pansai onques folie
           Ne malvoistié ne vilenie,
           Qu'il n'a ou monde rien qui vive
1948   Tant dolante ne tant chaitive
           Que je ne soie plus dolante.
           Rien que j'aie ne m'atalante,
           C'onques un jor sanz mal ne fui.
1952   Ensin malaüree sui,
           Ne je ne verrai jamais nuit
           Que solemant cele d'anuit,
           Ne jor que celui de demain,
1956   Ançois m'ocirrai de ma main.
           De III.^C. chevaliers et dis
           Don cist chastés estoit garniz
           N'a ceianz remés que cinquante,
1960   Deus cenz et dis mains de seissante
           An a uns chevaliers molt maux,
           Aguinguerons, li senechaus
           Clamedex des Illes, menez
1964   Et m'a morz et enprisonez.
           De ces qui sont en prisson mis
           M'est il autant come des ocis,
           Que je sai bien qu'il i morront,

1941. et por merci. **1949.** plus chaitive. **1950.** me delite / Que je ne soie plus
dolante : *dittographie (1949) ; réfection maladroite de la rime (1950) ;
réemploi du vers correct, mais isolé à la rime et de sens embarrassé.*
1957. IIIIC. **1959.** karante. **1960.** Et deus et .X. mains ce me sanble. **1961.**
Et m'a. **1965.** Ices qui ces. **1966.** des vis.

Pourquoi êtes-vous venue ici?
— Ah! pitié, noble chevalier!
Je vous supplie, au nom de Dieu et de son Fils,
de ne pas me tenir en mépris,
si je suis venue ici.
Pour dévêtue que je sois,
je n'avais en tête nulle folie,
ni rien de bas ou de honteux,
car il n'y a pas d'être au monde,
si triste et si malheureux soit-il,
que je ne sois plus malheureuse encore.
Je n'ai rien qui soit à mon désir,
je n'ai pas connu un seul jour sans malheur.
Oui, je vis dans le malheur,
je ne verrai jamais d'autre nuit
que celle de ce soir,
ni d'autre jour que celui de demain.
Je vais bien plutôt me tuer de ma main.
Des trois cent dix chevaliers
dont était pourvu ce château,
il n'en est ici resté que cinquante.
Les deux cent soixante autres, moins dix,
ont été emmenés par un très cruel chevalier,
Aguingueron, le sénéchal
de Clamadieu des Iles,
qui les a tués ou faits prisonniers.
Mais de ceux qui sont mis en prison,
il en va pour moi comme des morts,
car je sais bien qu'ils vont y mourir.

1960. *La tradition est ici confuse (50 et 2, 60 moins 9 ou 10, moins 18, moins 22, 3 et 40 moins 6). Nous avons suivi la leçon de H, quoiqu'il soit le plus jeune des mss. de Chrétien. Il suffit de rétablir l'exposant de la centaine.*

1968   Que jamais eisir n'en porront.
        Por moi sont tant prodome mort,
        Si est droiz que je m'an descort.
        A siege a ci devant esté
1972   Tot un iver et un esté
        Aguinguerons, qu'il ne s'an mut,
        Et sa forcë a celui crut,
        Et la nostre est amenuisiee
1976   Et nostre vitaille espuisiee,
        Que il ne m'a ceianz remez
        Don l'en poïst repaistre un es.
        Si somes assis entressait,
1980   Demain, se Damedex no fait,
        Li sera cist chastés randuz
        Qui ne puet estre desfanduz,
        Et je avoc come chaitive.
1984   Mais certes ainz qu[e] il m'ait vive,
        M'ocirré je, si m'avra morte,
        Puis ne m'an chaura s'i[l] m'en porte.
        Clamadex, qui avoir me cuide,
1988   Ne m'avra pas, s'il ne m'a vuide
        De vie et d'arme, en nule fin,
        Que je gart en un mien escrin
        Un costel tot de fin acier
1992   Que au cuer me ferai glacier.
        Itant a dire vos avoie,
        Or me remetrai a la voie
        Se vos laissera[i] reposser. »
1996   Par tans se porra aloser

1973. A. toz jorz *(hypométrique, rime manquante)*. **1995.** *Sur deux lignes.*

1970. S'est droiz que je m'an desconfort. **1974.** Et tot adés sa force crut.
1977. Que il n'en a. **1979.** Si s. ataint. **1980.** Que d. se Dex n.

Ils ne pourront jamais en sortir.
A cause de moi tant d'hommes vaillants sont morts.
Il est juste que je m'en afflige.
Voilà tout un hiver et un été
qu'Aguingueron, sans en bouger,
a mis devant ici le siège,
et ses forces n'ont cessé de croître,
tandis que les nôtres se sont amenuisées
et que nos vivres sont épuisés.
Il ne m'est pas resté ici
de quoi seulement nourrir une abeille !
Dans l'immédiat nous sommes touchés
au point que demain, si Dieu n'intervient,
ce château lui sera rendu,
faute de pouvoir le défendre,
et moi avec, en captive.
Non vraiment ! Plutôt qu'il ne m'ait vivante,
je me tuerai, il n'aura que mon cadavre.
Peu m'importe alors s'il m'emmène !
Clamadieu croit me tenir,
mais il ne m'aura pas pour finir,
tout au plus un corps privé d'âme et de vie,
car je garde dans un écrin que je possède
un couteau à fine lame d'acier
que je me glisserai jusqu'au cœur.
C'est tout ce que j'avais à vous dire.
Je vais maintenant revenir sur mes pas
et vous laisser vous reposer. »
Ce sera bientôt l'occasion de s'illustrer

224 vb Li chevaliers, se faire l'ose,
         C'onques cele por autre chose
         Ne vint plorer desus sa face,
2000   Que qu[e] ele entandant li face,
         Fors por ce qu'ele li meïst
         En coraige qu'il enpr[e]ïst
         La bataille, s'i[l] l'ose anpanre,
2004   Por sa terre et por li desfandre.
         Et cil li dit : « Amie chiere,
         Faites or huimais bele chiere,
         Confortez vos, ne plorez plus,
2008   Mais traiez vos les moi çaisus,
         S'ostez les lermes de vos iaux.
         Dex, se lui plaist, vos fera miax
         Demain que vos ne m'avez dit.
2012   Lez moi vos cochiez en ce lit,
         Qu'il est assez lez a eus nos,
         Huimés ne me laisseroiz vos. »
         Et cele dit : « Se vos plaissoit,
2016   Si feroie. » Et il la baisoit
         Et en ses braz la tenoit prise,
         Si l'a soz lo covertor mise
         Tot soavet et tot a aise,
2020   Et cele soefre qu'il la baise,
         Ne ne cuit pas qu'il li anuit.
         Ensin jurent tote la nuit
         Li uns lez l'autre, boche a boche,
2024   Jusqu'au main que li jorz aproche.
         Tant li fist la nuit de solaz
         Que boche et boche, braz a braz,

2005. dist. **2015.** dist.

pour le chevalier, s'il en a l'audace,
car ce n'est pas pour autre chose
qu'elle est venue pleurer sur son visage,
quoi qu'elle lui laisse entendre,
mais bien pour lui mettre
au cœur le désir de se battre,
s'il ose livrer la bataille,
pour la défendre, elle, et sa terre.
Il lui a répondu : « Très chère amie,
faites donc désormais meilleur visage,
réconfortez-vous, ne pleurez plus,
mais hissez-vous près de moi
et chassez les larmes de vos yeux.
Dieu, s'Il le veut, vous donnera mieux
demain que vous ne m'avez dit.
Couchez-vous près de moi, dans ce lit,
il est assez large pour notre usage.
Vous ne me quitterez plus maintenant. »
Et elle lui dit : « S'il vous plaisait,
c'est ce que je ferais. » Lui la couvrait de baisers
et la tenait serrée entre ses bras.
Il l'a introduite sous la couverture,
avec douceur, et plein d'attentions.
La jeune fille souffre ses baisers,
je ne crois pas que cela lui déplaise.
Ils sont ainsi restés toute la nuit,
étendus l'un contre l'autre, bouche contre bouche,
jusqu'au matin, à l'approche du jour.
De cette nuit elle a tiré un réconfort :
bouche contre bouche, dans les bras l'un de l'autre,

225 ra Dormirent tant qu'il ajorna.
2028 A l'ajorner s'en retorna
La pucele en sa chambre arriere,
Sanz pucele, sanz chanberiere
Se vesti et apareilla,
2032 Onques nelui n'i apela.
Et cil qui la nuit veillié orent,
Tantost que lo jor veoir porent,
Isnelemant lez endormiz
2036 Ses firent lever de lor liz,
Et cil leverent sanz demore.
Et la pucele en icele ore
A son chevalier s'en repaire,
2040 Si li dist come debonaire :
« Sire, Dex vos doint hui bon jor !
Et si cuit bien que lonc sejor
Ne fereiez mie ceianz.
2044 Do sejorner seroit neianz,
Vos en iroiz, pas ne m'en poise,
Que ne seroie pas cortoise
S'il m'en pessoit de nule chose,
2048 Que point d'anor a la parclose
Ne vos avon faite ceianz.
Et je pri Deu omnipotant
Qu'il vos maint a meillor ostel
2052 O plus pain ait et vin et sel
Et autres choses qu'an celui. »
Il li dist : « Bele, ce n'iert hui
Que je autre ostel aille querre,
2056 Ainz avrai tote vostre terre

2036. Sel f.

2030. S. meschine. 2035. Esveillierent les e. 2044-2051. de nule rien / Que
p. d'onor ne point de bien / Ne vos avomes ceanz fet / Et je pri Deu que
il vos et / Apareillié m. o. 2053. Et autre bien que an cestui.

ils ont dormi jusqu'à l'aube.
Au point du jour la jeune fille est retournée
en arrière dans sa chambre.
Sans l'aide d'une servante ou d'une cameriste
elle s'est habillée et préparée,
elle n'a fait appel à personne.
Ceux qui avaient pris la garde de nuit,
aussitôt qu'ils virent poindre le jour,
réveillèrent ceux qui dormaient
et les tirèrent de leurs lits.
Et eux se levèrent sans tarder.
Sur l'heure, la jeune fille
retourne auprès de son chevalier,
et lui dit avec douceur :
« Monseigneur, que Dieu vous accorde une heureuse journée !
Je crois bien qu'ici
vous ne ferez pas long séjour.
Séjourner serait inutile.
Vous allez partir, sans qu'il m'en déplaise,
car je manquerais de courtoisie
si j'en avais le moindre déplaisir.
Nous ne vous avons pas ici
bien reçu ni honorablement.
Mais je prie Dieu qu'il vous ménage
un lieu plus hospitalier,
où il y ait plus de pain, de vin, de sel
et de bonnes choses qu'en celui-ci. »
Il lui dit : « Belle amie, ce n'est pas aujourd'hui
qu'on me verra chercher un gîte ailleurs,
pas avant d'avoir sur vos terres

225 rb En paiz mise, si con je cuit.
        Se vostre anemi la fors truis,
        Pessera moi se plus i siet,
2060   Por ce que de noient vos griet.
        Mais se je l'oci et conquier,
        Vostre druerie vos quier
        En guerredon qu'ele soit moie,
2064   Autres sodees ne qerroie. »
        Et cele respont par cointise :
        « Sire, molt m'avez or requise
        De povre chose et de despite,
2068   Et s'ele vos iert contredite,
        Vos lo tanreiez a orgoil,
        Por ce veer ne la vos voil.
        Et neporquant ne dites mie
2072   Que je devaigne vostre amie
        Par tel covant ne par tel loi
        Que vos ailliez morir por moi,
        Que ce seroit trop granz domaiges,
2076   Car vostre cors ne vostre aaiges
        N'est tex, ce saichiez de seür,
        Que vos a chevalier si dur
        Ne a si fort ne a si grant
2080   Con cil est qui la forz atant,
        Vos poïssiez contretenir
        [N']estor ne bataille fornir.
        — Ce verroiz vos, fait il, encui,
2084   Que je m'iré conbatre a lui,
        Je no lairai por nul chasti. »
        Tel plait li a cele basti

2059. Pesserai. 2077. tex et s.

2057. se j'onques puis. 2068. Mais. 2082. *Var.* sofrir : *AQRST, mais* fornir
est la leçon des autres mss.

ramené la paix, si je le peux.
Si je trouve votre ennemi là dehors,
je ne supporterai pas qu'il y reste un instant de plus,
car il vous accable sans raison.
Mais si je le tue et que j'aie la victoire,
je vous requiers vos faveurs :
qu'elles me soient en récompense accordées.
Je ne requerrais pas une autre solde ! »
Elle lui répond avec élégance :
« Monseigneur, vous m'avez requise
de bien peu de chose, qui n'a pas grande valeur,
mais si elle vous était refusée,
vous y verriez de l'orgueil.
Vous l'interdire, je ne le veux donc pas.
N'allez cependant pas dire
que si je deviens votre amie,
ce soit à la condition et avec l'exigence
que vous alliez mourir pour moi,
car le dommage serait trop grand.
Vous n'êtes pas d'âge ni de taille,
soyez-en certain,
à pouvoir tenir tête
à un chevalier aussi dur,
aussi fort et aussi grand
que celui qui vous attend là dehors,
ni à lui livrer combat et bataille.
— Vous le verrez bien, fait-il, aujourd'hui même,
car j'irai combattre contre lui,
aucune leçon ne m'y fera renoncer. »
Mais toute l'affaire est montée par elle :

225 va Qu'ele lo blasme, et si lo viaut,
2088 mais sovant avient que l'en siaut
       Escondire sa volanté,
       Quant an voit bien entalanté
       Home de faire son talant,
2092 Por ce que mielz li entalant.
       Ansin fist ele come saige,
       Qu'ele li a mis en coraige
       Ce qu'ele li blasme molt fort.
2096 Cil comande qu'en li aport
       Ses armes que a demandees,
       Et l'en les i a aportees,
       Si l'arment et monter lo font
2100 Sor un cheval que il li ont
       Apareillié ami la place.
       N'en i a nul sanblant ne face
       Qu'il l'en poïst et qu'il ne die :
2104 « Sire, Dex vos soit en haïe
       Hui en cest jor et doint grant mal
       Aguingueron lo senechal,
       Qui tot a ce païs destruit. »
2108 Et plorent molt totes et tuit,
       Jusqu'a la porte lo convoient,
       Et quant fors do chastel lo voient,
       Si dient tuit a une voiz :
2112 « Biax sire, icele voire croiz
       Ou Dex sofri pener son fil
       Vos gart hui de mortel peril
       Et d'anconbrier et de prison,
2116 Et vos ramaint a guarison

2087. viaut. 2103. ne l'en poïst. *Faute commune à BLMQU.* 2113-2114. Ou
Dex laisa son cors pener / Vos gart Dex de grant enconbrer.

2097-2098. Ses armes. Et an li aporte / Et overte li fu la porte. *La leçon
de B est seulement partagée par T et P.*

si elle l'en blâme, elle ne le veut pas moins !
Il arrive souvent qu'on soit porté
à dénier ce qu'on souhaite,
quand on voit quelqu'un bien enclin
à accomplir ce qu'on désire,
pour l'y pousser plus sûrement.
Ainsi agit-elle en femme habile,
lui imprimant au cœur
ce dont elle le blâme bien haut.
Il commande qu'on lui apporte
ses armes. On les lui apporte
et on lui a ouvert la porte.
On l'arme et on le met en selle
sur un cheval qu'on lui a
équipé au milieu de la place.
Il n'y a personne dont le visage ne montre
l'inquiétude et qui ne lui dise :
« Monseigneur, Dieu vous soit en aide
en ce jour ! Malheur
au sénéchal Aguingueron,
qui a détruit tout notre pays ! »
Et tous et toutes d'être en larmes.
Ils l'escortent jusqu'à la porte
et, quand ils le voient sorti du château,
ils s'écrient d'une seule voix :
« Bien cher seigneur, puisse la vraie Croix
où Dieu souffrit qu'on suppliciât son Fils,
vous garder aujourd'hui du péril de mort,
de la prison et de tout obstacle !
Puisse-t-elle vous ramener sain et sauf

225 vb En leu ou vos seiez a aise
        Et aiez delit qu'il vos plaise. »
        Ensin trestuit de lui parloient.

2120   Et cil de l'ost venir lo voient,
        Si l'ont Aguingueron mostré,
        Ou se seoit devant son tré,
        Qu'il cuidoit bien qu'en li deüst

2124   Lo chastel randre ainz que nuiz fust
        Ou qu'aucuns en issist ors
        Por conbatre a lui cors a cors,
        Et avoit ses chauces laciees,

2128   Et les genz estoient molt liés,
        Qu'il cuidoient avoir conquis
        Lo chastel et tot lo païs.
        Cil vient a lui plus que lo pas

2132   Sor un cheval bien fort et gras
        Et dit : « Vallez, qui ça t'anvoie ?
        Di moi l'achoison de ta voie,
        Viens tu paiz o bataille querre ?

2136   — Mais que faiz tu en cele terre ?
        Fait cil, ce me diras premiers.
        Por qu'as ocis les chevaliers
        Et tot lo païs confondu ? »

2140   Et lors li a cil respondu
        Come orgoilleus et sorcuidiez :
        « Je voil ancui me soit vuidiez
        Cist chastés, et la tor randue,

2144   Qui tant a esté desfandue,
        Et messire avra la pucele.
        — Daaz ait hui ceste novele,

─────────────

2124. iastel r. a. q. jors. **2125.** Et q.

─────────────

2118. Qui vos delit et qui. **2119.** por lui prioient. **2127.** S'avoit ja. **2128.** ses.
Après **2130.** *om.* Tantost qu'Aguinguerons le voit / Si se fet armer
a esploit / Et v. *Omission commune à BPT.* **2133.** Ça qui. **2136.** mais
tu q. f.

en un lieu de bien-être,
qui vous donne du plaisir et que vous aimiez ! »
Ainsi priaient-ils tous pour lui.
Mais ceux de l'armée le voient venir.
Ils l'ont montré à Aguingueron,
qui était là, assis devant sa tente,
bien persuadé qu'on devrait
lui rendre le château avant la nuit,
à moins qu'il y eût quelqu'un pour venir dehors
se battre avec lui en corps à corps.
Déjà, il avait attaché ses chausses
et ses gens menaient grande joie,
car ils pensaient avoir conquis
la ville et tout le pays.
[Si tôt qu'Aguingueron l'aperçoit,
il se fait armer en hâte]
et va vers lui au galop,
sur un cheval robuste et charnu.
« Jeune homme, lui dit-il, qui t'envoie ici ?
Dis-moi la raison de ta venue.
Viens-tu chercher la paix ou la bataille ?
— Et toi, que fais-tu sur cette terre ?
lui répond-il. C'est d'abord à toi de me le dire.
Pourquoi avoir tué les chevaliers
et ravagé tout le pays ? »
Alors l'autre lui a répondu
en homme plein d'orgueil et d'arrogance :
« Je veux qu'aujourd'hui même on me vide
ce château et qu'on me livre le donjon.
On ne l'a que trop défendu.
Et mon maître aura la jeune fille.
— Au diable de telles paroles,

226 ra Fait li vallez, et qui l'a dite !
2148 Einz te covanra clamer quite
      Trestout quant que tu li chalenges.
      — Or me servez vos de losenges,
      Fait Aguinguerons, par saint Pere,
2152 Sovent avient que tes conpere
      Lo forfet qui corpes n'i a. »
      Et lors au vallet enuia,
      Si met la lance sor lo fautre
2156 Et li uns laist corre vers l'autre
      Tant con cheval porter les porent.
      A l'ire et au corroz qu'il orent
      Et a lor force de lor braz
2160 Font les pieces et les esclaz
      De lor lances voler andeus.
      Aguinguerons chaï toz seus
      Et fu parmi l'escu navrez
2164 Si que li braz et li costez
      Lo santi dolereusemant.
      Et li vallez a pié descent,
      Qu'il no set a cheval requerre.
2168 Do cheval est venuz a terre
      Et trait l'espee, si li passe.
      Ne sai que plus vos devisasse
      Comant il avint a chascun
2172 Ne les cos toz par un a un,
      Mais la bataille dura molt
      Et li cop furent molt estout,
      Tant que Aguinguerons chaï.
2176 Et cil maintenant l'envaï

2149. demandes. **2150.** bobances. **2157.** le p.

---

*Entre 2156. et 2157. Nous ne jugeons pas authentiques malgré Hilka les
14 vers que présentent ici les seuls mss. AL. Le même passage se retrouve en
effet dans le combat avec Clamadieu, vv. 2604-2614.*

et qui les a dites, fait le jeune homme !
Il te faudra d'abord renoncer
à tout ce que tu lui disputes.
— Vous me payez de mots,
par saint Pierre, fait Aguingueron !
Il arrive souvent que tel paie
pour les coupables sans y être pour rien. »
Le jeune homme en fut agacé.
Il met sa lance en arrêt
et ils se jettent l'un contre l'autre,
de toute la vitesse de leur cheval.
Dans la fureur et l'emportement qui étaient les leurs,
en y mettant toute la force de leurs bras,
ils font voler en pièces et en morceaux
toutes leurs deux lances.
Aguingueron fut le seul à tomber.
Il a été, à travers son écu, blessé,
de sorte que son bras et son flanc
en ont ressenti la douleur.
Le jeune homme met pied à terre,
car il ne sait pas mener l'attaque à cheval.
Il est donc descendu de son cheval,
et, tirant son épée, il fait une passe.
Mais je ne vois pas pourquoi je vous raconterais plus en
ce qu'il advint à chacun,   [détail
ni ce que furent tous les coups, un par un.
D'un mot, la bataille dura longtemps
et les coups furent très violents.
Pour finir Aguingueron tomba.
Aussitôt l'autre lui porta une telle attaque

226 rb Tant que cil merci li cria,
　　　Et cil li dit que il n'i a
　　　De la merci ne tant ne quant.
2180　Se li sovint il neporquant
　　　Do prodome qui li aprist
　　　Qu'a son escïant n'oceïst
　　　Chevalier des que il [l']aüst
2184　Conquis et au deseure fust.
　　　Et cil li dist : « Biax amis dous,
　　　Or ne seiez pas si estous
　　　Que vos [n']aiez merci de moi,
2188　Que je te creant et otroi
　　　Que ja en est li mieldres tuens,
　　　Et chevaliers es tu molt buens,
　　　Mais non pas tant qu'il fust creü
2192　D'ome qui ne l'aüst veü
　　　M'aüsez en bataille mort.
　　　Mais se je lo tesmoig t'en port
　　　Que tu m'aies d'armes oltré,
2196　Voiant ma gent, devant mon tré,
　　　Ma parole en sera creüe
　　　Et t'anors en sera saüe,
　　　Que nus chevaliers n'ot greignor.
2200　Mais garde, se tu as seignor
　　　Qui t'ait bien ne servise fait
　　　Don lo guerredon aü n'ait,
　　　Si m'i envoie et ge irai
2204　De par toi et si li dirai
　　　Comant tu m'as d'armes conquis
　　　Et si me randrai a lui pris

2178. que il rira (!) **2181.** qu'il li. **2192.** qu'il.

Après **2192.** *om.* Et qui nos coneüst andeus / Que tu par tes armes toz seus.

qu'il dut lui crier grâce.
Il n'est pas le moins du monde question
de lui faire grâce, lui répond-il !
Il s'est pourtant souvenu
du gentilhomme qui lui avait appris
à ne pas tuer sciemment
un chevalier, après l'avoir vaincu
et avoir eu le dessus.
« Cher et doux ami, lui dit l'autre,
ne soyez pas si brutal
que vous me refusiez votre grâce.
Je l'affirme et je te l'accorde,
c'est toi qui as pris le meilleur,
et tu es un chevalier de grand mérite,
mais qui croirait pour autant,
à moins de l'avoir vu,
parmi ceux qui nous connaissent tous deux,
qu'à toi seul, aux armes,
tu aies pu me tuer dans un combat ?
En revanche, si je porte moi-même pour toi le témoignage
que tu m'aies aux armes forcé à la défaite,
et ceci au vu de mes gens, devant ma tente,
on me croira sur parole,
tu en tireras de partout un honneur
plus grand que n'en a jamais eu un chevalier.
Mais regarde s'il y a un seigneur
à qui tu sois encore redevable
d'un bien ou d'un service rendu,
et envoie-moi à lui. J'irai à lui
de ta part et lui dirai
comment tu m'as vaincu aux armes,
et je me rendrai à lui prisonnier,

226 va Por faire ce que bon li ert.
2208   — Et daaz ait qui mielz requiert !
        Et sez tu donc ou tu iras ?
        En cel chastel, et si diras
        A la bele qui est m'amie
2212   Que ja mais en tote ma vie
        Ne seras en son nuisemant,
        Si te metras oltreemant
        Do tot en tot en sa merci. »
2216 · Et cil li respont : « Donc m'oci,
        C'ausin me feroit ele ocirre,
        Que nule rien tant ne desirre
        Come mon mal et mon anui,
2220   Car a la mort son pere fui
        Et si li ai faiz tanz corroz
        Que ses chevaliers li ai toz
        Que morz que pris en ceste anee.
2224   Male prison m'avroit donee
        Qui a li envoié m'avroit,
        Ja pis faire ne me savroit.
        Mais se tu as nul autre ami
2228   N'amie autre, envoie m'i,
        Qui n'ait de moi mal faire envie,
        Que ceste me torroit la vie,
        Se ele me tenoit, sanz faille. »
2232   Et lors li dist cil que il aille
        A un chastel chiés un prodome,
        Do prodome lo non li nome,
        En tot lo monde n'a maçon
2236   Qui mielz devisast la façon

2224. avroiz. **2229.** Qu'il.

2212. ta vie. **2234.** *Leçon commune à BHPT. Var. A* : Et le non au seignor li n.

pour qu'il fasse de moi ce que bon lui semblera.
— Au diable qui demanderait mieux !
Sais-tu bien où tu vas aller ?
Au château qui est là, et tu diras
à la belle, qui est mon amie,
que jamais plus de ta vie
tu ne seras occupé à lui nuire.
Puis tu te mettras, sans réserve,
entièrement à sa merci.
— Alors, tue-moi, lui répond l'autre !
Aussi bien me ferait-elle mettre à mort,
car elle ne désire rien tant
que mon mal et mon tourment.
J'ai pris part en effet à la mort de son père
et j'ai mérité sa haine,
quand j'ai, cette année, tué ou pris
tous ses chevaliers.
Qui m'enverrait à elle
m'aurait donné une prison fatale.
On ne saurait me faire pis.
Envoie-moi plutôt à quelque autre ami,
ou bien amie, si tu l'as,
qui n'ait nulle envie de me faire du mal,
car celle-ci m'arracherait la vie,
si elle me tenait, sans y faire faute. »
Il lui dit alors d'aller
chez un gentilhomme, à son château.
Il lui donne le nom du gentilhomme.
Il n'y a pas de maçon au monde
qui aurait mieux su décrire l'œuvre

226 vb Do chastel qu'i[l] li devisa.
      L'eve et lo pont molt [li] prissa
      Et les torneles et la tor
2240 Et les forz murs qui sont entor,
      Tant que cil entant bien et set
      Que el leu ou l'en plus lo het
      Lo viaut envoier en prison.
2244 « La ne sai je ma guarison,
      Fait il, biax frere, o tu m'envoies.
      Si m'aïst Dex, en males voies
      Me viaus metre et en males mains,
2248 Car un de ses freres germains
      En ceste guerre li ocis.
      Ainz m'ocis tu, tres dos amis,
      Que tu a lui aler me faces,
2252 La iert ma morz se tu m'i chaces. »
      Et cil li dist : « Donc iras tu
      En la prison lo roi Artu
      Et me salueras lo roi
2256 Et si li diras de par moi
      Qu'il te face mostrer celi
      Que Keus li senechaus feri
      Por ce que ele m'avoit ris,
2260 Et a celi te randras pris
      Et si li diras, se toi plaist,
      Que ja Dex morir ne me laist
      Tant qu'en aie vengence prise. »
2264 Et cil respont que cest servise
      Li fera il et bien et bel.
      Lors s'en torne vers lo chastel

de ce château qu'il ne l'a fait.
Il lui fit l'éloge de l'eau et du pont,
des tourelles et du donjon,
ainsi que des puissants murs tout autour,
si bien que l'autre voit bien et comprend
qu'il veut l'envoyer en prison
précisément là où il est le plus haï.
« Je ne vois pas mon salut,
mon doux frère, fait-il, là où tu m'envoies.
Vraiment par Dieu, tu m'engages
sur une voie de malheur, et je tombe en de mauvaises mains !
Car j'ai tué un de ses frères,
au cours de cette guerre.
A toi de me tuer, mon doux ami,
plutôt que de me faire aller à lui.
C'est ma mort là-bas, si tu m'y pousses. »
Et lui de dire : « Alors, tu iras
te faire prisonnier du roi Arthur,
et tu salueras pour moi le roi.
Tu lui demanderas, de ma part,
qu'il te fasse montrer celle
que le sénéchal Keu a frappé,
parce qu'elle m'avait ri.
C'est à elle que tu te rendras prisonnier,
et tu lui diras, s'il te plaît,
que je prie Dieu de ne pas me laisser mourir
avant de l'avoir vengée. »
L'autre lui répond que c'est une mission
dont il s'acquittera bel et bien.
Alors s'en retourne vers le château

227 ra Li chevaliers qui vaincu [l']a.
2268 Et cil en la prisson en va,
     S'an fait porter son estandart,
     Et l'ost do siege se depart
     Qu'il n'i remest ne bruns ne sors.
2272 Et cil do chastel issent fors
     Encontre celui qui retorne,
     Et a molt grant anui lor torne
     Do chevalier qu'il a conquis
2276 Qu'il lo chief n'en avoit pris
     Ou que il ne lor a randu.
     A grant joie l'ont descendu
     Et desarmé a un perron
2280 Et dient : « Sire, Guingueron,
     Qant vos ceianz ne lo meïstes,
     La teste por coi n'en preïstes ? »
     Il lor respont : « Seignor, par foi,
2284 Ne feïsse pas bien, ce croi,
     S'il vos a ocis vos paranz,
     Je ne li fusse pas garanz,
     Ainz l'oceïssiez mal gré mien.
2288 Molt aüst en moi po de bien,
     Des que je au desus en fui,
     Se n'aüse merci de lui.
     Et savez ques la merci fu ?
2292 An la prison lo roi Artu
     Se metra, se covent me tient. »
     Et la damoisele atant vient,
     Qui de lui grant joie demaine,
2296 Et jusqu'en la chanbre lo maine

2281. lo veïstes. 2288. en soi.

2274. Mais. 2276. Quant.

le chevalier qui l'a vaincu.
Et lui part vers sa prison.
Il fait emporter son étendard
et l'armée lève le siège.
Brun ni blond, il ne reste personne.
Les gens du château sortent alors
à la rencontre de celui qui revient,
mais ils sont vivement contrariés
de voir qu'il n'a pas pris la tête
du chevalier qu'il a vaincu,
ou même qu'il ne le leur a pas livré.
Dans la joie, ils l'ont fait descendre
et l'ont désarmé sur un montoir de pierre,
et ils lui demandent : « Monseigneur, et Guingeron ?
Si vous ne vouliez pas le mettre dans ces lieux,
pourquoi ne pas lui avoir pris la tête ? »
Il leur répond : « Ma parole, messeigneurs,
je n'aurais pas, je crois, bien agi,
si je lui avais refusé ma protection,
alors qu'il a tué vos parents,
et que vous l'eussiez mis à mort contre mon gré.
Je ne vaudrais pas grand-chose,
si je ne lui avais fait grâce,
dès l'instant que j'ai eu le dessus.
Mais savez-vous quelle fut la grâce ?
Il devra, s'il me tient parole,
se rendre prisonnier chez le roi Arthur. »
Alors survient la demoiselle,
qui mène pour lui grande joie,
et elle l'entraîne jusqu'à sa chambre

227 rb Por reposer et aaisier.
De l'acoler ne do baisier
Ne li fait ele nul dangier,
2300 En leu de boivre et de mangier
Jüent et baisent et acolent
Et debonairemant parolent.
Mais Clamadex folie panse,
2304 Qui viaut et cuide sanz desfance
Lo chastel avoir maintenant,
Qant un vallez grant dol menant
Ami lo chemin encontra,
2308 Qui les noveles li conta
De Guingueron lo senechal :
« A non Dé, sire, or vait molt mal »
Dit li vallez, qui tel doel fait
2312 Qu'a deus poinz ses chevos detrait.
Et Clamadex respont : « De coi ?
— Sire, dit li vallez, par foi,
Vostre senechaus est conquis
2316 D'armes et si se randra pris
Au roi Artu ou il s'en va.
— Qui a ce fait, vallez, di va ?
Ice comant puet avenir ?
2320 Don puet li chevaliers venir
Qui si prodome et si vaillant
Puet d'armes faire recreant ? »
Et cil respont : « Biax sire chiers,
2324 Par foi, ce fu uns chevaliers,
Et tant en sai que je lo vi
Que ors de Bel Repaire issi

2301. Jurent. **2318.** di va, di va.

2304. *Leçon de BMTU. Var.* : Qui vient. **2324.** Ne sai qui fu li c.

pour son repos et son bien-être.
Elle ne lui oppose aucun refus,
s'il met les bras à son cou et lui donne des baisers.
Au lieu de boire et de manger,
ce n'est que jeux, baisers, accolades
et propos tenus de gaieté de cœur.
Cependant Clamadieu est à ses folles pensées.
Il arrive, croyant avoir déjà à lui
un château sans défense,
mais voici qu'il rencontre en chemin
un jeune homme au désespoir,
qui lui donne nouvelles
du sénéchal Guingueron :
« Par Dieu, monseigneur, tout va au plus mal,
dit le jeune homme, qui montre un tel désespoir
qu'il s'arrache à poignées les cheveux.
— Mais de quoi s'agit-il, demande Clamadieu ?
— Monseigneur, dit le jeune homme, sur ma parole,
notre sénéchal a été vaincu
aux armes et se constituera prisonnier
chez le roi Arthur, vers qui il s'en va.
— Qui a fait cela, jeune homme ? Allons, parle !
Comment est-ce arrivé ?
D'où a bien pu venir le chevalier
capable de forcer un preux aussi vaillant
à s'avouer vaincu au combat ?
— Cher et doux seigneur, lui répond-il,
j'ignore qui était le chevalier.
Tout ce que je sais, c'est que je l'ai vu
sortir de Beau Repaire,

227 va Armez d'unes armes vermoilles.
2328   — Et tu, vallez, que me consoilles ? »
       Fait cil qui par po n'ist do san.
       « Que est, sire ? Retornez vos an,
       Que se vos avant aleiez,
2332   Ja rien n'i esploitereiez. »
       A cest mot est avant venuz
       Uns chevaliers auques chenuz,
       Qui estoit maistre Clamadeu.
2336   « Vallez, fait il, tu ne diz preu.
       Plus saige consoil et plus buen
       Li covient croire que lo tuen.
       S'il te croit, il fera que fos,
2340   Ainz ira avant, par mon los. »
       Puis dit : « Sire, volez savoir
       Comant vos porreiez avoir
       Lo chevalier et lo chastel ?
2344   Jo vos dirai et buen et bel
       Et molt sera legier a faire.
       Dedanz les murs de Bel Repaire
       N'a que boivre ne que mangier
2348   Et sont foible li chevalier,
       Et nos somes et fort et sain
       Ne n'avomes ne soi ne fain,
       Si porron grant estor soffrir
2352   Se cil dedanz ossent issir
       A vos ça defors assambler.
       .XX. chevaliers por cenbeler
       Envoierez devant la porte.

2354. *Sur deux lignes.*

2353. A nos.

tout armé d'armes vermeilles.

— Eh bien, toi, jeune homme, que me conseilles-tu ?
fait-il, presque hors de lui.

— Quoi, monseigneur ? mais de faire demi-tour !
Si vous alliez plus avant,
vous n'auriez rien à y gagner. »
A ces mots, s'est avancé
un chevalier aux cheveux blanchissants.
Il avait été le maître de Clamadieu :
« Jeune homme, fait-il, tu ne dis rien de bon.
C'est un meilleur et plus sage conseil
que le tien, qu'il lui faut suivre.
Il serait bien fou de te croire.
Moi, je lui conseille d'aller de l'avant. »
Il ajoute : « Monseigneur, voulez-vous savoir
comment vous emparer
du chevalier et du château ?
Je vais bel et bien vous le dire,
et ce sera très facile à faire.
A l'intérieur des murs de Beau Repaire,
il n'y a plus rien à boire ni à manger
et les chevaliers sont affaiblis.
Mais nous, nous sommes pleins de force et de santé
et nous n'avons ni faim ni soif.
Aussi sommes-nous en état de soutenir un rude combat,
si ceux de l'intérieur osent faire une sortie
pour nous livrer ici bataille.
Vous enverrez en vue de joutes
vingt chevaliers devant leur porte.

2356 Li chevaliers, qui se deporte
     A Blancheflor sa bele amie,
     Vodra faire chevalerie
     Plus que il soffrir ne porra.
2360 Si iert pris o il i morra,
     Que po d'aïe li feront
     Li autre qui molt foible sont.
     Si ne feront li .XX. noiant,
2364 Mais que les iront faunoient
     Tant que vos par ceste valee
     Vanroiz sor aus tot a celee,
     Ses asceindron a la parclose.
2368 — Par foi, je lo bien ceste chose,
     Fait Clamadés, que vos me dites.
     Ci avons bones genz ellites,
     .IIII^C. chevaliers armez,
2372 Et .M. sergenz toz acesmez,
     Ses panron toz come genz morte. »
     .XX. chevaliers devant la porte
     En a Clamadex envoiez,
2376 Qui tinrent au vant desploiez
     Les confanons et les banieres
     Qui furent de maintes menieres,
     Et quant cil do chastel les virent
2380 Les portes a bandon ovrirent,
     Que li vallez lo vost ansin
     Et devanz as toz en issi
     Por assambler aus chevalliers,
2384 Conme hardiz et proz et fiers

2383-2384. *Intervertis.* **2383.** *sur deux lignes en fin de colonne.* **2384.** *Le manuscrit donne en clair la forme « conme » sans l'abréviation tironienne.*

2365. nos. **2366.** vanrons. **2367.** *Leçon de BFPQS. Var.* : a la forsclose (*« en les prenant de revers »*). **2384.** et forz et f.

Le chevalier qui se distrait
auprès de Blanchefleur, sa belle amie,
voudra faire une action d'éclat
au-dessus de ses propres forces.
Il sera pris ou tué,
car il trouvera bien peu d'aide
chez les autres, qui sont très affaiblis.
Notre groupe de vingt ne fera rien d'autre
que de leur donner le change,
jusqu'au moment où nous autres, par cette vallée,
nous tomberons sur eux à l'improviste
et les encerclerons complètement.
— Ma parole, voilà une chose que vous me dites,
que j'approuve tout à fait, dit Clamadieu.
Nous avons ici des gens d'élite,
quatre cents chevaliers en armes
et mille auxiliaires bien équipés.
Les autres sont à nous, ils sont déjà comme morts ! »
Clamadieu a donc envoyé
vingt chevaliers devant leur porte,
qui font claquer au vent
étendards et bannières,
dont il y avait de toutes sortes.
Quand ceux du château les virent,
ils ouvrirent en grand les portes
à la demande du jeune homme,
qui est sorti à leur tête
pour commencer la mêlée avec les chevaliers.
Avec bravoure, vigueur et férocité

228 ra Les ancontre trestoz ansanble.
       Cui il ataint, pas ne li semble
       Que il soit d'armes aprantiz.
2388   Lo jor i fu ses ferz santiz
       De sa lance en mainte boele.
       Cui perce piz et cui mamele,
       Cui brisse braz et cui chanole,
2392   Celui ocit, celui afole
       Celui abat et celui prant,
       Les prissons et les chevax rant
       A ces qui mestier en avoient,
2396   Tant que la grant bataille voient
       Qui tot lo val orent monté,
       Et furent .IIII^C. conté
       Estre les .M. sergenz qui vindrent.
2400   Et li navré si pres se tindrent
       De la porte qui fu overte.
       Et li autre virent la perte
       De lor genz afolee et morte,
2404   Si s'en vienent devant la porte
       Tuit desreé, tuit desrangié,
       Et cil se tinrent tuit rangié
       An la porte sarreemant,
2408   Ses reçoivent ardïemant
       Mais po de gent et foible furent,
       Et li autre de force crurent
       Des sergenz qui seü les orent,
2412   Tant que il soffrir ne les porent,
       Mais en lor chastel se retraient.
       Sus la porte ot archiers qui traient

2391-2392. *Intervertis.* **2392.** celui canole. **2394.** Les p. les chevaliers.
2398. .XV. vinz. **2405.** Tuit desarmé. **2408.** Sel.

2400. Et li autre (*Var H* : Cil del chastel) molt pres se t. **2412.** T. que cil.

il les affronte tous à la fois.
Quand il atteint l'un d'eux, il ne lui donne pas l'impression
d'être un novice au métier des armes !
Ce jour-là, maintes entrailles
ont senti le fer de sa lance.
Il leur transperce qui la poitrine, qui le sein,
il leur brise qui le bras, qui la clavicule,
il tue l'un et meurtrit l'autre,
renverse celui-ci, s'empare de celui-là.
Prisonniers et chevaux, il les remet
à ceux qui en avaient besoin.
Soudain ils aperçoivent le grand corps d'armée
qui était monté par la vallée.
On y comptait quatre cents hommes,
sans parler des mille auxiliaires qui arrivaient.
Ceux du château se tenaient tout près
de la porte restée ouverte.
Les autres ont vu les pertes
de leurs gens, meurtris et tués.
Ils font tous mouvement jusque devant la porte,
en désordre et en rangs dispersés,
tandis que les premiers se tenaient en rangs
bien serrés sur le devant de leur porte.
Ils les ont reçus hardiment,
mais ils étaient peu de gens et affaiblis,
et les autres voyaient grossir leur force
de tous les hommes de pied qui les avaient suivis.
A la fin ils ne purent leur résister.
Ils font retraite dans leur château.
Au-dessus de la porte, il y avait des archers qui tirent

228 rb An la grant fole et an la presse,
2416   Qui est molt ardanz et angresse
       D'antrer ou chastel a bandon,
       Tant c'une flote de randon
       S'est dedanz a force enbatue.
2420   Et cil dedanz ont abatue
       Une porte sor ces desoz,
       Ques debrise et escaiche toz
       Ces qu'a atainz an son cheoir.
2424   Ainz rien nule ne pot veoir
       Clamadex don tant fust dolanz,
       Car molt a la porte colanz
       De sa gent morte et lui forsclos,
2428   S'estuet qu'il se taigne en repos,
       Que li assauz en si grant haste
       Ne seroit fors que paine gaste.
       Et ses mestres qui lo consoille,
2432   Li dist : « Sire, n'est pas mervoille
       De prodome, s'i[l] li meschiet.
       Si con Damedé plaist et siet,
       Chiet bien et mal a chascun home.
2436   Perdu avez, ce est la some,
       Mais il n'est seinz qui n'ait sa feste.
       Chaoite est sor nos la tempeste,
       Si sont li nostre maaignié
2440   Et cil dedanz ont gaaignié,
       Mais il reperdront, ce saichiez.
       Les iax amedeus me traiez
       S'il demorent leianz .II. jorz.
2444   Vostre iert li chastés et la torz,

2417-2418. *Intervertis.* **2417.** Qui antre ou c. **2421.** La porte qui est sor auz toz. **2422.** Lors. **2435.** et mal et c. **2443.** Se demorer volez .II. jorz. *L'erreur s'explique peut-être par le v.* **2446.**

2442. me sachiez.

dans la foule, ardente et avide,
de ceux qui se pressent
à l'entrée pour se ruer dans le château.
Pour finir un groupe a d'un seul élan
pénétré en force à l'intérieur.
Mais ceux du dedans font retomber
une porte sur eux en dessous.
Elle brise et écrase tous ceux
qu'elle a atteints dans sa chute.
Clamadieu n'a jamais rien vu au monde
qui l'ait autant affligé,
car la porte coulissante
a tué nombre de ses gens et l'a rejeté dehors.
Il n'a plus qu'à se tenir tranquille,
car un assaut mené en si grande hâte
ne serait que peine perdue.
Mais son maître, qui est son conseiller,
lui dit : « Monseigneur, rien d'extraordinaire
s'il arrive malheur à vaillant homme.
Au plaisir et au bon vouloir de Dieu,
la chance vient à chacun, bonne ou mauvaise.
Vous avez perdu, voilà tout,
mais il n'y a pas de saint qui n'ait sa fête !
L'orage s'est abattu sur nous,
les nôtres en ont été amoindris
et ceux du dedans ont eu le gain,
mais il perdront à leur tour, soyez-en sûr.
Je veux bien qu'on m'arrache les yeux
s'ils restent là dedans plus de deux jours.
Le château et sa tour seront à vous,

228 va Cil se metront tuit en merci.
     Se vos poez demorer ci
     Tant solemant hui et demain,
2448 Li chastés est en vostre main,
     Et icele qui tant vos a
     Refusé, vos repreiera
     Por Deu que vos la daigniez panre. »
2452 Lors font trez et paveillons tandre
     Cil qui aportez les i orent,
     Et li autre si com il sorent
     Se logerent et atornerent,
2456 Et cil do chastel desarmerent
     Les chevaliers qu'il orent pris,
     N'en tors n'en fers ne les ont mis,
     Mais qu'il plevirent solemant
2460 Come chevalier loiaumant
     Que il leial prison tanroient
     Ne que nul mal ne lor querroient.
     Ensin furent anclos leianz.
2464 Cel jor meïsmes uns granz vanz
     Ot par mer chacié une barge
     Qui de fromant porte une charge
     Et d'autre vitaille estoit plaine.
2468 Si com Dé plot, antiere et saine
     Est devant lo chastel venue,
     Et quant cil dedanz l'ont veüe,
     S'anvoient savoir et enquerre
2472 Que il sont et qu'il vienent querre.
     Atant do chastel avalerent
     Cil qui a la barge an alerent,

2453. Ces que il aporté i orent. 2470. cil de l'ost. 2474. en la b. avalerent.

2448. iert. 2449. Neïs cele. 2463. *Leçon de BHPTU. Var.* antr'aus l.

ils se mettront tous à votre merci.
Si vous pouvez rester ici
seulement aujourd'hui et demain,
le château sera en vos mains,
et même celle qui vous a si longtemps
rejeté devra à son tour vous supplier,
au nom de Dieu, de daigner la prendre. »
Alors ceux qui avaient apporté
tentes et pavillons les font dresser,
tandis que les autres campèrent
et s'installèrent comme ils purent.
Ceux du château ont ôté leurs armes
aux chevaliers qu'ils avaient pris.
Ils ne les ont pas mis dans des tours, ni aux fers,
pourvu seulement qu'ils s'engagent,
en loyaux chevaliers,
à se tenir prisonniers sur parole
et à ne plus leur chercher du mal.
Ainsi restent-ils enfermés dans leurs murs.
Ce même jour, un coup de vent
avait chassé en mer un chaland,
qui avait sa charge de blé
et qui était rempli d'autres vivres,
et Dieu a voulu qu'il aborde
intact et sauf devant la citadelle.
Dès que ceux du dedans l'ont vu,
ils envoient aux nouvelles pour savoir
qui ils sont et ce qu'ils viennent chercher.
Des gens sont donc descendus du château
pour aller jusqu'au chaland

228 vb Si demandent ques genz i sont
2476   Et commant il vienent et vont.
       Et cil dient : « Marcheant somes,
       Qui vitaillé a vandre menomes.
       Pain et vin et bacons salez,
2480   Et bués et porz avons assez
       Por tuer, se mestiers estoit. »
       Et cil dient : « Beneoiz soit
       Dex qui au vant dona la force
2484   Qui ça vos amena a orce,
       Et tuit seiez vos bien venu !
       Traiez ors, tuit seront vandu
       Si chier com vos lo savroiz vandre,
2488   Et venez tost vostre avoir prandre
       C'ui ne vos porrez desconbrer
       Do reçoivre ne do nonbrer
       Plates d'or et plates d'argent
2492   Que vos donron por lo fromant,
       Et por lo vin et por la char
       Avroiz d'avoir chargié un char
       Et plus, se faire lo besoigne. »
2496   Or ont bien faite la besoigne
       Cil qui achatent et qui vandent,
       A la nef deschargier entandent,
       S'an font tot devant es porter
2500   Por ces dedanz reconforter.
       Qant cil do chastel venir voient
       Ces qui la vitaille aportoient,
       Croire poez que grant joie orent,
2504   Et au plus tost qu'il onques porent

2482. dient que beneoiz. **2484.** a force.

2476. Dont il vienent et ou il vont. **2486.** que tot est vandu. **2489.** C'ui :
la bonne leçon est donnée par B et H.

et leur demander qui ils sont,
d'où ils viennent et où ils vont.
Et eux de dire : « Nous sommes des marchands,
qui amenons des victuailles pour la vente :
du pain, du vin, des jambons salés,
et des bœufs et des porcs en quantité,
bons à tuer, si besoin était.
— Béni soit Dieu, disent les autres,
qui a donné au vent la force
de vous faire dériver jusqu'ici,
et soyez tous les bienvenus !
Débarquez donc, car tout est vendu
aussi cher que vous en fixerez le prix,
et venez vite prendre votre argent,
car aujourd'hui vous n'aurez que l'embarras
de recevoir et de compter
les lingots d'or et les lingots d'argent
que nous vous donnerons pour le blé.
Pour le vin et pour la viande,
vous en recevrez une pleine charrette,
ou plus, si c'est nécessaire. »
Voilà l'affaire rondement menée
entre acheteurs et vendeurs.
Ils s'activent à décharger le bateau
et ils font tout mener devant eux
pour venir en réconfort à ceux du château.
Quand ces derniers voient venir
les gens qui apportaient le ravitaillement,
vous pouvez croire que leur joie fut grande.
Le plus vite qu'ils purent,

229 ra Firent lo mangier atorner.
  Or puet longuemant sejorner
  Clamadex, qui muse defors,
2508 Que cil dedanz ont bués et pors
  Et char salee a [grant] foisson
  Et fromant jusqu'a la saisson.
  Li keu ne furent pas oiseus,
2512 Li garçon alument les feus
  es cuisines as mangier[s] cuire.
  Or se puet li vallez deduire
  Delez s'amie tot a aise.
2516 Cele l'acole et il la baise,
  Si fait li uns a l'autre joie.
  La sale ne rest mie coie,
  Ançois i a et joie et bruit.
2520 Por lo mangier font joie tuit
  Que molt avoient covoitié,
  Et li keu ont tant esploitié
  Que au mangier aseoir font
2524 Icés qui grant mestier en ont.
  Qant orent mangié, si s'en lievent.
  Et Clamadex et sa gent crievent,
  Qui la novele ja savoient
2528 Do bien que cil dedanz avoient,
  Si dient que les en estuet
  Raler, que li chastés ne puet
  Estre afamez en nule guise,
2532 Por noient ont la vile assise.
  Et Clamadex, qui s'en enraige,
  Envoie au chastel un mesaige

2508. bon repos.

---

ils firent préparer le repas.
Libre à Clamadieu de s'installer à demeure
là dehors, il perd son temps !
Car ceux du dedans ont à profusion
bœufs et porcs et viande salée,
du blé aussi jusqu'à la saison prochaine.
Les cuisiniers ne sont pas restés inactifs,
les garçons allument les feux
dans les cuisines pour cuire les repas.
Le jeune homme peut tout à son aise
se distraire aux côtés de son amie.
Elle jette les bras à son cou, il lui donne des baisers,
tout à leur joie l'un de l'autre.
La grande salle s'est, d'autre part, animée,
et elle est toute bruyante de joie.
Ils ont tous de la joie pour ce repas
qu'ils avaient tant désiré.
Les cuisiniers se sont si bien activés
qu'ils les font asseoir pour manger.
Ils en ont bien besoin !
Quand ils eurent fini, ils se lèvent de table.
Clamadieu et ses gens en crèvent de dépit.
Ils savaient déjà la nouvelle
de l'avantage qu'avaient eu ceux du dedans.
De leur propre aveu, il leur faut
s'en aller, car le château ne peut plus
être d'aucune façon réduit par la famine.
Ils ont assiégé la ville pour rien.
Mais Clamadieu, fou de rage,
envoie au château un messager,

229 rb Sans los d'autrui et sanz consoil,
2536   Et mande au Chevalier Vermoil
        Que jusqu'a midi l'endemain
        Lo porra soel trover au plain
        Por a conbatre se il osse.
2540   Qant la pucele ot ceste chose
        Qui a son ami est nonciee,
        Molt est dolante et correciee,
        Et cil encontre li remande
2544   Qu'il l'avra, des qu'il la demande,
        La bataille, commant qu'il praigne.
        Lors enforce molt et engraigne
        Li diaux que la pucele fait,
2548   Mais ja por doel que ele en ait
        Ne remanra mie, ce cuit.
        Molt li prient totes et tuit
        Que conbatre a celui ne s'aille
2552   Vers cui onques nuns en bataille
        Nel conquist chevaliers encore.
        « Seignor, car vos en taisiez ore,
        Fait li vallez, si feroiz bien,
2556   Car je n'en laisseroie rien
        Por nul home de tot lo mont. »
        Ensin la parole lor ront,
        Que plus aparler ne l'an ossent,
2560   Ainz se cochent, si se reposent
        Jusqu'au demain que solaus lieve.
        Mais de lor seignor molt lor grieve,
        Q'ainz ne lo sorent tant prïer
2564   Qu'i[l] lo poïssent chastïer.

2547. qui. **2556.** bien. **2558.** lairont. **2559.** ne lor o. **2562.** se g.

2539. Por conbatre a lui. **2552-2553.** Vers cui n'ot pooir en bataille / nus ch. onques encore.

sans l'avis ni le conseil de personne,
et fait savoir au Chevalier Vermeil
que jusqu'à midi le lendemain
il pourra le trouver seul dans la plaine
pour un combat singulier, s'il l'ose.
Quand la jeune fille entend cette chose
qu'on annonce à son ami,
elle en est contrariée et chagrine,
mais lui, relevant le défi, lui fait savoir
qu'il aura la bataille, quoi qu'il arrive,
puisqu'il la demande.
La douleur que montre la jeune fille
redouble alors d'intensité,
mais quelque douleur qu'elle en ait,
l'affaire, je pense, n'en restera pas là.
Toutes et tous le supplient instamment
de ne pas aller se battre avec un homme
face auquel aucun chevalier, à ce jour,
ne s'était imposé au combat.
« Messeigneurs, plus un mot là-dessus,
dit le jeune homme, vous ferez mieux,
car je n'y renoncerais.
pour personne au monde. »
Il brise là avec eux,
et ils n'osent plus lui en parler,
mais vont se coucher pour une nuit de repos,
jusqu'au lendemain, au lever du soleil.
Mais à cause de leur seigneur, ils ont le cœur lourd
de n'avoir pas su, à force de prières,
lui faire entendre raison.

229 va Si li avoit la nuit s'amie
         Molt prié que n'i alast mie
         A la bataille, ainz soit an pes,
2568   Que il n'avoient garde mes
         De Clamadeu ne de sa gent.
         Ne tot ce ne li vaut noient,
         Et ice fut mervoille estrange,
2572   Que il avoit an sa losange
         Grant doçor qu'ele li faisoit,
         Que a chascun mot lo baisoit
         Si docemant et si soef
2576   Qu'ele li metoit la clef
         D'amors an la serre do cuer.
         Onques ne pot estre a nul fuer
         Que ele l'an poïst retraire
2580   Que la bataille n'alast faire,
         Ainz a ses armes demandees,
         Cil cui il les ot comandees
         Les aporta plus tost qu'il pot.
2584   A lui armer molt grant dol ot,
         Que toz et a totes pessa
         Et il toz et totes les a
         Commandees au roi des rois,
2588   Puis monta o cheval norrois
         Que l'en li avoit amené,
         Puis n'a gaires antr'es esté,
         Ainz s'en parti tot maintenant,
2592   Si les laise lor doel menant.
         Qant Clamadex venir lo voit,
         Qui conbatre a lui se devoit,

2582-2583. Et l'en les i a aportees / Icil cui bailliees les ot.

2585. Qu'a toz et totes an p.

Cette nuit-là, pourtant, son amie
l'avait beaucoup supplié de ne pas aller
à ce combat, mais de rester en paix,
puisqu'ils n'avaient garde désormais
de Clamadieu ni de ses gens.
Mais tout est inutile,
et il y avait de quoi s'en étonner étrangement,
car elle mêlait à ses propos caressants
une bien grande douceur,
en ponctuant chaque mot d'un baiser
si doux et si suave
qu'elle lui mettait la clef
de l'amour en la serrure du cœur.
Mais il ne lui fut à aucun prix possible
d'obtenir qu'il renonçât
à entreprendre la bataille.
Au contraire il a réclamé ses armes.
Celui à qui il les avait commandées
les lui apporta au plus vite qu'il put.
Que de tristesse au moment de lui mettre ses armes !
Ils en avaient, tous et toutes, le cœur lourd,
mais lui les a tous et toutes
recommandés au Roi des rois,
puis il a enfourché le cheval de race nordique
qu'on lui avait amené.
Il n'est guère resté parmi eux.
Il a pris aussitôt le départ,
en les laissant à leur chagrin.
Quand Clamadieu le voit venir,
qui devait se battre avec lui,

229 vb Si ot an lui si fol cuidier
2596   Qu'il li cuida faire vuidier
        Molt tost les arçons de la sele.
        La plaine fu et granz et bele,
        Qu'il n'i ot qu'as deus solemant,
2600   Que Clamadex tote sa gent
        Ot departie et envoiee.
        Chascuns ot sa lance baissiee
        Devant la sele, sor le fautre,
2604   Et point li uns encontre l'autre
        Sanz desfience et sanz aresne.
        Fer tranchant et lance de fresne
        Avoit chacuns, roide et poignal,
2608   Et tost alerent li cheval,
        Et li chevalier furent fort,
        Si s'entreaïrent de mort.
        Si fierent si que les es croisent
2612   Des escuz, et les lances froisent,
        Si porte li uns l'autre jus,
        Mais tost resaillent en piez sus,
        Si s'entrevienent d'un estal,
2616   Si se conbatent par igal
        As espees molt longuemant.
        Assez vos deïsse commant,
        Se je m'en vosisse antremetre,
2620   Mais por ce n'i voil paine metre
        Q'autant vaut uns moz comme .XX.
        A la fin Clamadeu covint
        Venir a merci maugré suen,
2624   Si li creanta tot son boen

_____

2605-2606. et sanz plait / Les ferz tranchanz d'acier bien fait. 2607. hante poignal. 2611. si qu'eles effroisent. 2614. resailli.

_____

2598. La lande fu igaus (*var.* T plaine, *BPQS* granz). 2599. N'il n'i ot.

il fut saisi d'une telle présomption
qu'il s'imagina lui faire vider
aussitôt les arçons de la selle.
C'était une belle lande, bien plane,
où il n'étaient que tous les deux,
car Clamadieu avait dispersé
et renvoyé tous ses gens.
Chacun tenait sa lance baissée
en arrêt sur le devant de la selle.
Ils s'élancent l'un contre l'autre,
sans une parole ni un défi.
Ils avaient chacun bien en main
une lance de frêne raide, au fer tranchant.
Les chevaux étaient lancés à toute allure,
les cavaliers étaient pleins de force
et ils se haïssaient à mort.
Dans le choc, ils font craquer
les bois de leurs écus et brisent leurs lances.
Ils se sont l'un et l'autre portés à terre,
mais d'un bond ils se relèvent
et s'attaquent de pied ferme.
Au combat des épées, pendant longtemps,
ils ont fait jeu égal.
Je pourrais bien vous dire comment,
si je voulais en prendre le temps.
Mais à quoi bon s'en donner la peine?
En un mot comme en cent,
Clamadieu dut pour finir,
malgré lui, s'avouer vaincu
et acquiescer à ce que l'autre voulait,

230 ra Si con li senechauz ot fait,
　　　　Qu'il ne se meïst a nul plait
　　　　En prison dedanz Bel Repaire
2628　Ne que li senechauz vost faire,
　　　　Ne por tot l'empire de Rome
　　　　Ne s'en alast il au prodome
　　　　Qui a lo chastel bien seant.
2632　Mais ce li vient bien a creant
　　　　Que an la prisson se meïst
　　　　Lo roi Artu et si deïst
　　　　A la pucele son mesaige,
2636　Que Kex feri par son oltraige,
　　　　Que il la vengera son veul,
　　　　Qui qu'en ait pessance ne duel,
　　　　Se Dex force l'en velt doner.
2640　Aprés li a fait creanter
　　　　Que l'andemain, ainz qu'il soit jorz,
　　　　Toz cels qui sont dedanz ses torz
　　　　S'an revenront sain et delivre,
2644　Ne ja tant con il ait a vivre
　　　　N'avra devant cest chastel ost,
　　　　Se il puet, que il ne l'an ost,
　　　　Ne par ses homes ne par lui
2648　N'avra la demoisele anui.
　　　　Ensin Clamadex s'en ala
　　　　En sa terre, et quant il vint la,
　　　　Commanda que tuit li prison
2652　Fussent gité ors de prison
　　　　Et si s'en alesient tuit quite.
　　　　Quant il ot la parole dite,

2644. il l'ait.

----

comme l'avait fait son sénéchal,
à condition de ne devoir à aucun prix
se mettre en prison dans Beau Repaire,
pas plus que le sénéchal n'avait voulu le faire,
ni d'avoir, pour tout l'empire de Rome,
à aller chez le gentilhomme
qui possédait ce château au site remarquable.
Mais il consent bien volontiers
à venir en prison
chez le roi Arthur et à être
son messager auprès de la jeune fille
qu'avait brutalement frappée Keu,
pour lui dire le désir qu'il a de la venger,
quelque dépit ou chagrin qu'on en ait,
si Dieu lui en prête la force.
Il a dû promettre ensuite
que le lendemain, avant qu'il fasse jour,
tous ceux qu'il détenait dans ses tours
reviendront libres et saufs,
que jamais de toute sa vie
il ne verra une armée sous les murs de ce château,
sans l'en chasser aussitôt, s'il le peut,
et qu'enfin ni ses hommes ni lui-même
n'inquièteront désormais la demoiselle.
C'est ainsi que Clamadieu s'en alla
sur ses terres et, une fois arrivé,
il a donné l'ordre que tous les prisonniers
soient sortis de prison
et qu'ils s'en aillent tout à fait quittes.
Dès qu'il eut parlé,

230 rb Si fu ses commandemanz faiz.
2656 Ez vos toz les prissons ors traiz,
       Si s'en alerent demenois
       Et il et trestuit lor hernois,
       Que rien n'en i ot detenue.
2660 D'autre part sa voie a tenue
       Clamadex, qui toz seus chemine.
       Costume estoit an ce termine,
       Sel trovon escrit en la letre,
2664 Que chevaliers se devoit metre
       An prisson atot son ator
       Si com il partoit de l'estor
       Ou il aüst conquis esté,
2668 Que ja rien n'en aüst osté
       Ne rien nule n'i aüst mise.
       Clamadex en iceste guise
       S'aroute aprés Aguingueron,
2672 Qui s'en vait vers Dinasdaron,
       Ou li rois cort tenir devoit.
       Mais d'autre part grant joie avoit
       El chastel, ou sont retorné
2676 Cil qui avoient sejorné
       Longuemant en prison molt male.
       De joie bruit tote la sale
       Et li ostel aus chevaliers,
2680 Aus chapeles et as mostiers
       Sonent de joie tuit li sain,
       Ne n'i ot moine ne nonain
       Qui Damedeu ne randist graces.
2684 Par les rues et par les places

2664. si devoit. **2683.** Que D. **2683-2684.** *Répétés au début du verso.*

---

ses ordres furent exécutés.
Voici tous les captifs tirés de prison.
Ils sont partis sur-le-champ,
en prenant avec eux tous leurs bagages,
car rien n'en fut retenu.
Clamadieu, d'autre part, a suivi son chemin,
en faisant route seul.
C'était la coutume, à l'époque,
comme nous pouvons le lire où c'est écrit,
qu'un chevalier se rendît
en prison dans la tenue où il était
en quittant le combat
où il avait été vaincu,
sans rien en ôter
et sans rien y ajouter.
C'est de cette manière que Clamadieu
se met en route, à la suite d'Aguingueron
qui s'en va vers Dinasdaron,
où le roi devait tenir sa cour.
C'était, d'autre part, la joie
au château, où sont de retour
ceux qui avaient séjourné
si longtemps en cruelle prison.
La grande salle tout entière est bruyante de joie,
ainsi que les demeures des chevaliers.
Les églises et les monastères
font joyeusement sonner toutes leurs cloches
et il n'y eut moine ni nonne
qui ne rendît grâce à Dieu Notre Seigneur.
Par les rues et par les places,

230 va Vont carolant totes et tuit.
　　　　Or out ou chastel grant deduit,
　　　　Que nus nes assaut ne guerroie.
2688　Mais Aguinguerons totesvoie
　　　　S'en va, et Clamadex aprés,
　　　　Si jut .III. nuiz toz pres a pres
　　　　As ostex o cil ot jeü.
2692　Bien l'a par les esclos seü
　　　　Jusqu'a Dinasdaron en Guales,
　　　　Ou li rois Artus en ses sales
　　　　Cort molt esforcie tenoit.
2696　Clamadé voient qui venoit
　　　　Trestout armé si com il dut,
　　　　Et Aguingerons le conut,
　　　　Qui son mesaige avoit ja fait
2700　A cort et conté et retrait
　　　　Des l'autre nuit qu'i[l] fu venuz,
　　　　Et s'estoit a cort retenuz
　　　　[Et] de maisnie et de consoil.
2704　Son seignor tot de sanc vermoil
　　　　Vit covert, no mesconut pas,
　　　　Ançois saut sus plus que lo pas
　　　　Et dit : « Seignor, veez merveilles,
2708　Li vallez as armes vermoilles
　　　　Envoie ci, si m'en creez,
　　　　Ce chevalier que vos veez.
　　　　Il l'a conquis, j'en sui toz serz,
2712　Por ce qu'il est do sanc coverz.

_____

2696. C. esgardent qu'il voit. **2698.** Clamadé esgarde et c. **2705.** Vint isnel.
2711. Qu'il l'a c. n'en sui t. s.

_____

2704-2705. taint de s. v. / Vit et si nel m. **2706-2707.** A. dist tot en es le
pas / Seignor, seignor.

tous et toutes se mettent à danser.
C'était vraiment la fête au château,
car c'en était fini des assauts et des guerres.
Cependant Aguingueron continue d'aller,
suivi par Clamadieu,
qui trois nuits coup sur coup s'est logé,
pour dormir, au même endroit que lui.
Il a suivi exactement les traces de sabots
jusqu'à Dinasdaron au pays de Galles,
là où le roi Arthur, dans ses grandes salles,
tenait cour plénière.
Clamadieu arrive en vue,
tout en armes, dans l'état où il le fallait.
Le voici reconnu par Aguingueron,
qui s'était déjà acquitté devant la cour
du message qu'il devait retracer et raconter,
depuis sa venue la nuit d'avant.
On l'avait retenu à la cour,
pour qu'il soit de la maison et du conseil du roi.
Il a vu son seigneur rouge du sang vermeil
dont il était couvert, et il l'a bien reconnu.
Il s'est écrié sur-le-champ :
« Messeigneurs, messeigneurs, quelle étrange merveille !
Le jeune homme aux armes vermeilles
croyez-m'en, envoie ici même
le chevalier qui est sous vos yeux.
Il l'a vaincu, j'en suis bien certain,
car il est tout couvert de sang.

230 vb Je conois bien lo sanc de ci
        Et lui meïsmes autresi,
        Il est mes sire et je ses hom,
2716   Clamadex des Illes a non,
        Et je cuidoie que il fust
        Tes chevaliers que il n'aüst
        Meillor en l'empire de Rome
2720   Mais il meschiet bien a prodome. »
        Issi Aguinguerons parla,
        Tant que Clamadex parvint la
        Et li uns contre l'autre cort,
2724   Si s'entr'encontrent en la cort.
        Ce fu a une Pantecoste,
        Que la raïne sist dejoste
        Lo roi Artus au chief d'un dois.
2728   Si ot contes et dus et rois
        Et molt raïnes et contesces,
        Et fu aprés totes les messes,
        Que venu furent do mostier
2732   Li sergent et li chevalier.
        Et Kex parmi la sale vint,
        Trestoz desafublez, et tint
        En sa main destre un bastonet,
2736   O chief ot chapel de bonet,
        Don li chevol estoient blonde.
        N'ot plus bel chevalier ou monde,
        Et fu treciez a une trece,
2740   Mais sa biauté et sa proesce
        Enpiroient si felon gap.
        Sa robe fu de riche drap

2713. de li.

2732. Les dames.

Le sang que je vois d'ici
et l'homme lui-même, je les connais bien.
Lui c'est mon seigneur et moi je suis son homme.
Son nom, c'est Clamadieu des Iles,
et je le croyais être un tel chevalier
qu'on n'eût trouvé meilleur que lui
dans l'empire de Rome,
mais il arrive bien malheur aux plus vaillants. »
Ce furent les paroles d'Aguingueron,
mais Clamadieu a fini par arriver,
et chacun court au-devant de l'autre.
C'est le moment de leur rencontre, à la cour.
On était à une Pentecôte.
La reine se tenait assise aux côtés
du roi Arthur, en haut bout d'une table,
On y voyait des comtes, des ducs, des rois
et nombre de reines et de comtesses.
Toutes les messes avaient été dites,
dames et chevaliers
étaient revenus de l'église.
Arrive Keu qui traverse la grande salle,
après avoir ôté son manteau. Il tenait
à la main une baguette,
il avait sur la tête un chapeau de feutre,
ses cheveux étaient blonds,
noués en une tresse.
Il n'y avait pas de plus beau chevalier au monde,
mais sa beauté et sa vaillance
étaient gâtées par la cruauté de ses moqueries.
Sa tunique était d'une riche étoffe

231 ra De saie tote coloree
2744 Et d'or refu molt bien ovree,
      S'ot une corroie ferree
      Qui molt estoit enluminee
      Que la bocle et tuit li manbre
2748 Estoient d'or, bien m'an remanbre,
      Que l'estoire ansin lo tesmoigne.
      Chascuns de sa voie s'esloigne
      Si com il vint parmi la sale,
2752 Ses felons guas, sa laingue male
      Dotoient molt tuit, li font rote,
      Qu'i[l] n'est saiges qui ne redote,
      Ou soit a guas o soit a certes,
2756 Felenies trop descovertes.
      Ses felons guas trop redotoient
      Trestuit cil qui leianz estoient.
      Issi devant els s'en ala,
2760 C'onques nelui n'i apela,
      Jusque la ou li rois seoit,
      Et dit : « Sire, s'il vos plaisoit,
      Vos mangereiez des or mais.
2764 — Kex, fait li rois, laissiez m'en pais,
      Que ja par les iax de ma teste
      Ne mangerai a si grant feste
      Que je cort esforciee taigne,
2768 Tant que novele a ma cort vaingne. »
      Ensin parloient endemantre,
      Et Clamadex en la cort antre,
      Qui vint prisson a cort tenir
2772 Armez si com il dut venir

2748. d'or fin, ce me semble. **2750.** savoir sa besoigne. « *Besoigne* » *faute commune à BP.* **2755-2756.** *Intervertis.* **2772.** Si com il dut a cort v.

2743. *Var. T.* Taint en graine et bien coloré. **2744-2747.** Çainz fu d'une çainture ovree / dont la b. **2759-2760.** *Intervertis.* C'onques nus a lui ne parla / Et il devant toz s'en a. **2762.** dist.

de soie toute en couleur.
Il portait une ceinture ouvragée,
dont la boucle et tous les anneaux
étaient en or, je m'en souviens bien,
comme l'histoire elle-même en témoigne.
Chacun s'écarte de son chemin,
tandis qu'il traversait la salle :
ses cruelles moqueries, sa méchante langue
étaient craintes de tous. On lui laisse le passage.
Il faut être fou pour ne pas craindre
des méchancetés trop déclarées,
qu'on plaisante ou qu'on soit sérieux.
Ses cruelles moqueries étaient si redoutées
par tous ceux qui étaient présents,
qu'il passa devant eux,
sans que personne l'interpellât,
le temps d'arriver là où le roi se tenait assis.
Il lui dit : « Monseigneur, s'il vous plaisait,
vous pourriez manger maintenant.
— Keu, fait le roi, laissez-moi tranquille.
Jamais, je le jure sur les yeux de ma tête,
je ne mangerai lors d'une fête solennelle,
où je tiens cour plénière,
avant que des nouvelles n'aient retenti à ma cour. »
Tandis qu'ils parlaient ainsi,
Clamadieu pénètre à la cour,
venant s'y porter prisonnier,
avec ses armes dans l'état où il le devait.

231 rb Et dit : « Dex saut et beneïe
    Lo meillor roi qui soit en vie,
    Lo plus saige et lo plus gentil,
2776 Si con tesmoignent trestuit cil
    Devant cui ont esté retraites
    Les bones oevres qu'il a faites !
    Or m'entandez, fait il, biaus sire,
2780 Que je voil mon mesaige dire.
    Ce poise moi, mais tote voie
    Reconois je que ça m'envoie
    Uns chevaliers qui m'a conquis.
2784 De par lui m'estuet randre pris
    A vos, que no puis amander.
    Et qui me vodroit demander
    Se je sai commant il a non,
2788 Je li respondroie que non,
    Mais tel[s] noveles vos en cont
    Que ses armes vermoilles sont,
    Et vos li donastes, ce dit.
2792 — Amis, se Damedex t'aïst,
    Fait li rois, di moi verité
    Se il est en sa poësté,
    Delivres et haitiez et sains.
2796 — Oïl, toz en seiez certains,
    Fait Clamadex, biax sire chiers,
    Com li mielz vaillanz chevaliers
    A cui je onques m'acointasse,
2800 Et se me dist que je parlasse
    A la pucele qui li rist,

2790. noveles. **2794.** verité. **2798.** Comme li v. c. **2801.** *Sur deux lignes.*

2773. dist. **2775.** large.

« Dieu, dit-il, sauve et bénisse
le meilleur roi vivant,
le plus généreux et le plus noble,
au témoignage de tous ceux
devant qui ont été retracées
les belles actions qu'il a faites !
Ecoutez-moi, mon doux seigneur,
car j'ai un message que je veux dire.
Il m'en coûte, mais toutefois
je dois faire l'aveu qu'ici m'envoie
un chevalier qui m'a vaincu.
C'est lui qui m'impose de me rendre prisonnier
auprès de vous, sans rien pouvoir y changer.
Si on voulait me demander
si je sais quel est son nom,
je répondrais que non.
Tout ce dont je peux me faire l'écho,
c'est qu'il porte des armes vermeilles
et que c'est vous, il le dit, qui les lui avez données.
— Mon ami, que Dieu soit avec toi,
fait le roi, mais dis-moi la vérité.
Est-il son propre maître,
libre et bien portant de corps et d'esprit ?
— Oui, en toute certitude,
mon très cher seigneur, fait Clamadieu,
et au titre du plus vaillant chevalier
que j'ai jamais eu à connaître.
Il m'a dit encore que je devais parler
à la jeune fille qui lui avait ri,

231 va Don Kex la grant honte li fist
           C'une joee li dona.
2804 Mais il dit qu'i[l] la vangera
           Se Dex lo pooir li consant. »
           Li fous quant ceste chose entant,
           De joie saut et si s'escrie :
2808 « Ha ! rois, se Dex me beneïe,
           Ele iert bien vangiee la bufe,
           Et ne lo tenez mie a trufe,
           Que lo braz brissié en avra,
2812 Ja si garder ne s'i savra,
           Et desloie[e] la chenole. »
           Kex, qui entant cete parole,
           Lo tient a molt grant musardie,
2816 Et bien saichiez par coardie
           No laisse il pas que ne l'esfronte,
           Mais por lo roi et por sa honte.
           Et li rois en crolle le chief
2820 Et dit : « A ! Kex, molt m'est or grief
           Qant il n'est ceianz aviau moi.
           Par ta fole laingue et par toi
           S'an ala il, don molt me grieve. »
2824 A cest mot en estant se lieve
           Guiflez, cui li rois [le] commande,
           Et mes sire Yvains, qui amande
           Toz ces qui a lui s'acompaignent,
2828 Et li rois lor dit que il praignent

2806. *Sur deux lignes.* 2811. Et. 2826. *Sur deux lignes.* Qui mande mande.
2828. *Sur deux lignes.*

2804. dist. 2818. *Var. MSU* la h.

ce qui lui valut l'affront que lui fit Keu,
quand il la gifla.
Mais lui dit qu'il la vengera,
si Dieu lui en donne le pouvoir. »
Quand il entend cette chose, le fou
bondit de joie en s'écriant :
« Ah ! mon roi, Dieu me bénisse !
il sera bien vengé, ce soufflet !
Et ne voyez là rien de farfelu !
Keu aura beau faire,
il en aura le bras brisé
et l'épaule démise. »
Tout ce qu'il vient d'entendre,
Keu le prend pour des paroles en l'air
et, s'il ne lui brise le crâne,
ce n'est pas, soyez-en sûrs, par lâcheté,
mais par respect du roi et de soi-même.
Le roi, en hochant la tête,
lui dit : « Ah ! Keu, comme je regrette
qu'il ne soit pas ici avec moi !
C'est toi et ta sotte langue
qui l'ont fait partir, et je ne m'en console pas. »
A ces mots, sur ordre du roi,
Guiflet se met debout,
ainsi que monseigneur Yvain, dont la compagnie
profite à tous ceux qui sont avec lui.
Le roi leur dit de prendre avec eux

231 vb Lo chevalier, si lou conduient
     Es chanbres, la o se deduient
     Les damoiseles la raïne,
2832 Et li chevaliers li encline.
     Cil cui li rois l'ot commandé
     L'an ont jusqu'as chanbres mené,
     Si li monstrerent la pucele,
2836 Et il li conta la novele
     Tele com oïr la voloit,
     Qui de la bufe se doloit
     Qui li fu en la face assise.
2840 De la bufe que ele ot prisse
     Estoit elle bien respassee,
     Mais oblïee ne passee
     La honte n'avoit ele mie,
2844 Que molt est malveis qui oblie,
     S'an li fait honte ne laidure.
     Dolors trespase et honte dure.
     Clamadex a fait son mesaige,
2848 Puis lo retint tot son aaige
     Li rois de cort et de maisnie.
     Et cil qui avoit desrainie
     Vers lui la terre a la pucele,
2852 Blancheflor, s'amie, la bele,
     Delez li s'aaise et delite,
     Et si fust soe toute quite
     La terre, se il li plaüst
2856 Que son coraige aillors n'aüst.

2830. o il d. **2834.** au c. **2839.** Qu'il. **2848.** retient. **2852.** *Sur deux lignes.*
La bele bele. **2855.** *Sur deux lignes. Réclame en bas de page :* III' mais d'une.

2832. *Var. AT* lor e. *Après* **2846.** *om.* An home viguereus et roide / Mais
el mauvé muert et refroide. **2851.** la terre et la p.

le chevalier et de l'escorter
jusqu'aux chambres où prennent leurs distractions
les suivantes de la reine.
Le chevalier s'incline devant le roi,
et ceux auxquels il avait été confié
l'ont emmené jusqu'aux chambres.
Ils lui ont montré la jeune fille
et les nouvelles qu'il lui apporte
sont bien celles qu'elle souhaitait entendre,
car elle souffrait encore de la gifle
qu'elle avait reçue en plein visage.
Du coup lui-même qu'elle avait pris
elle s'était tout à fait remise,
mais la honte en était restée
et elle ne l'avait pas oubliée.
Seul un mauvais cœur oublie
la honte ou l'injure qu'on lui fait.
La douleur passe, la honte demeure
[dans l'âme énergique et bien trempée,
mais chez un lâche, elle meurt et se refroidit].
Clamadieu a délivré son message,
puis le roi l'a retenu, le restant de sa vie,
pour faire partie de sa cour et de sa maison.
Cependant, celui qui avait défendu contre lui
la cause de la jeune fille et de ses terres,
de Blanchefleur, son amie, la belle,
mène auprès d'elle une vie de délices et de bien-être.
Et même, le pays aurait pu être à lui
tout entier, s'il avait bien voulu
ne pas avoir le cœur ailleurs.

232 ra Mais d'une [autre] molt plus li tient,   [4e cahier]
          Que de sa mere li sovient
          Que il vit pasmee cheoir,
2860   S'a talant qu'il l'aille veoir
          Plus grant que de nule autre chose.
          Congié panre a s'amie n'ose,
          Mais ele li vee et desfant.
2864   Cele mande tote sa gent
          Qu'i[l] de remenoir molt li prient,
          Mais n'a mestier quant qu'il li dient,
      .   Mais il lor met bien en covant,
2868   Se sa mere trove vivant,
          Que aviau lui l'en amanra
          Et d'iluec en avant tanra
          La terre, ce saichent de fin,
2872   Et s'ele est morte, antresin.
          Issi a la voie se met
          Que le revenir lor promet,
          Si laisse s'amie la gente
2876   Molt correciee et molt dolante
          Et toz les autres entresin.
          Et quant ors de la vile issi,
          S'i ot autel processïon
2880   Con s'il fust jorz d'Acensïon
          Ou autel comme au diemaine,
          Qu'alé i furent tuit li maine,
          Chapes de pailes afublees,
2884   Et totes les nonains velees,
          Et disoient celes et cil :
          « Sire, qui nos as trait d'eisil

2837. *Corr. d'après HP et S.* **2869.** Qui.

2867. Fors qu'il.

Mais une autre lui tient plus à cœur,
car il lui ressouvient de sa mère,
qu'il avait vue tomber évanouie,
et il ressent le désir d'aller la voir,
plus fortement que de tout autre chose,
mais il n'ose prendre congé de son amie,
qui s'y oppose et le lui interdit.
Elle demande à tous les siens
de le supplier de rester.
Mais tout ce qu'ils disent reste vain.
Il leur donne cependant sa parole,
s'il trouve sa mère vivante,
de la ramener avec lui
et de dorénavant tenir
cette terre, qu'ils en soient assurés !
De même, si elle était morte.
Ainsi se met-il en route,
en leur promettant le retour.
Il laisse son amie, la gracieuse,
toute à son chagrin et à sa douleur,
ainsi que tous les autres.
Quand il sortit de la ville,
il se forma une telle procession
qu'on aurait dit un jour d'Ascension,
ou encore celle des dimanches,
car tous les moines y étaient allés,
couverts chacun d'une chape de soie fine,
et toutes les nonnes aussi, avec leur voile.
Et tous disaient, les unes comme les autres :
« Seigneur, tu nous a tirés de l'exil

232rb Et ramenez en nos maisons,
2888 N'est mervoille se diau faisons,
Qant tu si tost laissier nos viaux
Molt doit estre grant nostre diaux,
Si est il, voirs, que plus ne puet. »
2892 Et cil respont que plus n'estuet,
Que diaux a faire est nule riens :
« Ne cuidez pas que ce soit biens
Se ma mere reveoir vois
2896 Qui sole meint dedenz ce bois
Qui la Gaste Foret a non ?
Je revenrai, voille ele o non,
Que ja por rien no laisseroie,
2900 Et s'ele est vive, j'en feroie
Nonain velee an vostre eglise,
Et s'ele est morte, lo servise
Feroiz por s'ame chascun an,
2904 Que Dex al sain s. Abraan
La mete aviau les pures ames.
Seignor moines, et beles dames,
Ce ne vos doit grever de rien,
2908 Que je vos ferai molt grant bien
Por s'ame, se Dex me ramoine. »
Adonc s'an retornent li moine
Et les nonains et tuit li autre,
2912 Et cil s'en va lance sor fautre,
Toz fu armez si con il vint,
Et tote jor sa voie tint
Qu'il n'encontra rien terrïeine
2916 Ne crestïen ne crestïeine

2887. vos. **2896.** Qui aviau lui meint. *Corr. d'après S.* **2904.** saint.

2892. Ne vos estuet. *Après* **2892.** *om.* Pas or plorer plus longuement. / Je revandrai, se Dex m'amant. **2898.** ou vive ou non. **2899-2900.** laisserai / ... ferai. **2906.** moine et vos b. d.

et ramenés en nos demeures.
Ce n'est merveille si nous pleurons.
Quand si tôt tu veux nous laisser,
immense doit être notre deuil,
et il l'est, vraiment, on ne peut plus. »
Il leur répond : « Vous ne devez pas
[maintenant plus longuement pleurer.
Je reviendrai, à la grâce de Dieu.]
Mener le deuil est chose vaine.
Et ne croyez-vous pas que ce soit bien
que j'aille revoir ma mère,
qui reste seule au fond de ce bois
qu'on appelle la Déserte Forêt ?
Je reviendrai, qu'elle soit vivante ou pas,
je n'y manquerai pour rien au monde.
Si elle est en vie, je lui ferai
prendre le voile, pour qu'elle soit nonne dans votre église.
Si elle est morte, vous célébrerez
chaque année un service pour son âme,
afin que Dieu la mette dans le sein d'Abraham
en compagnie des âmes pures.
Messeigneurs les moines et vous, belles dames,
il n'y a rien là qui doive vous abattre.
Vous recevrez de moi de grands bienfaits
pour le repos de son âme, si Dieu me ramène. »
Les moines s'en retournent alors,
ainsi que les nonnes et que tous les autres
et lui s'en va, lance en arrêt,
armé comme au jour de sa venue.

Toute la journée il a fait route,
sans rencontrer créature terrestre,
chrétien ou chrétienne,

232 va Qui li saüst voie ensaignier.
        Et il ne fine de prïer
        Damedé lo soverain pere
2920   Qu'il li donast trover sa mere
        Plaine de vie et de santé,
        Se il li vient a volanté.
        Et tant dura ceste proiere
2924   Que il vint a une riviere
        An l'avalee d'une engarde.
        L'eve roide et parfonde esgarde,
        Si ne s'osse metre dedanz :
2928   « Ha ! Sire Rois, fait il, puissanz,
        Se ceste eve passer pooie,
        Encor ma mere troveroie,
        Mien escïent, s'ele estoit vive. »
2932   Ensin selonc la rive estrive
        Tant qu[e] a une roche aproche,
        Et l'eve a cele roche touche
        Si qu'il ne pot avant aler,
2936   Tant qu'il vit par l'eve avaler
        Une nef qui d'amont venoit,
        Dos homes en la nef avoit.
        Et il s'areste, ses atant,
2940   Si cuida qu'il alassent tant
        Que il venisent jusqu'a lui.
        Et il s'arestent amedui,
        Ami l'eve tuit coi esturent,
2944   Que molt bien aencré se furent.
        Et cil qui fu devant peschoit
        A la ligne et si aeschoit

2923. Qant ot dite. 2924. vit an. 2926. Que il vit l'eve et e. 2939. et a. 2946.
si saichoit.

2928. Et dist : Ha, Sire toz p. 2930. De la ma m. 2932. *B est seul ici à offrir
peut-être la bonne leçon (jeux équivoqués : « rive » / « estrive » « roche » /*

qui aurait su lui enseigner le chemin.
Il ne cesse de prier
Dieu Notre Seigneur, le souverain père,
qu'il lui accorde, si c'est sa volonté,
de trouver sa mère,
pleine de vie et de santé.
Il en était encore à cette prière,
quand, à la descente d'une colline,
il parvint à une rivière.
Il regarde l'eau rapide et profonde.
Il n'ose pas s'y engager :
« Ah ! Seigneur Dieu tout-puissant,
si je pouvais franchir cette eau,
au-delà je trouverais ma mère,
j'en suis sûr, si elle était en vie. »
Il s'évertue ainsi à suivre la rive,
jusqu'au moment où il approche d'une roche
que l'eau atteignait,
si bien qu'il ne pouvait aller plus avant.
C'est alors qu'il vit descendre au fil de l'eau
une barque, qui venait d'amont.
Il y avait deux hommes dans la barque.
Il s'arrête pour les attendre,
en pensant qu'ils finiraient
par arriver jusqu'à lui.
Mais eux aussi s'arrêtent tous deux,
au milieu de l'eau, sans plus bouger,
après s'être solidement ancrés.
Celui qui était à l'avant pêchait
à la ligne en amorçant

« *aproche* »). *Après* **2938.** *Deux vers de plus dans* A : Li uns des .II. homes
najoit, / Li altre a l'ameçon peschoit (*cf. infra* **3441-3442.**).

232 vb Son ameçon d'un peissonet
2948   Petit plus grant d'un veironet.
     Cil qui ne set que faire puise
     Ne en quel leu pasaige truise
     Les salue et demande lor :
2952   « Ensaigniez moi, por Dé, seignor,
     S'an ceste eve a [ne] nef ne pont. »
     Et cil qui pesche li respont :
     « Nenil, frere, a[n la] moie foi,
2956   Ne n'i a nef, si con je croi,
     Plus grant de cesti o nos somes,
     Qui ne porteroit pas .V. homes,
     Vint leues amont ne aval.
2960   Si n'i puet en passer cheval,
     Qu'il n'i a bac ne pont ne gué.
     — Don m'ansaigniez, seignor, por Dé,
     Ou je porroie avoir ostel. »
2964   Et cil respont : « De ce et d'el
     Avreiez vos mestier, ce cuit.
     Je vos esbergerai anuit.
     Montez vos an par cele frete
2968   Qui est en cele roche fete,
     Et quant vos la amont venroiz,
     Devant vos an un val verroiz
     Une maison ou je estois,
2972   Pres de riviere [et] pres de bois. »
     Maintenant cil s'en va amont,
     Et quant il vint en son le mont,
     Qu'il fu montez an son lo pui,
2976   Si garde molt loig devant lui

2957. ceste. 2959. .V. 2961. n'i a pas.

2953. ne gué ne p. 2974. Tant que. 2975. Et quant il fu.

son hameçon d'un petit poisson,
guère plus gros qu'un menu vairon.
Et lui, qui ne sait plus que faire
ni en quel lieu trouver un passage,
les salue et leur demande :
« Enseignez-moi, au nom du Ciel, messeigneurs,
s'il y a un gué ou un pont en cette rivière. »
Celui qui pêche lui répond :
« Que non ! mon frère, sur ma parole !
Il n'y a pas non plus, je crois, de barque
plus grande que celle où nous sommes
et qui ne porterait pas cinq hommes,
à vingt lieues d'ici en amont ou en aval.
Impossible donc de passer un cheval,
car il n'y a ni bac ni pont ni gué.
— Enseignez-moi donc, messeigneurs, au nom du Ciel,
où je pourrais trouver l'hospitalité. »
L'autre lui répond : « De cela, et aussi d'autre chose,
vous auriez bien besoin, je crois.
C'est moi qui vous hébergerai ce soir.
Grimpez donc par cette anfractuosité
qui est ouverte dans la roche,
et, quand vous serez arrivé là-haut,
vous verrez devant vous, dans un val,
une demeure où je réside,
à proximité de rivière et de bois. »
Le voilà qui sans attendre monte là-haut,
jusqu'au sommet de la colline, où il parvient.
Quand il fut monté sur la hauteur,
il regarde loin devant lui,

233ra Et ne vit rien fors ciel et terre
Et dit : « Ci sui je venuz querre
La musardie et la bricoingne !
2980 Dex li doint hui male vergoingne
Celui qui ci m'a envoié,
Que si m'a il bien avoié
Qui ce me dist que je verroie
2984 Maison quant ça amont vanroie !
Peschierres, qui ce me deïs,
Trop grant vilenie feïs
Se tu lo me deïs por mal. »
2988 Lors vit devant lui en un val
Lo chief d'une tor qui parut,
L'en ne trovast jusqu'a Barut
Si bele ne si bien assise.
2992 Carree fu, de roche bise,
S'avoit .II. torneles entor.
La sale fu devant la tor,
Et les loiges qui sont devant.
2996 Li vallez cele part descent,
Et dit que bien avoié l'a
Cil qui l'avoit envoié la,
Si se loe del pescheor,
3000 Ne l'apele mais tricheor
Ne desloial ne mençongier,
Des qu[e] i[l] troeve ou esbergier.
Anvers la maison s'en ala,
3004 Devant la porte un pont trova
Torneïz, qui fu avalez.
Par desus lo pont est antrez,

2979. bargoigne. 3004. Devant lo pont et si t.

2978. Et dist : Ci que sui je v. q. 2995. Et les l. devant la sale. 2996. cele
p. avale. 3003. Ensi vers la porte s'an va.

mais il n'a vu que ciel et terre.
« Que suis-je venu chercher ici? s'est-il écrié.
Rien que folie et sottise!
Que Dieu fasse aujourd'hui la pire honte
à celui qui m'a envoyé jusqu'ici!
Vraiment il m'a mis sur la bonne voie,
en me disant que je verrais
une maison, sitôt parvenu au sommet!
Pêcheur, toi qui m'as dit cela,
tu as commis une grande bassesse,
si tu l'as fait pour me nuire. »
C'est alors qu'il a vu devant lui, dans un val,
apparaître le haut d'une tour.
On n'aurait su trouver, d'ici jusqu'à Beyrouth,
tour si belle ni si bien assise.
Elle était carrée, en pierre grise,
flanquée de deux tourelles.
La grande salle était en avant de la tour,
elle était elle-même précédée par les pièces d'entrée.
Le jeune homme descend dans cette direction
et se dit qu'il l'a mis sur la bonne voie,
celui qui l'avait envoyé là.
Il se loue maintenant du pêcheur
et ne le traite plus de trompeur,
de déloyal ou de menteur,
puisqu'il trouve où se loger.
Il s'en est allé vers la maison.
Devant la porte, il a trouvé
un pont-levis qui était abaissé.
Il est entré, en passant sur le pont.

233 rb Et vallet vienent contre lui
3008   Quatre, so desarment li dui,
        Et li tierz son cheval en maine,
        Si li done fuerre et avaine.
        Li carz li afuble un mantel
3012   D'escarlate, frec et novel.
        Puis l'en menerent jusqu'as loiges,
        Et bien sachiez jusqu'a Limoiges
        Ne trovast l'en ne ne veïst
3016   Plus beles, qui les i queïst.
        Li vallez as loiges s'estut
        Tant qu'au seignor venir l'estut,
        Qui dos vallez i envoia.
3020   Et cil aviau els s'en ala
        En la sale, qui fu pavee
        Qui est ausin granz comme lee.
        Ami la sale avoit un lit,
3024   Un prodome seoir i vit,
        Qui estoit de chienes mellez,
        Et cil estoit enchapelez
        D'un sebelin noir comme more,
3028   D'une porpre vols par desore,
        Et noire fu sa robe tote.
        Apoiez fu de sor son coute,
        S'ot devant lui un feu molt grant
3032   De seiche buche cler ardant,
        Et fu entre .IIII. colomes
        Bien i poïst .IIII^C. homes
        Aseoir dejoste lo feu,
3036   Chacuns aüst et aise et leu.

3015. qui les veïst. **3016.** ne nus nes i feïst *(hypermétrique)*. **3017.** au.
3028. vert *(commun à BH)*.

3021. *B est seul avec H à conserver la bonne leçon (au lieu de « quarree »).*
cf. supra vv. 863-864. **3026.** Ses chiés. **3034.** Bien p. l'an.

De jeunes nobles viennent au-devant de lui.
Ils sont quatre. Deux lui enlèvent ses armes
et le troisième emmène son cheval
pour lui donner fourrage et avoine.
Le quatrième le revêt d'un manteau
neuf et frais de fine écarlate.
Puis ils l'ont emmené jusqu'aux entrées.
Vous pouvez en être sûrs : d'ici jusqu'à Limoges,
on ne pourrait en trouver ni en voir
de plus belles, si on les cherchait.
Le jeune homme s'est tenu dans l'entrée
jusqu'au moment convenu pour rejoindre le maître des lieux,
qui avait envoyé deux jeunes nobles le chercher.
Avec eux, il pénétra
dans la grande salle au sol dallé,
qui était parfaitement carrée.
Au milieu de la salle, il y avait un lit.
Il y voyait assis une noble personne,
aux cheveux grisonnants.
Sur sa tête, un chaperon,
d'une zibeline noire comme mûre,
où s'enroulait par-dessus un tissu de pourpre.
Noire aussi était toute sa robe.
Il se tenait appuyé sur le coude.
Devant lui, un grand feu
ardent, de bois sec, brillait
entre quatre colonnes.
Quatre cents hommes auraient bien pu
s'asseoir autour du feu
et trouver place tout à leur aise.

233 va   Ces colomes molt forz estoient
          Car un cheminal sostenoient
          D'arain espés et fort et lé.
3040   Devant lo seignor sont alé
          Cil qui amenoient son oste
          Si que chacuns estoit encoste.
          Quant li sires lo vit venant,
3044   Si lo salue maintenant
          Et dit : « Amis, ne vos soit grief
          Se encontre vos ne me lief,
          Que je n'en sui mie aeisiez.
3048   — Por Dé, sire, or vos en taisiez,
          Fait cil, qu'i[l] ne me grieve point,
          Se Dex joie et santé me doint. »
          Li prodome tant por lui se grieve
3052   Que tant con il puet se sozlieve
          Et dit : « Amis, ça vos traiez,
          Ne de moi ne vos esmaiez,
          Si seiez ci seüremant
3056   Lez moi, que jo voil et commant. »
          Li vallez [s']est lez lui assis,
          Et li prodom li dist : « Amis,
          De quel part venistes vos hui ?
3060   — Sire, fait il, hui matin mui
          De Biaurepaire, issi a non.
          — Si m'aïst Dex, fait li prodon,
          Trop grant jornee avez hui fete.
3064   Vos meüstes ainz que la guete
          Aüst hui main l'aube cornee.
          — Ençois estoit prime sonee,

3038. *Leçon de BCRT. Var.* Qui le ch. *(dans ce cas, le v. 3039 se rapporte aux colonnes).* **3039.** et haut et lé.

C'étaient de grosses colonnes,
car elles soutenaient un manteau de cheminée
d'airain massif, haut et large.
Jusque devant le seigneur sont venus
ceux qui lui amenaient son hôte,
qu'ils encadraient chacun.
Quand le seigneur l'a vu venir,
aussitôt il le salue,
en lui disant : « Mon ami, ne prenez en mal,
si je ne me lève pas à votre rencontre,
car je ne suis pas bien en état de le faire.
— Au nom du Ciel, monseigneur, laissez cela,
dit l'autre, car je n'en suis pas affecté,
aussi vrai que je demande à Dieu joie et santé. »
Mais cet homme de bien s'est pour lui mis en peine
de se soulever du mieux qu'il pouvait,
et il lui dit : « Mon ami, approchez-vous donc,
sans vous inquiéter pour moi.
Asseyez-vous ici tranquillement,
à côté de moi, c'est mon souhait et ma volonté. »
Le jeune homme s'est assis auprès de lui
et cet homme de bien lui dit : « Mon ami,
d'où veniez-vous aujourd'hui ?
— Monseigneur, fait-il, j'ai quitté ce matin même
Beau Repaire, comme on l'appelle.
— Dieu me garde, fait l'homme de bien,
vous avez fourni là une longue journée d'étape.
Vous avez dû partir avant que le guetteur
ait au matin corné l'aube.
— Mais non, il était déjà prime sonnée,

233 vb Fait li vallez, jo vos afi.'
3068   Que qu[e] il parloient ansi,
        Uns vallez entre par la porte
        De la maison et si aporte
        Une espee a son col pandue,
3072   Si l'a au riche home randue.
        Et il l'a bien demie traite
        Et vit bien ou ele fu faite,
        Car en l'espee estoit escrit.
3076   Et aviau ce encore i vit
        Qu'ele estoit de si bon acier
        Que ja ne porroit depecier
        Fors que par un tot sol peril
3080   Que nus ne savoit fors que [c]il
        Qui l'avoit forgiee et temprée.
        Li vallez qui l'ot aportee
        Dit : « Sire, la sore pucele,
3084   Vostre niece, qui molt est bele,
        Vos a envoié cest pressant.
        Ainz ne veïstes moinz pessant
        Do lonc ne do lé que ele a.
3088   Vos la donrez cui vos pleira,
        Mais ma dame en seroit molt liee
        Se ele estoit bien emploiee
        La ou ele sera donee.
3092   Onques cil qui forja l'espee
        N'en fist que .III., et si morra
        Que jamés forgier ne porra
        Espee nule aprés ceti. »
3096   Tantost li sire an reveti

_____

_____

3083. dist.

fait le jeune homme, je vous l'assure. »
Tandis qu'ils parlaient ainsi,
un jeune noble entre par la porte
de la maison, apportant
une épée suspendue à son cou,
qu'il a remise au riche seigneur.
Celui-ci l'a tirée à demi
et a bien vu où elle fut faite,
car c'était écrit sur l'épée.
Il a pu voir, en outre,
qu'elle était de si bon acier
qu'elle ne pourrait se briser,
sauf en un unique péril,
qu'était seul à connaître
celui qui l'avait forgée et trempée.
Le jeune noble qui l'avait apportée
dit alors : « Monseigneur, la blonde demoiselle,
votre nièce, qui est si belle,
vous adresse ce présent.
Jamais vous n'avez dû voir d'épée plus légère,
pour la longueur et la largeur qu'elle a.
Vous la donnerez à qui vous plaira,
mais ma dame serait très heureuse
si elle venait entre les mains
de qui en ferait bon usage.
Celui qui a forgé cette épée
n'en fit jamais que trois, et il mourra
sans plus pouvoir forger
d'autre épée, après celle-ci. »
Sur-le-champ, le seigneur en a revêtu

234 ra Celui qui leianz est estranges
De cele espee par les ranges,
Qui valoient tot un tressor.
3100 Li ponz de l'espee fu d'or,
Do meillor d'Arrabe et de Grece,
Li fuerres est d'orfroi de Mece.
Si richemant aparoilliee
3104 L'a li sire au vallet bailliee
Et dit : « Biaux sire, ceste espee
Vos fu jugiee et destinee,
Et je voil molt que vos l'aiez,
3108 Et seguremant la traiez. »
Cil l'an mercie, si la ceint
Ensin que pas ne s'an estraint,
Puis l'a traite do fuerre nue.
3112 Et quant il l'ot ou poig tenue,
Si la remist el fuerre arriere,
Et saichiez que de grant meniere
Li sist el flanc et mielz el poig,
3116 Et bien sanble que a besoig
S'an deüst aidier comme ber.
Darrier lui vit vallez ester
Antor le feu qui cler ardoit.
3120 Celui qui ses armes gardoit
I vit et si li comanda
S'espee et cil la guarda,
Puis se rasist lez lo seignor
3124 Qui li portoit molt grant anor.
Et leianz avoit luminaire
Si grant c'on ne puet greignor faire

3097. ert. **3102.** Li f. d'o. de Venece. **3105.** dist. **3108.** Mes ceigniez la, si la t. **3116.** Et sanbla b. **3124.** con l'an p.

l'étranger venu en ces lieux,
à l'aide du baudrier de l'épée,
qui à lui seul valait un trésor.
Le pommeau de l'épée était d'or,
du meilleur d'Arabie ou de Grèce,
et son fourreau, paré d'orfroi de Venise.
Richement travaillée comme elle était,
le seigneur l'a remise au jeune homme,
en lui disant : « Mon doux seigneur, cette épée
vous a été destinée et attribuée.
Toute ma volonté est que vous l'ayez,
mais ceignez-la et sortez-la. »
Et lui l'en remercie, il la ceint au côté,
sans trop la serrer contre lui,
puis il l'a sortie, nue, du fourreau.
Après l'avoir gardée un peu au poing,
il l'a remise au fourreau.
Sachez-le, elle lui seyait
extrêmement bien au côté, et mieux encore au poing.
Il avait vraiment l'air d'un homme qui au besoin
saurait s'en servir en guerrier.
Derrière lui, il l'a vu, des jeunes gens se tenaient
autour du feu, qui brûlait clair.
Celui qui avait la garde de ses armes
était parmi eux. Le voyant, il lui confia
son épée, que l'autre garda.
Puis il se rassit auprès du seigneur
qui lui faisait si grand honneur.
L'intérieur était illuminé,
au point qu'on ne saurait mieux faire,

234 rb De chandoiles en un ostel.
3128   Que qu'il parloient d'un et d'el,
        Uns vallez d'une chanbre vint,
        Qui une blanche lance tint
        Anpoigniee par lo mileu,
3132   Et passa par entre lo feu
        Et cil qui ou lit se seoient.
        Et tuit cil de leianz veoient
        La lance blanche et lo fer blanc,
3136   S'an ist une goute de sanc
        Do fer de la lance an somet,
        Et jusqu'a la main au vallet
        Corroit cele goute vermoille.
3140   Li vallez voit cele mervoille
        Qui lo soir fu leianz venuz,
        Si s'et do demander tenuz
        Commant cele chose venoit,
3144   Que do chasti li sovenoit
        Celui qui chevalier lo fist,
        Qui li commanda et aprist
        Que de trop parler se guardast,
3148   Et crient, se il lo demandast,
        C'on nel tenist a vilenie,
        Por ce si no demanda mie.
        Atant dui autre vallet vinrent,
3152   Qui chandeliers en lor mains tindrent
        De fin or, ovrez a neel.
        Li vallet estoient molt bel
        Qui les chandeliers aportoient.
3156   En chascun chandelier ardoient

3132. par endroit. 3138. Qui. 3151. li autre.

3136. S'issoit. 3139. Coloit. *La leçon de B est commune à R et H, lequel n'a pas hésité, d'après la suite, à introduire dès le v. 3136 treis gutes de sang!* 3143. avenoit. 3146. li anseigna et a.

de tout l'éclat que donnent des flambeaux dans une demeure.
Tandis qu'ils parlaient de choses et d'autres,
un jeune noble sortit d'une chambre,
porteur d'une lance blanche
qu'il tenait empoignée par le milieu.
Il passa par l'endroit entre le feu
et le lit où ils étaient assis,
et tous ceux qui étaient là voyaient
la lance blanche et l'éclat blanc de son fer.
Il sortait une goutte de sang
du fer, à la pointe de la lance,
et jusqu'à la main du jeune homme
coulait cette goutte vermeille.
Le jeune homme nouvellement venu en ces lieux,
ce soir-là, voit cette merveille.
Il s'est retenu de demander
comment pareille chose advenait,
car il lui souvenait de la leçon
de celui qui l'avait fait chevalier
et qui lui avait enseigné et appris
à se garder de trop parler.
Ainsi craint-il, s'il le demandait,
qu'on ne jugeât la chose grossière.
C'est pourquoi il n'en demanda rien.
Deux autres jeunes gens survinrent alors,
tenant dans leurs mains des candélabres
d'or pur, finement niellés.
Les jeunes gens porteurs des candélabres
étaient d'une grande beauté.
Sur chaque candélabre brûlaient

234 va Dis chandoilles a tot lo meins.
         Un graal entre ses .II. meins
         Une damoisele tenoit,
3160   Qui aviau les vallez venoit,
         Et bele et gente et bien senee,
         Quant ele fu leianz antree
         Atot lo graal qu'ele tint,
3164   Une si grant clartez i vint
         Qu'ausin perdirent les chandoilles
         Lor clarté comme les estoilles
         Qant li solaux luist o la lune.
3168   Aprés celi en revint une
         Qui tint un tailleor d'argent.
         Li graaus qui aloit devant
         De fin or esmeré estoit,
3172   Pierres precïeuses avoit
         El graal de maintes menieres,
         Des plus riches et des plus chieres
         Qui an mer ne an terre soient.
3176   Totes autres pierres passoient
         Celes do graal sanz dotance.
         Ensin comme passa la lance
         Par devant le lit s'en passerent
3180   En une chanbre aillors entrerent.
         Et li vallez les vit passer,
         Si n'osa mie demander
         Do graal cui l'an en servoit,
3184   Que toz jorz an son cuer avoit
         La parole au prodome saige,
         Si crient qu'il n'i ait domaige

3157. Dos. 3159. i t. 3170. Uns vallez. 3171. Li vallez qui devant aloit.
3172. portoit. 3179. un lit.

3161. Bele et gente et bien acesmee. 3167. lieve. 3180. Et d'une chanbre en
autre entrerent. 3186. Si criem.

dix chandelles pour le moins.
D'un graal tenu à deux mains
était porteuse une demoiselle,
qui s'avançait avec les jeunes gens,
belle, gracieuse, élégamment parée.
Quand elle fut entrée dans la pièce,
avec le graal qu'elle tenait,
il se fit une si grande clarté
que les chandelles en perdirent
leur éclat comme les étoiles
au lever du soleil ou de la lune.
Derrière elle en venait une autre,
qui portait un tailloir en argent.
Le graal qui allait devant
était de l'or le plus pur.
Des pierres précieuses de toutes sortes
étaient serties dans le graal,
parmi les plus riches et les plus rares
qui soient en terre ou en mer.
Les pierres du graal passaient
toutes les autres, à l'évidence.
Tout comme était passée la lance,
ils passèrent par-devant le lit,
pour aller d'une chambre dans une autre.
Le jeune homme les vit passer
et il n'osa pas demander
qui l'on servait de ce graal,
car il avait toujours au cœur
la parole du sage gentilhomme.
J'ai bien peur que le mal ne soit fait,

234 vb Por ce qu'il l'a oï retraire,
3188 Ainsin bien se puet en trop taire
Con trop parler a la foiee.
O bien li praigne o mal li siee,
Ne lor anquiert ne ne demande.
3192 Et li sire as vallez commande
L'eve doner et napes traire.
Et cil lo font quo durent faire
Et qui acostumé l'avoient.
3196 Li sire et li vallez lavoient
Lor mains d'eve chaude tempree,
Et dui vallez ont aportee
Une table lee d'ivoire,
3200 Ensin con tesmoigne l'estoire
Qu'ele estoit tote d'une piece.
Et devant lor seignor grant piece
Et devant lo vallet la tinrent
3204 Tant que dui autre vallet vinrent
Qui aporterent deux eschaces.
Li fus an ot deus bones graces
Don les eschaces faites furent,
3208 Que les pieces toz jorz en durent.
Don furent eles d'ebenus,
D'un fust a coi ja ne bet nus
Que il porrise ne qu'il arde,
3212 De ces .II. choses n'a il garde.
Sus les eschaces fu assise
La table, et la nape [sus] mise,
Mais que diroie de la nape?
3216 Legaz ne chardonaus ne pape

3191. Ne l'an quiert il pas demander. 3192-3193. Et li sires a comander / Prist au vallez. 3207. an fu de. 3208. Et les. 3210. n'abite nus. 3211. Et qu'il. 3216. Onques ne.

3187-3188. que j'ai oï retraire / Qu'ausi. 3190. li chiee. 3201. Ele estoit.

car j'ai entendu dire
qu'on peut aussi bien trop se taire
que trop parler à l'occasion.
Mais quoi qu'il lui en arrive, bien ou malheur,
il ne pose pas de question et ne demande rien.
Le seigneur commande aux jeunes gens
d'apporter l'eau et de sortir les nappes,
et ceux qui devaient le faire le font
comme ils en avaient l'habitude.
Comme le seigneur et le jeune homme se lavaient
les mains à l'eau convenablement chauffée,
deux jeunes gens ont apporté
une grande table d'ivoire,
qui, au témoignage de cette histoire,
était toute d'une pièce.
Ils la tinrent un bon moment,
jusqu'à l'arrivée de deux autres jeunes gens,
qui apportaient deux tréteaux.
Le bois dont étaient faits les tréteaux
avait deux bonnes vertus,
car leurs pièces sont impérissables :
elles étaient en ébène,
un bois dont personne n'a à craindre
qu'il pourrisse ou qu'il brûle.
De ces deux choses il n'a garde !
Sur les tréteaux fut installée
la table, et la nappe, par-dessus mise.
Mais que dire de cette nappe ?
Légat, cardinal ni pape

235 ra Ne manja onques sor plus blanche.
      Li premiers mes fu d'une anche
      De cerf [de] grasse au poivre chaut.
3220 Vins clerz ne raspez ne lor faut
      As copes dorees a boivre.
      De la hanche de cerf au poivre
      Uns vallez devant es trancha,
3224 Qui a lui la anche saicha
      A tot lo tailleor d'argent,
      Et les morsiaus lor met devant
      Sor un gastel qui fu antiers.
3228 Et li graaux andemantiers
      Par devant es retrespasa,
      Ne li vallez ne demanda
      Do graal cui l'en an servoit.
3232 Por lo prodome se tenoit,
      Qui docemant lo chastia
      De trop parler, et il i a
      Toz jorz son cuer, si l'en sovient.
3236 Mais plus se taist qu'il ne covient,
      Qu'a chacun mes don l'an servoit
      Par devant els trespaser voit
      Lo graal trestot descovert,
3240 Mais il ne set cui l'en en sert.
      Et si lo vodroit molt savoir,
      Mais il en demandera voir,
      Ce dit et panse, ainz qu'i[l] s'en tort,
3244 A un des vallez de la cort,
      Mais jusqu'au demain atandra
      Que au seignor congié panra

3220. clerz a boivre *(leçon commune avec T)*. **3223.** de ce lor.

---

jamais ne mangea sur plus blanche !
Le premier mets fut d'une hanche
d'un cerf de haute graisse, relevé au poivre.
Il ne leur manque ni vin pur ni râpé
à boire dans leurs coupes d'or.
Un jeune homme a devant eux découpé
la hanche de cerf au poivre,
qu'il a d'abord tirée à lui
sur le tailloir d'argent,
puis il leur en présente les morceaux
sur une large galette.
Et le graal, pendant ce temps,
par-devant eux repassa,
sans que le jeune homme demandât
qui l'on servait de ce graal.
Il se retenait à cause du gentilhomme
qui l'avait doucement blâmé
de trop parler. C'est toujours là
au fond de son cœur, il l'a gardé en mémoire.
Mais il se tait plus qu'il ne convient,
car à chacun des mets que l'on servait,
il voit par-devant eux repasser
le graal, entièrement visible.
Il ne sait toujours pas qui l'on en sert,
et pourtant il voudrait bien le savoir,
mais il ne manquera pas de le demander,
se dit-il en lui-même, avant de s'en aller,
à l'un des jeunes nobles de la cour.
Il attendra seulement jusqu'à demain,
au moment de prendre congé du seigneur

235 rb   Et a toute l'autre maisniee.
3248   Ensin a la chose respitiee,
    S'antant au boivre et au mangier,
    C'an n'aporte mie a dangier
    Les mes ne lo vin a la table,
3252   Tant sont plaissant et delitable.
    Li mangiers fu et biaus et buens,
    De toz les mes que rois ne cuens
    Ne emperores doit avoir
3256   Fu li prodom serviz lo soir,
    Et li vallez ensanble o lui.
    Enprés lo mangier amedui
    Parlerent ansanble et veillerent,
3260   Et li sergent apareillerent
    Les liz o il durent couchier,
    Car molt avoient a mangier
    Dates, figues et noiz muguetes,
3264   Girofle et pomes grenetes
    Et laituaire an la fin
    Et gingenbrat alixandrin
    Et pleris et stomaticon,
3268   Resantis et amaricon.
    Aprés si burent de maint boivre,
    Pimant o n'ot ne miel ne poivre,
    Et viez morel et cler sirop.
3272   De tot ce se mervelloit trop
    Li vallez qui ne l'ot apris,
    Et li prodom li dist : « Amis,
    Tanz est de cochier mais anuit.
3276   Je m'en iré, ne vos anuit,

3248. esploitiee. **3267.** domaticon. **3270.** ne vin.

3261-3262. et le fruit au c. / Car il en i ot de molt chier. **3267.** et arcoticon (*var.* aromaticon : *sucre rosat*). **3268.** et stomaticon (amaricon : *amer*).

et des autres gens de sa maison.
Ainsi la chose est-elle remise,
et il n'a plus en tête que de boire et de manger.
Aussi bien est-ce sans compter qu'on sert
à table les mets et le vin,
tous aussi agréables que délicieux.
C'était un vrai et beau festin !
Tous les mets qu'on peut voir à la table
d'un roi, d'un comte ou d'un empereur
furent servis ce soir-là au noble personnage
et au jeune homme en même temps.
Après le repas, tous les deux
passèrent la veillée à se parler,
tandis que les serviteurs préparaient
leurs lits ainsi que le fruit pour le coucher :
il y en avait d'un très grand prix,
dattes, figues et noix muscades,
girofle et pommes grenades,
avec des électuaires pour finir :
pâte au gingembre d'Alexandrie,
poudre de perles et archontique,
résomptif et stomachique.
Après quoi ils burent de maints breuvages,
vin aux aromates, mais sans miel ni poivre,
et bon vin de mûre et clair sirop.
Le jeune homme qui n'y était pas habitué
s'émerveillait de tout.
« Mon ami, lui dit l'homme de bien,
voici venue pour cette nuit l'heure de se coucher.
Si vous n'y voyez d'inconvénient, je vais me retirer

235 va Leienz an mes chanbres gesir,
        Et cant vos venra a plaisir,
        Vos vos recoucheroiz ça fors.
3280   Je n'ai nul pooir de mon cors,
        Si covenra que l'an me port. »
        .IIII. sergent delivre et fort
        Maintenant ors de la chanbre issent,
3284   La coute as .IIII. cors saisissent,
        Qui el lit estandue estoit,
        Sor coi li prodom se seoit,
        Si l'an portent la o il durent.
3288   Aviau lo vallet remés furent
        Autre vallet qui lo servirent
        Et quant que il vost por lui firent.
        Qant lui plot, si lo deschaucerent
3292   Et desvestirent et cocherent
        An blanz dras delïez de lin.
        Et il dormi jusqu'au matin
        Que l'aube do jor fu crevee
3296   Et la maisniee fu levee.
        Mais il ne vit leienz nelui
        Qant il esgarde environ lui,
        Si l'estut par lui sol lever,
3300   Que que il li deüst grever.
        Des que voit que faire l'estuet,
        Si se lieve, qant mielz ne puet,
        Et chauce senz aïde atandre,
3304   Et puis reva ses armes panre,
        C'au chief d'un dois les a trovees
        Ou l'en les li a aportees.

3286. *Leçon commune à BHLQRT. Var.* se gisoit. 3290. Et q. q. mestiers
fu li f.

là dans mes chambres pour dormir
et quand vous-même en aurez envie,
vous resterez ici, en dehors, pour vous coucher.
Je n'ai plus le pouvoir de mes membres,
il va falloir que l'on m'emporte. »
Aussitôt sortent de la chambre
quatre serviteurs alertes et robustes,
qui saisissent aux quatre coins la couverture
qu'on avait étendue sur le lit
et sur laquelle l'homme de bien était assis,
et ils l'emportent là où ils le devaient.
Avec le jeune homme étaient restés
d'autres jeunes gens pour le servir
et satisfaire à tout ce dont il avait besoin.
Quand il le voulut, ils lui ôtèrent ses chausses
et ses vêtements et le couchèrent
dans des draps blancs de lin, très fins.
Il dormit jusqu'au matin.
L'aube avait déjà commencé à poindre
et les gens de la maison étaient levés,
mais il ne vit personne à l'intérieur,
quand il regarda autour de lui.
Il lui fallut se lever par lui-même,
quoi qu'il lui en coutât.
Voyant qu'il lui faut le faire,
il se lève et, faute de mieux,
il se chausse sans attendre de l'aide.
Puis il va prendre ses armes,
qu'il a trouvées au bout d'une table,
où on les lui avait apportées.

235 vb Qant il ot bien armez ses menbres,
3308   Si s'en va par les huis des chanbres
    Que la nuit ot overz veüz,
    Mais por noient an est venuz,
    Qu'il les trova molt bien fermez.
3312   S'apele et bote et hurte assez,
    Nus ne li oevre ne dit mot.
    Qant assez apelé i ot,
    Si s'en va a l'uis de la sale,
3316   Overt lo troeve, si avale
    Trestoz les degrez contreval,
    Et trove enselé son cheval
    Et voit sa lance et son escu
3320   Qui au mur apoiee fu.
    Lors monte et va par tot leianz,
    Mais n'i trova nus des sergenz,
    N'escuier ne vallet n'i voit,
3324   Si s'en va a la porte droit
    Et trove lo pont abaisié,
    C'an li avoit trestot laisié
    Por ce que riens no retenist,
3328   De quel ore que il venist,
    Que il i passast sanz arest.
    Et pensa que en la forest
    S'en soient li vallet alé,
3332   Par lo pont qu'il voit avalé,
    Cordes et pieges regarder.
    N'a cure de plus arester,
    Ainz dit aprés aus [s']en iroit
3336   Savoir se nus d'aus li diroit

3314. li ot.

3310. s'est esmeüz. 3320. apoiez li f. 3326. ensi l.

Après avoir bien armé tout son corps,
il va d'une porte à l'autre des chambres
qu'il avait vu ouvertes la veille au soir,
mais tout ce mouvement ne sert à rien,
car il les a trouvées bien fermées.
Il appelle, pousse et frappe tant et plus,
personne ne lui ouvre ni ne lui répond.
Enfin las d'appeler,
il se dirige vers la porte de la grande salle,
qu'il trouve ouverte, et il descend
toutes les marches jusqu'en bas.
Son cheval est là, tout sellé,
et il voit sa lance et son écu,
appuyés contre le mur.
Il se met en selle et va de partout,
mais il n'a trouvé aucun des serviteurs,
il ne voit pas d'écuyer ni de jeunes gens.
Il va droit à la grande porte,
où il trouve le pont-levis abaissé.
On le lui avait laissé ainsi,
afin que rien ne l'empêchât,
à quelque heure que ce fût,
de le franchir d'un seul élan.
Et lui de croire que les jeunes gens
s'en sont allés dans la forêt,
par le pont qu'il voit ainsi baissé,
pour inspecter les collets et les pièges.
Il ne cherche pas à s'attarder plus,
mais il s'en ira après eux, se dit-il,
pour le cas où l'un d'eux lui dirait,

236ra De la lance por coi el saigne,
      S'il puet estre por nule paine,
      Et do graal ou l'an le porte.
3340 Lors s'en ist ors parmi la porte,
      Mais ainz qu'il fust outre lo pont,
      Les piez de son cheval amont
      Santi qu'il leverent en haut,
3344 Et ses chevaus fist un grant saut,
      Et s'il n'aüst si bien sailli,
      Ami l'eve fussent flati
      Li chevaus et cil qui sus iere.
3348 Et li vallez torna sa chiere
      Por veoir que ce ot esté,
      Et voit qu'en ot lo pont levé.
      S'apele et nuns ne li respont.
3352 « Diva, fet il, tu qui lo pont
      As levé, car parole a moi !
      Ou iés tu quant je ne te voi ?
      Trai toi avant, si te verrai,
3356 Et d'une chose t'anquerrai
      Noveles que savoir vodroie. »
      Ansin de parler se foloie,
      Que nus respondre ne li viaut.
3360 Ensin vers la foret s'aquiaut,
      Si antre en un santier et troeve
      Qu'il i ot une trace nueve
      De chevaus qui alé estoient.
3364 Fait cil : « Par ci cuit que il soient
      Alé cil que je querant vois. »
      Lors s'eslaisse parmi lo bois

3339. Commant l'en porte *(cf. infra 3543)*. 3342. Des p. 3346. sailli *(corr. d'après FMRS)*. 3361. et troeie. 3362. Ou il ot une estroite voie.

3346. *Leçon commune à BFHLMQRS contre celle de A et T, meilleure à la rime* : Ambedui fuissent malbailli (« en fort mauvaise passe ») *mais noter la var. de LQ* : jailli.

si en y mettant le prix la chose est possible,
à propos de la lance, pourquoi elle saigne
et, à propos du graal, où on le porte.
Il sort donc en passant par la porte,
mais avant qu'il ait franchi le pont
il a senti les pieds de son cheval
qui se soulevaient en l'air.
Son cheval a fait un grand bond
et s'il n'avait si bien sauté,
le cheval et lui, qui était dessus,
seraient tombés à plat au milieu de l'eau.
Le jeune homme a tourné la tête
pour voir ce qui s'était passé
et il voit qu'on avait relevé le pont.
Il appelle et personne ne lui répond.
« Holà ! fait-il, toi là-bas,
qui as relevé le pont, réponds-moi donc !
Où es-tu quand je ne te vois ?
Avance-toi, que je te voie !
J'ai une chose à te demander,
dont j'aimerais avoir des nouvelles. »
Mais il se démène en vain à parler ainsi,
car personne ne veut lui répondre.

Il se met alors en chemin vers la forêt
et il entre en un sentier où il tombe
sur des traces toutes fraîches
de chevaux qui étaient passés par là.
« C'est par ici, je pense, se dit-il, que sont allés
ceux que je suis en train de chercher. »
Il part alors au galop à travers bois,

236 rb Tant con cele trace li dure,
3368 Tant que il vit par aventure
     Une pucele soz un chasne
     Et crie et plore et se desraisne
     Come chaitive doleureuse :
3372 « Lasse ! fait el, malaüreuse,
     Con de pute ore fui je nee !
     L'ore que je fui angenree
     Soit maudite et que je nasqui,
3376 Q'ainz mes voir tant ne m'irasqui
     De rien que poïst avenir.
     Je ne deüsse pas tenir
     Mon ami mort, se Dé plaüst,
3380 Q'asez mielz esploitié aüst,
     S'il fust vis et je fusse morte,
     La mort qui si me desconforte.
     Por qu'as pris s'ame ainz que la moie ?
3384 Qant la rien que je plus amoie
     Voi morte, vie que me vaut ?
     Aprés lui certes ne me chaut
     Ne de m'ame ne de mon cors.
3388 Mors, car me giete l'ame fors,
     Si soit chanberiere et conpaigne
     A la soe, se ele daigne ! »
     Ensin son doel de ce menoit
3392 D'un chevalier qu'ele tenoit,
     Qui avoit tranchiee la teste.
     Jusque devant li ne s'areste
     Li vallez quant il l'ot veüe.
3396 Quant il vint la, si la salue,

3370. Et crie et p. et si blasme *(hypométrique)*. 3376. Q'ainz mes point ne
m'en i.

3383. Por quoi prist s'a. 3391. Cele son d. m.

aussi loin que se prolongent les traces,
jusqu'au moment où le hasard lui fit voir
une jeune fille sous un chêne,
qui crie, et pleure et se lamente :
« Hélas ! dit-elle, malheureuse que je suis,
j'ai le dégoût de l'heure qui m'a vu naître !
Maudite, l'heure où je fus engendrée
ainsi que l'heure où je naquis !
Jamais je n'ai été autant bouleversée
par rien de ce qui ait pu m'arriver.
Ce n'est pas moi qui devrais ainsi tenir
le cadavre de mon ami, s'il avait plu à Dieu !
Elle aurait bien mieux fait,
la Mort, à qui je dois ma détresse,
de le laisser vivre et de me faire mourir.
Pourquoi avoir pris son âme plutôt que la mienne ?
Quand voici mort l'être que j'aimais le plus,
que me sert-il de vivre ?
Après lui, plus rien vraiment ne m'importe
de ma vie ni de mon corps.
O mort, arrache-moi donc l'âme,
pour qu'elle soit la servante et la compagne
de la sienne, si elle daigne l'accepter ! »
Ainsi menait-elle grand deuil
d'un chevalier qu'elle tenait contre elle
et qui avait la tête tranchée.
Dès qu'il l'a aperçue, le jeune homme
va jusque devant elle sans s'arrêter.
Une fois venu là, il la salue,

236 va Et ele lui, son chief baisié,
  Ne por ce n'a son doel laissié.
  Et li vallez li a enquis :
3400 « Damoisele, qui l'a ocis,
  Cel chevalier qui sor vos gist ?
  — Biaus sire, uns chevaliers l'ocist,
  Fait la pucele, hui matin.
3404 Mais molt me mervoil de grant fin
  D'une chose que je esguart,
  Que l'en porroit, se Dex me guart,
  Chevauchier, ce tesmoigne l'an,
3408 Cinquantes liues an cest san
  Tot droit, ensin con vos venez,
  C'uns osteus n'i seroit trovez
  Qui fust leiaus ne bon ne sains,
3412 Et vostre chevaus a toz plains
  Les flanz et lo poil aplaignié,
  Qui l'aüst lavé ne baignié
  Et fait lit d'avaine et de fain,
3416 N'aüst il mielz lo vantre plain
  Ne n'aüst mielz lo poil assis.
  De vos meïsmes m'est avis
  Que vos avez anuit esté
3420 Bien aaisié et repossé.
  — Par foi, fait il, bele, je oi
  Tant d'aise comme je plus poi,
  Et s'il i pert, c'est a bon droit.
3424 Mais qui crïeroit orendroit
  Ci ou no somes hautemant,
  L'an l'orroit ja molt cleremant

3399. qui l'a e. 3346. Qui. 3408. i puet an. 3412. est toz sains. 3416. Ne n'aüst il mielz lo cors p. 3417. n'aüst il m.

3408. *Leçon de BHU. Var. LRST* Quarante, *A* vint et cinc. 3414. ne paignié.

et elle lui, la tête toujours baissée,
sans se départir de sa douleur.
Le jeune homme lui a demandé :
« Ma demoiselle, qui a tué
ce chevalier que vous tenez sur vous ?
— Mon doux seigneur, un chevalier l'a tué,
ce matin, dit la jeune fille.
Mais il est une chose que j'observe
et qui m'émerveille grandement,
car on pourrait, Dieu ait mon âme !
chevaucher, comme tous en témoignent,
cinquante lieues tout droit
dans la direction d'où vous venez,
sans y rencontrer de gîte
qui fût honnête, bon et convenable.
Or votre cheval a les flancs
si lisses et le poil si bien lustré
que, l'aurait-on lavé, étrillé
et pourvu d'une litière d'avoine et de foin,
il n'aurait pas le ventre plus lisse
ni le poil mieux peigné.
Vous-même vous m'avez tout l'air
d'avoir passé la nuit
bien au repos et tout à votre aise.
— Vous en avez ma parole, dit-il, belle demoiselle,
j'ai eu tout le bien-être qu'il fût possible,
et si cela se voit, c'est à juste titre.
Il suffirait à l'instant même de crier
bien fort d'ici où nous sommes,
pour qu'on nous entendît très nettement

236 vb La ou je ai anuit geü.
3428 Vos n'avez mie bien veü
       Cest païs ne reverchié tot,
       Je oi ostel, sanz nul redot,
       Lo meillor que je aüsse onques.
3432 — Ha! sire, ou geüstes vos donques?
       Chiés lo riche Roi Pescheor?
       — Pucele, par lo Salveor,
       Ne sai s'il est peschieres o rois,
3436 Mais molt est riches et cortois.
       Rien plus dire ne vos en sai
       Fors tant que .II. homes trovai
       Ersoir molt tart en une nef,
3440 Qui aloient naigent soef.
       Li uns des does homes najoit,
       Li autre a l'ameçon peschoit,
       Et cil sa maison m'ensaigna
3444 Et molt cointemant m'esberja. »
       Et la pucele dit : « Biax sire,
       Rois est il, bien lo vos os dire,
       Mais il fu en une bataille
3448 Navrez et mehaigniez sanz faille
       Si que puis aidier ne se pot.
       Si fu navrez d'un javelot
       Parmi les anches amedeus,
3452 S'en est encore si engoiseus
       Qu'il ne puet sor cheval monter.
       Mais quant il se velt deporter
       O d'aucun deduit antremetre,
3456 Si se fait an une nef metre

3430. J'ai ci o.

3444. Ersoir et si me herberja. 3445. dist. 3451. *Cf. supra, v. 408, mais noter la var. de T* : Parmi les quisses.

là où j'ai couché cette nuit.
Vous ne devez pas bien connaître
ce pays, ni l'avoir bien parcouru.
Oui, j'ai été hébergé, c'est certain,
et mieux que je ne l'ai jamais été.
— Ah, monseigneur, où avez-vous donc dormi?
Etait-ce chez le Riche Roi Pêcheur?
— Par le Sauveur, jeune fille,
était-il pêcheur ou roi, je ne le sais,
mais riche, il l'est, et plein de courtoisie.
Je ne peux rien vous en dire de plus,
sinon que j'ai trouvé deux hommes,
très tard hier soir, dans une barque,
glissant doucement sur l'eau.
L'un des deux ramait,
l'autre pêchait à l'hameçon.
Ce fut lui qui m'enseigna sa maison
et qui m'y reçut aimablement. »
La jeune fille lui dit alors : « Mon doux seigneur,
il est roi, je peux bien vous le dire,
mais il a été, au cours d'une bataille,
blessé et vraiment mutilé
à tel point qu'il ne peut plus se soutenir par lui-même.
C'est un javelot qui l'a blessé
entre les deux hanches.
Il en ressent encore une telle souffrance
qu'il ne peut monter à cheval.
Quand il cherche à se distraire
ou à avoir quelque plaisante occupation,
il se fait porter dans une barque

237 ra Et vait peschant a l'ameçon,
        Por ce li Rois Peschierres a non,
        Et por ce ensin se deduit
3460   Qu'il ne porroit autre deduit
        Por rien soffrir ne andurer,
        Ne archoier ne riverer,
        Mais il a assez riveors,
3464   Ses archiers et ses veneors
        Qui vont en ces forez berser.
        Por ce li plaist a converser
        An ce repaire ci alués,
3468   Qui est aaissiez a son eus,
        Ne puet trover meillor repaire,
        Et si a fait tel maison faire
        Com il covient a riche roi.
3472   — Damoisele, fait il, par foi,
        Voirz est ce que dire vos oi,
        C'arsoir de ce grant merveille oi
        Maintenant que devant lui ving.
3476   Un po ansus de lui me ting
        Et il me dist que je venise
        Lez lui seoir, je no tenise
        A orgoil s'i[l] ne se levoit
3480   Encontre moi, que il n'avoit
        Le haisemant ne le pooir,
        Et je m'alai lez lui seoir.
        — Certes, molt grant enor vos fist
3484   Qant il delez lui vos assist.
        Et quant vos delez lui seïstes,
        Or me dites se vos veïstes

et il se met à pêcher à l'hameçon.
Voilà pourquoi il est appelé le Roi Pêcheur,
et s'il se distrait de la sorte,
c'est qu'il n'y a pas d'autre plaisir
qu'il soit en rien capable d'endurer ni de souffrir,
qu'il s'agisse de chasser en bois ou en rivière.
Mais il a ses chasseurs pour le gibier d'eau,
ses archers et ses veneurs
pour aller dans ces forêts chasser à l'arc.
Aussi a-t-il plaisir à revenir
ici même pour y vivre,
car l'endroit est bien commode à son usage,
on ne peut trouver de meilleur repaire
et il y a fait bâtir une maison
digne du riche roi qu'il est.
— Ma demoiselle, fait-il, sur ma parole,
ce que je vous entends dire est vrai,
car hier soir je m'en suis émerveillé,
sitôt que devant lui je suis venu.
Je me tenais à quelque distance de lui
et il m'a dit de venir
près de lui m'asseoir, sans y voir
de l'orgueil s'il ne s'était levé
à ma rencontre, car il n'en avait
la liberté ni la force.
J'allais donc m'asseoir à côté de lui.
— C'est en vérité un très grand honneur qu'il vous a fait,
en vous faisant asseoir à côté de lui.
Mais quand vous étiez assis à côté de lui,
dites-moi donc si vous avez vu

237 rb La lance don la pointe saigne,
3488   Et si n'i a ne char ne vaine.
    — Se je la vi? Oïl, par foi!
    — Et demandates vos por coi
    Elle saignoit? — N'en parlai onques.
3492   — Si m'aïst Dex, ce saichiez donques
    Que molt avez espleitié mal.
    Et veïstes vos lo graal?
    — Oïl bien! — Et qui lo tenoit?
3496   — Une pucele qui venoit
    D'une chanbre. — O en ala?
    — En une autre chanbre en antra.
    — Aloit devant lo graal nus?
3500   — Oïl! — Qui? — Dui vallet sanz plus.
    — Et que tenoient en lor mains?
    — Chandeliers de chandoilles plains.
    — Et aprés lo graal qui vint?
3504   — Une pucele. — Et que tint?
    — Un petit tailleor d'argent.
    — Demandastes vos a la gent
    Quel part il aloient ensin?
3508   — Ainz de ma boche n'en issi.
    — Si m'aïst Dex, de tant valt pis.
    Commant avez vos non, amis? »
    Et cil qui son non ne savoit
3512 Devine et dit que il avoit
    Percevaus li Gualois a non,
    Ne ne set s'il dit voir o non,
    Mais il dit voir, et si no sot.
3516 Et quant la damoisele l'ot,

3491. N'en parlez o. *(leçon isolée, mais qui a sa valeur).* **3498.** en ala. **3503.** que vint. **3504.** qui tint. **3511.** donc a.

3496. Et don venoit. **3497.** Et o en a. **3515.** dist.

la lance dont la pointe saigne,
sans qu'il y ait pourtant chair ni veines.
— Si je l'ai vu? Oui, ma parole!
— Et avez-vous demandé pourquoi
elle saignait? — Je n'en soufflai mot.
— J'en prends Dieu à témoin, sachez-le,
vous avez très mal agi.
Mais avez-vous vu le graal?
— Oui, bien sûr! — Et qui le tenait?
— Une jeune fille. — Et d'où venait-elle?
— D'une chambre. — Et où s'en alla-t-elle?
— Dans une autre chambre, où elle est entrée.
— Devant le graal, quelqu'un s'avançait-il?
— Oui. — Qui? — Deux jeunes gens, c'est tout.
— Et que tenaient-ils dans leurs mains?
— Des candélabres pleins de chandelles.
— Et après le graal, qui venait?
— Une jeune fille. — Et que tenait-elle?
— Un petit tailloir en argent.
— Avez-vous demandé à ces gens
où ils allaient ainsi?
— Pas un mot ne sortit de ma bouche.
— Par Dieu, vraiment, c'est encore pire.
Quel est votre nom, mon ami?»
Et lui qui ne savait son nom
en a l'inspiration et il dit
que Perceval le Gallois est son nom,
sans savoir s'il dit vrai ou non.
Mais il a dit vrai, sans le savoir.
Quand la demoiselle l'entend,

237 va Si s'et encontre lui dreciee,
       Dit comme fame correciee :
       « Tes non est changiez, biax amis.
3520   — Commant ? — Percevaus li chaitis !
       Ha ! Percevaus, malaürous,
       Com iés or mal aventurous
       Qant tu tot ce n'as demandé,
3524   Que tant aüsses amandé
       Lo bon roi qui est mehaigniez
       Que toz aüst rehaitiez
       Les manbres et terre tenist,
3528   Et que molt granz biens en venist !
       Mais or saiches que grant anui
       En avenra toi et autrui.
       Por lo pechié, ce saiches tu,
3532   De ta mere t'est avenu,
       Qui est morte de doel de toi.
       Je te conois mielz que tu moi
       Et tu ne sez pas qui je sui.
3536   Avoques toi norrie fui
       Chiés ta mere molt lonc termine,
       Je sui ta germaine cosine
       Et tu iés mes cosins germains,
3540   Ne ne me poisse mie meins
       De ce que il t'est mescheü
       Que tu n'as do graal saü
       Q'an en fait et o l'an lo porte,
3544   Que de ta mere qui est morte
       Et qu'il fait de ce chevalier
       Que j'amoie et tenoie chier

3526. aüses. 3544. Et de ta m.

3518. Et li dist c. c. 3526. regaaigniez. 3535. Que tu ne sez qui je me sui.

elle s'est dressée en face de lui
et elle lui a dit en femme pleine de colère :
« Tu as changé de nom, mon ami.
— Quel est-il ? — Perceval l'Infortuné !
Ah, malheureux Perceval,
quelle triste aventure est la tienne
de n'en avoir rien demandé,
car tu aurais si bien pu guérir
le bon roi qui est infirme
qu'il eût recouvré l'entier usage
de ses membres et le maintien de ses terres.
Que de biens en seraient advenus !
Sache maintenant que le malheur
va s'abattre sur toi et sur les autres.
C'est à cause du péché qui touche à ta mère,
apprends-le, que cela t'est arrivé,
quand elle est morte de chagrin pour toi.
Je te connais mieux que je ne le suis de toi,
car tu ne sais pas qui je suis.
J'ai été élevée avec toi
chez ta mère pendant longtemps.
Je suis ta cousine germaine,
comme tu es mon cousin germain.
Et je ne ressens pas moins de peine
à ton sujet pour ce malheur
de n'avoir su, à propos du graal,
ce qu'on en fait et où on le porte,
qu'au sujet de ta mère, qui est morte,
et encore de ce chevalier
que j'aimais et chérissais tant,

237 vb Molt por ce que il me clamoit
3548   Sa chiere amie et si m'amoit
        Comme frans chevaliers loiaus.
        — Ha ! cosine, fait Percevaus,
        Se ce est voirz que dit m'avez,
3552   Dites moi commant lo savez !
        — Je lo sai, fait la damoisele,
        Si veraiement comme cele
        Qui an terre metre la vi.
3556   — Or ait Dex de s'ame merci,
        Fait Percevaux, par sa bonté !
        Felon conte m'avez conté.
        Et des que ele est mise en terre,
3560   Que iroie je avant querre ?
        Que por rien nule n'i aloie
        Fors por li que veoir voloie.
        Autre voie m'estuet tenir,
3564   Et se vos voleiez venir
        Aviau moi, jo vodroie bien,
        Que cil ne vos vaura mais rien
        Qui ci gist morz, jel vos plevis.
3568   Les morz as morz, les vis as vis !
        Alons en moi et vos ansanble,
        Ce vos vient il mielz, ce me sanble,
        Que ci sole gaitier un mort.
3572   Se sivons celui qui l'a mort,
        Et je vos plevis et creant
        Que je lo ferai recreant
        Ou il moi, se jo puis ataindre. »
3576   Et cele qui ne puet refraindre

3555. Que an t. 3556. l'ame. 3559. il est mis. 3568. au m. les v. au v.

3570. De vos grant folie me s.

parce qu'il m'appelait
sa tendre amie et qu'il m'aimait
en bon et loyal chevalier.
— Ah! ma cousine, fait Perceval
si c'est la vérité que vous m'avez dite,
dites-moi comment vous le savez!
— Je le sais, dit la demoiselle,
avec certitude, pour être moi-même celle
qui l'ai vue mettre en terre.
— Dieu ait pitié de son âme,
dans sa miséricorde! fait Perceval.
C'est une funeste histoire que vous m'avez contée,
mais puisqu'elle est mise en terre,
qu'irais-je chercher plus avant?
Car je n'y allais pour personne d'autre
que pour elle, que je voulais revoir.
C'est une autre route qu'il me convient de suivre.
Mais si vous vouliez bien venir
avec moi, ce serait très volontiers,
car l'homme qui gît ici mort
ne vous apportera plus rien, je puis vous l'assurer.
Les morts avec les morts, les vivants avec les vivants!
Allons-nous-en tous les deux, vous et moi.
C'est pure folie de votre part, me semble-t-il,
de rester ici seule à veiller un mort.
Poursuivons plutôt celui qui l'a tué,
et je peux vous garantir et vous promettre
que si je puis le rejoindre, l'un des deux,
lui ou moi, forcera l'autre à s'avouer vaincu. »
Mais elle, qui ne peut refréner

238 ra Lo grant doel qu'ele a a son cuer,
　　　Li dist : « Biaux amis, a nul fuer
　　　Ensanble vos ne m'an iroie,
3580　Ne de lui ne me partiroie
　　　Tant que je l'aüse anterré.
　　　Vos tanroiz ce chemin ferré,
　　　Si vos en iroiz par deça,
3584　Que par ce chemin s'an ala
　　　Li chevaliers fel et estous
　　　Qui m'a ocis mon ami dous.
　　　Mais por ce ne l'ai je pas dit
3588　Que je voille, se Dex m'aïst,
　　　Que vos en ailloiz aprés lui,
　　　Si vodroie je son anui
　　　Autant com s'il m'aüst ocisse.
3592　Mais ou fu cele espee prisse
　　　Qui vos pant au senestre flanc,
　　　Qui onques d'ome ne traist sanc
　　　[N']onques ne fu a besoig traite ?
3596　Je sai bien ou ele fu faite
　　　Et si sai bien qui la forja.
　　　Gardez ne vos i fiez ja,
　　　Qu'ele vos traïroit sanz faille
3600　Qant vos vanreiez en bataille,
　　　Que ele voleroit en pieces.
　　　— Bele cosine, une des nieces
　　　Mon bon oste la m'anvoia
3604　Arsoir, et il la me dona,
　　　Et je m'en tin a bien paié,
　　　Mais molt m'en avez esmaié,

3584. ce chemin par dela. **3585.** Li c. fait ele e. **3591.** l'aüst. **3598.** ne ne vos.

3583. Se· vos me creez p. d. **3599.** traïra. **3600.** vanroiz. **3601.** volera. **3603.** li anvoia.

la grande douleur qu'elle porte au cœur,
lui a dit : « Mon doux ami, à aucun prix
je ne m'en irais avec vous
ni ne me séparerais de lui,
avant de l'avoir enterré.
Vous, vous suivrez ce chemin empierré
par ici, si vous m'en croyez,
car c'est le chemin par où s'en est allé
le chevalier cruel et plein de morgue
qui m'a tué mon bien-aimé.
Mais je n'ai pas dit cela,
par Dieu, non, pour vous envoyer après lui.
Et pourtant je voudrais son malheur
tout autant que s'il m'avait tuée moi-même.
Mais où avez-vous pris cette épée
qui vous pend au côté gauche ?
Jamais encore elle n'a versé le sang d'un homme,
ni jamais il n'a fallu la tirer en plein péril.
Je sais bien où elle a été faite
et je sais bien qui l'a forgée.
Gardez-vous de jamais vous y fier,
car elle vous trahira sans faute
quand vous viendrez à la bataille,
en volant en éclats.
— Ma chère cousine, c'est une des nièces
de mon excellent hôte qui la lui envoya
hier soir, et lui me l'a donnée.
Je m'en suis tenu pour très satisfait.
Mais vous m'avez jeté dans l'inquiétude,

238 rb Se ce est voirz que dit avez.
3608 Ditez moi, por coi lo savez,
      Se ç'avenoit qu'ele fust fraite,
      S'ele seroit jamais refaite.
      — Oïl, mais grant paine i avroit
3612 Qui la voie tenir savroit
      Au lac qui est soz Cototatre.
      La la porrez faire rebatre
      Et retamprer et faire saine.
3616 Se aventure la vos maine,
      N'alez se chiés Trabuché non,
      Uns fevres qui ansin a non,
      Que cil la fist et refera,
3620 Ou jamais faite ne sera
      Par home qui s'en antremete.
      Gardez que autres main n'i mete,
      Qu'i[l] n'e[n] savroit venir a chief.
3624 Gardez sire ne vos soit grief,
      Fait la dame, se elle fraint. »
      Cil s'en va, et cele remaint
      Qui do mort partir ne se viaut,
3628 De la cui morz li cuers li diaut.
      Cil tote la sante s'en va
      Toz les esclos, que il trova
      Un palefroi et maigre et las,
3632 Qui devant lui aloit lo pas.
      Do palefroi estoit avis,
      Tant estoit maigres et chaitis,

3617. ses chiés. **3622.** antremetre. **3624-3625.** *Sur quatre lignes, pour s'arranger d'une couture et d'un trou du parchemin (à cet endroit précis !).* **3629.** sa s.

3608. Or me dites se vos savez. **3613.** sor Cotoatre. **3614.** porroit *(avec une autre ponctuation : v. 3611, point et 3613, virgule).* **3624-3625.** Certes ce me seroit mout grief / Fet Percevaus se ele fraint.

si ce que vous avez dit est vrai.
Et si vous le savez, dites-moi,
au cas où elle viendrait à se briser,
s'il serait possible de jamais la refaire.
— Oui, mais il y aurait bien des épreuves !
Celui qui saurait faire son chemin
jusqu'au lac qui est près de Cotoatre,
pourrait en faire là-bas battre de nouveau
et retremper le fer et le rendre en état.
Si l'aventure vous entraîne là-bas,
n'allez pas chez un autre que Trébuchet,
un forgeron, dont c'est le nom.
C'est lui qui l'a faite et qui la refera.
Jamais sinon elle ne sera refaite
de main d'homme, quel qu'il soit.
Gardez-vous d'y employer quelqu'un d'autre,
car il ne saurait en venir à bout.
— Cela me fâcherait vraiment,
dit Perceval, si elle se brise. »
Il s'en va et elle reste,
décidée à ne pas se séparer du mort
et toute à la douloureuse pensée de sa mort.

Il a suivi tout au long du sentier
les traces de sabots et trouvé pour finir
un palefroi maigre et épuisé,
qui marchait devant lui au pas.
Ce palefroi lui avait tout l'air,
tant il était maigre et misérable,

238 va Qu'il fust en males mains chaüz.
3636 Bien travailliez et mal paüz
       Sanbloit que il aüst esté,
       Si con l'an fait cheval presté,
       Qui lo jor est bien travailliez
3640 Et la nuit mal apareilliez,
       Autel do palefroi sembloit.
       Tant estoit foibles qu'i[l] tranbloit
       Ansin con s'il fust anfonduz.
3644 Toz li vantres li fu fonduz
       Et les oroilles li pandoient,
       Curie et past i atandoient
       Et li mastin et li gaignon,
3648 Que il n'avoit se lo cuir non
       Tant solemant desus les os.
       Une sambue sor son dos
       Et lorain avoit an la teste
3652 Tel con covient a itel beste,
       Et une pucele ot desus,
       Ainz tant chaitive ne vit nuns.
       Neporquant bele et gente fust
3656 Assez, se bien li esteüst,
       Mais si malemant li estoit
       Que la robe qu'ele vestoit
       N'avoit plaine palme de sain,
3660 Ainz li sailloient ors do sain
       Les memeles par les rotures.
       A noz et a grosses costures

3653-3654. *Sur quatre lignes.* 3653. Desus sus. 3656. se il li e.

3642. foibles, *leçon de BFQR. Var.* : megres. 3644. Toz li chaons li fu tonduz.
3650. le dos. 3651. Et un l. ot.

d'être tombé en de mauvaises mains.
Recru d'efforts et mal nourri,
tel est le sort qu'il semblait avoir eu,
comme c'est le cas d'un cheval prêté,
qui est, le jour, recru d'efforts
et, la nuit, mal soigné.
Il en allait apparemment de même de ce palefroi.
Il était si affaibli qu'il tremblait
comme un cheval morfondu.
Il avait la crinière toute rase
et les oreilles pendantes.
Dogues et mâtins, pour leur pâture,
n'attendaient plus que la curée,
car il n'avait plus rien
que la peau sur les os.
La selle de femme, sur son dos,
et le harnais de tête
s'accordaient à pareille bête.
Une jeune fille le montait.
Jamais personne ne vit plus misérable.
Elle eût pourtant été fort belle
et gracieuse, dans son meilleur état,
mais elle était si mal en point
que la robe dont elle s'habillait
n'avait pas d'intacte la largeur d'une main,
mais de sa poitrine ressortaient
les seins par les déchirures.
A l'aide de nœuds et à grosses coutures

238 vb De leus an leus est estachiee,
3664 Et sa charz paroit deachiee
Ansin con s'il fust fait de jarse,
Que ele avoit crevee et arse
De chaut, de halle et de gelee.
3668 Deslïee et desafublee
Estoit, si li paroit la face
Ou il ot mainte laide trace,
Que ses lermes sanz panre fin
3672 Li avoient fait grant traïn
Et jusqu'a sain li avaloient
Et par desoz la robe aloient
Jusque sor les genos collant.
3676 Issi pooit avoir dolant
Lo cuer qui tant messaise avoit.
Tantost con Percevaus la voit,
Si vient a li grant aleüre,
3680 Et ele estraint sa vesteüre
Antor li por sa char covrir,
Mais lors covint pertuis ovrir,
Car quant ele en un leu se coevre,
3684 Un pertuis clost et .II. en oevre.
Ansin descoloree et tainte
Et si chaitive l'a atainte
Percevaus, et an son ataindre
3688 L'ot dolerosemant complaindre
De la paine et de la mesaise :
« Dex, fait ele, ja ne te plaise
Que je ansin longuemant vive !
3692 Trop ai esté lonc tans chaitive,

3663. ert. **3676.** Assez. **3689.** sa p. et de sa m.

3684. *Leçon de BMQ* (*HLU* : un autre). *Var.* : cent.

on l'avait de place en place raccoutrée.
La chair qu'on voyait était incisée,
comme scarifiée à coups de lancette,
tant elle était crevassée et brûlée
par la chaleur, le vent et la gelée.
Ses cheveux étaient défaits et elle ne portait pas
de manteau. On voyait son visage,
plein de vilaines traces,
car ses larmes incessantes
y avaient laissé leur traînée,
descendant jusqu'à sa poitrine,
poursuivant dessous sa robe,
pour couler jusque sur ses genoux.
Elle ne pouvait avoir que le cœur triste,
une personne mise en si pénible état !
Dès que Perceval l'aperçoit,
il vient à elle à vive allure,
cependant qu'elle serre son vêtement
autour d'elle, pour couvrir sa chair.
Mais aussitôt s'ouvraient des trous,
car il suffit qu'elle se couvre en un lieu,
pour que, fermant un trou, elle en rouvre deux !
Elle est ainsi décolorée et pâle,
la malheureuse qu'a rejointe
Perceval, et, comme il la rejoint,
il l'entend douloureusement se plaindre
de son tourment et de sa misère :
« Ne plaise à Dieu, fait-elle, de me laisser
dans cet état longuement vivre !
J'ai trop longtemps été dans l'infortune,

239 ra Trop ai malaürté sofferte,
        Ne n'est mie par ma deserte.
        Dex, ansin con je lo sai bien
3696   Que je n'i ai deservi rien,
        M'anvoies tu, se il te siet,
        Qui de ceste paine me giet,
        Ou tu de celui me delivre
3700   Qui a tel onte me fait vivre,
        N'an lui nule merci ne truis
        Ne je eschaper ne li puis
        Ne il ne me par viaut ocirre.
3704   Je ne sai por coi il desirre
        Ma compaignie an tel meniere
        Se por ce non que il a chiere
        Ma honte et ma malaürté.
3708   Se il saüst de verité
        Que je l'aüsse deservi,
        S'an deüst il avoir merci
        Des que tant comparé l'aüsse,
3712   Se de rien nule li pleüsse.
        Mais certes je ne li plais mie
        Qant il me fait si aspre vie
        Aprés lui traire, et lui ne chaut. »
3716   Lors li dist : « Bele, Dex vos saut ! »
        Percevaus, qui atainte l'ot.
        Et quant la damoisele l'ot,
        Si se mue et respont en bas :
3720   « Sire, qui salué m'as,
        Tes corz ait ce que il vodroit,
        Et si n'i ai je mie droit ! »

3703. Se il. 3719. *Hilka lisait* : s'enuie. 3722. *Vers répété au fol. suivant.*

3695. con tu le sez bien. 3702. Ne vive e. 3719. Si s'anbrunche.

j'ai trop souffert du malheur,
sans l'avoir en rien mérité.
Mon Dieu, tu sais bien
que je ne l'ai aucunement mérité !
Envoie-moi donc, s'il t'agrée,
quelqu'un qui me jette hors de ce tourment,
ou bien délivre-moi toi-même de celui
qui me fait vivre en un tel déshonneur !
Ni je ne trouve en lui de pitié
ni je ne puis lui échapper vivante
ni non plus ne me veut-il tuer.
Je ne vois pas pourquoi il désire
que je sois avec lui pour vivre ainsi,
à moins que ne soient chères à son cœur
ma honte et mon infortune.
Aurait-il su avec certitude
que je l'avais mérité,
encore devrait-il avoir pitié de moi
quand je l'aurais payé si cher,
si du moins en quoi que ce soit j'avais pu lui plaire !
Mais à coup sûr, rien en moi ne lui plaît,
quand je dois à sa suite traîner
cette âpre vie, sans qu'il s'en émeuve. »
« Dieu vous protège, ma belle amie ! » lui dit alors
Perceval, qui l'avait rejointe.
Quand la demoiselle l'entend,
elle baisse la tête et répond à voix basse :
« Monseigneur, toi qui m'as saluée,
puisses-tu avoir ce que ton cœur désire !
Et pourtant, en le disant, j'ai tort. »

239 rb Et Percevaus respondu a,
3724 Qui de honte color mua :
« Por Dé, bele amie, por coi ?
Certes, je ne pans pas ne croi
Que je onques mais vos veïsse
3728 Ne rien nule ne vos feïsse.
— Si as, fait ele, que je sui
Si chaitive et si ai enui
Que nus ne me doit saluer.
3732 D'angoisse me covient suer
Cant nus m'areste ne esgarde.
— Voir, je [ne] m'an prenoie garde,
Fait Percevaus, de ce mesfait,
3736 Que onques mes honte ne lait
Ne fis vos, por ce ne vig ça,
Mais ma voie m'i adreça.
Des lors que je vos oi veüe
3740 Si antreprisse et povre et nue,
Jamais joie a mon cuer n'aüse
Se la verité n'en saüse
Quele avanture vos maine
3744 A tel dolor et a tel paine.
— Ha ! sire, fait ele, merci !
Taisiez vos an, fuiez de ci,
Si me laissiez en pais ester !
3748 Peciez vos fist ci arester.
Sire, fait ele, ne vos poist,
Mais fuiez vos en qant vos loist,

3734. Voire je m'an. **3750.** *Sur deux lignes.*

3728. nule vos mesfeïsse. **3736-3737.** Por vos feire h. ne l. / Certes ne v. mie ça. *Après* **3748.** *om.* Mes fuiez, si ferez savoir. / Ice, fet il, vuel je savoir / Por que peor, por quel menace / Je fuirai quant nus ne me chace.

De honte, Perceval a changé de couleur.
Il lui a répondu :
« Au nom du Ciel, pourquoi, ma belle amie ?
Assurément, je ne pense pas ni ne crois
vous avoir encore jamais vue
ni vous avoir causé le moindre tort.
— Si, dit-elle, car ma condition est telle,
dans ma misère et mon tourment,
que personne ne doit me saluer.
J'en ai des sueurs d'angoisse,
dès qu'on m'arrête et qu'on me regarde.
— Vraiment, c'est par mégarde,
dit Perceval, si je vous ai fait du tort.
Ce n'est pas pour vous faire injure ni vous faire honte,
non vraiment, que je suis venu ici,
mais c'est mon chemin qui m'a conduit à vous.
Dès l'instant où je vous ai ainsi vue
dans la gêne, la pauvreté et le dénuement,
jamais plus je n'aurais eu de joie au cœur
si je n'avais cherché à savoir la vérité
sur ce qui d'aventure vous met
dans une telle peine et une telle douleur.
— Ah, monseigneur, fait-elle, de grâce !
Taisez-vous, fuyez d'ici,
et laissez-moi tranquille !
C'est le péché qui vous a retenu ici,
[mais fuyez, vous agirez sagement.
— Je voudrais bien savoir, fait-il,
quelle est la peur, quelle est la menace
qui me feraient fuir, quand personne n'est à ma poursuite.]
— Monseigneur, lui répond-elle, ne vous en déplaise,
enfuyez-vous, quand il en est encore temps,

239 va Que li Orgoilleus de la Lande,
3752 Qui nule chosse ne demande
Se bataille non et mellee,
Ne sorvaigne a ceste assanblee,
Et s'il vos troeve ci alués,
3756 Sachiez qu'il vos ocirra lués.
Tant li poise quant nus m'areste
Que nus n'en puet porter la teste
Qui a parole me retaigne,
3760 Por coi il a tans i sorvaigne.
N'a guaires qu'il en ocist un.
Mais il conte avant a chascun
Por coi il m'a en tel vilté
3764 Et misse an tel chativeté. »
    Qant que il parloient ansin,
Li Orgoilleus do bois eisi
Et vint ansin con une foudre
3768 Par lo sablon et par la poudre,
Criant : « Voir, mar i arestas,
Tu qui lez la pucele estas !
Saches que ta fins est venue
3772 Por ce que tu l'as retenue
Et arestee un tot sol pas.
Mais je ne t'ocirroie pas
Tant que je t'aüsse retrait
3776 Por quel chose et por quel forfait
Je la faz vivre a si grant honte.
Mais or m'antan, s'orras lo conte.
    Oen en bois alez estoie
3780 Et ceste damoisele avoie

3757. nus s'a.

---

de peur que l'Orgueilleux de la Lande,
qui ne demande rien d'autre
que batailles et mêlées,
ne survienne alors que nous sommes ensemble.
Car s'il vous trouve ici même,
sachez-le, il vous tuera sur-le-champ.
Il supporte si mal de voir quelqu'un me retenir
que quiconque m'arrête pour me parler
doit y laisser la tête,
si jamais il survient à cet instant.
Il n'y a guère encore qu'il en a tué un.
Mais auparavant il raconte à chacun
pourquoi il m'a imposé une aussi vile
et aussi misérable condition. »
Tandis qu'ils parlaient ainsi,
l'Orgueilleux est sorti du bois.
Il a fondu sur eux comme la foudre
à travers sable et poussière,
en s'écriant : « Malheur à toi, en vérité, pour t'être
toi qui te tiens à côté de la jeune fille !   [arrêté ici,
Sache-le, ta dernière heure est venue,
pour l'avoir retenue
et arrêtée le temps d'un seul pas !
Mais je ne compte pas te tuer
avant de t'avoir retracé
pour quelle raison et pour quel crime
je la fais vivre en telle indignité.
Ecoute-moi donc et tu vas entendre l'histoire.
Récemment encore, j'étais allé aux bois
et j'avais dans un pavillon de tente

239 vb Laissiee en un [mien] paveillon,
　　　Je n'amoie rien se li non,
　　　Tant que par aventure avint
3784　Que uns vallez gualois i vint.
　　　Ne sai quel voie il ala,
　　　Mais tant fist que il la baisa
　　　Par force, si lo me conut.
3788　S'ele me manti, que li nut?
　　　Et s'il la baissa maugré suen,
　　　N'en fist il aprés tot son buen?
　　　Oïl, ce ne crerroit ja nus
3792　Qu'il la baisast sanz faire plus,
　　　Que l'une chose l'autre atrait.
　　　Qui baisse fame et plus n'i fait,
　　　Des qu'il sont sol a sol andui,
3796　Don cuit je qu'il remaint an lui.
　　　Fame qui sa boche abandone
　　　Lo soreplus de legier done,
　　　S'est qui a certes i entande.
3800　Et bien soit qu'ele se desfende,
　　　Si set en bien sanz nul redot
　　　Que fame velt vaincre partot
　　　Fors qu'en cele mellee soele
3804　Qu'ele tient home par la goele,
　　　Si esgratine et mort et tue,
　　　Si vodroit ele estre vaincue
　　　Et se desfant et si li tarde.
3808　Tant est de l'ostreier coarde,
　　　Ainz velt qu'a force l'en li face,
　　　Puis si n'en a ne gré ne grace.

3795. s. et s. **3808-3809.** *Intervertis. Réclame en bas de page:* IIII' Por ce
cuit je.

3785. *Leçon de BFQU. Var. HP:* coment la chose a. *A:* queus voies *T:* qu'il
fu ne ou a.

laissé la demoiselle que voici.
Je n'aimais d'autre créature qu'elle.
Voilà que d'aventure survint,
en ces lieux, un jeune Gallois.
J'ignore tout du chemin où il allait,
mais il a réussi à lui prendre un baiser
de force, elle-même me l'a avoué.
Si elle m'a menti, elle y avait avantage,
et si c'est bien malgré elle qu'il lui a pris un baiser,
ne devait-il pas, de toutes façons, faire d'elle ensuite sa
Oh, oui, personne n'irait jamais croire   [volonté ?
qu'il lui a pris un baiser sans lui faire plus,
car une chose entraîne l'autre.
Qui embrasse femme et ne fait pas plus,
quand ils sont tous deux seul à seule,
c'est lui, à mon avis, qui est en reste !
Femme qui abandonne sa bouche
accorde sans peine ce qui vient de surcroît,
si on le veut sérieusement.
Et quand bien même elle se défend,
tout le monde sait bien, sans doute aucun,
qu'une femme veut partout vaincre,
sauf dans ce seul combat
où elle tient l'homme à la gorge,
l'égratigne, le mord, le tue
et pourtant souhaite de succomber.
Elle se défend, mais il lui tarde,
elle a si peur de consentir,
mais désire qu'on la prenne de force,
après quoi elle n'est pas tenue d'en savoir gré ni d'en
                                        [rendre grâce !

240 ra Por ce cuit je qu'il jut a li,   [5ᵉ cahier]
3812 Et un anelet li toli
      Que ele portoit an son doi,
      Si l'an porta, ce poise moi,
      Mais ainz but et manja assez
3816 D'un fort vin et de .III. pastez
      Que je me faisoie estoier.
      Or an a si cortois loier
      M'amie, com il i apert.
3820 Qui fait folie, sel conpert
      Si que se guart dou rancheoir.
      Molt me puet an irié veoir.
      Qant je reving et je lo soi,
3824 Si jurai molt, et droit an oi,
      Que d'avoine ne mangeroit
      Ses palefroiz ne ne seroit
      Saigniez ne ferrez de novel,
3828 Ne n'avroit cote ne mantel
      Autre qu'ele avoit a cele eure,
      Tant que je venise au deseure
      De celui qui l'ot esforciee,
3832 Et mort et la teste tranchiee. »
      Qant Percevaus escouté ot,
      Se li respont tot mot a mot :
      « Amis, or sachiez sanz dotance
3836 Qu'ele a faite sa penitance,
      Que je sui cil qui la baisa
      Maugré suen, et si l'en pessa,
      Et son anel an son doi pris,
3840 Ne plus n'i ot ne plus n'i fis.

3812. anenet. 3815. jut (!) 3825. Qui. 3826. serroit. 3829. avoit au deseure.

3812. Et un mien anel. 3822. pot *(supprimer le point après « veoir »)*.

Voilà pourquoi je pense qu'il a couché avec elle.
De plus, il lui a enlevé un anneau à moi
qu'elle portait à son doigt.
Il l'emporta et j'en suis mécontent.
Auparavant, il a bu et mangé à satiété
d'un vin fort et de trois pâtés,
que je m'étais fait mettre en réserve.
On peut voir en toute clarté, maintenant, la jolie récompense
qu'en retire mon amie !
Qui fait folie doit le payer,
pour se garder d'y retomber.
On put voir quelle était ma colère
à mon retour, quand je l'appris.
Je fis le serment solennel, et avec raison,
que son palefroi n'aurait pas d'avoine à manger,
qu'il ne serait pas saigné ni ferré de nouveau,
et qu'elle-même n'aurait pas de tunique ni de manteau
autres que ceux qu'elle portait à cette heure,
avant que je n'aie eu le dessus
sur celui qui l'avait violentée,
que je l'aie tué et que je lui aie tranché la tête. »
Quand Perceval a eu fini de l'écouter,
il lui répond mot pour mot :
« Mon ami, apprenez, sans le moindre doute,
qu'elle vient d'achever sa pénitence,
car c'est moi qui lui ai pris un baiser
contre son gré, en provoquant sa douleur,
et qui me suis saisi de l'anneau à son doigt.
C'est tout ce qu'il y eut et tout ce que je fis.

240 rb Et si manjai, jo vos afi,
    Des .III. pastez un et demi,
    Et do vin bui tant con je vos,
3844 De ce ne fis je pas que fos.
    — Par mon chief, dit li Orgoilleus,
    Or as tu dit que oltrageus,
    Qant ceste chosse a regeïe.
3848 Or as·tu bien mort deservie,
    Qant tu en iés verais confés.
    — Ancor n'est pas la morz si prés
    Con tu cuides, » fait Percevaus.
3852 Lors laissent corre les chevaus
    Li uns vers l'autre sanz plus dire,
    Si s'antrefierent par tel ire
    Qu'il font de lor lances esteles
3856 Si qu'amedui voident lor seles,
    Si porte li uns l'autre jus.
    Mais tost furent resailli sus
    Et traient nues les espees,
3860 Si s'antredonent granz colees.
    La bataille fu fiere et dure,
    De plus deviser n'ai je cure,
    Que paine gastee me samble,
3864 Mais tant se conbatent ensanble
    Que li Orgoilleus de la Lande
    Recroit et merci li demande.
    Et cil qui onques n'oblïa
3868 Lo prodome qui li prïa
    Que ja chevalier n'oceïst
    Puis que merci li requeïst,

3841. Et li m. **3854.** sanz plus dire.

3846. que mervelleus (oltrageus : *BS*). **3854.** *Leçon de BCLMPQ. Var. AT* : s'antrevienent. **3858.** refurent sailli. **3860.** *B, quoique proche de T, ne contient pas ici l'interpolation de 20 vers sur l'épée qui se brise (cf. éd. Roach, p. 115).*

Mais j'ai mangé, j'en conviens,
un pâté et demi sur les trois,
et j'ai bu du vin tant que j'ai voulu.
Là-dessus, je n'ai pas agi comme un sot !
— Sur ma tête, dit l'Orgueilleux,
c'est merveille de t'entendre
confesser ainsi la chose !
Tu as donc bien mérité la mort,
après cette pleine et entière confession !
— La mort n'est pas encore si proche
que tu le penses ! » fait Perceval.
Ils ne retiennent plus leurs chevaux
et ils fondent l'un sur l'autre, sans plus parler.
Ils s'entredonnent un coup si furieux
qu'ils mettent leurs lances en éclats,
en vidant tous deux leur selle.
Chacun a jeté l'autre à bas,
mais ils se sont vite remis sur pieds,
et, tirant leurs épées à nu,
ils s'assènent d'énormes coups.
Le combat fut rude et féroce,
mais je n'ai pas envie d'en raconter plus,
c'est perdre son temps, à mon avis.
Bref, leur mutuel combat a duré
jusqu'à ce que l'Orgueilleux de la Lande
s'avoue vaincu et demande grâce.
L'autre qui n'a jamais oublié
ce dont le pria le gentilhomme :
de ne pas tuer un chevalier,
après qu'il a imploré sa grâce,

240 va Si dist : « Chevaliers, par ma foi,
3872   Je n'avrai ja merci de toi
        Jusque tu l'aies de t'amie,
        Que lo mal n'avoit ele mie
        Deservi, ce te puis jurer,
3876   Que tu li as fait andurer. »
        Cil qui l'amoit plus que son oil
        Li a dit : « Sire, je lo voil
        A vostre devise amander.
3880   Ja rien ne savroiz commander
        Que je ne soie pres do faire.
        Do mal que je li ai fait traire
        Ai je lo cuer et triste et noir.
3884   — Va donc au plus prochain menoir,
        Fait cil, que tu as ci entor,
        Si la fai baignier a sejor
        Tant qu'ele soit garie et saine,
3888   Puis t'aparoille et si la maine
        Bien atornee et bien vestue
        Au roi Artus, so me salue
        Et si te met en sa merci
3892   Si con tu partiras de ci.
        S'il te demande de par cui,
        Et tu li diz de par celui
        Cui il fist chevalier vermoil
3896   Par lo los et par lo consoil
        Monseignor Keu lo senechal.
        Et la penitance et lo mal
        Que ta damoisele as fait traire
3900   Te covenra a cort retraire

3875. ce puez tu j. 3883. *On lit* : Aie. 3890. si me s.

3878. Li dist : Biax sire, et je li v.

lui a dit : « Sur ma parole, chevalier,
jamais je ne te ferai grâce,
si tu ne le fais d'abord à ton amie,
car tout le mal que tu lui as fait endurer,
je peux te le jurer,
elle ne l'avait aucunement mérité. »
Et lui qui l'aimait plus que ses propres yeux,
lui a dit : « Mon doux seigneur, ma volonté
est de lui en faire, selon vos termes, réparation.
Vous ne saurez rien m'ordonner
que je ne sois prêt à le faire.
Pour tout le mal que je lui ai fait subir,
j'ai le cœur assombri de tristesse.
— Va donc, dit-il, au plus proche manoir
que tu as dans les alentours,
fais-lui, dans le repos, apprêter des bains,
jusqu'à sa guérison et sa pleine santé.
Prépare-toi ensuite et conduis-la
bien habillée et bien parée
au roi Arthur, que tu salueras pour moi,
en t'en remettant à sa grâce,
dans l'état où tu es quand tu partiras d'ici.
S'il te demande au nom de qui tu le fais,
réponds que c'est au nom de celui
qu'il a fait être Chevalier Vermeil,
sur l'exhortation et le conseil
de monseigneur Keu, le sénéchal.
Il te faudra aussi retracer à la cour
la pénitence et le mal
que tu as fait subir à la demoiselle,

240 vb Oient toz cels qui i seront,
      Si que tuit et totes l'orront,
      Et la raïne et ses puceles,
3904 Qu'aviau li en a molt de beles.
      Mais sor totes une an i pris,
      Que por ce qu'ele m'avoit ris
      Une joee li dona
3908 Kex, si que tote l'estona.
      Cele querras, jo te commant,
      Et li diras que je li mant
      Que ja n'enterrai por nul plait
3912 En cort que li rois Artus ait
      Tant que je l'avrai si vangiee
      Qu'ele en sera joeuse et liee. »
      Cil respont que il i era
3916 Molt volantiers et si dira
      Trestout quant que il a enjoint,
      Ja de delai n'i avra point
      Fors tant que avra sejornee
3920 Sa damoisele et atornee
      Si com il li sera mestiers.
      Lui meïsmes molt volantiers
      I manroit il por sejorner,
3924 Por guarir et por atorner
      Ses bleceüres et ses plaies.
      « Or va, que bone avanture aies,
      Fait Percevaus, si panse d'el,
3928 Et je querré aillors ostel. »
      La parole remest atant,
      Ne cist ne cil plus n'i atant,

3907. colee. 3919. avrai.

3919. t. qu'ainz a.

en présence de tous ceux qui y seront,
de façon à ce que tous et toutes puissent l'entendre,
la reine comme ses suivantes,
dont il y a maintes, avec elle, qui sont belles.
Mais sur toutes les autres, il en est une que j'estime,
qui, pour m'avoir ri,
reçut une gifle
de Keu, qui la laissa assommée.
A toi de la trouver, c'est mon ordre,
et tu lui diras mon message :
que jamais, quoi qu'on me dise, je ne viendrai
à une cour que tient le roi Arthur,
avant de l'avoir si bien vengée
qu'elle en sera tout heureuse et joyeuse. »
L'autre lui répond qu'il ira là-bas
très volontiers et qu'il dira
tout ce qu'il lui a enjoint,
sans y mettre d'autre retard
que ce qu'il fallait à sa demoiselle
comme temps de repos et pour se préparer
comme elle en aura besoin.
Lui-même aussi, c'est très volontiers
qu'il l'emmènerait avec lui pour qu'il se repose,
se rétablisse et panse
ses blessures et ses plaies.
« Va maintenant, et bonne chance !
dit Perceval, n'y pense plus,
je chercherai gîte ailleurs. »
La parole en resta là.
Ni lui ni l'autre n'attendent davantage,

241 ra Ainz departent a tant de plait.
3932 Et cil la nuit s'amie fait
       Vestir et baignier richemant,
       Et tant li fait de haisemant
       Q'an sa biauté est revenue.
3936 Aprés ont la voie tenue
       Andui vers Carlïon tot droit
       Ou li rois Artus cort tenoit,
       Mais c'estoit molt priveemant,
3940 Qu'il n'i avoit que solemant
       Trois mile chevaliers de pris.
       Voiant toz s'ala randre pris
       Au roi Artus cil qui venoit
3944 Et sa damoisele amenoit,
       Et dit quant il vint devant lui :
       « Sire, fait il, prissoniers sui
       Por faire quant que vos vodroiz,
3948 Et si est bien raisons et droiz,
       Car ansin lo me commanda
       Li vallez qui vos demanda
       Armes vermoilles, si les ot. »
3952 Tot maintenant que li rois ot,
       S'antant molt bien qu'il i viaut dire.
       « Desarmez vos, fait il, biax sire,
       Et joie et bone aventure ait
3956 Cil qui de vos pressant me fait,
       Et vos seiez li bien venuz.
       Por lui seroiz vos chier tenuz
       Et enorez en mon ostel.
3960 — Sire, encor me diroiz vos el,

3934. Atant.

3933. B. et v. 3945. dist. 3952. l'ot. 3960. me covient dire el.

ils se quittent sans autre discours.
Et l'autre, le même soir, a fait pour son amie
préparer un bain et de riches vêtements
et il lui procure tant de bien-être
qu'elle est revenue dans toute sa beauté.
Puis ils se sont mis en route,
l'un et l'autre, tout droit jusqu'à Carlion
où le roi Arthur tenait sa cour,
mais elle avait un caractère privé,
puisqu'il n'y avait là en tout
que trois mille chevaliers de valeur !
Sous les yeux de tous, le nouvel arrivant,
qui amenait sa demoiselle,
s'est rendu prisonnier au roi Arthur.
Il lui a dit, en se présentant devant lui :
« Monseigneur, je suis votre prisonnier
et je ferai toute votre volonté,
comme il est juste et raisonnable,
car ainsi me le commanda
le jeune homme qui vous demanda
des armes vermeilles, qu'il a obtenues. »
Aussitôt que le roi l'entend,
il comprend très bien ce qu'il veut dire.
« Ôtez vos armes, fait-il, mon doux seigneur.
Puisse-t-il avoir joie et bonne chance
celui qui me fait présent de votre personne !
Et vous-même soyez le bienvenu.
Pour lui, vous serez aimé
et honoré dans la maison royale.
— Monseigneur, j'ai encore autre chose à dire,

241 rb Fait cil, ainz que desarmé soie.
    Mais tant i a que je vodroie
    Que la raïne et ses puceles
3964 Venissent oïr les noveles
    Que je vos ai ci aportees,
    Qu'eles ne seront ja contees
    Tant que cele i sera venue
3968 Qui en la face fu ferue.
    Por un sol ris qu'ele avoit fait,
    La feri Kex tot antressait. »
    Issi cil sa parole fine,
3972 Et li rois ot que la raïne
    Devant lui mander li covint.
    Il l'a mandé et ele i vint,
    Totes ses puceles i vienent
3976 Et main a main totes se tienent.
    Qant la raïne assise fu
    Lez son seignor lo roi Artus,
    Et li Orgoilleus de la Lande
3980 Li dist : « Dame, saluz vos mande
    Uns chevaliers que je molt pris,
    Qui par ses armes m'a conquis.
    De lui ne sai que plus vos die,
3984 Mais il vos anvoie m'amie,
    Ceste pucele qui est ci.
    — Amis, la soe grant merci, »
    Fait la raïne. Et il li conte
3988 Tote la viltance et la honte
    Qu'il li avoit longuemant faite
    Et la poine qu'ele avoit traite

_____

3973. garder. 3976. m. et m. 3983. s. je plus que dire.

_____

3968. en la joe. 3970. Onques n'i ot plus de mesfait *(la leçon de B, suivi par H, est isolée)*. 3973-3974. covient / ... vient. *La leçon de B est commune à TU.* 3976. *Var.* m. a m. deus a deus se t.

fait-il, avant d'ôter mes armes.
Mais je voudrais, comme l'affaire l'exige,
que la reine et ses suivantes
viennent écouter les nouvelles
que je vous apporte ici,
car rien n'en sera conté,
avant que soit ici venue
celle qui fut frappée sur la joue,
pour un simple rire qu'elle adressa.
Ce fut là tout son crime. »
Il a cessé de parler
et le roi entend bien l'obligation
de faire venir la reine devant lui.
Il le lui fait savoir et elle vient.
Viennent aussi toutes ses suivantes,
se tenant deux par deux, la main dans la main.
Quand la reine se fut assise
à côté de son époux le roi Arthur,
l'Orgueilleux de la Lande
lui a dit : « Ma dame, vous avez le salut
d'un chevalier que j'estime grandement.
C'est lui qui aux armes m'a vaincu.
A son sujet je n'ai rien de plus à vous dire,
mais il vous envoie mon amie,
la jeune fille que voici.
— Mon ami, qu'il en soit grandement remercié »,
dit la reine. Alors il lui raconte
toute l'indignité et l'infamie
qu'il lui avait fait si longtemps subir,
les tourments où elle a dû vivre,

241 va Et l'achoison por qu'il li fist,
3992   Trestot sanz rien celer li dist.
      Aprés li mostrerent celi
      Que Kex li senechauz feri.
      Et il li dist : « Cil me proia,
3996   Pucele, qui ça m'envoia,
      Que de par lui vos saluase,
      Ne ja mes piez ne remuase
      Tant que je vos aüse dit
4000   Que ja puis Dex ne li aït
      Qu'il antrera por rien qu'avaigne
      An cort que li rois Artus taigne,
      Tant que cil vos avra vangiee
4004   De la bufe et de la frangiee
      Qui por lui donee vos fu. »
      Et quant li fox l'a entandu,
      Si saut em piez et si s'escrie :
4008   « Kex, Kex, se Dex me beneïe,
      Vos lo conparrez voiremant,
      Mais ce sera prochainemant. »
      Aprés lo fol li dist li rois :
4012   « A ! Kex, molt feïs que cortois
      Do vallet que tu me guabas !
      Par ton gabois tolu lo m'as
      Si que jamais no cuit veoir. »
4016   Lors fait devant lui aseoir
      Li rois son chevalier prisson,
      Et li pardone sa prisson
      Et puis desarmer li commande.
4020   Et messire Gauvains demande

3993. mostrassent *(style indirect libre ?)*. **3995.** Et il me dist et (« cil », *T*)
m. *(leçon commune à BFT)*. **4015.** no puis.

4012. *Leçon de BFHMT (cf. aussi PRQ). Var. A* : ne feïs.

ainsi que la raison qui motiva l'affaire,
le tout sans rien lui cacher.
On lui a ensuite montré celle
que le sénéchal Keu frappa
et il lui a dit : « Jeune fille,
celui qui m'a envoyé ici m'a prié
de vous saluer en son nom
et de ne pas bouger d'un pas
avant de vous avoir dit ceci :
que Dieu ne lui vienne plus en aide
si jamais, quoi qu'il arrive, il entre
dans une cour tenue par le roi Arthur,
avant de vous avoir vengée
de la gifle et du coup
que vous avez reçus à cause de lui. »
Quand le fou l'a entendu,
il se dresse d'un bond et s'écrie :
« Keu, Keu, Dieu me bénisse,
vous allez le payer, nous le savons bien,
mais cela ne saurait plus tarder. »
Après le fou, le roi lui a dit :
« Ah ! Keu, voilà bien l'effet de ta courtoisie,
quand tu t'es moqué du jeune homme !
Ta moquerie me l'a fait perdre,
et je pense ne jamais le revoir. »
Le roi fait alors asseoir devant lui
le chevalier qui est son prisonnier
et il lui fait grâce de sa prison.
Puis il lui commande d'ôter ses armes.
C'est alors que monseigneur Gauvain,

241 vb Qui delez lo roi sist a destre :
       « Por Deu, sire, qui puet cil estre
       Qui seus par ses armes conquist
4024   Si bon chevalier comme cist ?
       Q'an totes les Illes de mer
       N'ai oï chevalier loer,
       Ne ne lo vi ne ne conui,
4028   Qui se poïst panre a cetui
       D'armes ne de chevalerie.
       — Biaux niés, je ne lo conois mie,
       Fait li rois, et si l'ai veü,
4032   Mais quant jo vi, tant ne m'en fu
       Que rien nule li requeïsse,
       Et il me dist que jel feïsse
       Chevalier trestot maintenant.
4036   Je lo vi bel et avenant,
       Si li dis : « Frere, volantiers,
       Mais or soffrez andemantiers
       Tant qu'an vos avra aportees
4040   Unes armes totes dorees. »
       Et il dist que ja nes panroit
       Ne ja a pié ne descendroit
       Tant qu'il aüst armes vermoilles,
4044   Et si me dist autres merveilles,
       Qu'il ne voloit armes baillier
       Se celes non au chevalier
       Qui ma cope d'or an portoit,
4048   Et Kex, qui enuieus estoit,
       Et est encor et toz jorz iert,
       Ne ja nul bien dire ne quiert,

4041. ja nel p. **4044.** *On attend la rime dialectale « mervoille ». Le copiste subit l'influence de son modèle, qui serait francien.* **4048.** K. li e. **4049.** Et iert e. **4050.** quiers.

4038. Mes descendez a. *(la leçon de B est commune à FHMQ).*

qui se tenait assis à la droite du roi,
demande : « Au nom de Dieu, monseigneur, qui peut-il être
celui qui a vaincu seul aux armes
un chevalier de la valeur de celui-ci ?
Dans toutes les Iles de la mer,
je n'ai entendu nommer un chevalier,
je n'en ai vu ni connu aucun
qui aurait pu lui être comparé
en faits d'armes et en gloire chevaleresque.
— Mon cher neveu, je ne le connais pas,
dit le roi, pourtant je l'ai vu,
mais quand je le vis, je n'eus pas à cœur
de lui demander quoi que ce fût.
C'est lui qui me demanda de le faire
sur-le-champ chevalier.
Je vis qu'il était beau et de bonne grâce,
et je lui dis : « Volontiers, mon frère,
mais descendez de cheval,
en attendant qu'on vous ait apporté
des armes toutes dorées. »
Il répondit qu'il ne les prendrait jamais
et qu'il ne mettrait pas pied à terre,
avant d'obtenir des armes vermeilles.
Et il me dit encore d'autres merveilles :
qu'il ne voulait pas recevoir d'armes
autres que celles du chevalier
qui emportait ma coupe d'or.
Et Keu, toujours aussi blessant,
comme il continue de l'être et le sera encore,
faute de jamais rien vouloir dire d'agréable,

242 ra Li dist : « Frere, li rois te done
4052 Les armes et les t'abandone,
     Que maintenant les aille[s] panre. »
     Cil ne sot lo gabois entandre,
     Cuida que cil voir li deïst,
4056 S'ala aprés et si l'ocist
     D'un javelot que il lança.
     Ne sai commant il commança,
     Ne li corroz ne li orguiax,
4060 Mais que li Chevaliers Vermaus
     De la foret de Quingueroi
     Lo feri, si ne sai por coi,
     De sa lance, fist grant orgoil.
4064 Et li vallez tres parmi l'oeil
     Lo feri de son javelot,
     Si l'ocist et les armes ot.
     Puis si m'a si en gré servi
4068 Que par mon seignor s. Davi
     Que l'an aore et prie en Guales,
     Jamais en chanbres ne an sales
     C'une sole nuit ne gerrai
4072 Jusque atant que je savrai
     S'il est vis n'en mer ne an terre,
     Ainz movrai ge por l'aler querre. »
     Des que li rois ot ce juré,
4076 Furent trestuit aseüré
     Qu'il n'i avoit que de l'aler.
     Lors veïssiez dras enmaler
     Et covertors et oreilliers,
4080 Cofres emplir, trosser somiers

4051. Et dist. **4060.** li ch. noviaus.

4059. La meslee ne li toauz. **4071.** Deus nuiz pres a pres ne g. **4072.** que je le verrai / S'il est vis, an m. **4074.** m. ja por.

lui a dit : « Mon frère, le roi te les donne,
ces armes, il te les laisse à disposition :
il te suffit, séance tenante, d'aller les prendre ! »
Lui ne comprit pas la plaisanterie,
il crut qu'il parlait pour de bon.
Il partit après l'autre et le tua
d'un coup de javelot qu'il lui lança.
J'ignore comment l'affaire s'engagea
et dans quelle confusion ils en vinrent aux prises,
mais le Chevalier Vermeil
de la Forêt de Guingueroi
le frappa, sans que je sache pourquoi,
avec la lance, plein d'orgueil qu'il était,
et le jeune homme en plein à travers l'œil
le frappa avec son javelot,
le tuant ainsi et obtenant ses armes.
Depuis il m'a si bien servi à mon gré
que, je le jure par monseigneur saint David,
qu'on vénère et qu'on prie au pays de Galles,
jamais plus en chambre ni en salle
je ne coucherai deux nuits de suite,
avant de l'avoir revu,
s'il vit encore, où que ce soit, en terre ou sur mer !
Et maintenant je pars, pour aller en quête de lui. »
Dès que le roi eut fait ce serment,
tous furent persuadés
qu'il n'y avait plus qu'à se mettre en route.
Il vous aurait fallu les voir entasser, dans les malles,
draps, couvertures et oreillers,
remplir les coffres, bâter les chevaux de somme,

242 rb Et chargier charetes et charz,
       Qu'il n'en mainent mie a escharz
       Tantes et paveillons et trez!
4084   Uns clerz bien saiges et letrez
       Ne poïst escrivre an un jor
       Tot le hernois et tot l'ator
       Qui fu apareilliez tantost.
4088   Ensin con por aler en ost
       Se part li rois de Carlïon
       Et lo sivent tuit li baron,
       Neïs pucele n'i remaint
4092   Que la raïne ne l'i maint
       Por hautece et por seignorie.
       La nuit en une praerie,
       Lez une forest sont logié.
4096   Au matin ot molt bien negié,
       Que froide estoit molt la contree.
       Et Percevaus par la matinee
       Fu levez si con il soloit,
4100   Que querre et ancontrer voloit
       Avanture et chevalerie,
       Et vint droit vers la praerie,
       Qui fu gelee et annegiee,
4104   Ou l'oz lo roi estoit logee.
       Mais ainz que il venist as tentes,
       Voloit une rote de gentes
       Que la nois avoit esbloïes.
4108   Veües les a et oïes,
       Qu'eles s'en aloient bruiant
       Por un faucon qui va volant

4086. Tot l'afaire. **4087.** et tost. **4091.** Et neïs *(hypermétrique).* **4097-4098.** Que fr. e. la matinee / Et P. par l'anjornee *(probablement dittographie dans le modèle, cp. BF, et réfection de la rime dans B : leçon isolée).* **4104.** Et l'oz. **4105.** as gentes. **4107.** les a esboïes.

4110. qui vint raiant *(T* ; traiant, *CHL* ; volant, *BFMPQRS).*

charger les charrettes et les chariots,
car ils ne sont pas regardants quand il faut emmener
tentes, toiles et pavillons !
Même un clerc habile et instruit
ne pourrait écrire en un seul jour la liste
de tout le harnais et de tout l'équipement
qui fut aussitôt préparé.
Comme s'il s'agissait d'une expédition militaire,
le roi quitte Carlion,
suivi de tous les grands seigneurs.
Et même il ne reste une seule jeune fille
que la reine aussi ne l'amène,
pour plus de dignité et de gloire.
Le soir même, ils s'installèrent
dans une prairie en lisière d'une forêt.

Au matin la neige était bien tombée,
car la contrée était très froide.
Perceval, au petit jour,
s'était levé comme à son habitude,
car il était en quête et en attente
d'aventures et d'exploits chevaleresques.
Il vint droit à la prairie
gelée et enneigée
où campait l'armée du roi.
Mais avant qu'il n'arrive aux tentes,
voici venir un vol groupé d'oies sauvages
que la neige avait éblouies.
Il les a vues et entendues,
car elles fuyaient à grand bruit
devant un faucon qui fondait

242 va Aprés eles de grant randon,
4112   Et vint ataignent a bandon
       Une fors des autres sevree,
       Si l'a [si] ferue et matee
       Que contre terre l'abati.
4116   Mais trop par fu main, si parti,
       Qu'i[l] ne s'i vost lïer ne joindre.
       Et Percevaus commance a poindre
       La ou il ot veü lo vol.
4120   La gente fu navree al col,
       Si saigna .III. goutes de sanc
       Qui espandirent sor lo blanc,
       Si senbla naturel color.
4124   La gente n'a mal ne dolor
       Qui contre terre la tenist
       Tant que cil a tanz i venist,
       Qu'ele s'en fu avant volee.
4128   Qant Percevaus vit defolee
       La noif sor coi la gente jut
       Et lo sanc qui entor parut,
       Si s'apoia desus sa lance
4132   Por esgarder cele senblance.
       Et li sanz et la nois ensanble
       La fresche color li resanble
       Qui est en la face s'amie,
4136   Et panse tant que toz s'oblie,
       Q'antresin estoit en son vis
       Li vermauz sor lo blanc asis
       Con ces .III. gotes de sanc furent
4140   Qui sor la blanche noif parurent.

4116. fu nois, si perdi.

4112. *Leçon commune à BHPS. Var.* : Tant qu'il an trova a b. **4114.** et hurtee. **4124.** n'ot. **4133.** Que.

sur elles d'un seul trait.
Il atteignit à toute vitesse
l'une d'elles, qui s'était détachée des autres.
Il l'a heurtée et frappée si fort
qu'il l'a abattue au sol.
Mais il était trop matin, et il repartit
sans plus daigner se joindre ni s'attacher à elle.
Perceval cependant pique des deux,
dans la direction où il avait vu le vol.
L'oie était blessée au col.
Elle saigna trois gouttes de sang,
qui se répandirent sur le blanc.
On eût dit une couleur naturelle.
L'oie n'avait pas tant de douleur ni de mal
qu'il lui fallût rester à terre.
Le temps qu'il y soit parvenu,
elle s'était déjà envolée.
Quand Perceval vit la neige qui était foulée,
là où s'était couchée l'oie,
et le sang qui apparaissait autour,
il s'appuya dessus sa lance
pour regarder cette semblance.
Car le sang et la neige ensemble
sont à la ressemblance de la couleur fraîche
qui est au visage de son amie.
Tout à cette pensée, il s'en oublie lui-même.
Pareille était sur son visage
cette touche de vermeil, disposée sur le blanc,
à ce qu'étaient ces trois gouttes de sang,
apparues sur la neige blanche.

242 vb En l'esgarder que il faisoit
       Li est avis, tant li plaissoit,
       Qu'il veïst la color novele
4144   De s'amie qui tant est bele.
       Percevaus sor les goutes muse,
       Tote la matinee i use,
       Tant que fors des tantes issirent
4148   Escuier qui muser lo virent,
       Si cuiderent qu'il someillast.
       Ançois que li rois se levast,
       Qui encor dormoit an son tré,
4152   Ont li escuier encontré
       Devant lo paveillon lo roi
       Sagremor, qui par son desroi
       Estoit Desreez apelez.
4156   « Di va, fait il, ne me celez
       Por coi vos venez ça si tost !
       — Sire, font il, deors cest ost
       Avons veü un chevalier
4160   [Qui somoille sor son destrier].
       — Est il armez ? — Par foi, oïl !
       — G'irai a lui parler, fait il,
       Et si l'en amenrai a cort. »
4164   Tot maintenant Sagremors cort
       Au tref lo roi et si l'esvoille.
       « Sire, fait il, la ors semoille
       Uns chevaliers en cele lande. »
4168   Et li rois aler li commande
       Et aprés ce li dit et prie
       Qu'il l'en amaint et ne laist mie.
       Tantost commande Sagremors

4158. Sire, fait il *(BF)*. 4163. Issi l'en. 4169. li dist.

4142. Li ert a. 4144. De la face s'a. bele. 4150. s'esveillast. 4169. Et avuec
ce. 4170. si nel l. m.

Il n'était plus que regard.
Il lui apparaissait, tant il y prenait plaisir,
que ce qu'il voyait, c'était la couleur toute nouvelle
du visage de son amie, si belle.
Sur les gouttes rêve Perceval,
tandis que passe l'aube.
A ce moment sortirent des tentes
des écuyers, qui l'ont vu tout à son rêve.
Ils crurent qu'il sommeillait.
Avant que le roi s'éveillât,
lequel dormait encore sous sa tente,
les écuyers ont rencontré
devant le pavillon royal
Sagremor le Démesuré,
ainsi nommé pour ses débordements.
« Holà ! fait-il, dites-moi sans détours
ce que vous venez faire ici de si bonne heure !
— Monseigneur, répondent-ils, au-dehors de ce camp
nous avons vu un chevalier
qui sommeille sur son coursier.
— Est-il armé ? — Parole que oui !
— Je m'en vais lui parler, leur dit-il,
et je l'amènerai à la cour. »
Sagremor court sur-le-champ
à la tente du roi et le réveille.
« Monseigneur, fait-il, là dehors, sur la lande,
il y a un chevalier qui sommeille. »
Le roi lui commande d'y aller,
en ajoutant qu'il le prie
de l'amener sans faute.
Aussitôt Sagremor donne l'ordre

4172 Q'an li traie son cheval fors
      Et ses armes redemanda.
      Fait fu des qu'il lo commanda,
      Si s'en est bien armez et tost.
4176 Trestoz armez en ist de l'ost
      Et vait tant qu'au chevalier vient.
      « Sire, fait il, il vos covient
      Venir au roi. » Et cil ne mot,
4180 Ainz fait senblant que il ne l'ot,
      Et cil li recommance a dire,
      Et il se taist, et cil s'aïre
      Et dit : « Par saint Pere l'apostre,
4184 Vos i vanrez ja malgré vostre.
      De ce que ainz vos en priai
      Me poise molt, que je i ai
      Ma parole bien emploiee ! »
4188 Lors a l'ensaigne desploiee,
      Qui est entorse antor sa lance,
      Et li chevaus soz lui s'eslance,
      Si porprant terre a une part
4192 Et crie celui qu'il se guart,
      Qu'il l'i ferra s'il ne s'i garde.
      Et Percevaus vers lui esgarde,
      Sel voit venir tot eslaissié,
4196 Si a tot son panser laissié,
      Et il revient vers lui encontre.
      A ce que li uns l'autre ancontre,
      Sagremors sa lance peçoie,
4200 La Perceval ne fraint ne ploie,

4199. *Sur deux lignes* (peçoie *répété*).

4175. Si se fet armer bien et tost. **4179.** mot : *soit de «movoir», prét. 3* (Foerster), *soit de «motir», prés. 3* (Lecoy). *Cf. HS* : ne dist mot. **4187.** mal e. **4189.** ert.

qu'on lui sorte son cheval
et il a demandé ses armes.
Sitôt commandé, sitôt fait !
Et il se fait armer vite et bien.
Tout en armes il sort du camp
et s'en va rejoindre le chevalier.
« Monseigneur, fait-il, il vous faut
venir devant le roi. » L'autre ne dit mot,
il a tout l'air de ne pas entendre.
Il recommence donc à lui parler,
mais il se tait toujours. Le voilà qui s'emporte :
« Par l'apôtre saint Pierre, s'écrie-t-il,
vous y viendrez quand même, malgré vous !
Si je vous en ai d'abord prié,
j'en suis bien fâché, car je n'ai fait
qu'y perdre mon temps et mes paroles ! »
Il déploie alors l'enseigne
qui était enroulée autour de sa lance,
tandis que sous lui bondit son cheval.
Le voici qui prend du champ
et il crie à l'autre qu'il se garde,
car il va lui porter un coup, s'il ne s'en garde.
Et Perceval regarde vers lui,
il le voit venir à bride abattue.
Il a laissé tout son penser
et il se lance à son tour à sa rencontre.
Au moment où ils se rejoignent l'un l'autre,
Sagremor brise sa lance en éclats,
celle de Perceval ne plie ni ne rompt,

243 rb Ançois l'enpoint de tel vertu
       Q'ami lo champ l'a abatu,
       Et li chevaus sanz demoree
4204   S'en vait fuient parmi la pree,
       S'anuia molt a tes i ot.
       Et Keus, qui onques ne se pot
       Tenir de vilenie dire,
4208   S'an guabe et dit au roi : « Biax sire,
       Veez con Sagremors revient !
       Lo chevalier par lo frain tient,
       Si l'en amoine malgré suen.
4212   — Keus, fait li rois, est ce or buen
       Qu'isi vos guabez des prodomes ?
       Or i alez et si verromes
       Con vos le feroiz mielz de lui.
4216   — Sire, fait Keus, molt liez en sui
       Qant il vos plaist que je i aille,
       Et je l'en amenré sanz faille,
       Tote a force, voille il o non,
4220   Et li ferai nomer son non. »
       Lors se fait armer tot a san.
       Armez est et montez, va s'an
       A celui qui tant antandoit
4224   As .III. gotes qu'il esgardoit
       Qu'il n'avoit d'autre chosse soig.
       Et cil li cria molt de loig :
       « Vasaus, vasaus, venez au roi !
4228   Vos i vanrez ja par ma foi,
       Ou vos le conparrez molt fort. »
       Lo chief de son cheval estort

_____

4205-4206. *Intervertis.*

_____

4204. *Leçon commune à BFP* (tote la pree), *préférable pour la rime à AT* : teste levee. *Après* **4204**, *om.* Vers les tantes et cil le voient / Qui par les tantes se levoient. **4207.** de felenie. **4212.** ce n'est pas b. **4222.** et monte et va.

mais heurte l'autre avec une telle force
qu'il se retrouve abattu au milieu du champ.
Et le cheval, sans attendre,
part en fuite, à travers champs,
vers les tentes, où il est vu
de ceux qui çà et là se levaient,
au grand mécontentement de certains !
Mais Keu, qui n'a jamais pu
se retenir de dire une méchanceté,
en se moquant dit au roi : « Mon doux seigneur,
regardez comment nous revient Sagremor !
Il tient le chevalier par les rênes
et nous l'amène malgré lui !
— Keu, dit le roi, ce n'est pas bien
de vous moquer ainsi d'hommes valeureux.
Allez-y donc, nous verrons bien
si vous ferez mieux que lui.
— Monseigneur, lui dit Keu, c'est une joie pour moi
d'y aller, quand c'est votre volonté.
Je le ramènerai sans faute,
de vive force, qu'il le veuille ou non,
et il devra bien nous dire son nom. »
Le voilà qui se fait armer dans les règles.
Une fois armé, il monte à cheval et s'en va
vers celui qui portait tant d'attention
aux trois gouttes qu'il regardait
qu'il n'avait plus le souci d'autre chose.
De très loin, il lui a crié :
« Vous là-bas, le vassal, venez au roi !
Vous irez le voir, ma parole,
ou bien vous le paierez très cher ! »
Perceval, en s'entendant menacer,

243 va   Percevaus qui s'ot menacier,
4232   Et point des esperons d'acier
      Lo cheval qui pas ne va lant.
      De bien faire a chascuns talant,
      Si s'antrefierent sanz faintise.
4236   Keus fiert si que sa lance brisse
      Et esmie com une escorce,
      Car il i met tote sa force.
      Et Percevaus pas ne se faint,
4240   Desus la bocle an haut l'ataint,
      Si l'abati sor une roiche
      Que la chanole li esloiche
      Et qu'antre lo code et l'aisele,
4244   Ensin con une seiche estele,
      L'os do braz destre li brissa,
      Si con li soz lo devissa,
      Que molt sovant deviné l'ot.
4248   Voirz fu li devinaus au sot.
      Kex se pasme de la destrece,
      Et ses chevaus fuiant s'adrece
      Vers les tantes lo grant troton.
4252   Le cheval voient li Breton
      Qui revient sanz lo senechal,
      Et vallet vienent a cheval
      Et dames et chevalier muevent
4256   Et lo senechal pasmé troevent,
      Si cuident tuit que il soit morz.
      Lors commança uns diaux si forz
      Que sor lui firent tuit et totes.
4260   Et Percevaus sor les .III. gotes

4240. Desus la face l'a ataint (*à partir d'une confusion sur* bocle / boce / boche *(T)* / bouche *(U)?*) **4249.** K. se drece. **4250.** vers l'ost s'a. (*var. Q*: tantost). **4251.** lo g. randon. **4252.** Li ch. **4258.** commance. **4259.** Qui.

4247. Qui m.

tourne vers lui la tête de son cheval
et de ses éperons d'acier pique
sa monture, prompte à s'élancer.
Chacun d'eux a le désir de s'illustrer.
Ils se heurtent de front brutalement.
Keu porte son coup, sa lance se brise,
éclate en morceaux comme une écorce.
Il y a mis toute sa force.
Perceval y va tout aussi franchement,
il l'atteint plus haut, au-dessus de la bosse de l'écu,
et il l'a fait choir sur le roc,
lui déboîtant la clavicule
et lui brisant l'os du bras droit,
entre le coude et l'aisselle,
comme un morceau de bois sec,
ainsi que l'a décrit le fou,
qui l'avait prédit plus d'une fois.
La prédiction du fou était donc vraie.
Sous la douleur, Keu perd connaissance
et son cheval se dirige en fuyant
au grand trot vers les tentes.
Les Bretons voient le cheval
qui revient sans le sénéchal.
Des jeunes gens partent à cheval,
dames et chevaliers s'ébranlent,
on trouve le sénéchal évanoui,
tous le croient mort.
Alors a commencé un deuil intense
qu'ils ont tous et toutes manifesté pour lui.
Cependant Perceval devant les trois gouttes

243 vb Se rapoia desus sa lance.
     Et li rois a si grant pessance
     Do senechal qui est bleciez,
4264 Molt est dolanz et correciez,
     Tant qu'an li dist qu'il ne s'esmait,
     Qu'il guarra bien, mais que il ait
     Mire qui se saiche antremetre
4268 De la canole an son leu metre
     Et l'os brissié faire repanre.
     Et li rois, qui molt l'avoit tanre
     Et molt l'amoit an son coraige,
4272 Li envoia un mire saige
     Et .III. puceles de s'escole,
     Qui li renoent la canole
     Et si li ont lo braz lïé
4276 Et resodé l'os esmïé,
     Puis l'ont au tré lo roi porté
     Et si l'ont molt reconforté,
     Qu'il li dient qu'il garra bien,
4280 Ja ne s'en desconfort de rien.
     Et mes sire Gauvains li dist :
     « Sire, se Damedex m'aïst,
     Il n'est pas droiz, bien lo savez,
4284 Si con vos meïsmes l'avez
     Toz jorz dit et jugié a droit,
     Que chevaliers autre ne doit
     Oster, si con cil .II. ont fait,
4288 De son panser, que que il [l']ait,
     Et s'il en ont lo tort aü,
     Si ne sai je, mes mescheü

4267. Sire. **4270.** qui m. avoit. **4271.** Lo cuer et dit. **4273.** Et lors .III. p. d'escole. **4275.** liee. **4276.** et afaitié. **4279.** garront. **4289.** Et cil.

4262. Mais li r. ot mout g. *Var AR* Por esgarder cele sanblance. **4283.** Il n'est reisons.

a repris appui dessus sa lance.
Mais le roi fut grandement affligé
de voir le sénéchal ainsi blessé.
Il en ressent douleur et colère,
mais enfin on lui a dit de ne pas se tourmenter,
car il guérira, pourvu qu'on lui trouve
un médecin qui sache s'y prendre
pour lui remettre l'épaule en place
et réduire la fracture.
Le roi, qui le chérissait
et l'aimait au fond de son cœur,
a fait venir auprès de lui un habile médecin,
avec trois jeunes filles formées à son école,
qui lui replacent l'épaule,
et lui ont fixé des attelles au bras,
après avoir remis bout à bout les fragments de l'os.
Ils l'ont ensuite transporté dans la tente du roi
et ils l'ont bien réconforté,
en lui disant qu'il va guérir,
sans qu'il ait besoin de s'inquiéter.
Monseigneur Gauvain a dit au roi :
« Sire, Dieu ait mon âme,
ce n'est pas raison, vous le savez bien,
vous l'avez vous-même toujours dit
et vous nous en avez fait une loi,
pour un chevalier, de se permettre
d'en arracher un autre à sa pensée,
quelle qu'elle soit, comme l'ont fait ces deux-là.
Etait-ce entièrement leur tort ?
Je ne sais, mais il est bien certain

244 ra Lor en est, ce est chose certe.
4292 Li chevaliers d'aucune perte
Estoit pansis que il a faite,
Ou s'amie li est forstraite,
Si l'en anuie, si pansoit.
4296 Mais se vostre plaisirs estoit,
Veoir sa contenance iroie,
Et se g'en tel point lo trovoie
Qu'il aüst son pansé guerpi,
4300 Diroie et pr[ï]eroie li
Qu'il venist a vos jusque ça. »
A cest mot Keus se correça
Et dit a mon seignor Gauvain :
4304 « Vos l'an amanroiz par la main,
Lo chevalier, mais bien li poist.
Il est bien fait se il vos loist
Et la bataille vos remaint.
4308 Ensin en avroiz vos pris maint.
Qant li chevaliers est lassez
Et il a fait d'armes assez,
Lors doit prodom lo don requerre
4312 Que l'en li laist aler conquerre.
Gauvains, .C. daez ait mes cos
Se vos estes mie si fos
Q'an ne poist [bien] a vos apanre !
4316 Bien savez vos paroles vandre,
Qui molt sont gentes et polies.
Granz orguiax et granz felenies
Et granz despiz li diroiz ja ?
4320 Et daez ait qui lo cuida

4292. perde. 4293. qu'en li a faite. 4294. li a ors t. 4299. garni. 4301. aviau
jusque ci. 4312. requerre. 4313. .VC. daez ait (ait) mes cors. 4314. ne vos
n'estes. 4319. Et de granz diaus *(corr. d'après FMQ)*.

4303. dist : Ha ! mes sire G. 4304. *Var. FHLMPQSTU* : par le frain *(la leçon
de B est celle de A)*. 4306. Il iert. 4307. *Var. ACHMQ* : l. baillie. 4308. avez.

qu'il leur en est arrivé malheur.
Le chevalier avait en pensée
quelque perte qu'il avait faite,
ou bien son amie lui est-elle enlevée,
il en est au tourment, et il y pensait.
Mais si tel était votre bon plaisir,
j'irais voir sa contenance
et si je le trouvais à un moment
où il eût quitté ses pensées,
je lui ferais la demande et la prière
de venir à vous jusqu'ici. »
A ces mots, Keu se mit en colère
et s'écria : « Ah, monseigneur Gauvain,
vous le prendrez par la main pour l'amener,
ce chevalier, ne lui en déplaise !
Quelle belle action, si vous en avez le loisir
et que la bataille pour vous en reste là !
Ainsi en avez-vous capturé bon nombre.
Quand l'adversaire est épuisé
par ses nombreux faits d'armes,
c'est le moment pour l'homme vaillant de requérir le don
de pouvoir aller s'emparer de lui !
Gauvain, que je sois cent fois maudit sur ma tête,
si on vous trouve si fou
qu'on ne puisse encore apprendre quelque chose de vous !
Vous savez bien vendre vos paroles,
toujours aimables, sans rien de rugueux.
Est-ce donc des paroles d'orgueil, de haine
et de mépris que vous allez lui dire ?
Maudit soit qui l'a cru

244 rb Et qui lo cuide, que je soie !
       Certes, en un bliaut de soie
       Porroiz ceste besoigne faire,
4324   Ja ne vos i covenra traire
       Espee ne lance brissier.
       De ce vos poez vos prissier
       Que se la langue ne vos faut
4328   Por dire : « Sire, Dex vos saut,
       Et il vos doint joie et santé ! »
       Fera il vostre volanté.
       N'en di rien por vos ensaignier,
4332   Que bien lo savroiz aplaignier
       Si com l'an aplaigne lo chat.
       Si dira l'en : or se conbat
       Mes sire Gauvain fieremant !
4336   — Ha ! sire Keus, plus belemant,
       Fait il, lo me poïssiez dire.
       Cuidiez vos or [vangier] vostre ire
       Et vostre maltalant a moi ?
4340   Je l'an amanré, par ma foi,
       Se j'onques puis, tres dox amis,
       Ja n'i avré lo braz malmis
       Et sanz canole delloier,
4344   Que je n'am mie tel loier.
       — Or m'i alez donc, fait li rois,
       Que molt avez dit que cortois.
       S'estre puet, si l'en amenez,
4348   Mais totes vos armes prenez,
       Que desarmez n'iroiz vos pas. »
       Armer se fait en el lo pas

4338. Vos cuideiez ore.

4345. alez, niés.

ou qui le croit, y compris moi-même !
Je suis certain qu'une tunique de soie
vous suffira pour cette tâche,
et vous n'aurez aucun besoin de tirer
l'épée ou de briser une lance.
Et voilà bien de quoi vous pouvez être fier :
si la langue ne vous fait défaut
pour dire : "Monseigneur, Dieu vous protège
et vous donne joie et santé",
il fera toute votre volonté !
En le disant, je ne vous apprends rien,
vous saurez bien le caresser
comme on caresse un chat,
et l'on dira : quelle farouche bataille
livre maintenant monseigneur Gauvain !
— Ah ! Monseigneur Keu, répond-il,
vous pourriez mieux me parler.
Croyez-vous venger ainsi sur moi
votre colère et votre dépit ?
Je le ramènerai, je vous le promets,
si jamais je le peux, mon très doux ami,
sans en avoir pour autant le bras mis à mal
ni l'épaule démise,
car je n'aime pas être payé de la sorte !
— Allez-y pour moi, mon neveu, dit le roi,
vous avez parlé en homme courtois.
S'il est possible, ramenez-le,
mais prenez toutes vos armes,
je ne veux pas que vous y alliez désarmé. »
Il se fait armer à l'instant même,

244 va Cil qui de toutes les bontez
4352 Ot lo pris, et si est montez
      Sor un cheval fort et adroit
      Et vient au chevalier tot droit
      Qui sor sa lance est apoiez.
4356 N'encor n'estoit mie anuiez
      De son panser qui molt li plot,
      Et neporquant li solauz ot
      Dos des goutes do sanc remises
4360 Qui sor la noif erent assises,
      Et la tierce aloit remetant.
      Por ce ne pansoit mie tant
      Li chevaliers com il ot fait.
4364 Et messire Gauvains se trait
      Vers lui tot soavet enblant,
      Sanz faire nul felon senblant,
      Et dit : « Sire, je vos aüsse
4368 Salué, s'autretel saüsse
      Vostre cuer com je faz lo mien,
      Mais tant vos puis je dire bien
      Que je sui mesaiges lo roi,
4372 Qui vos mande et prie par moi
      Que vos vaigniez parler a lui.
      — Il en i ont ja esté dui,
      Fait Percevaus, qui me toloient
4376 Ma vie et mener m'i voloient
      Ansin com se je fusse pris.
      Et je estoie si pansis
      D'un panser qui molt me plaisoit,
4380 Et cil qui partir m'en faisoit

4359. De dos g. 4361. la tierce. 4362. mie atant. 4364. se tait.

4352. Ot los et pris, si. 4355. ert. 4376. *Var. A* : ma joie. 4380. *Leçon de BCQSTU. Var. A* : m'an voloit.

cet homme qui de toutes les vertus
avait le prix, et il est monté
sur un cheval robuste et alerte.
Il vient tout droit au chevalier
qui était appuyé sur sa lance
et qui n'était toujours pas lassé
des pensées où il se complaisait.
Le soleil avait cependant
effacé deux des gouttes de sang
qui s'étaient posées sur la neige,
et déjà s'effaçait la troisième.
Ainsi le chevalier n'était-il plus
aussi intensément à ses pensées.
Monseigneur Gauvain s'approche
de lui, en allant l'amble avec douceur,
sans rien d'hostile dans son apparence,
et il lui dit : « Monseigneur, je vous eusse
salué, si je connaissais
le fond de votre cœur autant que le mien,
mais je puis au moins bien vous dire
que je viens en messager du roi,
qui vous demande, par ma prière,
de venir parler à lui.
— Ils ont déjà été deux,
fait Perceval, à m'arracher
ce qui faisait ma vie et à vouloir m'emmener
comme si j'étais leur prisonnier.
Mais j'étais là pensif,
tout à une pensée qui faisait mon plaisir,
et l'homme qui m'en arrachait

244 vb N'aloit mie querant son preu,
     Que devant moi an icel leu
     Avoit .III. gotes de fres sanc
4384 Qui enluminoient lo blanc.
     En l'esgarder m'estoit avis
     Que la fresche color do vis
     M'amie la bele veïsse,
4388 Ne ja partir ne m'en queïsse.
     — Certes, fait mes sire Gauvains,
     Cil pansers n'estoit pas vilains,
     Ainz estoit molt cortois et dolz,
4392 Et cil estoit soz et estouz
     Qui vostre cuer en removoit.
     Mais or desir molt et covoit
     A savoir que vos vodroiz faire,
4396 C'au roi, se vos ne doit desplaire,
     Vos manroie molt volantiers.
     — Or me dites, biax amis chiers,
     Premieremant, fait Percevaus,
4400 Se Keus i est li senechaus.
     — Par foi, voiremant i est il,
     Et bien saichiez que ce fu cil
     Qui orandroit a vos josta,
4404 Et la joste molt li costa,
     Que lo braz destre li avez
     Peceié, et si ne savez,
     Et la chanole desloie[e].
4408 — Donc ai je bien, fet il, loie[e]
     La pucele que il feri. »
     Qant mes sire Gauvains l'oï,

4382. devant vos. **4384.** de franc sanc. **4408.** celi l.

4381. *Var. A*: mon p. **4392.** fos (*var. T*: fel).

n'avait aucun profit à en attendre !
Car devant moi en ce lieu même
se trouvaient trois fraîches gouttes de sang,
qui illuminaient le blanc.
Tandis que je regardais, c'était à mes yeux
la fraîche couleur du visage
de ma si belle amie, que je voyais,
et jamais je n'aurais voulu m'en arracher.
— En vérité, fait monseigneur Gauvain,
être dans ces pensées n'était pas l'affaire d'un rustre,
mais c'était chose pleine de courtoisie et de douceur.
Il fallait être un fou et un brutal
pour vous en éloigner le cœur.
Mais j'ai le désir et l'envie
de savoir ce que vous avez l'intention de faire,
car c'est au roi, s'il ne vous doit déplaire,
que je vous mènerais volontiers.
— A vous de me dire, mon cher et doux ami,
avant tout autre chose, lui répond Perceval,
si Keu le sénéchal se trouve là.
— Je vous l'affirme, en toute vérité, il y est,
et, sachez-le, c'était lui
tout à l'heure qui vous a livré cet assaut,
et l'assaut lui a coûté cher,
car vous lui avez fracassé
le bras droit, sans doute l'ignorez-vous,
et aussi déboîté la clavicule.
— Dans ce cas, fait-il, elle a été bien payée,
la jeune fille, du coup qu'il lui donna. »
Quand monseigneur Gauvain l'a entendu,

245 ra Si se mervoille et si tressaut
4412 Et dit : « Sire, se Dex me saut,
       Li rois ne queroit se vos non.
       Por Dé, commant avez vos non ?
       — Percevaus, sire. Et vos, commant ?
4416   — Sire, sachiez veraiemant
       Que je ai non en baptestire
       Gauvains. — Gauvains ? — Voire, biax sire. »
       Percevaus molt s'en esjoï
4420 Et dit : « Sire, bien ai oï
       De vos parler en plusors leus.
       La compaignie de nos deus
       Desirroie je molt avoir,
4424   Se ele vos devoit seoir.
       — Par foi, fait mes sire Gauvains,
       Ele ne me plaist mie mains
       Qu'ele fait vos, mes plus, ce croi. »
4428 Et Percevaus respont : « Par foi,
       Donc iré je, car il est droiz,
       Volantiers la ou vos vodroiz,
       Et molt en esterai plus cointes
4432   De ce que je sui vostre acointes. »
       Lors va li uns l'autre anbracier,
       Si commancent a deslacier
       Hiaumes et coifes et ventailles
4436 Et traient contreval les mailles,
       Puis si s'en vont joie menant.
       Et vallet corrent maintenant,
       Qui entreconjoïr les voient
4440 D'une engarde o il estoient,

4430. Orandroit.

4414. *Leçon de* BCFHMPQS. *Var.* AT : Sire. **4420.** dist. **4422.** Et l'acointance. **4424.** S'ele vos doit plaire et s. **4431.** m'an ferai or p. c.

il sursaute et s'émerveille :
« Monseigneur, lui dit-il, vraiment, par Dieu,
le roi ne cherchait personne d'autre que vous !
Au nom du Ciel, quel est votre nom ?
— Perceval, monseigneur, et le vôtre, quel est-il ?
— Monseigneur, sachez en vérité
que j'ai reçu en baptême le nom
de Gauvain. — Gauvain ? — C'est cela, mon doux seigneur. »
Perceval en fut rempli de joie.
Il lui a dit : « Monseigneur, j'ai bien entendu
parler de vous en maints endroits.
Pouvoir me lier à vous
serait mon plus grand désir,
si cela vous plaît et vous convient.
— Sur ma parole, fait monseigneur Gauvain,
cela ne me plaît pas moins
qu'à vous, et même plus, je crois. »
Et Perceval lui répond : « Vous avez ma parole,
j'irai donc, à juste titre,
bien volontiers, là où vous le voudrez,
et j'en serai d'autant plus fier
que me voici lié d'amitié avec vous. »
Ils se jettent alors dans les bras l'un de l'autre
et se mettent à délacer
heaumes, coiffes et ventailles,
dont ils rabattent de leur tête les mailles.
Les voilà qui s'en vont, montrant leur joie.
D'une hauteur où ils se tenaient,
de jeunes nobles repartent aussitôt en courant,
en les voyant ainsi qui se font fête,

245 rb Si sont venu devant lo roi :
        « Sire, sire, font il, par foi,
        Mes sire Gauvains en amoine
4444   Lo chevalier, et si demaine
        Li uns de l'autre molt grant joie. »
        N'i a nul qui la novele oie
        Qui ors de sa tante ne saille
4448   Et c'a l'encontre ne lor aille,
        Et Keus dit au roi son seignor :
        « Or en a lo pris et l'anor
        Mes sire Gauvains, votre niés.
4452   Molt fu or perilleus et griés
        La bataille, se je ne mant,
        Que tot ensin antieremant
        S'an retorne com il i mut,
4456   C'onques [d']autrui cop n'i reçut
        N'autres de lui cop n'i santi,
        Ne il de rien no desmanti.
        S'et droiz que los et pris en ait
4460   Et qu'en die que il ait fait
        Ce don nos autre ne poïmes
        Venir a chief, et s'i meïsmes
        Toz nos pooirs et nos efforz. »
4464   Ensin dit Keus, soit droiz, soit torz,
        Sa volanté si com il siaut.
        Et mes sire Gauvains ne viaut
        Mener a cort son compaignon
4468   Armé, se tot desarmé non.
        En son tref desarmer le fait,
        Et uns siens chanbellans a trait

4442. fait il.

4454. heitieemant *(la leçon de B est commune à S)*. **4464.** dist.

pour venir jusque devant le roi :
« Sire, sire, lui disent-ils, sur notre parole,
monseigneur Gauvain ramène
le chevalier et ils montrent
l'un pour l'autre les plus grands signes de joie ! »
En entendant la nouvelle, pas un seul
qui ne bondisse hors de sa tente,
pour se porter à leur rencontre.
Et Keu de dire au roi, son seigneur :
« Voilà donc monseigneur Gauvain, votre neveu,
qui en a la gloire et l'honneur !
Que de périls en la bataille,
qu'elle fut pesante, si je ne me trompe !
N'en revient-il pas aussi allègre
qu'il l'était en partant ?
Il n'a pas reçu le moindre coup d'autrui
et personne n'a eu à sentir ses coups,
il n'a pas eu à démentir qui que ce soit !
C'est en toute justice qu'il en aura l'honneur et la gloire
et qu'on dira qu'il a réussi
là où, nous autres, n'avons pu
aboutir, bien que nous y ayons mis
toutes nos forces et tous nos efforts. »
Ainsi, à tort ou à raison, Keu a-t-il parlé,
à son habitude, comme il en avait envie.
Cependant monseigneur Gauvain ne veut pas
mener à la cour son compagnon, qui est armé,
avant de lui avoir enlevé toutes ses armes.
Il le fait se désarmer dans sa tente,
tandis qu'un chambellan à lui a tiré

245 va Une robe ors de son cofre,
4472   A vestir li pressante et offre.
        Qant il fu vestuz bien et bel
        Et de la cote et do mantel,
        Qui molt fu bele et bien li sist,
4476   Au roi qui devant son tref sist
        S'an vienent andui main a main,
        « Sire, sire, je vos amain,
        Fait mes sire Gauvains au roi,
4480   Celui que vos, si com je croi,
        Coneüssiez molt volantiers,
        Passé a .XV. jorz antiers.
        C'est cil don vos tant parleiez,
4484   C'est cil por que tant aleiez.
        Je le vos bail, veez lo ci.
        — Biax niés, la vostre grant merci, »
        Fait li rois, cui il en est tant
4488   Q'ancontre lui saut en estant
        Et dit : « Biaux sire, bien vaigniez !
        Or vos pri que vos m'ensaigniez
        Commant je vos apelerai.
4492   — Par foi, ja no vos celerai,
        Fait Percevaus, biaux sire rois.
        J'ai non Percevaus li Galois.
        — Ha ! Percevaus, biax dox amis,
4496   Des qu'an ma cort vos estes mis,
        Jamais n'en partiroiz, mon veil.
        Molt ai aü de vos grant duel,
        Des que vos vi premieremant,
4500   Que je ne soi l'amandemant

4478. Et dit. **4480.** qui. **4481.** Que veïssiez *(corr. d'après T)*. **4492.** je lo vos apanrai.

4475. buens. **4484.** cil que querant a.

une tenue d'un coffre
qu'il lui présente et lui donne à revêtir.
Quand il s'est, dans les bonnes règles, vêtu
de la tunique et du manteau,
qui était fort bon et qui lui seyait bien,
tous deux s'en viennent, main dans la main,
jusqu'au roi qui était assis devant sa tente.
« Sire, sire, je vous amène,
dit au roi monseigneur Gauvain,
celui que vous souhaitiez, je crois,
tellement connaître,
voilà bien quinze jours de cela.
C'est lui dont vous parliez tant,
c'est lui dont vous vous étiez mis en quête.
Je vous le remets, le voici.
  — Mon cher neveu, soyez-en grandement remercié »,
lui dit le roi, qui a tant à cœur la chose
qu'il se dresse d'un bond à sa rencontre,
en lui disant : « Mon doux seigneur, soyez le bienvenu !
Mais je vous prie de m'enseigner
comment je dois vous appeler.
  — Je n'en ferai pas mystère, vous avez ma parole,
mon cher seigneur le roi, lui dit Perceval.
Mon nom est Perceval le Gallois.
  — Ah ! Perceval, mon cher et doux ami,
puisque vous voilà à ma cour,
vous ne la quitterez jamais plus, s'il tient à moi.
Depuis que, pour la première fois, je vous ai vu,
que de tristesse j'ai eue pour vous,
faute de savoir à quel meilleur sort

245 vb   Que Dex vos avoit destiné.
    Si fu il molt bien deviné,
    Si que tote ma corz l'oï,
4504   Par la pucele que je vi
    Que Keus li senechauz feri.
    Et vos avez bien averi
    Lor devinal do tot an tot.
4508   De ce n'est ore nul redot,
    Que de vostre chevalerie
    Ai veraie novele oïe. »
    La raïne vint a ce mot,
4512   Qui la novele oïe ot
    De celui qui venuz estoit.
    Tantost com Percevaus la voit
    Et dit li fu que ce iert ele,
4516   Et vint après la damoisele
    Qui rit quant il la regarda,
    Maintenant vers eles ala
    Et dit : « Dex doint joie et enor
4520   A la plus bele, a la meillor
    De totes les dames qui soient,
    Tesmoig de toz ces qui la voient
    Et toz ces qui veüe l'ont. »
4524   Et la raïne li respont :
    « Et vos seiez li bien trovez,
    Comme chevaliers esprovez
    De haute proesce et de bele. »
4528   Puis resalua la pucele
    Percevaus, celi qui li rit,
    Si l'acola et si li dist :

4506. l'avez. **4517.** Quil.

4503. le sot. **4504.** et par le sot. **4508.** or nus an redot. **4518.** contre e.
4519. dist.

Dieu vous avait destiné !
La prédiction en avait été pourtant bien faite,
au su de toute ma cour,
par la jeune fille et par le fou
que frappa le sénéchal Keu.
Et par vous a été avérée
d'un bout à l'autre leur prédiction.
Il n'y a personne pour en douter :
de vos exploits de chevalier
j'ai eu nouvelle, de façon véridique. »
La reine vint à ces mots,
elle avait appris la nouvelle
de l'arrivée de ce dernier.
A l'instant où Perceval la voit
et qu'on lui a dit que c'était elle,
suivie par la demoiselle
qui lui avait ri quand il la regarda,
il est aussitôt allé à leur devant,
en disant : « Que Dieu donne joie et honneur
à la plus belle, à la meilleure
de toutes les dames qui soient,
comme en témoignent tous ceux qui la voient
et tous ceux qui l'ont vue ! »
Et la reine de lui répondre :
« Et vous, soyez le bienvenu,
en chevalier éprouvé
de haute et belle prouesse. »
Puis ce fut au tour de la jeune fille qui lui avait ri
d'être saluée par Perceval.
Il lui a dit, avec les bras autour de son cou :

246 ra « Bele, se vos estoit mestiers,
4532   Je seroie li chevaliers
       Qui ja ne vos faudroit d'aïe. »
       Et la pucele l'en mercie.
       Granz fu la joie que li rois
4536   Fist de Perceval lo Galois,
       Et la raïne et li baron,
       Qui l'an mainent a Carlïon,
       Que la nuit retorné i sont.
4540   Et tote nuit grant joie font,
       Et l'andemain autel i firent
       Jusque l'endemain que il virent
       Une damoisele qui vint
4544   Sor une fauve mule, et tint
       En sa main destre une escorgiee.
       La damoise[le] fu treciee
       A deus treces tortes et noires,
4548   Et se les paroles sont voires
       Si con li livres lo devise,
       Onques riens si laide a devise
       Ne fu neïs dedanz anfer.
4552   Ainz ne veïstes si noir fer
       Com ele ot lo cors et les mains.
       Mais encor estoit ce do mains
       A l'autre laidece qu'ele ot,
4556   Que si oil estoient dui crot,
       Petit ensin com oil de rat,
       Ses nes fu de singe o de chat
       Et ses levres d'asne o de buef,
4560   Ses danz resanble[nt] moiel d'euf

4540. tote jor. **4556.** si oit.

4542. Jusques au tierz jor. **4553.** le col.

« Belle, s'il vous en était besoin,
vous auriez en moi un chevalier
dont jamais l'aide ne vous ferait défaut. »
La jeune fille l'en remercie.
Grande fut la joie que le roi
fit pour Perceval le Gallois,
ainsi que la reine et les grands seigneurs.
Ils l'emmènent à Carlion,
où ils sont retournés le soir même,
et toute la nuit se passe en réjouissances.

Il en fut de même le lendemain,
jusqu'au jour suivant, lorsqu'ils virent
arriver une demoiselle,
sur une mule fauve, qui tenait
un fouet à la main droite.
La demoiselle portait les cheveux tressés
en deux tresses noires et tordues,
et si la description en est vraie
dans le livre qui en parle,
jamais il n'y eut, même en enfer,
de créature aussi laide à souhait.
Jamais vous ne vîtes de fer aussi noir
que l'étaient son cou et ses mains.
Mais on est là encore bien en deçà
de ce qui faisait le reste de sa laideur.
Ses yeux formaient deux creux,
pas plus gros que des yeux de rat,
son nez tenait du singe ou du chat,
et ses lèvres, de l'âne ou du bœuf,
ses dents ressemblent au jaune d'œuf

246 rb De color, tant estoient ros,
Et s'avoit barbe com bos.
Ami lo piz ot une boce,
4564 De vers l'eschine senbloit crosce,
Et s'ot les rains et les espaules
Trop bien faites por mener baules,
S'ot boce el dos et anches tortes
4568 Qui vont ansin comme reortes,
Trop bien faites por mener dance.
Jusque devant lo roi s'avance
La damoisele sor la mule,
4572 Ainz mes tes damoisele nule
Ne fu a cort de roi veüe.
Lo roi et ses barons salue
Toz ensanble communemant,
4576 Fors que Perceval solemant,
Et dit desor la mule fauve :
« Ha ! Percevaus, Fortune est chauve,
Darriere et devant chevelue,
4580 Et daaz ait qui te salue
Et qui nul bien t'ore ne prie,
Que tu ne l'as deservi mie,
Fortune, quant tu la trovas !
4584 Chiés lo Roi Pescheor entras
Et veïs la lance qui saigne,
Et fust ce ore si grant paine
D'ovrir ta boche et de parler
4588 Que tu ne poïs demander
Por coi cele gote de sanc
Saut par la pointe do fer blanc ?

4565. mains. 4579. chevelee.

4567. et jambes. 4568. com deus r. 4569. *Leçon de BHT. Var. A* : Bien fu
fete. 4570. *Var. AT* : Devant les chevaliers se lance. 4582. la retenis. *La leçon
de B est commune à P et proche de QS* (ne le deservis). 4586. *Var. A(T)* : Et
si te fu lors si grant painne.

pour la couleur, tant elles étaient roussâtres.
Et elle avait de la barbe comme un bouc.
Au milieu de la poitrine, elle avait une bosse
et, du côté de l'échine, elle ressemblait à une crosse.
Elle avait les reins et les épaules
faits comme pour mener le bal
et une bosse dans le dos, des jambes torses,
qui vont pareilles à deux baguettes d'osier,
et faites comme pour mener la danse.
Jusque devant le roi s'avance
la demoiselle sur la mule.
Jamais aucune demoiselle semblable
n'avait été vue en cour de roi.
Elle salue le roi et les grands vassaux
tous ensemble, solidairement,
à l'exception du seul Perceval,
à qui elle dit, du haut de sa mule fauve :
« Ah ! Perceval, la Fortune est chauve
par-derrière et chevelue par-devant.
Maudit soit qui te salue
ou qui te souhaite, en prière, du bien,
car tu n'as su la saisir,
la Fortune, quand tu l'as trouvée !
Tu es entré chez le Roi Pêcheur
et tu as vu la Lance qui saigne.
Et maintenant dis-moi, était-ce un si grand effort
d'ouvrir la bouche et de parler
que tu n'aies pu demander
pourquoi cette goutte de sang
jaillit de la pointe du fer qui est blanc ?

246 va Et do graal que tu veïs
4592 Ne demandas ne n'enqueïs
Quel riche home an en servoit.
Molt est malaürez qui voit
Si bel tans que plus n'i covaigne,
4596 S'atant encor que plus i vaigne.
Ce iés tu, li malaüreus,
Qant veïs qu'i[l] fu tans et leus
De parler, et si te taüs !
4600 Assez grant leisir en aüs,
Li riches rois qui molt s'esmaie
Fust ja toz gariz de sa plaie
Et si tenist la terre en pais
4604 Dom il ne tanra point jamais.
Et sez tu qu'il en avenra
Do roi qui terre ne tanra
Ne n'iert de sa plaie gariz ?
4608 Dames en perdront lor mariz,
Terres en seront essilliees
Et puceles desconseilliees,
Qui orferines remanront,
4612 Et maint chevalier en morront :
Tuit cil [mal] av[en]ront par toi ! »
Et la pucele dit au roi :
« Rois, je m'en vois, ne vos anuit,
4616 Et me covient encor anuit
Mon ostel panre loig de ci.
Ne sai se vos avez oï
Do Chastel Orgoilleus parler,
4620 Car anuit m'i covient aler.

4595. Si bien tant. 4600. gr. parler. *Après* 4600, *lacune commune à BFPS.*

4596. plus biaus v. *Après* 4600, *om.* An mal eür tant te teüsses / Que se tu demandé l'eüsses. 4614. dist. 4616. Qu'il.

Et le graal que tu as vu,
tu n'as pas demandé ni cherché à savoir
qui était le riche seigneur qu'on en servait.
Quel n'est son malheur à celui qui voit
venir le bon moment, là où il ne faut pas chercher mieux,
et qui attend encore qu'il en vienne un meilleur !
C'est le tien, ce malheur,
à toi qui as vu qu'il était temps et lieu
de parler et qui t'es tu !
Tu en as eu pourtant tout le loisir !
[Ah ! quel malheur si tu te taisais !
Car si tu l'avais demandé,]
le riche roi qui est au tourment
aurait été tout guéri de sa plaie
et il tiendrait sa terre en paix,
dont jamais plus il ne tiendra une parcelle !
Et sais-tu ce qu'il en adviendra,
quand le roi n'aura de terre à tenir
et ne sera guéri de sa plaie ?
Les dames en perdront leurs maris,
les terres en seront ruinées,
et les jeunes filles, sans secours,
resteront orphelines,
et nombre de chevaliers mourront.
Tous ces malheurs surviendront par ta faute ! »
La jeune fille dit alors au roi :
« Roi, je m'en vais, ne vous en déplaise,
il me faut encore, pour ce soir,
trouver gîte loin d'ici.
Je ne sais si vous avez entendu
parler du Château Orgueilleux,
mais ce soir je dois m'y rendre.

246 vb Au chastel chevaliers de pris
        A .V^C. et .LX. et dis,
        Et sachiez qu'il n'i a celui
4624   Qui n'ait s'amie aviau lui,
        Jantis fame et cortoise et bele.
        Por ce vos an di la novele
        Que la ne faut nus qui i aille
4628   Qu'il n'i truisse joste ou bataille.
        Qui viaut faire chevalerie,
        Se la la quiert, n'i faura mie.
        Mais qui vodroit lo pris avoir
4632   De tot lo mont, jo sai de voir
        Lo leu et la piece de terre
        O l'an lo porroit mielz conquerre,
        Se il estoit qui l'osast faire.
4636   Au pui qui est soz Mont Esclaire
        A une damoiselle assise,
        Molt avroit grant enor conquisse
        Qui lo siege en porroit oster
4640   Et la pucele delivrer.
        Si avroit totes les loanges
        Et l'Espee aus Estranges Ranges
        Porroit ceindre tot aseür
4644   Qui Dex donroit si bon aür. »
        La damoisele atant se tot
        Qant bien ot dit ce que li plot,
        Si s'an parti sanz dire plus.
4648   Et mes sire Gauvains saut sus,
        Si dit que son pooir fera
        De li rescorre, et si ira.

4622. *Leçon de BPQU (MS). Var.* : et sis. **4632.** je cuit savoir.

Il y a dans ce château des chevaliers d'élite,
au nombre de cinq cent soixante-dix,
et sachez qu'il n'y en a aucun
qui n'ait avec lui son amie :
des femmes nobles, aussi courtoises que belles.
Si je vous en dis la nouvelle,
c'est que nul ne peut manquer, s'il y va,
de trouver là joute ou bataille.
Qui rêve d'exploits chevaleresques,
qu'il aille les y chercher, il les trouvera sans faute !
Mais si on voulait avoir toute la gloire
du monde, je crois connaître
le lieu et la région sur terre
où l'on pourrait le mieux la conquérir,
s'il existait quelqu'un pour en avoir l'audace.
Sur la hauteur qui est dessous Mont Esclaire,
il y a une demoiselle qui est assiégée.
Il aurait conquis un très grand honneur,
celui qui réussirait à en lever le siège
et à délivrer la jeune fille.
Il en aurait tous les éloges
et l'homme auquel Dieu réserverait un sort si heureux
aurait même le droit de ceindre sans crainte
l'Epée au fabuleux baudrier. »
La demoiselle alors se tut,
après avoir dit tout ce qu'elle souhaitait,
et elle repartit sans un mot de plus.
Monseigneur Gauvain se lève d'un bond
et déclare qu'il fera tout son pouvoir
pour lui porter secours et qu'il s'y rendra.

247 ra Et Guiflez li filz Do redist
4652 Qu'il ira, se Dex li aïst,
      Devant lo Chastel Orgoilleus.
      « Et je sus lo Mont Dolereus,
      Fait Kaadins, monter irai,
4656 Ne jusque la ne finerai. »
      Et Percevaus redit tot el,
      Que il ne jerra en ostel
      Deus nuiz en trestot son aaige,
4660 Ne n'orra d'estrange passaige
      Novelles que passer n'i aille,
      Ne de chevalier qui mielz vaille
      Q'autres chevaliers ne que dui
4664 Que il n'aille combatre a lui,
      Tant que il do Graal savra
      Cui l'en an sert, et qu'il avra
      La Lance qui saigne trovee,
4668 Tant que la verité provee
      Li soit dite por qu'ele saigne,
      Ja no laira por nule paine.
      Et bien ansin jusqu'a cinquante
4672 En sont levé, et si craente
      Li uns a l'autre et dit et jure
      Que merveille ne aventure
      Ne savront que il n'aille querre,
4676 Tant soit an felonesse terre.
      Et que que il s'apareilloient
      Parmi la sale et [il] s'armoient,
      Guingebresil parmi la porte
4680 De la sale antre, et si aporte

4679. antre en la p. **4680.** Parmi la s.

4654. *Var. AHS* : Perilleus. **4668.** Et que. **4679.** Guinganbresil.

Quant à Guiflet le fils de Do, il a dit
qu'il ira, avec l'aide de Dieu,
devant le Château Orgueilleux.
« Et moi, c'est sur le Mont Périlleux
que j'irai monter, s'écrie Kahedin,
et je n'aurai de cesse que je n'y sois venu ! »
Perceval, lui, dit tout autre chose :
il ne prendra son gîte au même endroit,
de toute sa vie, deux nuits de suite,
il n'entendra nouvelles de passages
en étrange terre qu'il ne s'y risque,
ni de chevalier qui vaille mieux
qu'un autre ou même que deux autres
qu'il n'aille se mesurer à lui,
jusqu'à ce qu'il sache à propos du Graal
qui l'on en sert, et qu'il ait
trouvé la Lance qui saigne,
et que la vérité bien établie
lui soit dite de pourquoi elle saigne.
Quelle que soit la peine,
il ne renoncera pas avant !
Ils sont bien ainsi jusqu'à cinquante
à se lever et à se promettre,
se dire et se jurer l'un à l'autre
qu'il n'est de merveille ou d'aventure
connue d'eux dont ils n'iraient à la recherche,
en si hostile terre que ce soit.
Tandis qu'ils s'équipaient
par toute la grande salle et qu'ils s'armaient,
Guinganbrésil, par la porte
de la grande salle, fait son entrée.

247 rb Un escu d'or, s'ot en l'escu
        Une bande qui d'azur fu.
        Li tierz de l'escu fu la bande
4684   Tot a mesure et tot a rande.
        Guinguebresil lo roi conut,
        So salua si com il dut,
        Mais Gauvain ne salue mie,
4688   Ainz l'apele de felenie
        Et dit : « Gauvains, tu oceïs
        Mon seignor, et si lo feïs
        Ensin c'onques no desfïas.
4692   Honte et reproche et blasme i as,
        Si t'en apel de traïsson,
        Et bien saichent tuit cil baron
        Que je n'i ai de mot manti. »
4696   A ce mot en estant sailli
        Mes sire Gauvains toz honteus,
        Et Agrevains li Orgoilleus,
        Ses freres, saut et si lo tire,
4700   Et si [li] dist : « Por Dé, biaux sire,
        Ne honisiez vostre lignaige !
        De cest blasme, de cest oltraige
        Que cist chevaliers vos amet,
4704   Vos desfandrai et vos promet. »
        Et il dit : « Frere, ja nus hom
        Ne me desfandra si je non,
        Et por ce desfandre m'en doi
4708   Qu'il n'en apele autrui que moi.
        Mais se je riens mesfait aüsse
        Au chevalier et jo saüsse,

_____

4681. et en l'escu. **4682.** Ot une b. qui d'or fu.

_____

4690. *Noter ici la leçon isolée et fautive (vers hypométrique), mais révélatrice,
de A :* Mon pere. *D'autre part, BCHLMT ont conservé à la rime la bonne
leçon (var. A :* si le feris). **4704.** ce (*ou* jel) vos pr. **4705.** dist.

Il portait un écu d'or, avec, sur l'écu,
une bande qui était d'azur.
Exactement mesurée et proportionnée
la bande couvrait le tiers de l'écu.
Guinganbrésil reconnut le roi
et le salua comme il se devait,
mais il ne salue pas Gauvain,
qu'il accuse de traîtrise
en ces termes : « Gauvain, c'est toi qui as tué
mon seigneur et tu l'as fait
sans l'avoir à aucun moment défié.
Tu en as la honte, l'opprobre et le blâme.
Je t'accuse publiquement de trahison
et que tous les grands vassaux sachent ici
que je n'en ai pas menti d'un mot. »
A ces mots s'est levé d'un bond
monseigneur Gauvain, sous le coup de la honte,
mais Agravain l'Orgueilleux,
son frère, bondit aussi et le retient.
Il lui a dit : « Pour l'amour de Dieu, cher seigneur,
n'allez pas déshonorer votre lignage !
Du blâme, de l'écart criminel
dont ce chevalier vous charge,
je vous défendrai par les armes, vous avez ma promesse.
— Mon frère, lui a-t-il répondu, jamais personne
d'autre que moi n'assurera ma défense.
C'est à moi seul de m'en défendre,
puisqu'il n'en accuse d'autre que moi.
Mais si j'avais en rien fait du tort
à ce chevalier et que je l'apprisse,

247 va Molt volantiers paiz en queïsse,
4712   Et tel amande l'en feïsse
      Que tuit si ami et li mien
      Lo deüssent tenir a bien.
      Et se il a dit son oltraige,
4716   Je m'an desfant et tan mon gaige,
      Ou ci ou la ou lui plaira. »
      Et cil dit qu'i[l] lo provera
      De traïsson laide et vilaine
4720   Jusqu'au chief de la quarantaine
      Devant lo roi d'Escavalon
      Qui est plus bes que Assalon,
      Au mien los et au mien avis.
4724   « Ensin, fait Gauvains, te plevis
      Que je te sivrai orandroit,
      Et la verrons qui avra droit. »
      Tantost Guinguenbresis s'en torne,
4728   Et mes sire Gauvains s'atorne
      D'aler aprés sanz demorance.
      Qui bon cheval o bone lance
      O bon hiaume ou bone espee ot
4732   Pressanta li, mes ne li plot
      Qu'il en portast rien de l'autrui.
      Set escuiers maine aviau lui
      Et set destriers et dos escuz.
4736   Ainz que il fust de cort meüz,
      Ot aprés lui molt grant doel fait,
      Maint piz batu, maint chevol trait
      Et mainte face esgratinee.
4740   Ainz n'i ot dame si senee

4714. deusient. **4721.** de Carlion *(BFU).* **4734.** Un escuier. **4735.** Et un d *(leçons communes à BQ).*

4723. *B proche ici de A. Var.* : A son sens et a son a. **4724.** Et je, fait G

j'aurais à cœur de rechercher la paix,
en lui offrant une composition ainsi faite
que tous ses amis et les miens
devraient la tenir pour équitable.
Cependant, s'il l'a dit pour m'insulter,
je lui tends mon gage, je suis prêt à me défendre,
ici même ou là où il lui plaira. »
L'autre répond qu'il le convaincra
de laide et odieuse trahison,
dans un délai de quarante jours,
devant le roi d'Escavalon,
lequel, à mon jugement et avis,
est plus beau qu'Absalon.
« Et moi, fait Gauvain, je m'engage
à te suivre sur l'heure
et nous verrons là-bas de quel côté sera le droit. »
Aussitôt Guinganbrésil s'en retourne,
tandis que monseigneur Gauvain s'apprête
à aller après lui sans retard.
C'était à qui aurait un bon cheval ou une bonne lance,
un bon heaume ou une bonne épée
à lui offrir, mais il n'a pas jugé bon
de rien emporter qui fût à d'autres.
Il emmène avec lui sept écuyers,
sept coursiers et deux écus.
Avant même qu'il s'en fût parti de la cour,
il se fit derrière lui de grandes manifestations de deuil.
Que de poitrines frappées, de cheveux arrachés,
de visages égratignés !
Il n'y eut de dame si pondérée

247 vb Qui por lui grant doel ne demaint,
     Grant doel en font maintes et maint.
     Et mes sire Gauvains s'en va.
4744 Des aventures qu'il trova
     M'orroiz conter molt longuemant.
     Une rote premieremant
     De chevaliers parmi la lande
4748 Voit trespaser, et si demande
     A un escuier qui venoit
     Toz seus aprés, et si menoit
     En destre un cheval espaignol,
4752 Si ot un escu a son col :
     « Escuiers, di moi qui cil sont
     Qui ci trespassent ? » Cil respont :
     « Sire, c'est Melïenz de Liz,
4756 Uns chevaliers proz et hardiz.
     — Iés tu a lui ? — Sire, je non.
     Traedenez mes sire a non,
     Qui ne vaut mie de lui mains.
4760 — Par foi, fet mes sire Gauvains,
     Traedené conois je bien.
     Ou va il ? ne m'en celer rien !
     — Sire, a un tornoiemant va
4764 Que Melïanz dou Lis pris a
     Contre Tiebaut de Tintagueil.
     Et vos i erez, voir, mon veil,
     Au chastel contre ces defors.
4768 — Deus ! fait mes sire Gauvains lors,

4764-4765. *Sur quatre lignes* (pris a *répété*). **4768.** Lors fait. *Réclame en bas de page :* V' don ne fu Melianz de liz.

4758. Traez danez (*ou* davés). **4766.** iroiz ja mon v.

qui pour lui ne laisse éclater sa douleur.
Ils sont nombreux, hommes et femmes, à en montrer une
Cependant monseigneur Gauvain s'en va.   [grande douleur.
Des aventures qu'il a trouvées,
vous allez m'entendre parler un long moment.

C'est premièrement une troupe
de chevaliers à travers la lande
qu'il voit passer outre, et il demande
à un écuyer qui arrivait
tout seul derrière, menant
de la main droite un cheval espagnol
et portant un écu pendu à son cou :
« Ecuyer, dis-moi quels sont ces gens
qui passent par ici ? » L'autre lui répond :
« Monseigneur, c'est Méliant de Lis,
un chevalier vaillant et hardi.
— Es-tu à lui ? — Moi, non, monseigneur.
Traé d'Anet est le nom de mon maître,
et il le vaut bien.
— Ma parole, fait monseigneur Gauvain,
Traé d'Anet est quelqu'un que je connais bien.
Où va-t-il ? Dis-moi tout, je te prie.
— Monseigneur, il se rend à un tournoi
que Méliant de Lis a organisé
contre Thibaut de Tintagel,
et vous-même, je voudrais que vous y alliez,
avec ceux du château contre ceux du dehors !
— Mon Dieu ! fait alors monseigneur Gauvain,

248 ra Don ne fu Melïanz de Liz   [6ᵉ cahier]
        En la maison Tiebaut norriz?
        — Oïl, sire, se Dex me saut,
4772   Mais ses pere ama molt Tiebaut
        Comme son home, tant lo crut
        Q'au lit mortel, la ou il jut,
        Son petit fil li commanda,
4776   Et cil lo norri et garda
        Au plus hautemant que il pot,
        Tant c'une soe fille [s]ot
        Prïer et requerre d'amor,
4780   Et cele dit que a nul jor
        S'amor ne li ostroieroit
        Tant que il chevaliers seroit.
        Cil qui molt voloit esploitier
4784   Se fist lors faire chevalier,
        Puis si revient a sa prïere.
        « Ne puet estre an nule maniere,
        Fait la pucele, par ma foi,
4788   Tant que vos aiez devant moi
        Tant d'armes fait et tant josté
        Que m'amors vos avra costé,
        Que les choses qu'an a en bades
4792   Ne sont si doces ne si sades
        Comme celes que l'an compere.
        Prenez un tornoi a mon pere
        Se vos m'amor volez avoir,
4796   Que je voil sanz dote savoir
        Se m'amor seroit bien assise
        Se je en vos l'avoie misse. »

4778. une sole f. ot.

4772. Que s. p. 4777. chieremant. 4780. dist. 4784. lués f. 4785. revint.

Méliant de Lis n'a-t-il pas été
élevé dans la maison de Thibaut?
— Oui, monseigneur, sur le salut de mon âme!
Son père aimait beaucoup Thibaut,
qui était son homme lige. Il avait en lui si grande confiance
que sur son lit de mort, quand il y fut,
il lui recommanda son fils, encore petit.
Et lui l'éleva et le protégea
dans la plus grande affection,
jusqu'au jour où celui-ci fut en mesure
de prier et requérir d'amour une fille qu'il avait.
Celle-ci lui répondit que jamais
elle ne lui accorderait son amour
avant qu'il devînt chevalier.
Lui, qui avait hâte d'aboutir,
se fit alors adouber.
Et de revenir à sa prière!
« C'est tout à fait impossible,
lui dit la jeune fille, sur ma parole,
tant que vous n'aurez pas, sous mes yeux,
accompli autant de faits d'armes et de joutes
que doit vous en coûter mon amour.
Car les choses que l'on cueille en passant
n'ont pas la douceur ni la saveur
de celles dont on paie le prix.
Arrangez donc un tournoi contre mon père,
si vous voulez avoir mon amour,
car je veux savoir en toute certitude
si mon amour serait bien placé,
une fois que je l'aurais mis en vous. »

248 rb Si con cele lo devisa,
4800   Lo tornoiemant pris en a,
        C'Amors a si grant seignorie
        Sor ces qui sont en sa baillie
        Qu'i[l] n'oseroient rien veer
4804   Qu'ele lor daignast commander.
        Et vos fereiez molt que lanz
        Se vos ne vos metez dedanz,
        Qu'il en avroient grant mestier
4808   Se vos lor voleiez aidier. »
        Et il li dist : « Frere, va t'en !
        Siu ton seignor, si feras sen,
        Si laise ester ce que tu diz. »
4812   Maintenant est cil departiz,
        Et mes sire Gauvains chemine.
        D'errer vers Tintagueil ne fine,
        Qu'il ne pooit aillors passer.
4816   Et Tiebauz ot fait amasser
        Toz ses paranz et ses cosins
        Et ot mandez toz ses veisins,
        Et il i furent tuit venu,
4820   Et haut et bas, joesne et chenu.
        Mais Tiebauz n'ot mie trové
        Au los de son consoil privé
        Qu'il tornoiast a son seignor,
4824   Qu'il avoient molt grant paor
        Qu'il nel vosist do tot destruire.
        S'ot bien fait murer et anduire
        Do chastel totes les antrees,
4828   Bien furent les portes murees,

4804. Qu'il *(corr. d'après T).* **4810.** Di ton s.

4825. nes. *Après* **4828,** *om.* De pierre dure et de mortier / Qu'onques n'i
ot autre portier.

Tout comme elle l'avait proposé,
il a entrepris ce tournoi,
car l'Amour a une si grande puissance
sur ceux qui sont en son pouvoir
qu'ils n'oseraient rien refuser
de ce qu'il a daigné leur commander.
Quant à vous, vous manqueriez d'ardeur
en ne vous jetant pas dans le château
où on aurait grand besoin de vous,
si vous vouliez leur venir en aide,
— Va ton chemin, mon frère ! lui a-t-il répondu.
Suis ton seigneur, tu agiras bien,
et laisse là ton discours. »
L'autre est aussitôt reparti
et monseigneur Gauvain poursuit sa route,
en avançant toujours vers Tintagel,
car il n'y avait pas moyen de passer par un autre endroit.
Thibaut avait fait rassembler
tous ses parents et ses cousins,
il avait convoqué tous ses voisins.
Tous y étaient venus,
grands ou humbles, jeunes ou âgés.
Mais Thibaut n'a pas trouvé
auprès de son conseil privé la recommandation
d'engager le tournoi contre son seigneur,
car ils avaient grand peur
que celui-ci ne voulût leur perte à tous.
Il a donc bien fait murer et maçonner
toutes les entrées du château.
Les portes avaient été bien murées
[à l'aide de moellons durs et de mortier,
c'est là tout ce qui faisait office de portier !]

248 va Mais c'une petite poterne,
   Don li huis n'estoit pas de verne,
   Qu'il orent laissié a murer.
4832 Li huis fu por toz jors durer,
   De cuivre fers a une barre,
   En l'uis ot de fer une charre
   Tant com une charrete porte.
4836 Mes sire Gauvains vers la porte
   Aprés tot son hernois venoit,
   Car par iluec lo covenoit
   Passer o retorner arriere,
4840 Q'autre voie n'autre charriere
   Jusqu'a .VII. granz liues n'avoit.
   Qant la poterne ferme voit,
   S'antre an un pré devant la tor,
4844 Qui estoit clos de pes entor,
   S'est soz un charme descenduz,
   [Et] ses escuz i est panduz,
   Et les genz do chastel lo voient,
4848 Don li plussor grant doel avoient
   Do tornoi qui remés estoit.
   Mais un viel vavasor avoit
   Ou chastel, molt doté et saige,
4852 Puissant de terre et de linaige,
   Ne ja de rien que il deïst,
   Commant que la fins en preïst,
   Ne fust el chastel mescreüz.
4856 Ces qui venoient ot veüz,
   Qu'il li furent de loig mostré
   Ainz qu'o pré clos fussent entré,

4833. fu a une esparre. **4834.** une barre. **4836.** de la p. **4853.** veïst.
4856. Commant que li plaiz fust tenuz. **4857.** Ces virent qu'en li a mostré.

4843. desoz. **4845.** chasne *(mais B a conservé seul avec M la bonne version, en dépit du v. 4892, comme le prouve la rime des vv. 4983-4984).* **4846.** i a.

à l'exception d'une petite poterne,
mais dont la porte n'était pas en bois d'aulne.
Elle était la seule à n'avoir pas été murée.
La porte en était conçue pour durer sans fin,
fermée à l'aide d'une barre de cuivre
et faite elle-même avec une quantité de fer
égale à la charge pleine d'une charrette.
Monseigneur Gauvain venait
vers la porte, précédé de tout son équipage,
car il lui fallait passer
par cet endroit, à moins de faire retour en arrière.
Il n'y avait pas d'autre route ni d'autre chemin
à sept bonnes lieues à la ronde.
Quand il voit que la poterne est fermée,
il entre dans un pré au-dessous de la tour,
qui était entouré d'une clôture de pieux.
Il a mis pied à terre sous un charme
et il y a suspendu ses écus.
Les gens du château le voient.
La plupart d'entre eux étaient au désespoir
d'avoir dû renoncer au tournoi.
Mais il y avait un vieil arrière-vassal
dans le château, un homme avisé et craint de tous,
riche de terres et puissant de lignage.
Quoi qu'il pût dire
et quelle qu'en fût l'issue,
personne au château ne lui refusait sa confiance.
Il avait bien vu les nouveaux arrivants,
car on les lui avait montrés de loin,
avant même qu'ils fussent entrés dans l'enclos.

248 vb S'an ala parler a Tiebaut
4860   Et dit : « Sire, se Dex me saut,
        Je ai, mon escïent, veü
        Des conpaignons lo roi Artu
        Dos chevaliers qui ceienz vienent.
4864   Dui prodome molt grant leu tienent,
        Que neïs uns vaint un tornoi.
        Je loëroie endroit de moi
        Que vos vers lo tornoiemant
4868   Alesiez tot seüremant,
        Que vos avez bons chevaliers
        Et bons sergenz et bons archiers
        Qui lor chevaus lor ocirront,
4872   Et je sai bien que il saudront
        Torneier devant ceste porte.
        Se lor orguiaus les i aporte,
        Nos en avreien lo gaaig
4876   Et il la perte et lo mahaig. »
        Par lo consoil que cil dona
        Tiebauz a toz abendona
        Qu'il s'armassent et s'en isissent
4880   Trestuit armé cil qui vosissent.
        Or ont joie li chevalier,
        As armes corrent escuier
        Et as chevaus, si metent seles,
4884   Et les dames et les puceles
        Vont par les plus hauz leus seoir
        Por lo tornoiemant veoir,
        Et virent soz eles au plain
4888   Lo harnois mon seignor Gauvain.

4864. molt tost i vienent. 4865. Que un prodom vaut un t. 4867. vers vos.
4874. lor i a. 4876. perde. 4879. Que sa maisniee si s'en issent. 4887. Et
vinrent sor e.

4860. dist. 4872. vandront *(mais la leçon isolée de B est plus expressive).*

Il s'en vint parler à Thibaut
et il lui a dit : « Monseigneur, sur mon âme,
je viens de voir, à ma connaissance,
deux chevaliers, approchant d'ici,
qui font partie des compagnons du roi Arthur.
Deux hommes de valeur peuvent tenir une très grande place,
un seul même peut suffire pour remporter un tournoi !
Je vous conseillerais pour ma part
d'aller sans crainte
au-devant de ce tournoi,
car vous avez de bons chevaliers,
et aussi de bons soldats et de bons archers
qui leur tueront leurs chevaux.
Et je sais bien qu'ils feront assaut
pour engager le tournoi devant cette porte.
Si leur orgueil les y pousse,
c'est nous qui en aurons le gain
et eux la perte et le dommage. »
Sur le conseil que celui-ci a donné,
Thibaut a laissé la liberté
de s'armer et de faire une sortie
tout armés à ceux qui le voudraient.
Les chevaliers s'en font une joie.
Leurs écuyers courent aux armes
et aux chevaux, et mettent les selles.
Les dames et les jeunes filles
vont s'asseoir aux endroits les plus élevés,
pour bien voir le tournoi.
C'est alors qu'elles virent, en dessous d'elles, sur le plat,
l'équipage de monseigneur Gauvain.

249 ra Et cuiderent bien de premiers
        Qu'il [i] aüst .II. chevaliers,
        Por ce que deus escuz veoient
4892   Qui au chasne pandu estoient.
        Et dïent que bien sont monte[es]
        Et do veoir bon aüre[es],
        Que ces .II. chevaliers verront
4896   Qui devant eles s'armeront.
        Ensin les unes devisoient,
        Et de tes i ot qui disoient :
        « Dex, biaux sire ! cist chevaliers
4900   A tant hernois et tant destriers
        Qu'il en aüssent assez dui,
        Si n'a compaignon aviau lui.
        Que fera il de dos escuz ?
4904   Ainz chevaliers ne fu veüz
        Qui portast .II. escuz ensanble.
        Por ce grant merveille me sanble
        Se cil chevaliers qui est seus
4908   Porte ces escuz amedeus. »
        Que que celes ansin parloient,
        Et li chevalier an issoient,
        Et la fille Tiebaut l'ainznee
4912   Fu en la tor en haut montee,
        Qui lo tornoi avoit fait panre.
        Aviau l'ainznee fu la maindre,
        Qui si cointemant se vestoit
4916   De manches qu'apelee estoit
        La Pucele as Manches Petites,
        Qant es braz les avoit escrites.

4895. Qui.

4892. *Seul F a ici « charme » (carme).* 4894. Por veoir et buer furent nees
(*var. Q, cf. T*). 4906. *Var. AT contre tous les autres mss :* lor samble.
4908. Portera c. e. andeus. 4918. Qu'anz.

Elles pensèrent tout d'abord
qu'il y avait là deux chevaliers,
parce qu'elles voyaient deux écus
qui étaient suspendus au chêne.
Elles se disent qu'elles ont bien fait de monter
pour regarder et qu'elles sont nées avec de la chance,
car elles vont voir les deux chevaliers
s'armer sous leurs yeux.
Tels étaient les propos qu'échangeaient les unes,
mais il y en avait d'autres qui disaient :
« Doux Seigneur Dieu ! Le chevalier que voici
mène un tel équipage et tant de grands chevaux
qu'il y en aurait assez pour deux,
pourtant il n'a pas de compagnon avec lui.
Que va-t-il faire de deux écus ?
On n'a jamais vu de chevalier
porter deux écus à la fois !
Il y a bien lieu de s'émerveiller, je crois,
si ce chevalier qu'on voit seul
doit porter ces deux écus. »
Tandis qu'elles parlaient ainsi,
les chevaliers faisaient une sortie.
La fille aînée de Thibaut,
celle qui était à l'origine du tournoi,
était montée en haut de la tour.
Avec l'aînée se trouvait la cadette,
qui avait tant d'élégance aux manches
de son vêtement qu'elle était appelée
la Jeune Fille aux Petites Manches.
On les aurait dites peintes sur ses bras !

249 rb Aviau ces .II. filles Tiebaut
4920   Sont totes montees en haut
         Dames et puceles ensanble,
         Et li tornoiemanz assanble
         Devant lo chastel maintenant.
4924   Mais n'i ot nul si avenant
         Com Melïanz de Liz estoit,
         Tesmoig s'amie qui disoit
         As dames tot anviron li :
4928   « Dames, ainz voir ne m'abeli
         Nus chevaliers que je veïsse,
         Ne sai por coi vos en mentisse,
         Tant com fait Melïenz de Liz.
4932   Don n'est il solaz ne deliz
         De si bel chevalier veoir ?
         Cil doit bien sor cheval seoir
         Et l'anor de l'escu porter
4936   Qui si bel s'en set deporter. »
         Sa suer qui delez lui seoit
         Li dit que plus bel i avoit,
         Et cele an fu molt correciee,
4940   Et s'est por li ferir dreciee,
         Mais le[s] dames arrier la traient,
         Si la detienent et delaient
         Tant que cele ne l'adessa,
4944   Et molt duremant l'en pessa.
         Et li tornoiemanz commance,
         Ou ot brissiee mainte lance
         Et maint cop d'espee feru
4948   Et maint chevalier abatu.

4935. Et la lance et l'escu p. *La leçon de B est isolée : erreur de lecture*
(*cf.* lance) *ou bonne version ?* 4938. dist.

Avec les deux filles de Thibaut
sont montées toutes ensemble,
là-haut, dames et jeunes filles,
tandis qu'on se regroupe sans tarder
au pied du château pour le tournoi.
Mais il n'y avait pas de chevalier plus beau à voir
que Méliant de Lis,
au témoignage de son amie qui disait
aux dames tout autour d'elle :
« Mesdames, jamais, en vérité,
aucun chevalier que j'aie pu voir
ne m'a plu autant que le fait Méliant de Lis.
Et pourquoi vous en mentirais-je ?
N'est-ce pas un réconfort et un plaisir
que de voir un aussi beau chevalier ?
Il est bien à sa place en selle,
la lance et l'écu au poing,
l'homme qui sait en faire pareille fête ! »
Sa sœur, qui était assise à côté d'elle,
lui dit qu'il y en avait un de plus beau.
Elle s'est alors emportée de colère
et s'est levée pour la frapper,
mais les dames la tirent en arrière,
et la retiennent, l'espace d'un moment,
si bien qu'elle ne l'a pas touchée.
Mais ce fut bien à regret !
Et le tournoi commence.
Que de lances furent brisées,
que de coups d'épée, assenés,
et que de chevaliers, abattus !

249 va Mais sachiez que molt chier li coste
        Celui qui a Melïent joste,
        Que devant sa lance ne dure
4952 Nus qu'i[l] ne port a terre dure,
        Et se la lance li peçoie,
        Grant cop de l'espee i emploie,
        So fait mielz que tuit cil ne font
4956 Qui d'une part et d'autre sont.
        S'an a si grant joie s'amie
        Qu'ele ne se puet tenir mie,
        Et dit : « Dames, veez merveilles !
4960 Ainz ne veïstes les paroilles
        Ne mais n'en oïstes parler.
        Veez lo meillor bacheler
        Q'ainz mes veïssiez de voz iax,
4964 Qu'il est biax et si lo fait miax
        Que tuit cil qui sont au tornoi. »
        Et la petite dit : « Je croi,
        Ge i voi plus bel, se devient. »
4968 Et cele maintenant li vient
        Et dit comme enflamee et chaude :
        « Vos, garce, vos fustes si baude
        Que par vostre malavanture
4972 Ossastes nule creature
        Blasmer que j'aüsse loee ?
        Et tenez or ceste joee,
        Si vos en gardez autre foiz. »
4976 Lors la fiert si que toz les doiz
        Anz el vis li a seellez,
        Et les dames qui sont delez

4966-4967. Je voi / Plus bel et meillor.

Mais apprenez qu'il lui en coûte très cher
à celui qui s'affronte à Méliant,
car personne ne tient devant lui.
Sa lance leur fait vite connaître la dureté du sol
et, si elle se brise entre ses mains,
il y va à grands coups d'épée !
Il le fait mieux que tous,
qu'ils soient d'un camp ou de l'autre.
Son amie en a si grande joie
qu'elle ne peut pas s'empêcher
de dire : « Mesdames, quelle merveille !
Vous n'en avez jamais vu de pareille,
ni même entendu parler.
Voici de tous les jeunes le meilleur chevalier
que vous ayez jamais pu voir de vos yeux,
car il est beau et il le fait mieux
que tous ceux qui sont au tournoi. »
La petite dit alors : « J'en vois
un plus beau et un meilleur, peut-être. »
Et l'autre de fondre sur elle
et de lui dire, bouillant de colère :
« Petite garce, êtes-vous assez effrontée,
malheureuse que vous êtes,
pour avoir l'audace de blâmer
une créature dont je ferais l'éloge ?
Prenez donc cette gifle,
et gardez-vous-en une autre fois ! »
Et de la frapper si fort qu'elle lui a laissé
sur le visage la marque de tous ses doigts.
Les dames qui se tiennent à côté

249 vb L'an blasment molt et si li tolent,
4980   Et puis aprés si reparolent
        De mon seignor Gauvain antr'eles.
        « Dex ! fait l'une des damoiseles,
        Cil chevaliers desoz cel charme,
4984   Que atant il quant il ne s'arme ? »
        Une autre plus desmesuree
        Li dist : « Il a la pais juree »
        Et une autre li dist aprés :
4988   « Marcheanz est, no dites mes
        Qu'il doie a torneier entandre.
        Toz ces chevaus maine il por vandre.
        — Ainz est changierres, fait la quarte,
4992   Il n'a talant que il departe
        As povres chevaliers ancui
        Ses armes qu'il a aviau lui.
        Ne cuidez pas que je vos mante,
4996   C'est monoie ou vaiselemante
        An ces forrés et an ces males.
        — Molt par avez les langues males,
        Fait la petite, et s'avez tort.
5000   Cuidez vos que marcheanz port
        Si grosses lances con cil porte ?
        Certes, molt m'en avez hui morte
        Qui tel deiablie avez dite.
5004   Foi que je doi Saint Esperite,
        Il samble miauz tornoieeur
        Que marcheant ne changeor,

5001. *Sur deux lignes.* **5005.** *Sur deux lignes.*

4994. Cel avoir qu'il porte avec lui. **4998.** Voir trop a.

l'en blâment vivement et lui arrachent la petite.
Puis elles se remettent à parler
entre elles de monseigneur Gauvain.
« Mon Dieu ! fait l'une des demoiselles,
mais qu'attend-il pour s'armer,
ce chevalier là-bas, sous le charme ? »
Une autre, moins réservée,
lui a dit : « Sans doute a-t-il juré la paix ! »
et une autre d'ajouter :
« C'est un marchand ! N'allez plus dire
qu'il doit avoir en tête de faire le tournoi !
Tous ces chevaux, il les mène vendre.
— Mais non ! C'est un changeur ! dit la quatrième.
Et il n'est pas du tout enclin à donner
aujourd'hui aux chevaliers pauvres
leur part des biens qu'il transporte avec lui.
Sans mentir, vous pouvez m'en croire,
c'est de l'argent et de la vaisselle
qu'il y a dans ces sacs et dans ces malles.
— Vous n'êtes vraiment que de mauvaises langues,
fait la petite, et vous avez tort.
Croyez-vous un marchand capable
de porter d'aussi grosses lances que les siennes ?
C'est le diable qui vous souffle ces propos
et, de les entendre, c'est bien ce qui me tue.
Par l'Esprit Saint en qui je crois,
il ressemble plus à un homme de tournoi
qu'à un marchand ou à un changeur !

250 ra Chevaliers est, et bien lo samble.'
5008 Et totes les dames ensamble
Li dient : « Por ce, bele amie,
S'i[l] lo samble, ne l'est il mie,
Mais il lo se fait resanbler
5012 Por ce que ansin cuide anbler
Les costumes et les pasaiges.
Fox est, [et] si cuide estre saiges,
Que par cel san sera repris
5016 Comme lerre an autrui païs
De larrecin vilain et fol,
Si en avra la art ou col. »
Mes sire Gauvains cleremant
5020 Ot ces renpones et entant
Que les dames dïent de lui.
S'an a grant honte et grant anui,
Mais il panse, si a raison,
5024 Q'an l'apele de traïsson,
S'estuet que desfandre s'en aille,
Que s'i[l] n'aloit a la bataille
Ensin com il a covenant,
5028 Il avroit soi honi avant
Et puis son lignaige trestuit,
Et por ce qu'i[l] ert en reduit
Qu'il ne fust afolez et pris,
5032 Ne s'et do tornoi antremis,
Et s'en a il molt grant talant,
Que il voit lo tornoiemant
Qui toz jorz aforce et amande.
5036 Et Melïanz de Liz demande

5016. lerres. 5019. arramant. 5022. S'an ai. 5030. que iert. 5032. Si s'et.
5034. De veoir.

5015-5016. sera il pris / Come l. atainz et repris.

C'est un chevalier, il en a tout l'air. »
Et toutes les dames en chœur
de lui répondre : « Ma jolie amie,
s'il en a tout l'air, il n'est pas dit qu'il le soit !
Mais il s'en donne l'apparence,
pensant ainsi frauder
les impôts coutumiers et les droits de passage.
Il se croit bien fin, mais c'est un sot,
car cette finesse lui vaudra d'être arrêté
comme un voleur pris sur le fait et convaincu
de fol et honteux larcin.
Il en aura la corde au cou ! »
Monseigneur Gauvain entend
distinctement ces moqueries, en écoutant
ce que les dames disent de lui.
Il en est plein de honte et de contrariété,
mais il pense, avec juste raison,
qu'il est accusé de trahison
et qu'il a pour devoir d'aller s'en défendre,
car s'il n'allait à cette bataille
qui a été convenue,
ce serait un déshonneur pour lui, d'abord,
et, ensuite, pour son lignage tout entier.
Et comme il avait à craindre
d'y être blessé ou retenu prisonnier,
il ne prend pas part au tournoi.
Ce n'est pourtant pas l'envie qui lui manque,
quand il voit le tournoi
gagner sans cesse en force et en valeur.
Voici que Méliant de Lis réclame

250 rb Grosses lances por mielz ferir.
Tote jor jusqu'a l'anserir
Fu li tornoiz devant la porte.
5040 Qui gaaig i fist, si l'en porte
La o mielz lo cuide avoir sauf.
Un escuier molt grant et chauf
Voient les dames, qui tenoit
5044 Un tros de lance, et si portoit
Une testiere sor son col.
Une des dames nice et fol
Tantost l'apele, et si li dist :
5048 « Danz escuiers, se Dex m'aïst,
Molt estes or fos estapez,
Qant vos an cele presse hapez
Ces fers de lances et ces testieres
5052 Et ces retros et ces cropieres,
Si vos faites estoteier.
Qui ci s'anbat, molt s'a po chier,
Et je voi ci molt pres de vos
5056 En cest pré qui est desoz nos
L'avoir sanz garde et sanz desfanse.
Fox est qui a son preu ne panse
Demantres que il lo puet faire.
5060 Or veez lo plus debonaire
Chevalier qui onques fust nez !
Que qui li avroit toz plumez
Les grenons ne se movroit il.
5064 Or n'aiez pas lo gaaig vil !
Mais prenez, si feroiz savoir,
Tot lo hernois et tot l'avoir,

5046-5047. Les dames lo tienent por fol / T. l'apelent et li dist. **5048.** so D. t'aïst. **5049.** M. es ore. **5050-5051.** alez / Por f. de l. et de t. **5052.** Et por r. de ces c. **5053.** faistes. **5065.** si feras.

5053. buen escuier (*la leçon de BH, « rudoyer », est de sens plus facile. Cf. S,* houpignier ; *CR,* desachier).

de grosses lances pour frapper plus fort.
Toute la journée jusqu'à la tombée du soir,
le tournoi s'est tenu devant la porte.
Qui a fait des gains les emporte
là où il les croit le mieux en sûreté.
Un grand écuyer, qui était chauve,
est aperçu par les dames. Il avait à la main
un tronçon de lance et portait,
suspendue à son cou, une têtière.
Une des dames le traite aussitôt
de nigaud et de sot, en lui disant :
« Dieu me pardonne, monsieur l'écuyer,
mais vous êtes vraiment un fieffé sot
d'aller parmi la foule attraper
des fers et des tronçons de lance,
des têtières et des croupières,
en jouant les bons écuyers.
Se jeter là-dedans, c'est faire peu de cas de sa vie !
En revanche, je vois ici même tout près de vous,
dans ce pré qui est au-dessous de nous,
des biens laissés sans garde ni défense.
Bien fou celui qui ne pense à son intérêt,
quand il en a l'occasion !
Regardez là le chevalier
le plus débonnaire qui soit jamais né.
On lui plumerait les moustaches
qu'il ne bougerait pas !
Allons ! ne méprisez pas le gain !
Prenez-moi, vous ferez bien,
tout cet attirail, toute cette fortune !

250 va Que ja nul no vos desfandra.'
5068   Maintenant cil el pré entra
        Et si feri un des chevaus
        De son tronçon et dit : « Vasaus,
        Don n'estes vos sains et haitiez,
5072   Qant tote jor ici gaitiez
        Ne nule rien n'i avez faite,
        Escu troé ne lance fraite?
        — Di va! fait il, a toi que tient?
5076   L'acheison por coi il remaint
        Espoir savras tu bien ancore,
        Mais par mon chief ce n'iert pas ore,
        Que dire no te deigneroie.
5080   Or fui de ci et va ta voie,
        Et si va faire ta besoigne ! »
        Maintenant cil de lui s'esloigne,
        Ne ne fust tes que il ossast
5084   Faire rien qui li enuiast.
        Et li tornoiemanz remaint,
        Mais chevalier i ot pris maint
        Et maint cheval i ot ocis,
5088   S'an orent cil defors lo pris,
        Et cil dedanz i gaaignerent,
        Et au partir refiencerent
        Que l'andemain rasanbleront
5092   El champ, et si tornoieront.
        Ensin departirent la nuit,
        Puis rentrerent el chastel tuit
        Cil qui en estoient issu.
5096   Et mes sire Gauvains refu,

_____

5067. desfandrai (*cf. v. 5022*, s'an ai : a *pour* ai *et inversement, pour cause de scripta bourguignonne*). **5084.** quil. **5086.** Maint ch.

_____

5070. dist. **5076.** *T et A* (La chose) *sont ici inférieurs à B.* **5083.** fu. **5084.** Parler de rien qui li grevast.

Il n'y a personne pour vous l'interdire. »
Aussitôt il est entré dans le pré,
et, frappant l'un des chevaux
avec son bout de bois, il s'écrie : « Hé ! l'homme !
Etes-vous malade ou bien chagrin
pour rester là toute la journée à faire le guet,
sans rien faire d'autre,
sans avoir troué d'écu ni rompu de lance ?
— Allons ! répond-il, que t'importe ?
Le motif pour lequel les choses en restent là,
tu auras bien encore le temps de l'apprendre,
mais, sur ma tête, ce ne sera pas aujourd'hui,
que je vais daigner te le dire.
Va-t'en d'ici et suis ton chemin,
occupe-toi de tes affaires ! »
L'autre s'éloigne aussitôt.
Il n'était pas homme à oser plus
l'importuner en paroles.
Le tournoi a cessé.
Nombreux furent les chevaliers faits prisonniers,
et nombreux, les chevaux tués.
Ceux du dehors en ont eu l'honneur,
mais ceux du dedans y firent des gains.
En se séparant, on convint de part et d'autre
de reprendre la mêlée le lendemain,
dans le champ, et de poursuivre le tournoi.
Ainsi se sont-ils séparés, la nuit venue,
tandis que sont rentrés au château
tous ceux qui en étaient sortis,
avec, à son tour, monseigneur Gauvain,

250 vb Qui aprés la rote i entra,
       Et devant la porte trova
       Lo prodome, lo vavasor,
5100   Qui le consoil a son seignor
       Dona do tornoi commancier,
       Si lo pria por esbergier
       Molt debonairement et bel
5104   Et dit : « Biaux sire, an ce chastel
       Est vostre ostés toz atornez.
       Se vos plaist, huimés sejornez,
       Que, se vos avant aleiez,
5108   Huimés bon ostel n'avreiez.
       Por ce de remenoir vos pri.
       — Je remenrai, vostre merci,
       Fait mes sire Gauvains, biax sire,
5112   Que j'ai oï assez pis dire. »
       Li vavasors a son ostel
       L'en maine, parlant d'un et d'el,
       Et li demande que devoit
5116   Que lo jor avoc aus n'avoit
       Armes portees au tornoi.
       Et il li dit tot lo por coi,
       Q'an l'apele de traïsson,
5120   Si se doit garder de prison
       Et son cors salver sanz malmetre
       Tant que il se puisse fors metre
       Do blasme que li est amis,
5124   Que lui et trestoz ses amis
       Porroit onir por sa demore,
       S'il ne pooit venir a l'ore

5106. Si. 5112. plus d. 5120. Si me doi. 5124. Por lui.

5098. ancontra. 5104. dist. 5121. Et de lui blecier et m.

qui y est entré à la suite de la troupe.
Devant la porte, il a rencontré
l'homme sage, l'arrière-vassal
qui a donné à son seigneur le conseil
de commencer le tournoi.
Et lui, avec bienveillance et dans les formes,
l'a prié d'être son hôte,
en lui disant : « Cher seigneur, dans cette ville,
un endroit est déjà prêt pour vous loger.
S'il vous plaît, prenez chez nous votre séjour pour le temps
car si vous alliez plus avant,   [qui reste,
vous ne trouveriez pas aujourd'hui où bien vous loger.
Demeurez donc avec nous, je vous en prie.
— Je resterai et je vous en remercie,
mon cher seigneur, lui dit monseigneur Gauvain,
car je me suis entendu dire bien pis ! »
L'arrière-vassal l'emmène
à son logis, tout en lui parlant de choses et d'autres,
puis il lui demande ce que signifiait
qu'il n'ait pas pris les armes avec eux,
ce même jour, pour le tournoi.
Il lui en dit toute la raison :
il est accusé de trahison
et doit se garder d'être fait prisonnier,
d'être blessé et mis à mal,
jusqu'à ce qu'il puisse être lavé
du blâme dont on le charge,
car il risquerait le déshonneur
pour lui-même et pour tous ses amis,
s'il tardait et qu'il ne pût venir, au jour fixé,

251 ra A la bataille que prisse a.
5128　Li vavasors molt l'en prissa
　　　　Et dit que bon gré l'en savoit :
　　　　Se il por ce laissié l'avoit
　　　　Lo tornoi, il ot bien raisson.
5132　Ensin l'en maine en sa maison
　　　　Li vavasors, et si descendent.
　　　　Et les genz de la cort antandent
　　　　A lui encusser duremant,
5136　Si en tienent grant parlemant
　　　　Commant li sire panre l'aille.
　　　　Et s'ainznee fille travaille
　　　　De quant que ele puet et set
5140　Por sa seror que ele het :
　　　　« Sire, fait ele, jo sai bien
　　　　Que vos n'avez hui perdu rien,
　　　　Ainz cuit que guaaignié avez
5144　Assez plus que vos ne savez,
　　　　Et si vos diré bien commant.
　　　　Ja mar feroiz que solemant
　　　　Commander que l'en l'aille panre.
5148　Ja cil ne l'ossera desfandre
　　　　Qui l'a amené en la vile.
　　　　Il sert de molt malveise guile,
　　　　Escuz et lances fait porter
5152　Et chevax an destre mener
　　　　Et ensin les costumes amble
　　　　Por ce que chevalier resamble.
　　　　Il se fait franc en ceste guise
5156　Qant il vet an marcheandise.

5136. Si en mainent lor p.

5127. qu'enprise a. **5129.** dist. **5150.** Qu'il.

pour le combat auquel il s'est engagé.
L'arrière-vassal l'en a davantage estimé
et lui a dit son approbation :
s'il avait pour cela renoncé
au tournoi, il avait eu pleinement raison.
Ainsi l'arrière-vassal l'emmène-t-il
jusque chez lui. Ils mettent alors pied à terre.
Cependant, les gens de la cour sont tout occupés
à porter contre lui les plus dures accusations,
et ils se sont réunis en grand conseil
pour voir comment leur seigneur devrait aller l'arrêter.
Par haine pour sa sœur,
sa fille aînée s'y emploie
et s'y ingénie de tout son pouvoir.
« Monseigneur, fait-elle, ce que je sais,
c'est qu'aujourd'hui pour vous rien n'a été perdu,
je crois même que vous avez fait un gain
beaucoup plus grand que vous ne pouvez le savoir,
et je vais vous dire de quelle façon.
La seule chose à faire, car vous auriez tort d'agir autrement,
c'est d'ordonner qu'on aille l'arrêter.
Jamais n'osera prendre sa défense
celui qui l'a conduit dans la ville,
car il use d'une indigne tromperie,
en faisant transporter des écus et des lances
et mener des chevaux par la bride.
Il fraude ainsi les impôts coutumiers,
en ressemblant à un chevalier.
De cette manière il se fait exempt de taxe,
alors qu'il va vendre sa marchandise.

251 rb   Mais or l'an randez la deserte.
          Il est chiés Garin, lo fil Berte,
          A l'ostel, que esbergé l'a.
5160   Par ci orandroit s'en ala,
          Que jo vi que il l'en menoit. »
          Tot ensin cele se penoit
          Qu'ele li poïst faire honte.
5164   Et li sire maintenant monte,
          Qu'il meïsmes aler i viaut.
          Tot droit vers la maison s'aquiaut
          Ou mes sire Gauvains estoit.
5168   Qant sa petite fille voit
          Que il i va en tel meniere,
          Si s'en ist parmi l'uis darriere,
          Qu'ele n'a soig que nus la voie,
5172   Et va molt tost et droite voie
          A l'ostel mon seignor Gauvain
          Chiés dan Garin, lo fil Bertain,
          Qui avoit .II. filles molt beles.
5176   Et quant ce virent les puceles
          Que lor petite dame vient,
          Joie faire lor an covient,
          Et si font eles sanz faintise.
5180   Chascune l'a par la main prisse,
          Si l'en maine[nt] joie faisant,
          Les iax et la boche baissant.
          Mais remontez fu dans Garins,
5184   Qui n'estoit povres ne frarins,
          Et ses filz estoit aviau lui,
          Si s'en aloient amedui

_____

_____

5163. li feïst f. **5170.** par un huis d. **5176.** voient. **5185.** Et ses f. Bertranz a. lui.

Rendez-lui maintenant ce qu'il mérite.
Il est chez Garin, le fils de Berthe,
qui l'a hébergé dans sa demeure.
Il est passé par ici tout à l'heure,
et j'ai bien vu qu'il l'emmenait. »
Ainsi se mettait-elle fort en peine
de rechercher sa honte.
Le seigneur monte aussitôt à cheval,
car il entend y aller lui-même.
Il se dirige tout droit vers la maison
où était monseigneur Gauvain.
Quand sa plus jeune fille le voit
partir de la sorte,
elle s'échappe par une porte de derrière,
car elle ne cherche pas à ce qu'on la voie,
et elle se hâte par le plus court chemin,
jusqu'à l'endroit où était logé monseigneur Gauvain,
chez le seigneur Garin, le fils de Berthe,
lequel avait deux filles très belles.
Quand les jeunes filles s'aperçoivent
de la venue de leur petite maîtresse,
elles se doivent de montrer leur joie
et elles le font spontanément.
Chacune d'elles l'a prise par la main
et elles l'emmènent, toutes joyeuses,
lui baisant les yeux et la bouche.
Mais le seigneur Garin, un homme ni démuni ni médiocre,
est remonté à cheval,
accompagné de Bertrand, son fils,
et tous les deux s'en allaient

251va A la cort si com il soloient,
5188 C'a lor seignor parler voloient.
     Si l'encontrent ami la rue,
     Et li vavasors lo salue,
     Si li demande o il aloit,
5192 Et il li dist qu'il s'en voloit
     En sa maison aler deduire.
     « Par foi, ce ne me doit pas nuire,
     Fait dans Garins, ne desseoir,
5196 Et vos i porrez ja veoir
     Lo plus bel chevalier de terre.
     — Par foi, ce ne vois je pas querre,
     Fait li sires, ainz lo vois panre.
5200 Marcheanz est, si maine vandre
     Chevaus, et chevaliers se fait.
     — Avoi ! Ci a trop vilain plait,
     Fait Guarins, que je vos oi dire.
5204 Je sui vostre hom et vos mes sire,
     Mais je vos rant ci vostre homaige.
     De moi et de tot mon linaige
     Vos desfi ci tot maintenant,
5208 Ainz que cetui desavenant
     Faire en mon ostel vos soffrise.
     — Ainz n'oi talant que jel feïsse,
     Fait li sire, si m'aïst Dex,
5212 Ne vostre ostex n'est mie tex
     N'avra ja s'enor non par moi,
     Non pas por ce, en moie foi,
     Que il ne m'ait molt bien esté
5216 Conseillié et amonesté.

_____

5203. vos os d. **5206.** son l.

_____

5212. Ne vostre ostes ne vostre ostex.

à la cour, comme ils en avaient l'habitude,
dans l'intention de parler à leur seigneur.
Ils le rencontrent au milieu de la rue.
L'arrière-vassal le salue
et lui demande où il allait.
L'autre lui a dit qu'il cherchait
à venir chez lui pour passer un bon moment.
« Ma foi, ce n'est pas me faire du tort,
dit le seigneur Garin, et ce n'est pas pour me déplaire.
Vous pourrez justement y voir
le plus beau chevalier de la terre.
— Ma parole, ce n'est pas cela que je cherche,
répond le seigneur, mais je vais pour l'arrêter.
C'est un marchand et il mène vendre
des chevaux, en se faisant passer pour chevalier.
— Ah non ! Ce sont d'indignes paroles
que je vous entends dire, fait Garin.
Je suis votre vassal et vous êtes mon seigneur,
mais je vous rends ici même votre hommage.
Pour moi-même et pour tout mon lignage,
je me délie sur l'heure de ma foi envers vous,
plutôt que de vous permettre chez moi
une telle déloyauté.
— Mais il n'a jamais été dans mon intention de le faire,
répond le seigneur, Dieu m'en soit témoin !
Votre hôte comme votre demeure
ne recevront jamais autre chose de moi que des marques
Non pas, toutefois, je peux vous le dire,[d'honneur.
qu'on ne m'ait très fortement
incité et exhorté à le faire !

251 vb — Granz merciz, fait li vavasors,
       Et si m'et il molt granz enors
       Que vos venrez veoir mon oste. »
5220 Li uns delez l'autre s'acoste
       Tot maintenant et si s'en vont
       Tant que a l'ostel venu sont
       Ou mes sire Gauvains estoit.
5224 Qant mes sire Gauvains les voit,
       Qui molt estoit bien ensaigniez,
       Si se lieve et dit : « Bien vaigniez ! »
       Et il lo saluent andui,
5228 Puis si s'asieent delez lui.
       Lors li a li prodom enquis,
       Qui estoit sires do païs,
       Por coi s'estoit lo jor tenuz,
5232 Puis qu'au tornoi estoit venuz,
       Que il n'i avoit torneié.
       Et il ne li a pas noié
       Qu[e] il n'i aüst lait ne honte,
5236 Mais tote voie après li conte
       Que de traïsson l'apeloit
       Uns chevaliers, si s'en aloit
       Desfandre an une cort reial.
5240 « Acoison aüstes leial,
       Fait li sire, sanz nule faille.
       Mais ou sera ceste bataille ?
       — Sire, fait il, devant lo roi
5244 D'Escavalon aler en doi,
       Et je i vois bien droit, ce cuit.
       — Et je vos liverrai conduit,

_____

5228. amedui. **5231.** Por coi il n'a.

_____

5218. Et ce m'iert ja.

— Grand merci, dit l'arrière-vassal,
ce sera un très grand honneur pour moi
que vous rendiez visite à mon hôte. »
Ils se mettent de compagnie
aussitôt et ils s'en vont
jusqu'à ce qu'ils arrivent à l'endroit
où monseigneur Gauvain était logé.
Quand monseigneur Gauvain les voit,
en homme bien appris
il se lève, en leur souhaitant la bienvenue.
Les deux autres le saluent,
puis s'assoient à côté de lui.
Le vaillant homme qui était le seigneur du pays
lui a alors demandé
pourquoi il s'était abstenu tout le jour,
après être venu à ce tournoi,
de prendre part aux combats.
Il ne lui a pas nié en réponse
qu'il n'y ait eu là quelque chose de honteux et de déplaisant,
mais toutefois il lui raconte ensuite
qu'il était accusé de trahison
par un chevalier et qu'il allait
s'en défendre devant une cour royale.
« Vous aviez là une raison légitime,
fait le seigneur, sans aucun doute.
Mais où se tiendra le combat ?
— Monseigneur, dit-il, c'est devant le roi
d'Escavalon que je dois aller,
et j'y vais en droite ligne, je crois.
— Eh bien, je vais vous donner une escorte

252 ra Fait li sires, qui vos manra.
5248　Et por ce qu'il vos covenra
　　　Par molt povre terre passer,
　　　Vos donrai vitaille a porter
　　　Et chevaus qui la porteront. »
5252　Et mes sire Gauvains respont
　　　Qu'il n'a nul mestier do panre,
　　　Que s'an lo puet trover a vandre,
　　　Il avra a planté vitaille
5256　Et bons ostex, quel part il aille,
　　　Et tot quant que mestiers li ert.
　　　Por ce do suen noiant ne quiert.
　　　A cest mot li sires s'en part.
5260　Au partir vit de l'autre part
　　　Sa petite fille venant,
　　　Qui par la jambe maintenant
　　　Mon seignor Gauvain enbraça
5264　Et dit : « Biax sire, entandez ça,
　　　C'a vos clamer me sui venue
　　　De ma seror qui m'a batue.
　　　Si m'en faites droit, se vos plest. »
5268　Et mes sire Gauvains se teist,
　　　Qu'il ne savoit que ele dist,
　　　Mes sa main sor le chief li mist.
　　　Et la damoisele le tire
5272　Et dit : « A vos di je, biax sire,
　　　Qu'a vos de ma seror me claim,
　　　Que je n'ai chiere ne ne l'ain,
　　　Qui por vos m'a hui fait grant honte.
5276　— A moi, fait il, bele, que monte ?

5267. faistes. **5270-5271.** Et mes sire Gauvains li mist / Sa main sor lui, ele li tire. **5272.** sui je. **5273.** De ma seror clamer.

5264. dist. **5269.** cui ele d. **5275.** Que. *Var. A* : por po *(« pour peu de chose »).*

pour vous y conduire, dit le seigneur,
et comme vous aurez
des terres bien pauvres à traverser,
je vais vous donner des vivres pour le transport
et des chevaux pour les porter. »
Monseigneur Gauvain répond
qu'il n'a aucun besoin d'en prendre,
car, si on peut en trouver à vendre,
il aura à suffisance des vivres
et un bon gîte, où qu'il aille,
ainsi que tout ce dont il aura besoin.
Ainsi ne veut-il rien de ce qui est à lui.
Sur ces mots, le seigneur le quitte,
mais, en partant, il a vu de l'autre côté
sa plus jeune fille arriver.
Elle est aussitôt venue à monseigneur Gauvain
et, tenant ses genoux embrassés,
elle lui a dit : « Cher seigneur, écoutez-moi !
c'est à vous que je suis venue me plaindre
de ma sœur qui m'a battue.
Faites-m'en justice, s'il vous plaît. »
Monseigneur Gauvain se tait,
ne sachant pas à qui elle s'adresse,
mais il lui a posé sa main sur la tête.
Elle, cependant, le tire à elle
et lui dit : « C'est à vous que je dis, mon cher seigneur,
que je me plains de ma sœur,
elle que je n'aime pas, que je déteste,
car, à cause de vous, j'ai reçu d'elle aujourd'hui une grande
                                                    [honte.
— Mais, ma jolie, fait-il, en quoi cela me touche-t-il ?

252rb Quel droit faire vos an puis gié?'
      Li prodom, qui ot pris congié,
      Ot ce que sa fille demande
5280 Et dit : « Fille, qui vos commande
      Venir clamer as chevaliers ? »
      Et Gauvains dit : « Biax sire chiers,
      Est ele vostre fille donques ?
5284 — Oïl, mais ne vos an chaille onques,
      Fait li sire, de sa parole.
      Enfes est, nice chosse et fole.
      — Certes, fait mes sire Gauvains,
5288 Don seroie je trop vilains
      Se sa volanté ne faissoie.
      Dites moi, fait il, tote voie,
      Mes anfes dox et debonaire,
5292 Quel droit je vos porroie faire
      De vostre seror et commant ?
      — Sire, demain tant solemant,
      Se vos plaist, por amor de moi,
5296 Porterez armes au tornoi.
      — Dites moi donc, amie chiere,
      S'onques mes feïstes priere
      A chevalier por nul besoig ?
5300 — Nenil, sire. — N'en aiez soig,
      Fait li pere, que qu'ele die,
      N'antandez pas a sa folie. »
      Et mes sire Gauvains li dist :
5304 « Sire, se Damedex m'aïst,
      Ainz en a bone enfance dite
      Come pucele si petite,

_____

5277. gei.

_____

Quel droit voulez-vous que je vous en fasse ? »
Le vaillant homme qui avait pris congé
entend ce que demande sa fille
et il lui dit : « Ma fille, qui vous a commandé
de venir vous plaindre à des chevaliers ? »
Gauvain dit alors : « Mon doux et cher seigneur,
est-elle donc votre fille ?
— Oui, mais ne vous préoccupez pas
de ce qu'elle dit, répond le seigneur.
C'est une enfant, tout ignorante, un être sans raison.
— En vérité, fait monseigneur Gauvain,
ce serait bien grossier de ma part
de ne pas consentir à ce qu'elle désire.
Dites-moi toutefois, fait-il,
ma douce et bonne enfant,
quel droit pourrais-je vous faire
de votre sœur et comment ?
— Monseigneur, qu'il vous suffise demain seulement,
s'il vous plaît, pour l'amour de moi,
de porter les armes au tournoi.
— Dites-moi donc, ma douce amie,
si vous avez jamais fait prière
à un chevalier pour une aide quelconque.
— Que non, monseigneur ! — Ne vous inquiétez pas
de tout ce qu'elle peut dire, fait le père.
Ne prêtez pas attention à ces folies ! »
Mais monseigneur Gauvain lui a dit :
« Dieu me pardonne, monseigneur,
mais quel joli mot d'enfant
de la part d'une petite fille encore si petite !

252 va Ne ja ne l'am refuserai,
5308 Mais quant li plaist, demain serai
      Une piece ses chevaliers.
      — Vostre merci, biax sire chiers ! »
      Fait cele qui tel joie en a
5312 Que jusqu'au pié li enclina.
      Atant departent sanz plus dire.
      Sa fille en reporte li sire
      Sor lo col de son palefroi
5316 Et si li demande por coi
      Cele tançons estoit montee,
      Et cele li a bien contee
      La verité de chief en chief,
5320 Et dit : « Sire, il m'estoit molt grief
      De ma seror qui tesmoignoit
      Que Melïanz de Liz estoit
      [Li] mieldre et li plus biax de toz,
5324 Et je avoie la desoz
      El pré veü cel chevalier,
      Et je ne poi mie laissier
      Que ancontre ne li deïsse
5328 Que plus bel de lui i veïsse,
      Et por ce ma suer m'apela
      Fole garce et eschevela
      Et daez ait cui ce est bel !
5332 Les treces jusqu'au haterel
      Andeus tranchier me laisseroie,
      Don molt empireie seroie,
      Par covent que demain el jor
5336 Cil chevaliers ami l'estor

5323. Mieldres. 5330. rampona *(hypométrique).*

5320. dist. 5330. *Les mss varient beaucoup sur la fin du vers. Noter la var. de T* : si me pila *(« elle me rossa »).*

Je ne lui opposerai pas de refus,
mais, puisqu'elle le souhaite, demain je serai
pour un temps son chevalier.
— Soyez-en remercié, cher et doux seigneur ! »
dit-elle, si joyeuse
qu'elle s'est inclinée devant lui jusqu'à terre.
Ils se séparent alors sans plus de paroles.
Le seigneur ramène sa fille,
assise sur l'encolure de son palefroi,
et il lui demande à propos de quoi
s'était élevée cette dispute.
Elle lui a bien raconté
de bout en bout la vérité,
et elle lui a dit : « Monseigneur, il m'était pénible
d'entendre ma sœur affirmer
que Méliant de Lis était
le meilleur et le plus beau de tous.
Or, j'avais vu en dessous
là-bas, dans le pré, ce chevalier,
et je ne pus m'empêcher
de la contredire, en lui déclarant
que j'en voyais un plus beau que le sien !
Voilà pourquoi ma sœur m'a traitée
de folle petite garce, en m'arrachant les cheveux.
Malheur à qui s'en réjouit !
J'accepterais plutôt qu'on me coupât.
au ras de la nuque mes deux tresses,
quitte à en être très enlaidie,
s'il le fallait pour que demain au grand jour
ce chevalier, au beau milieu de la bataille,

252 vb Abatist Melïenz de Liz.
      Adonc seroit chaoiz li criz
      Que ma dame de suer en fait.
5340 Si en a hui tenu grant plait
      Qu'a totes les dames anuie,
      Mais granz vanz chiet a po de pluie.
      — Bele fille, fait li prodom,
5344 Je vos commant et abandom,
      Por ce qu'il sera cortoisie,
      Que vos aucune druerie
      Li envoiez, ou manche o guimple. »
5348 Et cele dit, qui molt fu simple :
      « Molt volantiers, quant vos lo dites,
      Mais mes manches sont si petites
      Q'anvoier ne li osseroie.
5352 Espoir se je li envoioie,
      Il ne la prisseroit ja rien.
      — Fille, j'em panserai molt bien,
      Fait li peres. Or vos taissiez,
5356 Que molt an sui bien aaissiez. »
      Ensin parlant antre ses braz
      L'en porte, s'en a grant solaz
      De ce que il l'acole et tient,
5360 Tant que devant son palais vient,
      Et quant l'autre lo vit venir
      Et cele devant lui tenir,
      S'an ot grant anui a son cuer
5364 Et dit : « Sire, don vient ma suer,
      La Pucele as Petites Manches ?
      Assez set de torz et de ganches,

5338. chaoir. **5365.** puceles.

5348. dist. **5364.** dist. **5366.** Ja set molt.

abattît Méliant de Lis !
C'en serait bien fini de tout le cas
qu'en fait à grands cris madame ma sœur !
Elle en a tenu aujourd'hui même tant de discours
qu'elle a importuné toutes les dames.
Mais petite pluie abat grand vent !
— Ma fille jolie, dit le vaillant homme,
je vous commande et je vous permets,
ce sera de bonne courtoisie de le faire,
que vous lui fassiez tenir une faveur,
votre manche par exemple ou votre guimpe. »
Elle lui a répondu, avec sa franchise :
« C'est bien volontiers, puisque vous le dites,
mais j'ai de si petites manches
que je n'oserais pas lui en envoyer une,
et, même si je le faisais, je risquerais
qu'il la tienne en complet mépris.
— Ma fille, j'y aviserai bien,
fait le père. N'en parlez plus,
car j'en ai largement à disposition. »
Tout en parlant ainsi, il l'emporte
entre ses bras, avec la joie au cœur
de la tenir embrassée contre lui.
Il arrive enfin devant son palais.
Mais quand l'autre le vit venir
en tenant tout contre lui sa sœur,
elle en fut mortifiée au fond d'elle-même,
et elle lui a dit : « Monseigneur, d'où revient ma sœur,
la Jeune Fille aux Petites Manches ?
Elle en connaît un bout, en matière de ruses et de tours,

253 ra Mout s'i est ja tost atornee.
5368   Sire, don l'avez aportee?
         — Et vos, fait il, qu'en volez faire?
       Vos vos an deüssiez bien taire,
       Qu'ele vaut mielz que vos ne faites,
5372   Et ses treces li avez traites,
       Et batue, dom molt me poise.
       N'avez mie fait que cortoise. »
       Lors fu cele molt desconfite
5376   Por son pere qui li ot dite
       Ceste rampone, cest afit.
       Et il fait un vermoil samit
       D'un sien cofre maintenant traire,
5380   Si en a fait taillier et faire
       Une mange molt longue et lee,
       Et si l'a sa fille baillee,
       Si li dist : « Fille, or vos levez
5384   Demain matin et si alez
       Au chevalier, ainz qu'i[l] se moeve.
       Por amor ceste manche noeve
       Li donroiz. Quant il i era
5388   Au tornoi, si la portera. »
       Et cele respont a son pere
       Qu'aluec que verra l'aube clere
       Iert ele son voel esveilliee
5392   [Et] levee et apareilliee.
       Li pere s'en part a ce mot,
       Et cele qui molt grant joie ot
       A totes ses compagnes crie
5396   Que eles ne li laissent mie

5383. sire. 5395. ces c.

5367. aprestee. 5382. a sa fille apelee. 5387-5388. Si la portera / Au t. quant il i ira. 5395. prie.

elle n'a pas attendu pour s'y mettre !
Monseigneur, d'où la ramenez-vous ?
— Et pour vous, fait-il, quelle importance ?
Là-dessus, vous feriez bien de vous taire,
car elle vaut mieux que vous.
Vous l'avez tirée par les tresses
et vous l'avez battue, j'en suis très mécontent.
Vous ne vous êtes pas comportée en femme courtoise. »
Là voilà tout anéantie
par cette remarque cinglante, cet affront
que lui a fait son père.
Maintenant il fait sortir de l'un de ses coffres
un satin vermeil,
il y fait tailler et confectionner
une longue et large manche,
puis il a appelé sa fille
et il lui a dit : « Ma fille, levez-vous
demain, dès le matin, et allez
au chevalier, avant qu'il ne sorte.
Donnez-lui cette manche neuve
par amour. Il la portera
au tournoi, quand il s'y rendra. »
Et elle répond à son père
que dès l'instant où elle verra la clarté de l'aube,
elle ne manquera pas d'être réveillée,
levée et toute prête.
Son père la quitte sur ces mots
et elle, toute joyeuse,
adresse à toutes ses compagnes la prière
de ne surtout pas la laisser

253 rb Au matin dormir longuemant,
  Ainz l'esvoillent astivemant
  Lors que eles verront le jor,
5400 S'eles volent avoir s'amor.
  Et celes molt tres bien lo firent,
  Que l'endemain lors qu'eles virent
  Au matinet l'aube crever,
5404 La firent vestir et lever.
  La pucele matin leva
  Et trestote sole en ala
  A l'ostel mon seignor Gauvain,
5408 Mais n'i ala mie si main
  Que il ne fussent tuit levé,
  Et furent au mostier alé
  Oïr messe qu'en lor chanta.
5412 Et la damoisele tant a
  Chiés lo vavasor demoré
  Qu'il orent longuemant oré
  Et oï tot quant que il durent.
5416 Qant do mostier revenu furent,
  Contre mon seignor Gauvain saut
  La pucele, et dit : « Dex vos saut
  Et vos doint anor an cest jor !
5420 Mais portez por la moie amor
  Ceste manche que je taig ci.
  — Volantiers, la vostre merci,
  Fait mes sire Gauvains, amie. »
5424 Aprés ce ne tarderent mie
  Li chevalier qu'il ne s'armassent.
  Armé ors de la vile amassent,

5418. Et dit : Sire, se Dex me saut. **5419.** Je vos aore ce bon jor (?). **5425.** que il ne s'arment.

dormir longuement au matin,
mais de se hâter de la réveiller,
sitôt qu'elles verront le jour,
si elles veulent encore avoir son amour.
Elles ont agi exactement ainsi,
car le lendemain, dès qu'elles virent
au petit matin poindre l'aube,
elles la firent s'habiller et se lever.
La jeune fille s'est levée de bon matin
et s'en est toute seule allée
là où logeait monseigneur Gauvain.
Mais elle n'y alla pas de si bonne heure
qu'ils ne fussent déjà tous levés
et partis à l'église,
pour entendre chanter la messe.
La demoiselle est restée
chez l'arrière-vassal tout le temps
qu'ils mirent à prier longuement
et à écouter tout ce qu'ils devaient.
A leur retour de l'église,
au-devant de monseigneur Gauvain se précipite
la jeune fille, en lui disant : « Dieu vous garde
et vous comble d'honneur aujourd'hui !
Mais veuillez porter pour l'amour de moi
cette manche que j'ai ici dans la main.
— C'est avec plaisir, soyez-en remerciée,
mon amie », fait monseigneur Gauvain.
Après quoi, les chevaliers
n'ont pas tardé à s'armer.
Une fois armés, ils se rassemblent au-dehors de la ville,

253 va Et les damoiseles resont
5428 Montees sor les murs amont
Et les dames do chastel totes,
Et virent aprochier les rotes
Des chevaliers forz et hardiz.
5432 Devant toz Melïenz de Liz
S'an va el ranc toz ellaissiez
Et ot ses conpaignons laissiez
Bien loig deus arpanz et demi.
5436 Qant l'ainznee voit son ami,
Si ne puet la langue tenir,
Ainz dit : « Dames, veez venir
Celui qui de chevalerie
5440 A lo pris et la seignorie. »
Et mes sire Gauvains s'esmuet
Tant con chevaus porter lo puet
Vers celui qui point no redote
5444 Et met sa lance en pieces tote,
Et mes sire Gauvains fiert lui
Si qu'il li fist molt grant anui,
Que maintenant lo porte au plain
5448 Et met a son cheval la main,
So prant au frain et si lo baille
A un vallet et dit sanz faille
Qu'aille a celui por cui tornoie
5452 Et li die qu'il li envoie
Lo premier guaaig qu'il a fait
Lo jor, qu'il viaut que ele l'ait.
Et li vallez a tot la sele
5456 Lo cheval maine a la pucele,

5432. tot. 5438. veoir. 5440. Et lo pris. 5443. ne.

5430. assanbler. 5433. *Leçon de BLRTU. Var. CS(E)* : S'en vient.
5435. *Arpent : environ 200 pieds ou 60 m, soit pour 2,5 arpents à peu près
150 m.* 5444. Einz met. 5451. a celi.

tandis que les demoiselles sont montées
là-haut sur les murs,
ainsi que toutes les dames du château.
Elles ont vu le moment où s'affrontent les troupes
des forts et hardis chevaliers.
En avant de tous, Méliant de Lis
se lance à bride abattue sur le premier rang.
Il avait laissé ses compagnons
loin derrière, à deux arpents et demi de là.
Quand l'aînée aperçoit son ami,
elle ne peut garder sa langue
et elle dit : « Mesdames, voici venir
le chevalier qui est, de tous les autres,
le maître et le plus renommé ! »
Alors monseigneur Gauvain s'élance
de toute la force de son cheval
contre celui qui n'a aucune peur de lui
et qui, dans le choc, fait voler sa lance en éclats.
Monseigneur Gauvain le frappe aussi
et de telle façon qu'il l'a fortement mis à mal,
car le voilà jeté au sol.
Il tend la main vers son cheval,
le prend par la rêne et le remet
à un jeune noble, en lui enjoignant d'aller
sans faute auprès de celle pour qui il est au tournoi,
et de lui dire qu'il lui envoie
le premier gain qu'il a fait
en ce jour, car il veut que ce soit pour elle.
Le jeune homme amène le cheval
équipé de sa selle à la jeune fille.

253 vb Qui de la tor a bien veü,
       D'une fenestre ou el fu,
       Dan Melïanz de Liz cheoir,
5460   Et dit : « Suer, or poez veoir
       Dan Melient de Liz gissant,
       Que vos aleiez si prissant.
       Qui set, si doit a droit prissier !
5464   Or apert ce que je dis ier,
       Or voit an bien, se Dex me saut,
       Que il i a tel qui mielz vaut. »
       Tot ansin cele a escïant
5468   Vait sa seror contralïant,
       Si qu'ele l'an giete do san,
       Et cele dist : « Garce, tais t'am !
       Que s'ui mes t'en oi mot soner,
5472   Je t'irai tel bufe doner
       Que n'avras pié qui te sostaigne.
       — Ha ! suer, de Deu vos resovaigne !
       Fait la damoisele petite,
5476   Por ce, se j'ai verité dite,
       Ne me devez vos mie batre.
       Par foi, je lo vi bien abatre
       Et vos ansin bien con je fis,
5480   N'ancor ne m'est il mie avis
       Qu'il ait pooir de relever.
       Et s'or an deveiez crever,
       Si diroie je tote voie,
5484   Qu'i[l] n'a ci dame qui no voie
       Jameter et gesir tot plat. »
       Lors li aüst doné un flat

5457. Que. 5463. Qui set je dot. 5470. Et en li d. 5484. ne v.

Celle-ci a bien vu de sa tour,
de la fenêtre où elle se tenait,
tomber le seigneur Méliant de Lis.
« Ma sœur, dit-elle, vous pouvez bien voir
tout gisant le seigneur Méliant de Lis,
que vous alliez vantant si fort !
Seul celui qui sait peut à bon droit faire des éloges !
Ce que j'ai dit hier est maintenant évident.
Sur mon âme, tout le monde peut voir
qu'il y en a un autre qui vaut mieux. »
C'est à dessein qu'elle cherche ainsi
à contrarier sa sœur.
Pour finir, mise hors d'elle-même,
celle-ci s'est écriée : « Tais-toi, petite garce !
car si je t'entends dire un seul·mot de plus,
j'irai te donner une telle gifle
que tu en seras toute chancelante.
— Hé ! ma sœur, gardez Dieu en mémoire !
fait la petite demoiselle.
Ce n'est pas parce que j'ai dit la vérité
que vous devez me battre.
Sur ma parole, je l'ai bien vu renverser,
et vous aussi, tout comme moi,
et il ne me semble toujours pas
qu'il ait la force de se relever.
Dussiez-vous en crever de rage,
je n'en répéterais pas moins
que pas une dame ici ne peut manquer de le voir
étendu tout à plat et jambes en l'air. »
L'autre l'eût bien giflée

254 ra L'autre, s'an li vosist soffrir,
5488 Mais ne li laisserent ferir
Les dames qui entor estoient.
Atant l'escuier venir voient,
Qui lo cheval menoit an destre.
5492 La pucele a une fenestre
Trove seant, si li pressante.
Cele merciz plus de .LX.
Li rant et lo cheval fait panre,
5496 Et cil en va les merciz randre
A son seignor qui sanbloit estre
Do tornoiemant sire et mestre,
Qu'il n'i a chevalier si cointe,
5500 Se de [la] lance a lui s'acointe,
Que ne li toille les estriers.
Onques de gaaignier destriers
Ne fu mes si entalantez.
5504 Catre en a lo jor pressantez,
Que il gaaigna de sa main,
Si pressanta lo premerain
A la damoisele petite,
5508 De l'autre a la fame s'aquite
Au vavasor, cui il molt plot.
Une de ses .II. filles ot
Lo tierz et l'autre rot lo quart.
5512 Et li tornoiemanz depart,
Si s'en antre parmi la porte
Mes sire Gauvains, qui an porte
D'une part et d'autre lo pris.
5516 N'il n'estoit pas encor midis

5514. qui aporte.

---

si on l'avait laissée faire,
mais les dames qui étaient tout autour
l'empêchèrent de la frapper.
C'est alors qu'elles voient venir l'écuyer
avec le cheval qu'il menait de la main droite.
Il trouve la jeune fille assise
à une fenêtre, et il lui en fait le présent.
Elle l'en remercie mille fois
et elle fait prendre le cheval,
tandis qu'il s'en va porter les remerciements
à son seigneur dont tous voyaient
qu'il était le maître et le vainqueur du tournoi,
car il n'y a de si brillant chevalier
à qui il ne fasse vider les étriers,
s'il cherche avec sa lance à lier connaissance !
Jamais il ne s'était montré aussi désireux
de faire des gains en chevaux.
Ce jour-là, il en a offert quatre en présent,
gagnés de sa propre main.
Le premier, il en a fait présent
à la petite demoiselle.
Avec le second, il s'acquitte envers la femme
de l'arrière-vassal, qui en fut très satisfaite.
Une de ses deux filles reçut
le troisième, et l'autre eut le quatrième.
Cependant le tournoi se sépare
et monseigneur Gauvain, qui en remporte
le prix d'un côté comme de l'autre,
passe la porte pour rentrer.
Il n'était pas encore midi,

254 rb Qant il fu partiz de l'estor.
Mes sire Gauvains au retor
Ot de chevaliers si grant rote
5520 Que plaine an fu là vile tote,
Que trestuit cil qui lo sivoient
Enquerre et demander voloient
Qui il est et de quel contree.
5524 Lors a la pucele ancontree
Tot droit a l'uis de son ostel,
Et ele ne fist onques el,
Mais que lués a l'estrier lo prist,
5528 Sel salua et si li dist :
« .V^C. merciz, biax tres dous sire ! »
Et il sot qu'ele voloit dire,
Si li respondi comme franz :
5532 « Ainz seroie chenuz et blanz,
Amie, que je me recroie
De vos servir, ou que je soie.
Ja de vos ne serai si loig,
5536 Puis que saiche vostre besoig,
Que ja essoigne me retaigne
Q'au premier mesaige ne vaingne.
— Granz merciz, fait la damoisele. »
5540 Ansin parole[nt] cil et cele,
Qant ses pere vint en la place,
Qui de tot son pooir porchace
Que mes sire Gauvains remaigne
5544 La nuit et son ostel i praigne.
Mais ençois li requiert et prie,
Se lui plest, que son non li die.

5521. queroient. **5527.** leus. **5528.** lo d. **5529.** et dit b. s. **5532.** sereiez.

5523. ert. **5540.** parloient.

quand il a quitté la mêlée.
Au retour monseigneur Gauvain
eut avec lui une si grande foule de chevaliers
que la ville en était remplie,
car tous ceux qui le suivaient
cherchaient à savoir et voulaient demander
qui il était et de quel pays.
C'est alors qu'il a rencontré la jeune fille,
juste devant la porte de sa maison.
Elle n'a rien fait d'autre
que de le saisir aussitôt par l'étrier
et de le saluer, en lui disant :
« Mille mercis, mon doux et très cher seigneur ! »
Et il sut ce qu'elle voulait dire.
Il lui a répondu avec sa générosité :
« Je serais devenu un vieil homme aux cheveux blancs,
mon amie, avant que de renoncer
à vous servir, où que je sois.
Si loin que je puisse jamais être de vous,
dès que je saurai que vous avez besoin de moi,
aucun empêchement ne me retiendra
d'accourir au premier appel.
— Soyez-en grandement remercié », fait la demoiselle.
Ainsi parlaient-ils tous les deux,
quand sur les lieux arriva son père.
De toutes ses forces, il essaie d'obtenir
que monseigneur Gauvain reste
pour cette nuit et qu'il vienne se loger chez lui.
Mais auparavant il lui fait la demande et la prière
de lui dire, s'il lui plaît, son nom.

254 va Mes sires Gauvains s'escondit
5548   Do remenoir, et si li dist :
        « Sire, Gauvains sui apelez,
        Onques mes nons ne fu celez
        An leu ou il me fust anquis,
5552   N'onques encore ne lo dis,
        S'avant demandez ne me fu. »
        Et quant li sire a entandu
        Que c'estoit mes sire Gauvains,
5556   Molt fu ses cuers de joie plains,
        Et dit : « Sire, or vos remenez,
        Hui mes mon servise prenez,
        Car ainz de rien ne vos servi,
5560   N'onques en ma vie ne vi
        Chevalier, se vos puis jurer,
        Que je tant vosisse anorer. »
        De remenoir molt li pria,
5564   Et mes sire Gauvains li a
        Tote sa preiere escondite,
        Et la damoisele petite,
        Qui n'estoit fole ne malveise,
5568   Lo prant au pié et si li baisse
        Et a Damedé lo commande.
        Et mes sire Gauvains demande
        Que ele i avoit antandu,
5572   Et ele li a respondu
        Que ele li avoit baisié
        Par tel antancion lo pié
        Que de li li resovenist
5576   An quel que leu que il venist,

5551. S'avant ne los dis ne anquis (?).

5548. dit. 5557. dist. 5558. Anuit. 5561. ce.

Monseigneur Gauvain refuse
de rester, en ajoutant :
« Monseigneur, on m'appelle Gauvain.
Jamais je n'ai tenu mon nom caché,
si quelque part on s'en est enquis.
Jamais non plus je ne l'ai dit,
avant qu'on ne me l'ait demandé. »
Quand le seigneur a entendu
que c'était monseigneur Gauvain,
il en a eu le cœur rempli de joie.
« Monseigneur, lui a-t-il dit, restez donc,
acceptez pour ce soir mes services,
car jamais en rien je n'ai eu l'occasion de vous servir,
jamais pourtant, de ma vie, je n'ai vu
de chevalier, je puis vous le jurer,
à qui j'aurais plus volontiers porté honneur. »
Il a beaucoup insisté pour qu'il reste,
mais monseigneur Gauvain a opposé
un refus à toutes ses prières.
Alors la petite demoiselle,
qui n'était ni sotte ni méchante,
lui prend le pied et le baise,
puis elle le recommande à Dieu Notre Seigneur.
Monseigneur Gauvain lui demande
quelle avait été l'intention de son geste,
et elle lui a répondu
qu'elle lui avait baisé
le pied dans l'intention
qu'il garde en lui son souvenir,
en quelque lieu qu'il parvienne.

254 vb Et il li dist : « N'en dotez mie,
　　　 Que, si m'aïst Dex, bele amie,
　　　 Jamais ne vos oblïerai,
5580　 Qant je de ci departirai. »
　　　 Atant s'en part et congié prant
　　　 A son oste et a l'autre gent.
　　　 Si lo commandent a Dé tuit.
5584　 Mes sire Gauvains cele nuit
　　　 An une obedïence jut,
　　　 Si ot quant que il li estut.
　　　 A l'andemain bien par matin
5588　 Aloit chevauchant son chemin,
　　　 Tant que il vit en trespassant
　　　 Bestes qui aloient paissant
　　　 Lez l'oroille d'une foret.
5592　 A un vallet dit qu'i[l] s'arest,
　　　 Qui un des ses chevaus menoit,
　　　 Tot lo meillor, et si tenoit
　　　 Une lance molt roide et fort.
5596　 La lance dit qu'il li aport
　　　 Et que son cheval li restraingne,
　　　 Celui qu'i[l] maine en destre [et] praigne.
　　　 Et cil li a sanz demorance
5600　 Baillié lo cheval et la lance,
　　　 Et il s'an torne anprés les biches,
　　　 Et si lor fist tanz torz et guiches
　　　 Que une blanche en antreprist
5604　 An un roncenoi et li mist
　　　 Sor lo col sa lance en travers.
　　　 Et la biche saut comme cerz,

5578. Qui. 5579. Je. 5588. demandant. 5593. Que. 5598. en d. plaigne.

5590. *Var. CL* : biches. 5592. *Var. T et A* : Yvonet (*cf. 5618*). *Après* 5598,
om. Son palefroi et si li maint / An celui mie ne remaint / Que il li a.
5604. Lez un ronçoi et si li m.

« N'en ayez crainte ! lui a-t-il dit.
Dieu m'en soit témoin, ma douce amie,
jamais je ne vous oublierai,
une fois parti d'ici. »
Il la quitte alors et prend congé
de son hôte et du reste des gens,
et tous le recommandent à Dieu.

Cette nuit-là, monseigneur Gauvain
a dormi dans un prieuré,
où il eut tout ce qu'il lui fallait.
Le lendemain, de très bon matin,
il poursuivait sa route à cheval,
lorsqu'il vit au passage
des biches en train de paître,
à la lisière d'une forêt.
Il donne l'ordre de s'arrêter à un jeune noble
qui conduisait l'un de ses chevaux,
le tout meilleur, et qui portait
une lance dure et solide.
Il lui dit de lui apporter la lance
et de lui sangler son cheval,
celui-là même qu'il mène par la bride,
[tandis qu'il reprendra et mènera son palefroi.
L'autre n'est pas en reste,]
il lui a sans tarder
remis le cheval et la lance,
et le voilà qui se tourne à la poursuite des biches.
Après bien des détours et des feintes,
il a réussi à en surprendre une blanche,
près d'un buisson de ronces,
et il lui a présenté sa lance par le travers, sur le cou.
Mais la biche fait un bond, comme un cerf,

255 ra Si li estort, et il aprés,
5608 Et chaça tant que a bien pres
La retenist et arestast,
Se ses chevaus ne desferrast
D'un des piez devant tot a net.
5612 Et mes sire Gauvains se met
Aprés son hernois a la voie,
Qu'i[l] sant que ses chevaus tanroie
Soz lui, si l'en anuie trop,
5616 Ne il ne set qui lo fait clop,
Se tros el pié feru ne l'a.
Atant Yonez l'apela,
Si lo commande a descendre
5620 Et de son cheval garde panre,
Que il clochoit trop duremant,
Et cil fait son commandemant,
Qu'il li lieve lo pié en haut
5624 Et trove que un ferz li faut
Et dit : « Sire, il l'estuet ferrer,
N'en i a mais que de l'aler
Tot soavet tant que l'an truisse
5628 Fevre qui referrer lo puisse. »
Puis errerent tant que il virent
Genz qui ors d'un chastel issirent
Et vinrent tot[e] une chauciee.
5632 Devant avoit gent escorciee,
Garçons a pié qui chiens menoient,
Et veneors aprés venoient,
Qui portoient espiez tranchanz.
5636 Aprés ot archierz ne sai quanz,

5608. Et a bien po que. **5615.** Lez lui. **5627.** t. qu'il la t.

5616. Mais. **5617.** S'estos. **5618.** Tantost Yvonet apela. **5636.** et serjanz.

elle lui échappe, il est après elle.
Il en a si bien mené la chasse qu'il était tout près
de la saisir et de l'arrêter,
si son cheval ne s'était déferré
tout net d'un pied de devant.
Monseigneur Gauvain se remet
en chemin après son équipage,
car il sent bien que son cheval faiblit
sous lui et il en est soucieux,
mais il ignore ce qui le fait boiter,
à moins qu'il n'ait du pied heurté une souche.
Il a aussitôt appelé Ivonet
et lui a commandé de mettre pied à terre,
pour qu'il vienne regarder son cheval,
lequel décidément boitait fort.
L'autre exécute son ordre,
soulève le pied du cheval
et voit qu'il lui manque un fer.
« Monseigneur, dit-il, il va falloir le ferrer.
Il n'y a plus qu'à continuer
tout doucement, jusqu'à ce qu'on trouve
un forgeron qui puisse lui remettre un fer. »
Ils ont suivi leur route jusqu'au moment où ils virent
des gens sortir d'un château
et venir tout le long d'une chaussée.
Il y avait en tête des gens court vêtus,
c'étaient des valets de pied qui menaient les chiens,
puis c'était le tour de veneurs,
qui portaient des épieux tranchants.
Il y avait ensuite des archers et des serviteurs

255 rb Qui arz et saietes portoient,
        Et aprés chevaliers venoient,
        Et aprés toz les chevaliers
5640   En vinrent dui sor lor destriers,
        Don li uns estoit jovenciax,
        Sor toz les autres li plus biax,
        Et cil seus mon seignor Gauvain
5644   Salua et prist par lo frain
        Et dit : « Sire, je vos retaig.
        Alez vos an la don je vaig,
        Si descendez an mes maisons.
5648   Il est huimais tans et saisons
        De esbergier, s'or ne vos poisse.
        J'ai une seror molt cortoisse,
        Qui de vos grant joie fera,
5652   Et cil, sire, vos i manra
        Que vos veez ci delez moi. »
        Lors dist : « Alez ! je vos anvoi,
        Biax compainz, aviau ce seignor,
5656   Si lo menez a ma seror.
        Saluez la premieremant
        Et li dites que je li mant,
        Par l'amor et par la grant foi
5660   Qui doit estre antre li et moi,
        S'ele onques ama chevalier,
        Qu'ele aint celui et taigne chier
        Et qu'ele tant face de lui
5664   Com de moi qui ses freres sui.
        Tel solaz et tel conpaignie
        Li face qu'il ne s'en plaint mie,

5660. Quil. **5663.** f. celui. **5664.** Com a moi. **5665.** tel vilenie *(curieux lapsus !)*.

5642. gens et b. **5644.** *Leçon commune à BQRS, supérieure à la var. T et A* (la main). **5645.** dist. **5666.** que ne li griet mie.

qui portaient des arcs et des flèches.
Venaient après des chevaliers
et, après tous les chevaliers,
il en venait deux autres, sur leurs coursiers,
dont l'un était un adolescent,
plus que tous les autres beau et gracieux.
Il fut le seul à saluer
monseigneur Gauvain, qu'il a pris par la rêne,
en disant : « Monseigneur, je vous retiens.
Allez donc là d'où je viens,
et descendez dans mes demeures.
Il est bien temps, maintenant,
d'être hébergé, si vous n'y voyez pas d'inconvénient.
J'ai une sœur, qui est très courtoise.
Elle se fera une grande joie de vous avoir.
Voici à côté de moi, monseigneur,
l'homme qui vous y conduira.
Allez ! mon cher compagnon, dit-il à l'autre,
je vous envoie avec ce seigneur.
Conduisez-le jusqu'à ma sœur.
Commencez d'abord par la saluer
et dites-lui mon message :
au nom de l'amour et de la foi
que nous nous devons l'un à l'autre,
si jamais elle aima chevalier,
qu'elle aime et chérisse celui-ci
et qu'elle fasse autant cas de lui
que de moi qui suis son frère !
Qu'elle lui apporte le réconfort d'une compagnie
qui ne lui pèse pas,

255 va Tant que nos seien revenu.
5668   Qant ele l'avra retenu
         Aviau li debonairemant,
         Si nos sivez astivemant,
         Que je m'en vodrai revenir
5672   Por lui compaignie tenir
         Au plus tost que je porrai onques. »
         Li chevaliers s'en part adonques,
         Qui mon seignor Gauvain conduit
5676   La ou de mort lo heent tuit,
         Mais il n'i iert pas coneüz,
         Car onques mes n'i fu veüz,
         Si n'i cuide avoir nule garde.
5680   Lo siege do chastel esgarde,
         Qui sor un braz de mer seoit,
         Et les murs et la tor veoit
         Si fort que nule rien ne dote,
5684   Et esgarde la vile tote
         Puplee de molt bele gent,
         Et les changes d'or et d'argent
         Trestoz coverz et de monoies,
5688   Et voit les places et les voies
         Toutes plaines de bons ovriers
         Qui faisoient divers mestiers,
         Si com li mestier sont divers.
5692   Cil fait hiaumes et cil auberz,
         Et cil seles et cil blazons,
         Cil lorains et cil esperons,
         Et cil les espees forbisent,
5696   Cil folent dras et cil les tissent,

5670. Si vos fuiez. 5671. retenir.

5677. est *(mais la leçon de B, isolée, garde sa valeur : « il n'y sera pas reconnu »)*. 5683. forz.

en attendant notre retour.
Quand elle l'aura retenu
auprès d'elle, avec bonté,
hâtez-vous de nous rejoindre,
car je veux être de retour
le plus tôt que je pourrai
pour lui tenir compagnie. »
Le chevalier s'éloigne alors,
emmenant monseigneur Gauvain
là où tous le haïssent à mort.
Mais il n'y est pas connu,
car il n'y a jamais été vu.
Lui-même ne pense pas qu'il ait à se garder de quoi que ce
Il regarde le site du château,   [soit.
qui se tenait sur un bras de mer.
Il en voyait les murs et la tour
si puissants que celui-ci n'a rien à redouter.
Il regarde aussi la ville tout entière,
que peuplaient de bien belles gens,
les comptoirs des changeurs, tout couverts
d'or et d'argent et de monnaies.
Il voit les places et les rues,
toutes remplies de bons artisans
occupés à divers métiers,
avec toute la variété qui peut être la leur :
l'un fait des heaumes, l'autre des haubers,
celui-ci des selles, celui-là des blasons,
cet autre des harnais de cuir et cet autre des éperons,
en voici qui fourbissent les épées
et d'autres qui foulent les draps où qui les tissent,

255 vb Cil les paignent et cil les tondent,
  Cil autre argent forjent et fondent,
  Cil font oevres chieres et beles,
5700 Coupes, enas et escuelles
  Et orciaux ovrez a neaux,
  Aignés, ceintures et fermaux.
  Bien poïst an cuidier et croire
5704 Que an la vile toz jorz ait foire,
  Qui de tanz avoirs estoit plaine,
  De cire, de poivre et de graine
  Et de panes vaires et grises
5708 Et de totes marcheandises.
  Totes icés choses esgardent
  Et de leus an leus i regardent.
  Tant ont alé qu'a la tor furent,
5712 Et vallet saillent qui reçurent
  Lors chevaux et tot l'autre ator.
  Li chevaliers entre an la tor
  Seus aviau mon seignor Gauvain,
5716 Et si lo maine par la main
  Jusqu'an la chambre la pucele,
  Et si li dist : « Amie chiere,
  Vostre freres saluz vos mande
5720 Et de cest seignor vos commande
  Qu'il soit conreez et serviz,
  Et no faites mie a enviz,
  Mais trestot ansin de bon cuer
5724 Com se vos esteiez sa suer
  Et com s'il estoit vostre frere.
  Or gardez ne seiez avere

5705. Que. *Réclame en bas de page :* VI⁰.

5698. Et cil autre or et a. f. **5701.** *Excellente leçon, propre à BCH, au lieu
de* joiaus, *plus banal (T et A). Voir sur ce mot* W. Roach, *Première
Continuation, t. I, p. 438 («* urceolus *» : vase, cruche, bénitier).* **5709-5710.**
regardant / ... atardant. **5713.** Toz les ch. et l'autre a. **5721.** enorez et s.

ou qui les peignent ou qui les tondent,
d'autres encore fondent l'or et l'argent,
et il y en a qui façonnent de belles pièces précieuses,
des coupes, des hanaps, des écuelles,
et des vases incrustés de nielle,
des anneaux, des ceintures et des fermoirs.
On pourrait bien croire et penser
que c'est constamment jour de foire dans la ville,
tant elle regorgeait de richesses,
de cire, de poivre et de graines,
ainsi que de fourrures de vair et de gris
et de toutes sortes de marchandises.
En regardant toutes ces choses
et en s'attardant ici ou là,
ils finissent par arriver devant la tour.
Des jeunes gens surgissent pour leur prendre
tous les chevaux, avec le reste des équipements.
Le chevalier pénètre dans la tour,
accompagné seulement de monseigneur Gauvain,
qu'il mène par la main
jusque dans la chambre de la jeune fille.
« Douce amie, lui a-t-il dit,
votre frère vous adresse son salut
et il vous demande que le seigneur que voici
soit honoré et servi.
Ne le faites pas de mauvaise grâce,
mais d'aussi bon cœur
que si vous étiez sa sœur
et qu'il fût votre frère.
Et ne regardez pas à l'épargne

256 ra De tote sa volanté faire,   [7ᵉ cahier]
5728 Mais saige et franche et debonaire.
      Or en pensez, que je m'an vois,
      Qu'il lo me covient sivre el bois. »
      Et cele dit, qui grant joie a :
5732 « Beneoiz soit qui m'anvoia
      Tel compaignie come ceste !
      Qui si bel compaignon me preste
      Ne me het pas, soe merci.
5736 Biaux sire, or venez seoir ci,
      Fait la pucele, delez moi.
      Por ce que bel et jant vos voi,
      Et por mon frere qui m'en prie,
5740 Vos ferai bone compaignie. »
      Tantost li chevaliers s'an torne,
      Qui avec li plus ne sejorne,
      Et mes sire Gauvains remaint,
5744 Qui de ce mie ne se plaint
      Qu'il est seus avec la pucele,
      Qui molt estoit cortoise et bele,
      Qui tant estoit bien affaitie
5748 Que pas ne cuide estre enginie
      De ce qu'ele est sole avec lui.
      D'amors parolent amedui,
      Car s'il d'autre chose parlassent,
5752 De grant oisouse se meslassent.
      Mes sire Gauvains la requiert
      D'amors et prie, et dit qu'il iert
      Ses chevaliers tote sa vie,
5756 Et cele nel refuse mie,

5728. *Var.* : large. **5742.** avec eus. **5748.** *Leçon de BPSU, mais* agueitiee
(TA) *est meilleur pour la rime et le sens.*

pour accomplir ce qu'il désire !
Montrez-vous large, généreuse et de grand cœur.
Pensez-y, maintenant que je m'en vais,
car je dois repartir à leur suite dans le bois. »
Elle en éprouve une grande joie et elle dit :
« Béni soit celui qui m'a envoyé
une compagnie comme celle-ci !
Qui me prête un si beau compagnon
est loin de me haïr, qu'il en soit remercié !
Mon doux seigneur, venez donc vous asseoir ici,
tout près de moi, fait la jeune fille.
Pour la beauté et la grâce que je trouve en vous
et pour mon frère qui m'en fait prière,
je vous tiendrai bonne compagnie. »
Aussitôt le chevalier s'en retourne,
sans plus s'attarder auprès d'eux,
tandis que monseigneur Gauvain reste.
Mais il n'a pas lieu de s'en plaindre,
car il est seul avec la jeune fille
qui était si belle et si courtoise.
Et comme elle était d'une éducation parfaite,
elle ne pense pas devoir être surveillée,
quand elle est ainsi seule avec lui.
Les voilà tous deux qui parlent d'amour,
car s'ils avaient parlé d'autre chose,
ils n'auraient fait que perdre leur temps !
Monseigneur Gauvain lui fait requête
et prière d'amour et lui promet d'être
son chevalier pour toute sa vie.
Et elle ne lui oppose pas de refus,

256 rb Ainz l'otroie molt volantiers.
　　　Uns vavasors endemantiers
　　　Entra laianz, qui molt lor nut,
5760　Qui mon seignor Gauvain conut.
　　　Si les trova entrebaisant
　　　Et grant joie entredemenant,
　　　Et des que il vit cele joie,
5764　Ne pout tenir sa boiche coie,
　　　Ainz s'escria a grant vertu :
　　　« Fame, honie soies tu !
　　　Et Deux te destruie et confonde,
5768　Que l'ome de trestot le monde
　　　Que tu devroies plus haïr
　　　Te laisses ensin conjoïr,
　　　Et si te baise et acole !
5772　Fame maleüreuse et fole,
　　　Tu fais bien ce que tu doiz faire.
　　　A tes mains li deüsses traire
　　　Le cuer del ventre ainz que la bouche.
5776　Se tes baisiers au cuer li touche,
　　　Lo cuer del ventre li atrait,
　　　Mas assez mielz eüsses fait
　　　S'as mains arachié li eüsses,
5780　Car ensi faire li deüsses.
　　　Se fame doit faire nul bien,
　　　En cesti n'a de fame rien
　　　Qui het le mal et le bien aime.
5784　Tort a qui plus fame la claime,
　　　Que la en pert ele le non
　　　Ou ele n'aime se bien non.

5775. ainz qu'a la b.

mais elle y consent de très bonne grâce.
C'est à ce moment qu'entra dans la pièce
un arrière-vassal qui leur fut très funeste,
car il reconnut monseigneur Gauvain.
Il les trouva en train d'échanger des baisers
et de se témoigner l'un pour l'autre la plus grande joie.
Quand il vit toute cette joie,
il ne put garder la bouche close,
mais il s'écria d'une voix puissante :
« Femme, honte sur toi !
Que Dieu te détruise et t'anéantisse !
Car l'homme au monde
que tu devrais le plus haïr
est celui à qui tu fais ainsi fête
et à qui tu permets étreintes et baisers !
Malheureuse femme, folle que tu es,
tu agis bien comme le veut ta nature !
C'est avec tes mains que tu aurais dû, dans sa poitrine,
lui prendre le cœur, plutôt qu'avec ta bouche !
Si un baiser de toi atteint son cœur,
le voilà au fond de lui-même dépossédé de son cœur,
mais tu aurais bien mieux fait
de le lui arracher de tes propres mains,
car c'eût été ton devoir de le faire.
S'il arrive qu'une femme fasse le bien,
ce n'est plus du tout une femme,
quand elle hait le mal et qu'elle aime le bien.
On a tort de l'appeler encore une femme,
car elle en perd le nom
à n'aimer que le bien !

256 va Mas tu iés fame, bien le voi,
5788 Que cil qui la siet delez toi
Ocist ton pere, et tu lo baises !
Quant fame puet avoir ses aises,
De soreplus petit li chaut. »
5792 A cest mot cil arriere saut,
Ançois que mes sire Gauvains
Li eüst dit ne plus ne mains,
Et cele chiet el pavement
5796 Et jut pasmee longuement.
Et mes sire Gauvains l'ahert,
Si l'an relieve pale et vert
De la peor que ele ot eüe.
5800 Et quant ele fu revenue,
Dist : « Ha ! or somes nos tuit mort !
Por vos morrai ancui a tort,
Et vos, mien escïent, por moi.
5804 Ja venra ci, si cum je croi,
La commune de ceste vile.
Tost en avra plus de .VII. mile
Devant ceste porte amassez.
5808 Mais ceanz a armes assez
Dont je vos armerai molt tost.
Uns prodom de trestot un ost
Porroit ceste crote desfandre. »
5812 Maintenant cort les armes prandre
Cele qui n'estoit pas seüre.
Quant ele l'ot de l'armeüre
Bien armé, si doterent mains
5816 Et ele et mes sire Gauvains,

5801. Si dist (*et supprimer* tuit). **5806.** *Leçon de BCMQR. Var. AT* : dis mile.
5807. ceste tor (porte : *BQ*).

Mais toi, tu es bien femme, c'est clair,
car l'homme qui est assis là, à côté de toi,
est celui qui a tué ton père, et il a tes baisers !
Mais quand une femme a trouvé ce qu'il lui faut,
le reste lui importe peu ! »
Sur ces mots, il s'est d'un bond retiré,
avant que monseigneur Gauvain
ait pu plus ou moins lui dire quelque chose.
Et elle tombe évanouie sur le dallage,
où elle est restée longtemps gisante.
Monseigneur Gauvain la saisit
et la relève, encore toute pâle et verte
de la peur qu'elle avait eue.
Une fois revenue à elle,
elle s'est écriée : « Ah ! nous voici perdus !
A cause de vous, je vais mourir aujourd'hui, injustement,
et vous aussi, je crois, à cause de moi.
Les bourgeois de cette ville
seront bientôt ici, j'en suis sûre.
Très vite ils seront plus de sept mille
à s'amasser au pied de cette tour.
Mais il y a suffisamment d'armes ici dedans,
et je vais au plus vite vous armer.
Un homme de courage serait capable
de défendre contre toute une armée la partie basse. »
Elle court aussitôt prendre les armes,
saisie d'inquiétude.
Quand elle l'eut bien armé
de toute son armure, ils eurent tous les deux,
elle et monseigneur Gauvain, moins de craintes.

256 vb Mais que tant de meschief i ot
        Que d'escu point avoir ne pot,
        Si fist escu d'un eschaquier
5820   Et dist : « Amie, je ne quier
        Que vos m'ailliez autre escu querre. »
        Lors versa les eschas a terre,
        D'yvoire furent, .II. tanz gros
5824   Que autre eschas et de dur os.
        Or mais, qui que doie venir,
        Cuidera bien contretenir
        L'uis et l'antree de la tor,
5828   Qu'il avoit ceinte Escalibor,
        La meillor espee qui fust,
        Qu'ele tranche fer comme fust.
        Et cil defors s'an fu alez,
5832   S'ot trové seant lez et lez
        Une maisniee de voisins,
        Le maior et les eschevins
        Et autres borjois a foison,
5836   Qui pas n'avoient pris poison,
        Qu'il estoient et gros et gras.
        Et cil vint la plus que lo pas,
        Criant : « Or as armes, seignor !
5840   S'irons panre le traïtor
        Gauvain, qui mon seignor ocist.
        — Ou est ? ou est ? fait cil et cist.
        — Par foi, fait cil, je l'ai trové,
5844   Gauvain, le traïtor prové,
        En cele tor ou il s'aaise.
        Nostre pucele acole et baise

5826. Cuiderai *(cf. v. 5067).* **5834.** Les maiors.

Mais la malchance voulut
qu'il n'ait pu trouver un seul écu.
Mais il s'est fait un écu d'un échiquier
et il a dit : « Mon amie, inutile
que vous alliez me chercher d'autre écu. »
Il a renversé à terre les pièces du jeu,
qui étaient en ivoire, deux fois plus grosses
que d'ordinaire, d'un os très dur.
A partir de maintenant, n'importe qui peut venir,
il pourra bien tenir, pense-t-il,
la porte de la tour et son entrée,
car il avait ceint Escalibour,
la meilleure épée qui ait existé
et qui tranche le fer comme du bois.
L'autre était reparti au-dehors
et il a trouvé assis côte à côte
une assemblée de voisins,
le maire, les échevins
et quantité d'autres bourgeois
qui ne mangeaient pas du poison,
tant ils étaient gros et gras !
Il est venu à eux en courant
et leur a crié : « Aux armes, messieurs !
Allons prendre le traître
Gauvain qui a tué mon seigneur !
— Où est-il ? Où est-il ? sont-ils tous à dire.
— Sur ma parole, répond-il, je l'ai trouvé,
Gauvain, ce traître fieffé,
dans la tour qui est là, à se prélasser.
Il donne baisers et embrassements à notre demoiselle,

257 ra Ne elē n'an contredist rien,
5848 Ançois le vielt et soffre bien.
      Mais or venez, si l'irons prandre.
      Se mon seignor le poons randre,
      Molt l'avrons bien a gré servi.
5852 Traïtes a bien deservi
      Qu'il soit a honte demenez,
      Et neporquant vif lo prenez,
      Qu'il l'ameroit mielz vif que mort,
5856 Mes sire, si n'avroit pas tort,
      Car chose morte riens ne dote.
      Estormissiez la vile tote,
      Si fates ce que vos devez. »
5860 Tantost s'est li maires levez
      Et tuit li eschevin aprés.
      Lors veïssiez vilains angrés,
      Qui prenent haiches et jusarmes !
5864 Cil prant un escu sanz enarmes,
      Et cil un huis et cil un van.
      Li crïerres crie le ban,
      Et trestoz li pueples aüne.
5868 Sone li sains de la commune
      Por ce que nus n'[en] i remaigne,
      N'i a si malvais qui ne praigne
      Forche o flael o pi o mace.
5872 Onques por assaillir limace
      N'ot en Lombardie tel noise.
      N'i a si petit qui n'i voise
      Et qui aucune arme n'i port.
5876 Ez vos mon seignor Gauvain mort,

et elle ne s'en défend pas,
elle le veut au contraire et le souffre volontiers.
Mais venez donc, allons le prendre.
Si nous pouvons le remettre à mon seigneur,
nous l'aurons bien servi à son gré.
Un traître mérite bien
qu'on l'accable de honte.
Toutefois, prenez-le vivant,
car mon seigneur l'aimerait mieux vivant que mort,
et il n'aurait sûrement pas tort,
car les morts n'ont plus rien à craindre.
Allez ! Que toute la ville soit en émeute,
et faites votre devoir ! »
Le maire s'est aussitôt levé,
et tous les échevins après lui.
Ah ! Il aurait fallu voir tous ces rustres en fureur
prendre haches et guisarmes !
En voici un qui saisit un écu sans ses courroies,
et cet autre une porte, cet autre encore un van !
Le crieur crie l'appel général,
tout le peuple se rassemble.
Les cloches de la commune sonnent,
pour qu'il n'y ait personne qui reste.
Il n'y a si lâche qui ne se saisisse
d'une fourche ou d'un fléau, d'une pique ou d'une massue.
Jamais on n'a vu pour tuer la limace
pareil remue-ménage en Lombardie !
Il n'est si petit qui n'accoure
et qui n'y apporte une arme quelconque.
Voilà bien monseigneur Gauvain mort,

257 rb Se Dameldeux ne lo consoille !
　　　　La damoisele s'aparoille
　　　　De lui haidier come hardie
5880　Et a la commune s'escrie :
　　　　« Hu, hu ! fait ele, vilenaille,
　　　　Chien enraigié, pute servaille !
　　　　Quel deable vos ont mandez ?
5884　Que querez vos ? que demandez ?
　　　　Que ja Deux joie ne vos doint !
　　　　Si m'aït Deux, n'an manrez point
　　　　Del chevalier qui est ceianz,
5888　Ainz en i avra ne sai quanz,
　　　　Se Deu plaist, morz et affolez.
　　　　Il n'est mie ceanz volez
　　　　Ne venuz par voie reposte,
5892　Ainz lo m'a envoié a oste
　　　　Mes frere, et molt proiee en fui
　　　　Q'autretel feïsse de lui
　　　　Com del cors mon frere demeine.
5896　Et tenez m'an vos a vileine
　　　　Se por sa priere li faz
　　　　Compaignie, joie et solaz ?
　　　　Qui oïr le voldra, si l'oie,
5900　C'onques a home ne fis joie
　　　　N'autre folie n'i pansai.
　　　　Por ce peor gré vos en sai
　　　　Quant vos si grant honte me faites
5904　Que vos espees avez traites
　　　　A l'uis de ma chambre sor moi,
　　　　Si ne savez dire por coi.

_____

5899. voldrai.

_____

5900. c'o. por el ne li fis j.

si Dieu Notre Seigneur ne lui porte conseil !
La demoiselle s'apprête
à lui venir en aide en femme hardie,
et elle crie à tout ce peuple :
« Hou ! Hou ! fait-elle, racaille,
canaille enragée, sales gens !
Quels diables vous ont dit de venir ?
Que cherchez-vous ? Que voulez-vous ?
Que Dieu vous prive de toute joie !
Non, par Dieu, vous n'emmènerez
d'aucune façon le chevalier qui est ici,
mais vous serez je ne sais combien,
s'il plaît à Dieu, à y trouver mort et blessures !
Car il n'est pas entré dans ces lieux par la voie des airs,
ou par quelque passage secret.
C'est mon frère qui me l'a envoyé,
comme son hôte, et j'ai été instamment priée
de le traiter de la même façon
que s'il était mon frère en personne.
Et devez-vous me juger méprisable
si, sur cette prière, je lui tiens
compagnie dans la joie et la douceur ?
Libre à qui le souhaite de l'entendre.
Il n'y a pas d'autre raison si je lui ai fait joie,
et je n'avais pas en tête d'autres folies !
Aussi je vous en veux terriblement
pour la grande honte que vous me faites
d'avoir osé tirer vos épées
contre moi, à la porte de ma chambre,
sans même savoir pourquoi !

257 va Et se vos dire le savez,
5908   Araisnie ne m'en avez,
        Si me vient a molt grant despit. »
        Que que cele son talant dit,
        Et cil l'uis a force peçoient
5912   As coignies que il tenoient,
        Si l'ont en deus meitiez fendu,
        Et molt lor a bien desfendu
        Li portiers qui dedenz estoit.
5916   A l'espee que il tenoit
        A si lo premerain feru
        Que li autre en sont esperdu,
        Ne nus avant traire ne s'ouse.
5920   Chascuns garde la soe chose
        Et chascuns de sa teste crient.
        Nus si hardiz avant ne vient
        Que lo portier si ne redout,
5924   Ja n'iert teux que la main i tout
        Ne que il face avant un pas.
        La damoisele les eschas
        Qui jurent sor le pavement
5928   Lor ruie molt iriement,
        Si s'est estroite et escorcie,
        Et jure comme corrocie
        Qu'ele les fera toź destruire,
5932   S'ele onques puet, ainz qu'ele muire.
        Mas li vilain enrievre sont,
        Si s'afichent qu'il abatront
        Sor als la tor, s'il ne se randent.
5936   Et cil mielz et mielz se desfandent

Du moins, si vous le savez,
vous n'êtes pas venus pour m'en parler.
J'en ressens le plus vif dépit ! »
Pendant qu'elle dit ce qu'elle a sur le cœur,
eux mettent en pièces la porte
de toute la force de leurs cognées.
Ils l'ont fendue en deux moitiés,
mais le portier qui était à l'intérieur
leur a bien défendu le passage.
Avec l'épée qu'il tenait,
il a si bien frappé le premier
qu'il a jeté le trouble chez les autres,
et plus personne n'ose s'avancer.
Chacun tient à sa propre vie
et craint pour sa tête.
Personne de si hardi ne s'avance,
qui n'ait peur du portier.
Il n'y en aura pas un qui veuille y tendre la main
ou faire un pas en avant !
La demoiselle furieusement
leur lance les pièces du jeu
qui gisaient sur la dalle,
elle a serré sa taille et retroussé sa robe,
elle jure comme une femme en colère
qu'elle les fera tous détruire,
si jamais elle le peut, avant qu'elle meure.
Mais les manants sont acharnés,
ils sont décidés à leur abattre
la tour sur eux, s'ils ne se rendent.
Et eux se défendent toujours mieux,

257 vb Des gros eschas que il lor ruient.
Li plusor arriere s'an fuient,
Que lor assaus soffrir ne pueent
5940 Et as pis d'acier la tor fueent
Ausin con por la tor abatre,
C'asaillir n'osent ne combatre
A l'uis qui bien lor est veez.
5944 De l'uis, se vos plaist, me creez
Qu'il estoit si estroiz et bas
Qu'ensamble n'i entrassent pas
Dui prodome s'a poines non,
5948 Por ce le pooit un preudom
Bien contretenir et desfandre.
Por vilains desarmez porfandre
Jusqu'as denz et escerveler
5952 N'i covient mie apeler
Meillor portier que il avoit.
De trestot ce mot ne savoit
Li sire qui herbergié l'ot,
5956 Mais il revint plus tost qu'il pot
Del bois ou il aloit chacier.
Et totes voie[s] as pis d'acier
Entor la tor picoient cil.
5960 Atant ez vos Guinguenbresil,
Qui pas ne sot ceste avanture.
El chastel vint grant aleüre
Et fu durement esbaïz
5964 De l'urt et del marteleïz
Que il oï faire as vilains.
De ce que mes sire Gauvains

5964. *La majorité des mss a* bruit (*var. A :* hui, « *les cris, la huée* ») *mais B présente peut-être une meilleure leçon.*

en leur jetant les grosses pièces d'échecs.
La plupart battent en retraite,
faute de pouvoir résister à cette offensive,
mais ils se mettent avec des pics d'acier à saper la tour,
pour la faire s'écrouler,
car ils n'osent plus se battre et partir à l'assaut
de la porte qui leur reste interdite.
Cette porte, croyez-moi, s'il vous plaît,
était si basse et si étroite
que deux hommes auraient eu de la peine
à y entrer de front.
Aussi un vaillant homme pouvait-il à lui seul
bien s'y maintenir et la défendre.
Pour pourfendre jusqu'aux dents
des manants sans armure et leur faire jaillir la cervelle,
il ne faut pas chercher
de meilleur portier que celui qui y était !
De toute cette affaire ne savait mot
le seigneur qui l'avait hébergé,
mais il revenait au plus vite
du bois où il était allé chasser.
Cependant, de leurs pics d'acier,
les autres creusaient la tour tout autour.
Voici qu'arrive Guinganbrésil,
qui ne savait rien de l'aventure.
Il est venu au château à grande allure
et il est terriblement étonné
d'entendre du côté des manants
tous ces coups et ce martèlement.
Quant au fait que monseigneur Gauvain

258 ra Fu en la tor n'en savoit mot,
5968 Mas quant ce vint que il le sot,
      Si desfandi qu'il n'i eüst
      Nul tant hardi, qui que il fust,
      Si cum il avoit son cors chier,
5972 Qui pierre en osast esloichier.
      Et il dient qu'il n'an lairoient
      Noient por lui, ainz l'abatroient
      Sor son cors meïsmes ancui,
5976 Se il iert laienz avec lui.
      Et quant il voit que sa desfanse
      N'i valoit rien, si se porpanse
      Qu'il ira encontre le roi,
5980 Si li mostrera le desroi
      Que commancié ont li borjois.
      Et ja venoit del bois li rois.
      Et il l'ancontre, si li conte :
5984 « Sire, molt vos ont fait grant honte
      Vostre maire et votre eschevin
      Qui assaillent des hui matin
      A vostre tor et si l'abatent.
5988 S'il nou comperent et achatent,
      Je vos en savrai malvais gré.
      J'avoie Gauvain apelé
      De traïson, bien lo savez,
5992 Et ce est il que vos avez
      Fait herbergier en voz maisons.
      Si fust molt bien droiz et raisons,
      Des que vostre hoste en avez fait,
5996 Qu'il n'i eüst honte ne lait. »

5994. Se f.

5976. S'il estoit. 5980. *Leçon de BCEFM(Q). Var. AT* : Si l'amanra a c. d.

fût dans la tour, il n'en savait rien,
mais dès qu'il vint à le savoir,
il a interdit à quelque homme que ce fût,
s'il tenait à sa personne,
d'être encore assez hardi
pour oser ébranler la moindre pierre.
Mais ils lui disent qu'ils n'étaient pas prêts à y renoncer
à cause de lui et qu'ils abattraient plutôt,
ce jour même, la tour sur son corps,
s'il était avec l'autre à l'intérieur.
Quand il voit que sa défense
ne servait à rien, il se met en tête
d'aller à la rencontre du roi,
pour lui exposer le désordre
qu'ont provoqué les bourgeois.
Déjà le roi revenait du bois.
Il se porte à sa rencontre et lui fait le récit.
« Sire, votre maire et vos échevins
vous ont couvert de honte,
en faisant depuis ce matin l'assaut
de votre tour, qu'ils sont en train d'abattre.
S'ils n'en paient le prix et que vous ne le leur vendiez cher,
je vous en saurai mauvais gré.
J'avais, comme vous le savez,
accusé Gauvain de trahison.
Or, c'est lui à qui vous avez offert
l'hospitalité dans vos demeures,
et il serait juste et raisonnable,
dès lors que vous avez fait de lui votre hôte,
qu'il n'eût pas à subir de honte ni d'outrage. »

258 rb   Et li rois a Guinguenbresil
        Respont : « Maistre, nen avra il,
        Des que nos serons la venu.
6000 De ce que l'an est avenu
        M'enuie il et poise molt fort.
        Se mes genz lo heent de mort,
        Je ne m'an doi pas corrocier,
6004 Mas de son cors panre et blecier
        Por m'enor lo garderai gié,
        Por ce que je l'ai herbergié. »
        Ensins vienent jusqu'a la tor
6008 Et trovent la commune entor,
        Qui molt demenoient grant noise.
        Au maior dist que il s'an voise
        Et que la commune en remeint.
6012 Cil s'an vont, que nus n'i remaint,
        Des puis que il au maior plot.
        En la place un vavasor ot,
        Qui de la vile estoit naïs,
6016 Si conseilloit tot lo païs,
        Car molt par estoit de cler san.
        « Sire, fait il, or vos doit an
        A bien et a foi conseillier.
6020 Il ne fait mie a mervoillier
        Se cil qui la traïson fist
        De vostre pere qu'il ocist
        A esté ceanz assailliz,
6024 Car il i est de mort haïz,
        Et si a droit, con vos savez.
        Mas ce que herbergié l'avez

6005. Por m'enor, *au lieu de* se je puis *(T, A) : la leçon de B est meilleure.*
6013. *Leçon de BF(Q). Var. :* Neïs uns puis qu'au m.

Et le roi répond à Guinganbrésil :
« Il n'en subira aucun, maître,
dès lors que nous serons arrivés là-bas !
Ce qui lui est arrivé
m'est très pénible et me fâche.
Si mes gens le haïssent à mort,
je ne dois pas m'en affliger,
mais mon honneur exige que je le garde
de prison ou de blessure
puisque je lui ai donné l'hospitalité. »
Ainsi arrivent-ils à la tour,
tout autour de laquelle ils trouvent le peuple
qui menait grand tapage.
Il a dit au maire de s'en aller
et de faire cesser tous ses gens.
Et ceux-ci partent, sans que personne y reste,
dès lors que c'est la volonté du maire.
Il y avait là un arrière-vassal,
qui était natif de la ville
et qui conseillait tout le pays,
tant il avait l'intelligence claire.
« Sire, fait-il, c'est le moment de vous donner
un bon et loyal conseil.
Il n'y a rien d'étonnant
si l'homme qui a commis la trahison
de tuer votre père
a été ici même attaqué,
car il y est mortellement haï,
et avec raison, comme vous le savez.
Mais l'hospitalité que vous lui avez donnée

258 va   Lo doit garantir et conduire
6028   Qu'il ne soit pris ne qu'il n'i muire.
        Et qui n'en revoldroit mantir,
        Sauver le doit et garantir
        Guinguenbresil que je voi la,
6032   Qui de la traïson l'ala
        A la cort le roi apeler.
        Ice ne fait mie a celer
        Qu'il s'an estoit venuz desfandre
6036   En vostre cort, mas je lous prandre
        Un respit de ceste bataille
        Jusqu'a un an, et si s'an aille
        Querre la lance don li fers
6040   Seigne toz jors, ja n'iert si ters
        C'une gote de sanc n'i pende.
        Ou il cele lance vos rande,
        Ou il se remete en merci
6044   En tel prison cum je voi ci.
        Lors avroiz meillor acoison
        De lui retenir en prison
        Que vos orendroit n'en avez.
6048   Ja, ce cuit, ne lo saverez
        Metre en nule poine si grief
        Qu'il n'en porroit venir a chief.
        De tot quant que l'an puet et set
6052   Doit an grever ce que l'an het,
        De vostre hanemi travaillier
        Ne vos sai je mielz conseillier. »
        Li rois a ce consoil se tient,
6056   En la tor a sa seror vient,

6047-6048. n'avreiez / ... savreiez.

doit le garantir et le préserver
d'être mis en prison ou d'être tué.
Et si on veut dire la vérité,
celui qui doit assurer sa sauvegarde et sa protection,
c'est Guinganbrésil ici présent,
lui qui est allé à la cour du roi
l'accuser de trahison.
On ne peut en effet le cacher :
il était venu à votre cour
pour s'en défendre. Mais je conseille
qu'on fasse ajournement de ce combat
d'ici à un an, et qu'il s'en aille
en quête de la Lance dont le fer
saigne toujours, qu'on ne peut si bien essuyer
qu'il n'y reste suspendue une goutte de sang !
Il devra ou bien vous rendre cette lance
ou bien se remettre à votre merci
comme le prisonnier qu'il est en cet instant.
Vous aurez alors une meilleure raison de le garder en prison
que vous ne l'auriez maintenant.
Jamais, je crois, vous ne sauriez
le mettre si durement à la peine
qu'il ne puisse en venir à bout.
Or, on doit accabler l'être que l'on hait
par tous les moyens connus et possibles.
Je ne saurais donc mieux vous conseiller
pour mettre au tourment votre ennemi. »
Le roi se tient à ce conseil.
Il se rend dans la tour auprès de sa sœur,

258 vb Si la trove molt corrociee.
Contre lui s'est sa suer dreciee,
Et mes sire Gauvains ensamble,
6060 Qui ne mue coleur ne tramble
Por nule peor que il ait.
Guinguembresil avant se trait,
S'a la pucele saluee,
6064 Qui la color avoit muee,
Et dit trois paroles en vaim :
« Sire Gauvaim, sire Gauvaim,
Je vos avoie en conduit pris,
6068 Mas tant i ot que je vos dis
Que ja tant hardiz ne fussiez
Que vos el chastel entrissiez
N'en cité que mes sire eüst,
6072 Se destorner vos en pleüst.
De ce que l'an vos a ci fait
N'estuet il or tenir nul plait. »
Et un saiges vavasors dist :
6076 « Sire, se Dameldeux m'aïst,
Tot ce puet l'an bien amander.
Cui en doit l'an rien demander,
Se li vilain l'ont assailli ?
6080 Li plaiz n'en seroit pas failli
Devant le grant jor del joïse.
Mas il iert fait a la devise
Mon seignor le roi qui est ci.
6084 Il me commande, et je lo di,
Mas qu'il ne poist ne vos ne lui,
Que vos respitoiz amedui

_____

_____

6075. *Seul le groupe CEHMU présente la leçon attendue :* Et li sages v. *(celui du v. 6014).*

qu'il trouve dans une violente irritation.
Elle s'est levée au-devant de lui,
en même temps que monseigneur Gauvain,
lequel ne tremble pas ni ne change de couleur,
pour quelque peur qu'on lui fasse.
Guinganbrésil s'avance,
il a salué la jeune fille,
qui avait perdu sa couleur,
et il a dit quelques paroles bien vaines :
« Monseigneur Gauvain, monseigneur Gauvain,
je vous avais pris sous ma sauvegarde,
mais j'y avais mis cette réserve expresse
de ne pas vous montrer hardi
au point d'entrer dans un château
ou une cité appartenant à mon seigneur,
si vous vouliez bien vous en détourner.
Il n'y a donc pas lieu de débattre
sur ce que l'on vous a fait ici. »
Le sage arrière-vassal a dit alors :
« Dieu m'en soit témoin, monseigneur,
on peut très bien arranger les choses.
A qui donc demander des comptes
pour l'attaque des manants ?
Le procès n'en serait toujours pas fini
jusqu'au jour du Jugement Dernier !
Mais il en sera fait selon la volonté
de monseigneur le roi ici présent.
Il vous commande, par ma bouche,
de remettre tous les deux,
si aucun n'y voit d'inconvénient,

259 ra Jusqu'a un an ceste bataille,
6088 Et mes sire Gauvains s'an aille,
Mas que sor soi tant en prendra
A mon seignor qu'il li randra
Jusqu'a un an san plus de terme
6092 La lance dont la pointe lerme
Dou sanc tot cler que ele plore,
Et s'est escrit qu'il iert une ore
Que toz li realmes de Logres,
6096 Qui jadis fu la terre as ogres,
Sera destruiz por cele lance.
De ce sairement et fiance
Vielt avoir mes sire li rois.
6100 — Certes, je me lairoie ançois,
Fait mes sire Gauvains, ceanz
Morir ou languir bien set anz
Que je ce sairement feïsse
6104 Ne que ma foi vos en plevisse.
N'ai pas de ma mort tel peeur
Que je mielz ne voille a heneur
La mort soffrir et endurer
6108 Que vivre a honte et parjurer.
— Biaux sire, dist li vavasors,
Il ne vos iert ja deshenors,
Ne ja ce croi n'an seroiz pire,
6112 En un san que je vos voil dire :
Vos jureroiz que de la lance
Querre feroiz vostre puissance.
Se vos la lance n'aportez,
6116 En ceste tor vos remetez,

6089. Mais qu'un sairement an prandra / Mes sire.

votre combat à un an.
Monseigneur Gauvain est libre de s'en aller,
à condition qu'il s'engage par serment
auprès de mon seigneur à lui rendre,
d'ici un an au plus tard,
la Lance dont la pointe pleure
des larmes de sang qui sont toutes claires.
Et il est écrit que l'heure viendra
où tout le royaume de Logres,
qui fut jadis la terre des Ogres,
sera détruit par cette Lance.
Voilà sur quoi monseigneur le roi
veut avoir, par un serment, votre parole.
— Je me laisserais plutôt, je l'affirme,
fait monseigneur Gauvain, ici même
mourir ou languir sept années,
que de prononcer ce serment
ou d'y engager ma foi.
Je n'ai pas une telle peur de ma mort
que je ne préfère souffrir
et endurer la mort dans l'honneur,
plutôt que de vivre dans la honte et me parjurer.
— Mon cher seigneur, dit l'arrière-vassal,
vous n'en aurez aucun déshonneur,
et rien en vous, je crois, ne sera terni,
si vous l'entendez ainsi que je vous l'enseigne :
vous jurerez de faire, pour la quête
de la Lance, tout ce qui est en votre pouvoir.
Si vous ne rapportez la Lance,
revenez vous mettre dans cette tour,

259 rb Si seroiz del sairement quites.
    — Ensinc, fait il, com vos lo dites,
    Sui je prestz del sairement faire. »
6120 Un molt precïeux saintuaire
    Li a l'an maintenant forstrait,
    Et il a son sairement fait
    Que il metra tote sa peine
6124 A querre la Lance qui seigne.
    Ensi la bataille ont laissie,
    Jusqu'a un an est respitie,
    De lui et de Guinguebresil.
6128 Eschapez est de grant peril
    Quant il de cestui est estors.
    Quant il issi de la tor fors,
    A la pucele congié prist
6132 Et a trestoz ses vaslez dist
    Que en sa terre s'an alassent
    Et ses chevax en remenassent
    Trestoz, fors sol son Guingalet.
6136 Plorant departent li vaslet
    De lor seignor, ensin s'an vont.
    Ne d'als ne dou duel que il font
    Rien plus a dire ne me plaist.
6140 De mon seignor Gauvain se taist
    Atant li contes dou Graal,
    Si commence de Perceval.
    Percevax, ce conte l'estoire,
6144 A si perdue la memoire
    Que de Deu ne li sovient mais.
    .V. foiz passa avris et mais,

6117. seroit.

6130. Einz qu'il issist. **6141.** *Autres mss* : a estal *(« en s'en tenant là »), mais le texte de B a plus de résonance.*

et vous serez quitte de votre serment.
— Dans les termes qui sont les vôtres, fait-il,
je suis prêt à faire le serment. »
On lui a aussitôt sorti
un très précieux reliquaire,
et il a fait le serment
de se mettre, de toutes ses forces,
à la quête de la Lance qui saigne.
Ainsi ont-ils laissé le combat,
qui en est reporté à un an,
entre Guinganbrésil et lui.
Le voilà échappé à un grand péril,
quand il est sorti de celui-ci.
Avant de sortir de la tour,
il a pris congé de la jeune fille
et ordonné à tous ses jeunes gens
de retourner dans son pays
et d'y ramener tous les chevaux,
à l'exception du seul Guingalet.
Les jeunes gens se séparent, en pleurant,
de leur seigneur, et s'en vont.
A leur sujet et sur le chagrin qu'ils montrent,
je n'ai pas l'intention d'en dire plus.
De monseigneur Gauvain ne parle plus
maintenant *Le Conte du Graal*,
qui commence ici sur Perceval.

Perceval, nous raconte l'histoire,
a tant perdu la mémoire
qu'il en a même oublié Dieu.
Cinq fois passèrent avril et mai,

249 va Ce sunt .V. anz trestuit antier,
6148   Ainz que il entrast en mostier,
       Ne Deu ne sa croiz n'aora.
       Tot ensin .V. anz demora,
       Por ce ne relaissoit il mie
6152 A requerre chevalerie,
       Que les estranges aventures,
       Les felonesses et les dures
       Aloit querant, et s'an trova
6156 Tant que molt bien s'i esprova,
       N'onques n'enprist chose si grief
       Dom il ne venist bien a chief.
       .LX. chevaliers de pris
6160 A la cort lo roi Artu pris
       Dedenz .V. anz i enveia.
       Ensinc les .V. anz empleia,
       N'onques de Deu ne li sovint.
6164 Au chief de ces .V. anz avint
       Que il par un desert aloit
       Cheminant, si com il soloit,
       De totes ses armes armez.
6168 S'a trois chevaliers acontrez
       Et avec dames jusqu'a .X.,
       Lor chiés en lor chaperons mis,
       Et s'aloient trestuit a pié
6172 Et en langes et deschaucié.
       De celui qui armez venoit
       Et la lance et l'escu tenoit
       Se merveillerent molt les dames,
6176 Et por sauvement de lor ames

6176. Qui.

cela fait cinq années entières,
avant qu'il n'entrât dans une église.
Il n'adora Dieu ni sa Croix
et demeura ainsi pendant cinq ans.
Mais pour autant il ne laissait pas d'être
à la recherche d'actes de chevalerie,
toujours en quête d'aventures étranges,
terribles et âpres.
Et il en trouva tant
qu'il y fit la preuve de sa vaillance.
Il n'y eut d'entreprise si dure
dont il ne sût venir à bout.
Au cours des cinq années, il envoya
prisonniers à la cour du roi Arthur
soixante chevaliers de valeur.
Ce fut le travail de ces cinq années,
sans que jamais Dieu lui revînt en mémoire.
Au bout de ces cinq ans, un jour vint,
où il allait par une terre déserte,
cheminant à son habitude,
armé de toutes ses armes.
Il a rencontré trois chevaliers
et jusqu'à dix dames,
la tête sous le chaperon,
qui tous allaient à pied
en robes de laine et déchaussés.
A le voir ainsi venir tout armé,
tenant la lance et l'écu,
les dames furent saisies d'étonnement,
elles qui, pour le salut de leurs âmes,

259 vb Lor penitance a pié faisoient,
        Por les pechiez que faiz avoient.
        Et li uns des trois chevaliers
6180   L'areste et dit : « Biau sire chiers,
        Dont ne creez vos Jhesu Crist
        Qui la Novele Loi escrist,
        Si la dona as crestïens ?
6184   Certes, ce n'est raisons ne biens
        D'armes porter, ainz est grant torz,
        Au jor que Jhesu Cristz fu morz. »
        Et cil qui n'aveit nul espanz
6188   De jor ne de nul autre tans,
        Tant avoit en son cuer enui,
        Respont : « Quel jor est il donc hui ?
        — Quel jor, sire ? Se ne savez,
6192   C'est li vendredis aorez,
        Li jors que l'an doit aorer
        La croiz et ses [pechiez] plorer,
        Car hui fu cil en croiz penduz
6196   Qui fu .XXX. deniers venduz.
        Cil qui de toz pechiez fu mondes
        Vit les pechiez dont toz li mondes
        Iert enlïez et entoichiez,
6200   Si devint hom por nos pechiez.
        Voirs est que Deux et hom fu il,
        Que la Virge enfanta un fil,
        Qui par Saint Esperit conçut,
6204   O cuer et char et sanc reçut,
        Si fu sa deïtez coverte
        En char d'ome, c'est chose certe.

_____

_____

6188. ne d'ore ne de t. **6191.** si nel savez *(avec point d'interrogation).*
6204. Ou Deus.

allaient à pied, en pénitence
des péchés qu'elles avaient commis.
L'un des trois chevaliers
l'arrête et lui dit : « Mon doux et cher seigneur,
ne croyez-vous donc pas en Jésus-Christ,
qui a écrit la Loi nouvelle
pour la donner aux chrétiens ?
Il n'est, en vérité, ni juste ni bien,
c'est même une faute grave, de porter les armes
le jour de la mort de Jésus-Christ. »
Et lui qui n'avait plus la moindre notion
du jour ni de l'heure ni de la saison,
tant il avait le cœur troublé,
de répondre : « Quel jour sommes-nous aujourd'hui ?
— Quel jour, monseigneur ? Vous ne le savez donc pas ?
C'est le Vendredi Saint,
le jour où l'on doit adorer
la Croix et pleurer ses péchés.
C'est aujourd'hui que fut pendu en croix
Celui qui fut vendu pour trente deniers.
Celui qui était pur de tout péché
vit les péchés dont le monde entier
était prisonnier et souillé,
et, pour nos péchés, Il se fit homme.
C'est vérité qu'Il fut Dieu et homme,
car la Vierge enfanta un fils
qu'elle conçut du Saint-Esprit,
elle en qui Dieu prit chair et sang
et recouvrit sa divinité
de notre humanité de chair, c'est là une certitude,

260 ra Et qui ensi ne lo crera,
6208 Ja en la face nel verra.
Il fu nez de la Vierge Dame
Et prist d'ome la forme et l'ame
Avec la sainte deïté,
6212 Qui a tel jor par verité
Cum hui est fu en la croiz mis
Et traist d'anfer toz ses amis.
Molt par fu sainte icele morz
6216 Qui sauva les vis, et les morz
Resuscita de mort a vie.
Li faux Juïf por lor envie,
Qu'an devroit tuer comme chiens,
6220 Firent lor mal et noz granz biens
Quant il en la croiz lo leverent,
Als perdirent et nos sauverent.
Tuit cil qui en lui ont creance
6224 Doivent hui estre en penitance.
Hui ne deüst hom qui Deu croie
Armes porter ne champ ne voie.
— Dont venez vos ores ensi,
6228 Fait Percevaus? — Sire, de ci,
D'un bon home, d'un saint hermite,
Qui en ceste forest abite,
Ne ne vit, tant par est preudom,
6232 Se de la gloire dou ciel non.
— Por Deu, seignor, la que feïstes?
Que demandastes? que queïstes?
— Coi, sire? fait l'une des dames,
6236 De noz pechiez li demandasmes

et celui qui ne le croit ainsi
jamais ne Le verra en la face.
Il est né de la Vierge, Notre Dame,
Il a pris la forme et l'âme humaines
en gardant sa sainte divinité,
et, en vérité, le même jour
qu'aujourd'hui Il a été mis en croix,
et Il a sorti tous les siens de l'enfer.
Ce fut une très sainte mort,
par laquelle furent sauvés les vivants, et les morts
furent ressuscités de mort à vie.
Les juifs menteurs, pleins d'envie,
qu'on devrait tuer comme des chiens,
ont fait leur malheur et notre grand bonheur,
quand ils Le levèrent en croix.
Ils firent leur perte et notre salut.
Tous ceux qui ont en Lui leur foi
doivent aujourd'hui faire pénitence.
Aujourd'hui aucun homme qui croit en Dieu
ne devrait porter les armes ni en chemin ni au champ de
— D'où venez-vous donc ainsi ?   [bataille.
fait Perceval. — D'ici, monseigneur,
de chez un homme de bien, un saint ermite
qui habite dans cette forêt,
et qui ne vit, tant il a de bonté,
que de la seule gloire du Ciel.
— Au nom de Dieu, messeigneurs, qu'alliez-vous faire là ?
Qu'avez-vous demandé ? Que cherchiez-vous ?
— Quoi, monseigneur ? fait l'une des dames,
mais pour nos péchés nous lui avons demandé

260rb Consoil, et confesse preïsmes.
  Lo plus grant besoig i feïsmes
  Que nus crestïens puisse faire,
6240 Qui a Dameldeu voille plaire. »
  Ce que Percevaus oï ot
  Lo fait plorer, et si li plot
  Que au saint home alast parler.
6244 « La voldroie, fait il, aler,
  A l'ermite, se je savoie
  Tenir lo santier et la voie.
  — Sire, qui aler i voldroit,
6248 Si tenist cest santier tot droit,
  Ensi con nos somes venu,
  Par ces bois espés et menu,
  Si se preïst garde des rains
6252 Que nos meïsmes a nos mains
  Noasmes quant nos i venimes.
  Tex entreseignes i feïsmes
  Por ce que nus n'i esgarast,
6256 Qui vers le saint hermite alast. »
  Atant a Deu s'antrecommandent,
  Que nule rien plus n'i demandent.
  Et cil en son chemin s'an entre,
6260 Qui sospire del cuer del ventre
  Por ce que mesfaiz se santoit
  Vers Deu, dont molt se repantoit.
  Plorant s'an va vers le boischaige,
6264 Et quant il fu vers l'ermitaige,
  Si descent et si se desarme,
  Son cheval aresne a un charme,

6240. Qui v. a D. retraire.

conseil et nous nous sommes confessés.
C'était là ce qu'il y avait de plus urgent
à faire pour un chrétien
qui veut revenir à Dieu. »
Les paroles qu'il venait d'entendre
font pleurer Perceval. Il a décidé
d'aller parler au saint homme.
« Je voudrais aller là, fait-il,
chez l'ermite, si je savais
quel sentier ou quel chemin suivre.
— Monseigneur, si on voulait y aller,
il suffirait de suivre tout droit ce sentier
par où nous sommes venus,
à travers ces bois denses et épais,
et de prêter attention aux branchages
que nous avons de nos propres mains
noués, quand nous y sommes allés,
comme autant de signes que nous avons laissés
pour que nul ne s'égare,
en se rendant auprès du saint ermite. »
Alors ils se recommandent à Dieu,
sans plus s'adresser de questions,
et lui s'engage sur son chemin,
en soupirant du fond de l'âme,
parce qu'il se sentait coupable
envers Dieu et qu'il s'en repentait.
Il s'en va en pleurant vers la forêt.
Arrivé à l'ermitage,
il descend, ôte ses armes,
attache à un charme son cheval,

260 va Puis si s'en entre chiés l'ermite.
6268   En une chapele petite
        Trova l'ermite et lo provoire
        Et un clerzon, ce est la voire,
        Qui commancerent lo servise
6272   Lo plus grant qui en sainte eglise
        Puisse estre faiz et lo plus dolz.
        Percevaus se met a genouz
        Tantost com entre en la chapele,
6276   Et li boens hom a lui l'apele,
        Qui molt lo vit simple et plorant,
        Et des qu'enz el menton corrant
        L'eve des iauz li degotoit.
6280   Et Percevaus, qui molt dotoit
        Avoir vers Dalmedeu mespris,
        Par lo pié a l'ermite pris,
        Si l'encline et ses mains li joint
6284   Et li prie que il li doint
        Conseil, que grant mestier en a.
        Et li prodom li commanda
        A dire sa confession,
6288   Qu'il n'avra ja remission
        S'il n'est confés et repantanz.
        « Sire, fait il, bien a .V. anz
        Que je ne soi ou je me fui,
6292   Ne Deu n'amai ne Deu ne crui,
        N'onques puis ne fis se mal non.
        — Ha ! Biax amis, dit li prodom,
        Di moi por quoi tu as ce fait,
6296   Et prie Deu que merci ait

_____

6272. que.

_____

6278. Que jusques au m.

puis il entre chez l'ermite.
Dans une petite chapelle,
il a trouvé l'ermite en compagnie du prêtre
et d'un enfant de chœur, c'est la vérité,
au moment où ils commençaient le service
le plus haut et le plus doux
qui puisse être célébré dans une sainte église.
Perceval se met à genoux
aussitôt qu'il entre dans la chapelle,
mais le saint homme l'appelle à lui,
quand il a vu sa sincérité et ses pleurs,
car l'eau de ses larmes goutte à goutte
lui coulait des yeux jusqu'au menton.
Et Perceval, dans sa crainte
d'avoir offensé Dieu,
a saisi le pied de l'ermite
et s'est incliné devant lui,
puis, les mains jointes,
il le supplie de lui donner
conseil, car il en a grand besoin.
Alors le saint homme lui a commandé
de dire sa confession,
car s'il n'est pas confessé ni repenti,
il n'obtiendra pas de rémission.
« Monseigneur, lui dit-il, il y a bien cinq ans de cela,
soudain je n'ai plus su où j'étais moi-même,
je cessai d'aimer Dieu et de croire en Dieu,
et, depuis lors, je n'ai fait que le mal.
— Ah ! mon doux ami, dit le saint homme,
dis-moi pourquoi tu as fait cela,
et prie Dieu qu'Il ait pitié

260 vb De l'ame de son pecheor.
    — Sire, chiés le Roi Pescheor
    Fu une foiz et vi la lance
6300 Dont li fers saigne san dotance,
    Et de cele gote de sanc
    Que a la pointe dou fer blanc
    Vi pandre, rien n'an demandai.
6304 N'onques puis certes n'amandai.
    Et do graal que je i vi
    Ne sai pas cui l'an en servi,
    Que morz eüsse esté, mien vuel,
6308 S'en ai puis eü si grant duel
    Que Dameldeu en obliai,
    Ne puis merci ne li criai
    Ne ne fis rien que je deüsse
6312 Por coi jamais merci eüsse.
    — Ha ! biax amis, dit li prodom,
    Or me di comment tu as non. »
    Et il li dit : « Percevaus, sire. »
6316 A cest mot li prodom sospire,
    Qui a le non reconeü,
    Et dit : « Frere, molt t'a neü
    Uns pechiez don tu ne sez mot,
6320 Ce fu li diels que ta mere ot
    De toi, quant tu partis de li,
    Que pasmee a terre chaï
    Au chief del pont devant la porte,
6324 Et de ce duel fu ele morte.
    Por le pechié que tu en as
    T'avint que tu ne demandas

6302. Et a la p. 6303. pandre et rien.

6307-6308. *Intervertis.* 6309. Et.

de l'âme de son pécheur.

— Monseigneur, c'était chez le Roi Pêcheur !
J'y fus une fois et je vis la Lance
dont le fer saigne, à l'évidence.
Sur cette goutte de sang
qu'à la pointe du fer qui était blanc
je vis suspendue, je ne demandai rien,
ce qui, depuis lors, ne m'a rien valu !
Quant au graal que j'y vis aussi,
j'ignore qui en fut servi,
mais j'en ai, depuis, conçu une telle tristesse
que mon vœu eût été d'être mort.
Et j'en ai oublié Dieu Notre Seigneur,
jamais depuis je n'ai imploré Sa pitié
et je n'ai rien fait de ce que j'aurais dû
pour qu'il me prît en pitié.

— Ah ! mon doux ami, lui dit le saint homme,
dis-moi donc quel est ton nom.

— Perceval, monseigneur », lui répond-il.
A ce mot le saint homme soupire.
Il a reconnu le nom
et il lui dit : « Mon frère, ce grand mal t'est venu
d'un péché dont tu ne sais mot.
Le chagrin que ta mère ressentit
à cause de toi, quand tu la quittas,
car elle tomba évanouie au sol,
au bout du pont, devant la porte,
c'est ce chagrin qui l'a tuée.
Pour le péché que tu en as,
il advint que tu n'as rien demandé

261 ra De la Lance ne do Graal,
6328 Si t'an sunt avenu maint mal,
Ne n'eüsse[s] pas tant duré
S'ele ne t'eüst commandé
A Dalmedeu, ce saiches tu.
6332 Mas sa parole ot tel vertu
Que Dex por li t'a regardé,
De mort et de prison gardé.
Pechiez la laingue te traincha,
6336 Que lo fer qui ainz n'estaincha
Descovert devant toi veïs
Ne la raison n'an enqueïs,
Et tu del graal ne seüs
6340 Cui l'an en sert, fol sans eüs.
Cil cui l'an en sert est mes frere,
Ma suer et soe fu ta mere,
Et del Riche Pescheor croi
6344 Que il est filz a celui roi
Qui del graal servir se fet.
Ne ne cuide pas que il ait
Luz ne lamproies ne salmon,
6348 D'une sole hoiste li sainz hom,
Que l'an en cel graal li porte,
Sa vie sostient et conforte.
Tant sainte chose est li Graals
6352 Et il, qui est esperitax,
C'autre chose ne li covient
Que l'oiste qui el graal vient.
.XII. anz i a esté ainsi
6356 Que fors de la chambre n'isi

6336. Quant. 6339. Et quant. 6347. lamproie. 6352. Et il est si e. (*la leçon de B, non relevée par Hilka, est commune à CTV. Pour l'omission de* si, *voir éd. Roach, p. 294*). 6337. De seignier. 6353. Qu'a sa vie ne li c. 6355. Var. XV (A), XX (CPSU), XII (BFHRTV).

de la Lance ni du Graal.
De là sont venus nombre de tes malheurs.
Tu n'aurais même pas pu tenir tout ce temps,
si elle ne t'avait recommandé
à Dieu Notre Seigneur, sache-le !
Mais sa prière eut une telle vertu
que Dieu t'a pour elle regardé,
te préservant de la mort et de la prison.
Le péché te trancha la langue,
quand tu as vu devant toi le fer
dont le sang jamais n'a été étanché
et que tu n'en as pas demandé la raison.
Et pour le graal, quand tu n'as su
qui l'on en sert, tu fus un insensé.
Celui qu'on en sert est mon propre frère.
Ma sœur et la sienne fut ta mère.
Quant au Riche Pêcheur, crois-le,
il est le fils de ce roi
qui se fait servir avec le graal.
Ne va pas t'imaginer qu'il ait
brochet, lamproie ou saumon !
Le saint homme, d'une simple hostie
qu'on lui apporte dans ce graal,
soutient et fortifie sa vie.
Le Graal est chose si sainte
et lui si pur esprit
qu'il ne lui faut pas autre chose
que l'hostie qui vient dans le Graal.
Il est resté ainsi douze ans,
sans sortir de la chambre

261 rb Ou le Graal veïs antrer.
       Or te voil enjoindre et doner
       Penitance de ton pechié.
6360   — Biaux oncles, ensi le voil gié,
       Fait Percevaus, molt de boen cuer.
       Quant ma mere fu vostre suer,
       Bien me devez nevou clamer,
6364   Et je vos oncle, et mielz amer.
       — Voire, biax niés, mas or m'entent !
       Se de t'ame pitié te prant,
       Si aies bone repentance
6368   Et va el non de penitance
       Au mostier ainz qu'en autre leu
       Chascun main, si avras grant preu.
   .   Ja ne laissier tu por nul plait !
6372   Se tu iés en leu o il ait
       Mostier, chapele ne baroiche,
       Va i quant sonera la cloiche,
       Ou ançois, se tu iés levez,
6376   Ja de ce ne seras grevez,
       Ainz en iert [molt] t'ame avancie.
       Et se la messe est commancie,
       Tant i fera il meillor estre,
6380   Tant i demore que li prestre
       Avra tot dit et tot chanté.
       Se ce te vient a volanté,
       Ancor porras monter en pris,
6384   S'avras henor et paradis.
       Deu croi, Deu aime, Deu aore,
       Bon home et bone fame henore,

6362. Car. 6382. *Le copiste est scrupuleux : il barre* il *(donné par ALPSU)
et rajoute* ce *au-dessus.* 6385. Deu henore. 6386. aore.

6370. *Leçon de BCTV. Var.* : jor.

où tu as vu entrer le Graal.
Maintenant je veux t'imposer et te donner
une pénitence pour ton péché.
— Très cher oncle, j'y consens
de tout mon cœur, fait Perceval.
Puisque ma mère fut votre sœur,
vous devez bien m'appeler neveu
et moi vous appeler oncle, et vous en aimer mieux.
— C'est vrai, mon cher neveu, mais écoute maintenant !
Si tu as pitié de ton âme,
tâche d'avoir un repentir sincère.
Pour pénitence, tu iras
à l'église, avant tout autre endroit,
chaque matin. Tu ne pourras qu'y gagner.
Et n'y renonce sous aucun prétexte !
Si tu te trouves en un lieu où il y ait
une abbaye, une chapelle ou une église paroissiale,
vas-y dès que retentira la cloche,
ou même avant, si tu es levé.
Loin que ce soit un fardeau,
ton âme en sera déjà en meilleur chemin !
Et si la messe est commencée,
il n'en sera que mieux d'y être.
Restes-y jusqu'à ce que le prêtre
l'ait dite et chantée tout entière.
Si tu en as la ferme volonté,
ton mérite en sortira grandi,
et, avec l'honneur, tu auras le paradis.
Crois en Dieu, aime Dieu, adore Dieu,
honore les gens de bien, hommes et femmes.

261 va Contre les provoires te lieve,
6388 C'est uns services qui po grieve,
        Et Dex l'aime por verité,
        Por ce qu'il vient d'umilité.
        Se pucele aïde te quiert,
6392 Aïde li, que mielz t'en iert,
        A veve fame o orfenine,
        Icele aumosne iert enterine.
        Ce voil que por tes pechiés faces,
6396 Se ravoir viels totes les graces
        Ausi cum tu avoir le siels.
        Or me di se faire le viels.
        — Oïl, fait il, molt volantiers.
6400 — Or te pri que .II. jors antiers
        Avec moi ceanz te remaignes
        Et que en penitance preignes
        Tel vïande cum iert la moie. »
6404 Et Percevaus ce li otroie,
        Et li hermites li consoille
        Une oreison dedanz l'oreille,
        Si li ferma tant qu'il la sot.
6408 [Et] en cele oreison si ot
        Assez des nons notre Seignor,
        Car il i furent li greignor
        Que nomer ne doit boiche d'ome,
6412 Se por peor de mort nes nome.
        Quant l'oreison li ot aprise,
        Desfandi li por nule guise
        Ne les deïst san grant peril.
6416 « No ferai je, sire », fait il.

---

*Dans la marge gauche de la colonne, dessin d'une tour, évasée vers le haut,
avec trois créneaux.*

6393. O v. dame. *Après* **6394,** *om. (bourdon)* Aïde lor, si feras bien / Garde
ja nel laissier por rien.

Lève-toi au-devant des prêtres,
c'est un service qui coûte peu,
mais Dieu l'apprécie vraiment,
parce qu'il vient d'un cœur humble.
Si une jeune fille requiert ton aide,
viens-lui en aide, tu seras toi-même en meilleur point,
ou encore si c'est une dame veuve ou une orpheline.
Ce sera un acte de parfaite charité.
[Viens-leur en aide, tu agiras bien,
garde-toi pour rien au monde de jamais y manquer !]
Voilà ce que je veux que tu fasses pour tes péchés,
si tu souhaites retrouver toutes les grâces
dont ta nature était pourvue.
Dis-moi maintenant si tu en as la volonté.
— Oui, répond-il, l'entière volonté.
— Alors je te prie de rester ici avec moi,
pendant deux jours entiers
et de prendre, comme pénitence,
le même repas que le mien. »
Perceval y a consenti
et l'ermite lui murmure
à l'oreille une prière
qu'il lui répète jusqu'à ce qu'il la sache.
Et cette prière contenait
bien des noms de Notre Seigneur,
parmi les plus saints,
ceux que nulle bouche d'homme ne doit prononcer,
si ce n'est en péril de mort.
Quand il lui eut appris cette prière,
il lui défendit de les dire
d'aucune façon que ce fût, sauf au plus grand péril.
« Je ne le ferai pas, monseigneur », lui répond-il.

261 vb Ensi remest et si oï
Lo servise et molt s'esjoï.
Aprés lo servise aora
6420 La croiz et ses pechiez plora.
Icele nuit a mangier ot
Ice qu'au saint hermite plot,
Mas il n'i ot s'erbetes non,
6424 Cerfuel, laitues et creson
Et mil et pain d'orge et d'aveigne
Et eve de froide fonteigne,
Et ses chevals ot de l'estraim
6428 Et de l'orge un boissel plaim.
Ensi Percevaus reconut
Que Dex au Venredi reçut
Mort, et si fu crucefïez.
6432 A la Pasque comenïez
Fu Percevaus molt dignement.
De Perceval plus longuement
Ne parole li contes ci,
6436 Ançois avroiz assez oï
De mon seignor Gauvain parler
Que riens m'oiez de lui conter.

Mes sire Gauvains tant erra,
6440 Quant il de la tor eschapa
O la commune l'asailli,
Que entre tierce et mi[e]di
Vers une engarde vint errant,
6444 Et vit un chaisne haut et grant,
Trop bien foillu por ombre rendre.
Au chasne vit un escu pandre

6446. prandre.

Après **6420**, *seulement dans* ACPSU : Et se repanti duremant / Et fu einsi tot coiemant. **6426.** *Var.* Et e. clere de fontainne. **6428** Boissel, BCFMQ, *supérieur à :* bacin, T, A. *Après* **6428**, *seulement dans* APSU : Et estable tel come il dut / Conreez fu si come estut. *Ces deux vers, comme dans le cas précédent, n'ajoutent rien : interpolation probable.*

Il resta donc et il entendit
le service divin et il fut plein de joie.
Après le service, il adora
la Croix et il pleura ses péchés.
Ce soir-là, il eut à son repas
ce que voulut l'ermite.
Il n'y avait là que de menues herbes,
cerfeuil, laitues et cresson,
du millet, du pain d'orge et d'avoine,
et l'eau d'une froide source.
Son cheval eut de la paille
et un plein boisseau d'orge.
Ainsi Perceval se rappela
que Dieu reçut au Vendredi
la mort et qu'il fut crucifié.
Le jour de Pâques, Perceval
communia dignement.
Le conte s'arrête ici de parler
plus longuement de Perceval,
et vous m'aurez beaucoup entendu
parler de monseigneur Gauvain,
avant que le conte revienne à lui.

Monseigneur Gauvain poursuivit sa route,
après s'être échappé de la tour
où les gens de la commune l'avaient assailli,
jusqu'au moment où, entre tierce et midi,
il arriva très vite vers une hauteur.
Et il aperçut un grand et puissant chêne
qui dispensait l'ombre d'un épais feuillage.
Il a vu un écu, pendu au chêne,

262 ra Et delez une lance droite.
6448 Mes sire Gauvains tant esploite
D'errer que lez lo chasne vit
Un palefroi norois petit,
Si li vint molt a grant mervoille,
6452 Que ce n'est pas chose paroille,
Que pas n'avienent, ce li samble,
Armes et palefroiz ensamble.
Se li palefrois fust chevax,
6456 Dont li samblast qu'aucuns vassax,
Qui por s'enor et por son pris
Alast errant par lo païs,
Eüst montee cele engarde.
6460 Atant desoz lo chasne garde,
Et voit seant une pucele,
Qui molt li sambloit estre bele,
Se ele eüst joie et leesce.
6464 Mas ele ot ses doiz en sa trece
Fichiez por ses chevox detraire,
Si s'esforçoit molt de duel faire.
Por un chevalier duel faisoit,
6468 Que ele molt sovant baisoit
Es iauz, el front et en la boiche.
Quant mes sire Gauvains l'aproiche,
Si voit lo chevalier blecié,
6472 Qui lo vis avoit depecié,
Et si avoit un cop molt grief
D'une espee parmi lo chief,
Et d'autre part parmi les flans
6476 Li coroit a randon li sans.

6473. *Var. T*: Et ot une plaie m. g. 6475. *Var. T*: Et d'andeus parz.

et, à côté, une lance toute droite.
Monseigneur Gauvain se hâte
d'avancer et voit auprès du chêne
un petit palefroi de race nordique.
Il s'en est émerveillé,
car des armes et un palefroi
n'ont rien de commun
et ne vont pas ensemble, à son avis.
Si le palefroi avait été un grand cheval,
il aurait pensé que quelque vassal
cheminant par le pays,
en quête d'honneur et de gloire,
s'était posté sur cette hauteur.
Il regarde alors sous le chêne
et y voit assise une jeune fille,
qui lui semblait devoir être très belle,
si elle avait le cœur en joie et en fête.
Mais elle avait planté ses doigts
dans la tresse de ses cheveux pour se les arracher
et elle manifestait violemment sa douleur.
Elle menait grand deuil pour un chevalier
à qui, de façon répétée, elle baisait
les yeux, le front et la bouche.
Comme monseigneur Gauvain s'approche d'elle,
il voit le chevalier, qui était blessé.
Il avait le visage en lambeaux
et il avait reçu un pesant coup d'épée
par le milieu du crâne.
De ses flancs, d'autre part,
le sang jaillissait d'un trait.

262 rb Li chevaliers pasmez se fu
        Sovent del mal qu'il ot eü,
        Tant qu'en la fin se reposa.
6480   Quant mes sire Gauvains vint la,
        Si ne sot s'il fu morz ou vis,
        Et dit : « Bele, que vos est vis
        Del chevalier que vos tenez ? »
6484   Et cele dit : « Veoir poez
        Qu'en ses plaies a grant peril,
        Que de la menor morroit il. »
        Et il li redist : « Bele amie,
6488   Esvoilliez le, ne vos poist mie,
        Que noveles li voil enquerre
        Des affaires de ceste terre.
        — Sire, je ne l'esvoilleroie,
6492   Fait la pucele, ainz me lairoie
        Trestoz les manbres detranchier,
        Qu'onques nul home n'oi tant chier
        Ne ja n'avrai, tan cum je vive.
6496   Molt seroie fole chaitive,
        Que je voi qu'il dort et repose,
        Se je faisoie nule chose
        Par quoi il se plaigsist de moi.
6500   — Et je l'esvoillerai, par foi,
        Fait mes sire Gauvains, mon vuel. »
        Lors torne desoz l'arestuel
        De sa lance et si l'adoise
6504   A l'esperon et pas n'apoise
        Sore celui, si l'esvoilla,
        Et si soavet li crolla

6482. dist. **6484.** dist. **6493.** Trestote vive. **6502.** devers. **6503.** Sa l.
6504. *La leçon de T et A*, n'an (ne) poise, *est inférieure à celle, plus concrète,
que B seul a conservée.*

Le chevalier s'est évanoui
à plusieurs reprises, sous le coup de sa douleur,
mais, à la fin, il trouva le repos.
Monseigneur Gauvain, une fois arrivé,
n'a pu savoir s'il était mort ou en vie.
« Belle jeune fille, a-t-il dit, qu'en pensez-vous,
vous qui tenez ce chevalier dans vos bras?
— Vous pouvez voir, lui a-t-elle répondu,
qu'avec ses blessures, il est en grand danger.
De la moindre d'entre elles il pourrait mourir!
— Ma douce amie, a-t-il repris,
réveillez-le, sans que cela vous ennuie,
car j'ai des nouvelles à lui demander
sur les choses qui se passent dans ce pays.
— Monseigneur, ce ne serait pas moi qui le réveillerais,
fait la jeune fille. Je me laisserais plutôt
déchirer toute vive,
car il n'y a jamais eu d'homme que j'ai autant aimé
ni aimerai de ma vie entière.
Quelle malheureuse insensée je serais,
en le voyant ainsi dormir et reposer,
si je faisais quoi que ce fût
qui l'amenât à se plaindre de moi!
— Eh bien, moi, je le réveillerai, ma parole!
fait monseigneur Gauvain, si je m'en crois. »
Retournant alors sa lance
pour en présenter le talon, il le touche
à l'éperon, mais sans appuyer
sur lui. Il l'a réveillé,
mais en lui bougeant si doucement

262 va L'esperon que mal ne li fist,
6508 Ançois l'an mercïa et dist :
Sire, .v^C. merciz vos rant,
Quant vos si debonairement
Boté et esvoillié m'avez
6512 Que de noient ne sui grevez.
Mas por vos meïsme vos pri
Que vos n'ailliez avant de ci,
Que vos ferïez molt que fox.
6516 Remenez, si creez mon los,
Remenez, sire ! — Et je, por coi ?
— Je vos dirai, fait il, par foi,
Des que vos le volez oïr.
6520 Ainz chevaliers n'en pot joïr
Qui ça alast ne champ ne voie,
Que c'est la bone de Galvoie,
Que chevaliers ne puet passer
6524 Qui jamais puisse retorner,
N'ancor n'an est nus retornez
Fors moi qui i sui atornez
Si malement que jusqu'anuit
6528 Ne vivrai pas, si cum je cuit.
Por ce vos en vient mielz aler
Que de ceste engarde avaler,
Que li retorz est trop grevains.
6532 — Par foi, fait mes sire Gauvains,
Je ne vig pas por retorner,
En lo me devroit atorner
A trop laide recreandise,
6536 Que j'ai hore la voie emprise,

6517. Remaindre s. *(avec une autre ponctuation, en attribuant la réplique à Gauvain). Après* 6522, *seulement dans* ACPSU, Molt dure et molt est felenesse / Et s'i est la genz molt perversse. *Interpolation ? Après* 6528, *om.*

l'éperon qu'il ne lui a fait aucun mal.
Tout au contraire, l'autre l'en a remercié, en lui disant :
« Monseigneur, je vous rends mille fois grâce
de m'avoir si gentiment
poussé et réveillé
que je n'en ai pas du tout souffert.
Mais je vous adresse pour vous-même la prière
de ne pas aller plus loin qu'ici,
car ce serait agir en fou.
Croyez-moi, restez ici.
— Rester, monseigneur ? Et pourquoi donc ?
— Je vais vous le dire, sur ma foi, fait-il,
puisque vous souhaitez l'entendre.
Jamais on n'a vu triompher chevalier
qui, par chemin ou par plaine, y soit allé d'ici,
car c'est ici la borne de Gauvoie,
que nul chevalier ne peut franchir
avec l'espoir d'en jamais revenir.
A ce jour, nul n'en est revenu
sauf moi, mais j'ai été mis
si mal en point que je ne vivrai pas
jusqu'à ce soir, je le crains.
Aussi feriez-vous mieux de vous en aller,
plutôt que de descendre cette colline,
car le retour en est trop pénible.
— Ma parole, fait monseigneur Gauvain,
je ne suis pas venu pour repartir.
On aurait raison de le tenir
pour une vile lâcheté de ma part,
si, après m'être engagé dans cette voie,

Que je trovai un chevalier / Preu et hardi et fort et fier / Onques si vaillant
ne trovai / Ne a si fort ne m'esprovai. *Hilka a retenu ce passage, TV
s'ajoutant au groupe ACPSU, mais la réplique de Gauvain (vv. 6538-6539)
invite plutôt à l'écarter.* **6536.** Quant.

262 vb Se je de ci m'an retornoie,
       Tant irai que je saiche et voie
       Por coi nus retorner n'an puet.
6540   — Je voi bien que faire l'estuet,
       Fait li chevaliers afolez,
       Vos i iroiz, que molt volez
       Vostre pris croistre et eslever.
6544   Mas s'il ne vos devoit grever,
       Molt volantiers vos prieroie
       Que se Dex l'enor vos envoie
       C'onques chevaliers a nul tans
6548   Ne pot avoir, ne je ne pans
       Que ja aveigne que nus l'ait,
       Ne vos ne autres por nul plait,
       Que vos en retornoiz par ci,
6552   Et verroiz, la vostre merci,
       Se je serai o morz o vis
       Et s'il me sera mielz o pis.
       Se je sui morz, por charité,
6556   Et por la Sainte Trinité,
       De ceste pucele vos pri
       Que vos preigniez garde de li,
       Qu'ele n'ait honte ne mesaise.
6560   Et por ce a faire vos plaise
       Qu'ainz Dex ne fist ne ne volst faire
       Plus frainche ne plus debonaire. »
       Mes sire Gauvains li otroie,
6564   Se essoigne ne lo maistroie
       O de prison o d'autre enui,
       Que il s'an revenra par lui

___

6549. Que je.

___

Après **6562**, *seulement dans* ACFPSU: Plus cortoise, plus afeitiee / Or me
sanble que desheitiee / Est mout por moi, si n'a pas tort / Qu'ele me voit
mout pres de mort. *Impression de délayage et de redite.*

je m'en retournais d'ici.
Je poursuivrai jusqu'à ce que je sache et que je voie
pourquoi personne ne peut en revenir.
— Je vois bien que c'est inévitable,
fait le chevalier qui était blessé.
Vous irez donc, puisque vous désirez tant
accroître et rehausser votre gloire.
Mais si ce n'était pas trop vous demander,
je vous prierais bien volontiers,
si Dieu vous en accorde l'honneur
qu'aucun chevalier jamais
n'a pu avoir et dont, je pense, il ne se fera
jamais qu'aucun l'obtienne,
ni vous ni autre, d'aucune manière,
qu'alors vous repassiez par ici,
et vous verrez, faites-m'en la grâce,
si je suis mort ou bien en vie
et si mon état empire ou s'améliore.
Si je suis mort, au nom de la charité
et de la Sainte Trinité,
je vous demande, pour cette jeune fille,
que vous preniez garde d'elle,
afin qu'elle ne soit dans la honte ou dans la gêne.
Acceptez d'autant mieux de le faire
que jamais Dieu ne fit ni ne voulut faire
jeune fille plus noble ni plus généreuse. »
Monseigneur Gauvain lui promet
que, si aucune excuse majeure ne l'en empêche,
prison ou autre malheur,
il s'en reviendra par là où il est,

263 ra Et a la pucele donra
6568 Si bon consoil cum il porra.
Ensi lor laisse et si lor fine.
Par plains et par forestz ne fine
Tant qu'il vit un chastel molt fort,
6572 Qui d'une part avoit lo port
De mer molt granz et la navie.
Petit valoit meins que Pavie
Li chastiaus, qui molt estoit nobles.
6576 D'autre part estoit li vignobles,
Et la riviere granz desoz,
Qui aceignoit les murs trestoz,
S'avoit jusqu'en la mer l'escors.
6580 Ensi li chastiax et li bors
Estoit tot environ fermez.
Mes sire Gauvains est entrez
El chastel par desor un pont,
6584 Et quant il fu venuz amont,
Ou plus bel de tot lo chastel,
Desoz un orme en un prael
Trova une pucele sole,
6588 Qui miroit sa face et sa gole,
Qui plus estoit blanche que nois.
D'un cercelet estroit d'orfrois
Ot fait entor son chief corone.
6592 Mes sire Gauvains esperone
Vers la pucele l'ambleüre,
Et ele li crie : « Mesure,
Mesure, sire ! Or belement,
6596 Que vos venez molt folement !

6579. *Hilka a noté* : les tors. *Nous lisons* les cors (*cf. autres mss,* son cors),
ou plutôt l'escors, *le cours impétueux.* **6583.** desoz. **6586.** Desor.

6569. E. les l. et si chemine. **6572.** *La version A* : don l'eve venoit au
regort / De mer *offre ici l'intérêt de rappeler la description du château de
Gornemant, v. 1274. Après* **6576,** *seulement dans ACPSU* : Et li bois granz
et avenanz / Qui mout ert biaus et bien seanz. *Banal et inutile.*

et il donnera à la jeune fille
la meilleure aide qu'il pourra.
Ainsi les laisse-t-il pour suivre son chemin.
A travers plaines et forêts, il ne cesse d'aller
jusqu'au moment où il voit un château fort,
avec d'un côté, sur la mer,
un très grand port et ses navires.
Il ne valait pas moins que Pavie,
ce château si imposant !
De l'autre côté, se trouvait le vignoble,
avec en contrebas une grande rivière,
qui ceignait l'ensemble des murs
avant de rejoindre impétueusement la mer.
Ainsi le château, comme le bourg,
était-il fortifié sur tout son pourtour.
Monseigneur Gauvain est entré
dans le château en passant sur un pont
et, quand il fut arrivé en haut,
au plus bel endroit de toute la place,
dans un petit pré, sous un orme,
il a trouvé une jeune fille seule,
contemplant dans un miroir sa face et sa gorge,
qui étaient plus blanches que neige.
D'un étroit bandeau d'orfroi,
elle s'était fait sur la tête une couronne.
Monseigneur Gauvain met son cheval à l'amble
et l'éperonne en direction de la jeune fille.
« Tout beau ! monseigneur, lui crie-t-elle.
Tout beau ! Calmez-vous !
Vous arrivez comme si vous aviez perdu la tête.

263 rb Ne vos covient pas si haster
     Por vostre embleüre gaster.
     Fox est qui por neent esploite.
6600   — De Deu soiez vos beneoite,
     Fait mes sire Gauvains, pucele !
     Or me dites, amie bele,
     De quoi vos fustes apansee,
6604 Qui si tost m'avez amenbree
     Mesure, et ne savez por quoi.
        — Si faz, chevaliers, par ma foi,
     Que je sai bien que vos pansez.
6608   — Et quoi ? fait il. — Vos me volez
     Prandre et porter ci contr'aval
     Sor le col de vostre cheval.
        — Voir vos avez dit, damoisele !
6612   — Je lo savoie bien, fait ele,
     Mal daez ait qui lo pansa !
     Garde no te panser tu ja
     Que tu sor ton cheval me metes !
6616 Ne sui pas de ces foles bretes
     Dont cil chevalier se deportent,
     Qui desor lor chevals les portent
     Cant il vont en chevalerie.
6620 Mas moi n'an porteras tu mie !
     Et nonporec, se tu osoies,
     Mener avec toi m'an porroies,
     Se tant te voloies pener
6624 Que tu m'alasses amener
     De ce jardin mon palefroi,
     Je iroie tant avec toi

6621-6622. *Intervertis (le copiste ici ne le signale pas).*

Il ne faut pas tant vous presser
au risque de rompre l'amble.
Bien fou d'ailleurs qui se travaille pour rien !
— Soyez bénie de Dieu,
jeune fille ! fait monseigneur Gauvain,
mais dites-moi, ma belle amie,
à quoi songiez-vous
quand vous m'avez si vite rappelé
à la mesure, sans trop savoir pourquoi ?
— Si, je le sais, chevalier, sur ma parole,
car je lisais dans vos pensées.
— Et quoi donc ? fait-il. — Vous n'avez qu'une envie,
c'est de me prendre et de me porter là en bas
sur le col de votre cheval.
— Vous avez dit vrai, ma demoiselle !
— Je le savais bien, fait-elle.
Malheur à qui a eu cette pensée !
Garde-toi bien de jamais penser
à me prendre sur ton cheval !
Je ne suis pas de ces Bretonnes folles
dont les chevaliers s'amusent
et qu'ils emportent sur leurs chevaux,
quand ils partent faire leurs actes de chevalerie !
Moi, en tout cas, tu ne m'emporteras pas !
Et pourtant, si tu l'osais,
tu pourrais m'emmener avec toi.
Si tu voulais seulement te donner la peine
d'aller dans ce jardin
m'en ramener mon palefroi,
j'irais avec toi le temps qu'il faudra

263 va Que male avanture et pesance
6628   Et dials et honte et mescheance
       T'avenist en ma compaignie.
       — Et remaindra il, bele amie,
       Se por hardement non? fait il.
6632   — Par lo mien escïent, nenil,
       Fait la damoisele, vassalx.
       — Ha! Damoisele, mes chevalx
       O remaindra, se je i pas?
6636   Que passer n'i porroie pas
       Par cele planche que je voi.
       — Non, chevaliers, bailliez lo moi,
       Si vos en passez outre a pié.
6640   Lo cheval vos garderai gié
       Tant cum je lo porrai tenir.
       Mas hastez vos do revenir,
       Que puis n'an porroie je mais,
6644   S'il ne voloit ester en pais
       Ou s'a force m'estoit toluz,
       Ainz que vos fussiez revenuz.
       — Verité, fait il, avez dite.
6648   S'an le vos tout, seiez an quite,
       Et s'il vos eschape, autretel,
       Que ja ne m'en orroiz dire el. »
       Ensinc li baille, si s'an va
6652   Et panse que il portera
       Totes ses armes avec lui,
       Que s'i[l] trove el vergier nelui
       Qui veer li voille et desfandre
6656   Lo palefroi qu'il ne l'aut prandre,

6636. porroit il (porroie *BQ*).

pour qu'il t'arrive en ma compagnie
malheur et tourment,
deuil, honte et infortune.
— Et pour que l'affaire n'en reste pas là, ma belle amie,
lui dit-il, y faut-il autre chose que du courage ?
— Pas à ce que je sache,
vassal ! fait la demoiselle.
— Eh ! ma demoiselle, mon cheval,
où le laisser, si je passe là-bas ?
Car il ne pourrait pas passer
sur cette planche que j'y vois.
— Certes non, chevalier, confiez-le-moi
et passez à pied de l'autre côté.
Je garderai votre cheval
tant qu'il me sera possible.
Mais hâtez-vous de revenir,
car ensuite je n'en pourrais mais,
s'il ne voulait rester tranquille
ou si on me l'enlevait de force,
avant votre retour.
— Vous dites vrai, fait-il.
Si on vous le prend, je vous en tiens quitte
et de même s'il vous échappe.
Je m'en tiens à ce que je vous dis là. »
Il le lui confie et s'en va,
mais il pense à emporter
avec lui toutes ses armes,
car s'il rencontre quelqu'un, dans le verger,
qui veuille lui interdire et l'empêcher
d'aller prendre le palefroi,

263 vb Ainz i avra noise et estor
     Qu'il ne l'an amaint a la tor.
     Atant a la planche passee,
6660 Et trove assez gent amassee
     Qui a mervoille lo regardent,
     Et dient tuit : « Deable t'ardent,
     Pucele, qui tant mal as fait !
6664 Li tuens cors male aventure ait,
     Qu'onques prodome n'aüs chier !
     Tant chevaliers as fait tranchier
     La teste, dom il est granz dials.
6668 Chevaliers, qui mener en vials
     Lo palefroi, tu ne sez ore
     Les mals qui t'an vanront ancore,
     Se tu de tes mains i atoiches.
6672 Ha ! chevaliers, por quoi aproiches ?
     Que ja voi[r] n'i aproicheroies,
     Se tu les granz hontes savoies
     Et les granz mals et les granz poines
6676 Qui t'avenront, se tu l'an moines. »
     Ensi tuit et totes parloient
     Por ce que chacier en voloient
     Mon seignor Gauvain, qu'il n'alast
6680 Au palefroi, ainz s'an tornast.
     Et il les ot et entent bien,
     Mas por ce n'en laira il rien,
     Ainz s'en va saluant les rotes,
6684 Et il li dient tuit et totes
     Saluz et si que il li samble
     Que il en aient tuit ensamble

Réclame en bas de page : mlt gñt angoisse.

6658. au retor. **6678.** chastïer v. (chacier *BTV*). **6684.** Et il li randent.
6685. einsi que.

on se querellera et on se battra
avant qu'il ne le ramène !
Alors il a passé la planche
et il trouve plein de gens attroupés,
qui le regardent avec étonnement
et qui s'écrient tous : « Que les diables t'emportent,
jeune fille, pour tout le mal que tu as fait !
Que le malheur soit sur toi,
quand jamais tu n'as eu d'estime pour un homme !
Tu as fait trancher la tête
à tant de chevaliers, que c'est pitié.
Toi, chevalier, qui veux emmener
le palefroi, tu ignores encore tout
des maux qui vont s'abattre sur toi,
si tu y portes la main.
Ah ! chevalier, pourquoi t'en approches-tu ?
Jamais en vérité tu n'en approcherais
si tu savais quelles grandes hontes,
quels grands malheurs, quels grands tourments
t'en viendront, si tu l'emmènes. »
Ainsi parlaient-ils, tous et toutes,
avec l'espoir d'avertir
monseigneur Gauvain de ne pas aller
au palefroi, mais de faire demi-tour.
Il les entend et les comprend bien,
mais il n'y renoncera pas pour autant.
Il continue, en saluant les groupes,
qui tous, hommes et femmes, lui rendent
son salut, en lui laissant l'impression
qu'ils en ont tous ensemble

264 ra Molt grant angoisse et [grant] destrece.   [8e cahier]
6688   Et mes sire Gauvains s'adresce
        Au palefroi et tant sa main,
        Si lo vost prandre par lo frain,
        Que frains ne sele n'i failloit,
6692   Mas uns granz chevaliers seoit
        Soz un olivier verdoiant,
        Et dit : « Chevaliers, por neant
        Iés venuz por lo palefroi.
6696   Or n'i tandre tu ja lo doi,
        Qu'il te viendroit de grant orguol,
        Et neporquant dire te voil
        Que ja ne lo t'irai desfandre,
6700   Se tu as grant talant dou prandre.
        Mas je te lo que tu t'en ailles,
        Qu'aillors de ci se tu lo bailles,
        Trop grant desfanse i troveras.
6704   — Por ce ne laisserai je pas,
        Fait mes sire Gauvains, biau sire,
        Que la pucele qui se mire
        Desoz cel orme, m'i envoie,
6708   Et se je ne li amenoie,
        Que seroie je venuz querre?
        Je seroie honiz en terre
        Comme recreanz et failliz.
6712   — Et tu en seras mal bailliz,
        Fait li chevaliers, biaus doulz frere,
        Que par Dé lo soverain pere

6699. *Vers répété.* 6713. *Sur deux lignes.*

6694. dist. 6698-6699. jel ne te vuel / Ne contredire ne d.

une angoisse et une détresse extrêmes.
Cependant, monseigneur Gauvain se dirige
vers le palefroi et tend la main.
Il a voulu le saisir par la rêne,
car il n'y manquait ni les rênes ni la selle,
mais un chevalier de grande taille, qui était assis
sous un verdoyant olivier,
lui a dit : « Chevalier, c'est en pure perte
que tu es venu chercher le palefroi.
N'essaie pas d'y tendre le bout du doigt,
ce serait de ta part le signe d'un grand orgueil.
Et pourtant je ne veux
ni te l'interdire, ni t'en empêcher,
si tu as une si grande envie de le prendre.
Mais je te conseille de t'en aller,
car si tu t'en empares, tu rencontreras
ailleurs qu'ici les pires obstacles.
— Je n'y renoncerai pas pour autant,
mon cher seigneur, fait monseigneur Gauvain,
car la jeune fille au miroir,
qui est sous cet orme, m'y envoie,
et, si je ne le lui ramenais,
que serais-je venu chercher ici ?
J'aurais en toutes terres la honte
d'être un chevalier failli, coupable d'avoir cédé sur son
— Et tu vas en recevoir le pire traitement,   [honneur.
mon doux frère, fait le chevalier.
Devant Dieu, notre souverain père,

264 rb   Cui je voldroie l'ame randre,
6716   Ainz ne l'osa chevaliers prandre
     Ensi cum tu prandre le viels,
     Dom il n'avenist si granz diels
     Que la teste n'eüst tranchie.
6720   Ansi dot je que toi n'an chie.
     Et se je lo t'ai desfendu,
     Je n'i ai nul mal entendu,
     Et se tu viels, tu l'an menras,
6724   Ja por moi ne lo laisseras
     Ne por home que ceanz voies.
     Mas tu tanras molt males voies,
     Se fors de ceanz l'oses metre.
6728   Je ne t'an los pas entremetre,
     Que tu en perdroies la teste. »
     Mes sire Gauvains n'i areste
     Ne tant ne quant aprés cest mot,
6732   Lo palefroi qui la teste ot
     D'une part noire et d'autre blanche,
     Fait devant lui passer la planche,
     Que molt bien passer la savoit,
6736   Que sovent passee l'avoit,
     S'en estoit bien duiz et apris.
     Et mes sire Gauvains l'a pris
     Par la resne qui fu de soie,
6740   Et vint a l'orme droite voie
     O la pucele se miroit,
     Qui son mantel laissié avoit
     Et sa guimple a terre cheoir
6744   Por ce que l'an poïst veoir

à qui je voudrais que fût rendue mon âme,
jamais un chevalier n'eut l'audace de le prendre
comme tu t'apprêtes à le prendre,
sans qu'il en subît le triste sort
d'avoir la tête tranchée.
Et je crains qu'il ne t'en arrive ainsi malheur.
Si je t'en ai fait défense,
c'était sans mauvaise intention.
Si tu le veux, tu l'emmèneras,
tu n'auras pas à y renoncer pour moi
ni pour aucun homme ici présent.
Mais tu vas t'engager sur une voie fatale,
si tu as l'audace de le faire sortir d'ici.
Je ne te conseille pas de t'en mêler,
car tu pourrais y laisser la tête. »
Monseigneur Gauvain n'hésite
pas un instant, après ces paroles.
Il pousse devant lui pour passer la planche
le palefroi dont la tête
était mi-partie blanche et noire.
Mais il savait très bien la passer,
car il l'avait souvent passée,
il en avait l'habitude et la maîtrise.
Puis monseigneur Gauvain l'a pris
par la rêne, qui était en soie,
et il est venu tout droit à l'orme,
où la jeune fille se regardait dans le miroir.
Elle avait laissé son manteau
et sa guimpe tomber à terre,
afin que l'on pût voir

264 va Sa face et son cors a delivre.
        Et mes sire Gauvains li livre
        Lo palefroi o tot la sele,
6748   Et dist : « Or ça venez, pucele !
        Si vos aiderai a monter.
        — Ce ne te laist ja Dex conter,
        Fait ele, en terre o tu remaignes,
6752   Que tu entre tes braz me teignes !
        Se tu avoies rien tenue
        Qui sor moi fust, de ta main nue
        Ne menoiee ne santie,
6756   Je cuideroie estre perie.
        Il me seroit trop mescheü
        S'il estoit conté ne seü
        C'a ma char eüsses toichié,
6760   Que j'en voldroie avoir tranchié
        D'iluec endroit, bien dire l'os,
        Lo cuir et la char jusqu'as os.
        Leissiez me tost mon palefroi,
6764   Que je monterai bien par moi,
        De vostre aïde ne quier point.
        Et Dex hui en ce jor me doint
        De vos veoir ce que je cuit !
6768   Grant joie avrai jusqu'a la nuit.
        Et va quel part que tu voldras,
        Que a mon cuir ne a mes dras
        Ne tocheras tu de plus pres,
6772   Mas je irai toz jors aprés
        Tant que por moi t'iert avenue
        Aucune grant descovenue

6756. honie. 6760. Que miauz v. 6767. De toi v. 6768. *Var. T* : Grant honte avoir ains qu'il anuit *(la leçon de B est isolée, et l'expression plus brutale).* 6770. m. cors.

librement son visage et son corps.
Monseigneur Gauvain lui remet
le palefroi tout sellé
et lui a dit : « Et maintenant, venez, jeune fille !
Je vais vous aider à monter.
— Ne plaise à Dieu, fait-elle, que tu puisses jamais dire
en quelque terre où tu puisses être,
que tu me tiennes entre tes bras !
Si tu avais touché une chose
qui fût sur moi, de ta main nue,
et que tu l'eusses palpée ou caressée,
je croirais en être déshonorée.
Ce serait pour moi un grand malheur
si on racontait et qu'on sût
que tu eusses touché à mon corps.
J'aimerais mieux qu'on m'eût ici même,
j'ose bien le dire, tranché
jusqu'à l'os la peau et la chair !
Vite, laissez-moi mon palefroi,
je monterai bien toute seule,
je ne veux en rien votre aide.
Et je prie Dieu qu'il me donne aujourd'hui
de voir à ton propos ce à quoi je pense !
J'en aurai une grande joie avant ce soir.
Va où tu le voudras :
ni à mon corps, ni à mes vêtements
tu ne toucheras de plus près,
mais je ne cesserai d'aller derrière toi,
jusqu'à ce qu'il t'arrive, à cause de moi,
quelque fâcheuse disgrâce,

264 vb De honte et de male avanture,
6776 Et je en sui tote segure
Que je te ferai mal baillir :
Ne qu'a la mort n'i pués faillir. »
Mes sire Gauvains tot escoute
6780 Quant que la damoisele estoute
Li dit, qu'onques mot ne li sone,
Mas que son palefroi li done,
Et ele son cheval li laisse.
6784 Et mes sire Gauvains s'abaisse,
Qui de terre voloit lever
Son mantel por li affubler,
Et la damoisele l'esgarde,
6788 Qui n'estoit lante ne coarde
De dire a u[n] chevalier honte :
« Vassax, fait ele, toi que monte
De mon mantel ne ma guimple ?
6792 Par Deu, je ne sui pas si simple
Com tu cuides de la moitié.
Je n'ai voir nule covoitié
Que de moi servir t'antremetes,
6796 Que tu n'as mie tes mains netes
Por baillier chose que je veste
Ne que je mete entor ma teste.
Doiz tu baillier chose qui toiche
6800 Ne a mes mains ne a ma boiche
Ne a mon front ne a ma face ?
Ja Dex puis henor ne me face
Que je avra[i] en nule guise
6804 Talant de prendre ton servise ! »

_____

_____

6800. a mes iauz.

pour ta honte et ton malheur.
Je suis bien certaine
que je te ferai mettre mal en point.
Tu n'y peux manquer, non plus qu'à la mort. »
Monseigneur Gauvain écoute
tout ce que la cruelle demoiselle
lui dit, sans souffler mot.
Il se contente de lui donner son palefroi,
tandis qu'elle lui laisse son cheval.
Puis monseigneur Gauvain se baisse
pour lui ramasser son manteau,
qui était à terre, et l'en revêtir.
La demoiselle lui lance un regard,
toujours prompte et hardie
pour dire une parole de honte à un chevalier :
« Vassal, fait-elle, qu'as-tu à faire
de mon manteau ou de ma guimpe ?
Par Dieu, je suis à moitié moins naïve
que tu ne te l'imagines.
Je n'ai pas le moindre désir
que tu te mêles de me servir,
car tu n'as pas les mains propres
pour me donner quelque chose à revêtir
ou à mettre autour de ma tête.
Au nom de quoi me donnes-tu quelque chose qui touche
à mes yeux, à ma bouche,
à mon front ou à mon visage ?
Que Dieu me prive de tout honneur,
s'il me prend envie de la sorte
de recourir à tes services ! »

265 ra Ensint la pucele est montee,
      Si s'est vestue et affublee,
      Et dist : « Chevaliers, or alez

6808 Quel part que vos onques volez !
      Et je vos sivrai tote voie
      Tant que por moi henui vos voie
      Avenir en quel leu que soit

6812 Se mes chevax moi ne recroit,
      Et ce iert ancui, se Deu plaist. »
      Et mes sire Gauvains se taist,
      Qu'onques un mot ne li respont.

6816 Atant sont monté, si s'en vont,
      Si s'an torne lo chief baissié
      Vers lo chasne ou il ot laissié
      La pucele et lo chevalier,

6820 Qui de mire avoit grant mestier
      Por les plaies que il avoit,
      Et mes sire Gauvains savoit
      Plus que nus hom de garir plaie.

6824 Une herbe voit en une haie,
      Qu'il conoissoit, lonc tens avoit,
      Et sa mere apris li avoit
      Et enseignie et [bien] mostree,

6828 Et il l'a molt bien esgardee,
      S'a la damoisele atenue :
      « Dame, fait il, or ai veüe
      Une herbete et une racine

6832 Qui a en soi trop grant mecine
      Trop bone et por delor tolir
      De plaie. » Cil la vait coillir.

La jeune fille s'est mise en selle,
elle a noué sa guimpe et agrafé son manteau,
puis elle a dit : « Allez maintenant, chevalier,
où bon peut vous sembler !
Mais je vous suivrai toutefois,
jusqu'à ce que je sois témoin de votre honte à cause de moi,
et ce sera aujourd'hui même, s'il plaît à Dieu. »
Monseigneur Gauvain se tait,
il ne répond pas un seul mot.
Confus, il se met en selle et ils s'en vont.
Il s'en retourne, la tête basse,
vers le chêne où il avait laissé
la jeune fille avec le chevalier
qui avait grand besoin d'un médecin
pour ses blessures.
Mais monseigneur Gauvain savait
mieux que personne guérir une blessure.
Il aperçoit dans une haie une herbe
très efficace pour calmer la douleur
d'une blessure, et il va la cueillir.

rédaction d'un remanieur, souvent hardi (cf. A. Micha, p. 382-386). La
redondance des v. 6832-6833 suggère un raccord, et Chrétien est plus
exigeant pour les rimes (pour le v. 6829, traduire : « il s'est adressé à la d. »).
6833. Trop bone por dolor. **6834.** et il.

265 rb L'erbe a coillie, si s'an va
6836 Tant que la pucele trova
Soz le chasne, son duel faisant,
Et ele li dit maintenant :
« Entendez moi, biaus sire chiers,
6840 Or cuit je que cist chevaliers
Est morz, qu'il n'ot mais ne entent. »
Et mes sire Gauvains descent,
Si vient au chevalier errant,
6844 Sel prant et taste maintenant,
Se trueve qu'il avoit molt roide
Le polz et n'avoit pas trop froide
Ne piz ne boiche ne maissele.
6848 « Cist chevaliers, fait il, pucele,
Est vis, tot en soiez certeine,
Il a bon polz et bone aleine,
Et se il n'a plaie mortel,
6852 Je li aport une herbe tel
Qui molt, ce cuit, li aidera
Et ses dolors li ostera
De ses plaies une partie
6856 Tantost cum il l'avra santie,
Que l'an ne set sor plaie metre
Meillor herbe, ce dit la letre
Qui dit que ele a si grant force
6860 Que qui l'aserroit sor l'escorce
D'un arbre qui fust enteichiez,
Mas que del tot ne fust seichiez,
Que la racine repanroit
6864 Et li arbres reverdiroit,

6837. menant. **6838.** dist. **6839.** Qu'ele le vit : Biaus s. **6843–6844.** *Seulement dans BCS.* **6847.** Ne la b. ne la m. **6858.** tesmoin la l. **6864.** teus devandroit.

Ayant cueilli l'herbe, il continue sa route
jusqu'à ce qu'il retrouve la jeune fille
sous le chêne, menant toujours grand deuil.
Elle lui a aussitôt dit :
« Ecoutez-moi, mon doux seigneur,
je crois bien que le chevalier que voici
est mort, car il n'entend ni ne comprend plus rien. »
Monseigneur Gauvain met pied à terre
et il trouve qu'il avait un pouls rapide
et que ses joues ni ses lèvres
n'étaient vraiment froides.
« Jeune fille, fait-il, ce chevalier
est vivant, soyez-en toute certaine.
Il a bon pouls et il respire bien.
Et s'il n'a pas reçu de plaie mortelle,
je lui apporte une herbe
qui, je crois, lui sera d'un grand secours
et qui lui allègera en partie
la douleur de ses plaies,
sitôt qu'il la sentira sur lui,
car on ne connaît d'herbe meilleure
à mettre sur une plaie. D'après les livres,
elle a une si grande vertu
que si on la plaçait sur l'écorce
d'un arbre atteint de maladie,
mais non entièrement desséché,
la racine reprendrait
et l'arbre saurait encore

265 va Qu'il porroit foillier et florir.
      N'avroit puis garde de morir,
      Ma damoisele, vostre amis,
6868 Quant de l'erbe li avroiz mis
      Sor les plaies et bien liee,
      Mas une guimple deliee
      Por bande faire i covanroit.
6872 — Je vos baillerai orendroit, »
      Fait cele cui n'est mie grief.
      Celi meïsme de son chief
      A cele maintenant ostee,
6876 Q'autre n'ot illuec aportee,
      Qui molt fu deliee et blanche.
      Et mes sire Gauvains li trainche,
      Que si faire lo covenoit,
6880 Et de l'erbe que il tenoit
      Sor totes les plaies li lie,
      Et la pucele li aïe
      Au mielz que ele set et puet.
6884 Mes sire Gauvains ne se muet
      Tant que li chevaliers sospire
      Et parole et dit : « Dex li mire
      Qui la parole m'a randue,
6888 Que molt ai grant peor aüe
      De morir san confession
      Et san prandre commenion.
      Ja la mort ne redoteroie
6892 Puis que comenïez seroie
      Et ma confesse avroie prise.
      Mas or me faites un servise,

6880. *Lecture incertaine de l'abréviation initiale* (Quer, *selon Hilka ?*) *Le copiste semble s'être repris.*

6874-6876. Celi m. de mon chief / Qu'autre n'ai je ci aportee / La guinple a de son chief ostee. *Après* **6889**, *om.* Li diable a procession / M'ame estoient ja venu querre. / Einz que mes cors soit mis en terre / Voldroie mout estre confés / Je sai un chapelain ci pres / Se j'avoie sor quoi monter / Cui j'iroie dire et conter / Mes pechiez an confession / Et prandroie comenion. (*Bourdon sur le mot* : confession, *ou coupure volontaire ?*).

se couvrir de feuilles et de fleurs.
Votre ami, ma demoiselle,
n'aurait plus à craindre de mourir,
si on lui appliquait de cette herbe
sur les plaies, en l'y attachant bien.
Mais il faudrait, pour faire un bandage,
avoir une guimpe fine.
— Je vais sur l'heure vous donner,
répond-elle sans faire de difficulté,
celle-là même que j'ai sur la tête,
car je n'en ai pas ici apporté d'autre. »
Elle a ôté de sa tête la guimpe,
qui était fine et blanche.
Monseigneur Gauvain la découpe,
car c'est ce qu'il fallait faire,
et lui fait ainsi sur toutes les plaies
un pansement avec l'herbe qu'il avait.
Et la jeune fille l'aide
du mieux qu'elle sait et peut le faire.
Monseigneur Gauvain reste là sans bouger,
jusqu'à ce que le chevalier pousse un soupir
et dise une parole : « Que Dieu le rende
à celui qui m'a permis de recouvrer la parole,
car j'ai eu grand peur
de mourir sans confession.
[Les diables en cortège
étaient déjà là pour prendre mon âme.
Avant que mon corps soit mis en terre,
je voudrais bien me confesser.
Je connais un chapelain, près d'ici,
à qui, si j'avais une monture,
j'irais dire et raconter
mes péchés en confession,
et de qui je recevrais la communion.]
Je n'aurais plus à craindre la mort,
après avoir reçu la communion
et avoir fait ma confession.
Mais rendez-moi donc un service,

265 vb Se il ne vos doit henuier.
6896 Lo roncin a cel escuier
      Me donez qui la vient lo trot. »
      Et quant mes sire Gauvains l'ot,
      Si se trestorne et voit venant
6900 Un escuier desavenant.
      Et quels fu il, dirai lo vos :
      Les chevols ot meslez et ros,
      Roides, encontremont dreciez
6904 Comme pors sanglers corrociez,
      Et les sorcis ot toz auteis,
      Que tot lo vis et tot lo neis
      Li covroient jusqu'as grenons
6908 Que il avoit tortiz et lons.
      Boiche ot fandue et barbe lee,
      Forchie et puis recercelee,
      Et cort lo col et lo piz haut.
6912 Talant a que contre lui aut
      Mes sire Gauvains por savoir
      S'il porroit lo roncin avoir,
      Mas ançois au chevalier dist :
6916 « Sire, se Dalmedex m'aïst,
      Ne sai qui est cil escuiers,
      Ainz vos donroie .VII. destriés
      Se les avoie ci en destre
6920 Que son roncin, tex puet il estre.
      — Sire, fait il, or sachiez bien
      Qu'il ne vait querant nule rien
      Se vostre mal non, se il puet. »
6924 Et mes sire Gauvains s'esmuet

si vous n'y voyez pas d'inconvénient.
Voilà un écuyer qui arrive au trot,
donnez-moi son roussin. »
Quand monseigneur Gauvain l'entend,
il se retourne et voit venir
un écuyer repoussant.
Comme il était, je vais vous le dire.
Il avait les cheveux roux, en broussaille,
plantés raides sur son crâne
comme les poils d'un sanglier en colère,
et les sourcils tout pareils,
qui lui couvraient tout le visage et le nez
jusqu'aux moustaches,
qu'il avait longues et entortillées.
Il avait la bouche largement fendue et une barbe épaisse,
fourchue, toute tire-bouchonnée,
le cou engoncé et la poitrine trop haute.
Monseigneur Gauvain est sur le point
d'aller au-devant de lui pour savoir
s'il pourrait avoir le roussin,
mais il a dit auparavant au chevalier :
« Dieu m'en soit témoin, monseigneur,
je ne sais qui est cet écuyer,
mais je vous donnerais bien sept grands chevaux,
si je les conduisais ici à la main,
au lieu de son roussin, à le voir, lui, tel qu'il est !
— Monseigneur, fait-il, sachez-le bien,
cet homme n'a rien d'autre en vue
que de vous faire du mal, si possible. »
Monseigneur Gauvain fait alors mouvement

266 ra Contre l'escuier qui venoit,
 Si li demande ou il aloit.
 Cil qui ne fu pas debonaire
6928 Li dist : « Vassalz, qu'as tu affaire
 Ou je voise ne don je veigne ?
 Quel voie que je onques teigne,
 Li tuens cors ait male avanture ! »
6932 Mes sire Gauvains a droiture
 Tantost li paie sa deserte,
 Qu'il lo fiert de la paume overte,
 O ce qu'il ot le braz armé
6936 Et de ferir grant volanté,
 Si qu'il verse et la sele voide,
 Et quant il relever se cuide,
 Si rechancele et chiet jus.
6940 Bien rechaï .VII. foiz o plus
 En meins de terre, san nul gap,
 Ne tient une lance de sap.
 Et quant il se fu relevez,
6944 Si dist : « Vassax, feru m'avez.
 — Voires, fait il, feru t'ai gié,
 Mas ne t'ai gaire domaigié,
 Et si me poise tote voie
6948 Quant je t'ai feru, se Deu voie,
 Mas tu deïs grant musardie.
 — Ancor ne lairai que ne die
 Quel deserte vos en avroiz.
6952 Lo braz et la main en perdroiz
 Dont vos m'avez le cop doné,
 Que ja ne vos iert pardoné. »

vers l'écuyer qui arrivait
et il lui demande où il allait.
L'autre, avec sa malveillance,
lui a répondu : « Vassal, qu'en as-tu à faire
de savoir où je vais ni d'où je viens ?
Quel que soit le chemin que je prenne,
qu'il t'advienne malheur ! »
Monseigneur Gauvain à bon droit
lui paie immédiatement ce qu'il méritait,
car il le frappe de sa paume grande ouverte.
Comme il avait le bras armé
et grande envie de le frapper,
l'autre part à la renverse et vide la selle
et, quand il croit pouvoir se relever,
il chancelle encore et retombe.
Il est bien tombé sept fois ou même plus
sur moins d'espace qu'il n'en faut, sans plaisanter,
pour y tenir une lance de sapin !
Quand il s'est relevé,
il a dit : « Vassal, vous m'avez frappé.
— C'est vrai, fait-il, je t'ai frappé,
mais je ne t'ai pas trop fait de mal.
Je regrette, toutefois,
de t'avoir frappé, c'est vrai, par Dieu !
Mais tu as si sottement parlé !
— Eh bien, je ne vais pas manquer de vous dire
la récompense que vous en aurez.
Vous en perdrez le bras et la main
qui m'ont porté ce coup.
Vous n'en aurez pas de pardon. »

266rb Endemantres que ce avint,
6956   Au chevalier plaié revint
       Li cuers qu'il ot molt eü vain,
       Et dist a mon seignor Gauvain :
       « Laissiez cel escuier, biau sire,
6960   Que ja rien ne li orroiz dire
       Ou vos doiez henor avoir.
       Laissiez lo, si feroiz savoir,
       Mas son roncin en amenez
6964   Et cele pucele prenez
       Que vos veez ci devant moi,
       Si restreigniez son palefroi,
       Puis si m'i haidiez a monter,
6968   Car je ne voil plus ci ester,
       Ainz monterai, se onques puis,
       Sor le roncin et querrai puis
       Ou je me porrai confessier,
6972   Car je ne quier jamais cessier
       Jusque je soie enoiliez,
       Confessez et commeniez. »
       Tot maintenant lo roncin prant
6976   Mes sire Gauvains, si li rant
       Au chevalier cui la veüe
       Fu resclarcië et creüe,
       S'a mon seignor Gauvain veü,
6980   Lors primes l'a reconeü.
       Et mes sire Gauvains a prise
       La damoisele, si l'a mise
       Desor lo palefroi norrois
6984   Come debonaire et cortois.

6957. Qui le cors ot. 6971. conseillier.

6967. si li aidiez. 6978. et revenue.

Tandis que cela se passait,
la force est revenue au chevalier blessé
dont le cœur avait été si affaibli.
Il a dit à monseigneur Gauvain :
« Laissez donc cet écuyer, mon cher seigneur,
vous n'aurez jamais à attendre de lui
une parole qui vous fasse honneur.
Laissez-le, ce sera plus sage,
mais amenez-moi son roussin
et prenez la jeune fille
que vous voyez ici, devant moi.
Sanglez-lui son palefroi,
puis aidez-la à se mettre en selle,
car je ne veux pas rester plus ici.
Je monterai, si je le peux
sur le roussin, après quoi je chercherai
l'endroit où je puisse me confesser,
car je n'aurai de cesse
que je n'aie reçu l'extrême-onction,
après m'être confessé et avoir communié. »
Immédiatement, monseigneur Gauvain
prend le roussin et le remet
au chevalier dont la vue
s'est éclaircie et revient.
Cette fois, il a vu monseigneur Gauvain.
Alors il l'a reconnu.
Cependant, monseigneur Gauvain a pris
la demoiselle et il l'a juchée
sur le palefroi nordique,
en homme courtois et bienveillant.

266 va Endemantiers que il ce fist,
        Li chevaliers son cheval prist
        Et monta sus, sel commança
6988   A porsaillir et ça et la,
        Et mes sire Gauvains l'esgarde,
        Qu'il galopoit parmi l'angarde,
        Si s'an mervoille et si s'an rit,
6992   Et en riant l'apele et dist :
        « Sire chevaliers, par ma foi,
        C'est granz folie que je voi,
        Que vos mon cheval porsailliez.
6996   Descendez, si lo me bailliez,
        Que tost vos porrïez grever
        Et vos plaies faire escrever. »
        Et cil respont : « Gauvains, tais t'an !
7000   Pran le roncin, si feras san,
        Que au cheval as tu failli.
        Je l'ai a mien hués porsailli,
        Si l'an manrai come lo mien.
7004   — Avoi ! Je vig ci por ton bien,
        Et tu me feroies tel mal ?
        N'an mener mie mon cheval,
        Que tu feroies traïson.
7008   — Gauvains, par itel mesprison
        Voldroie je ton cuer tenir,
        Que qu'il en deüst avenir,
        De ton vantre entre mes .II. mains.
7012   — Par foi, fait mes sire Gauvains,
        Or voi ce qu'an toz jors retrait,
        Que l'an dit : de bien fait, col frait.

7003. manra. **7003-7004.** *Interversion signalée en marge par le copiste.*

6985. qu'il l'i assist. **6992.** dit (l'apele et dist *BS*). **7009-7010.** *Intervertis.*
7012. Or oi. **7013.** Un proverbe que l'an r.

Pendant qu'il l'y installait,
le chevalier s'est emparé de son cheval,
est monté dessus et a commencé
à le faire gambader de-ci, de-là.
Monseigneur Gauvain le regarde
galoper par la colline,
il s'en émerveille et il se met à rire.
Tout en riant, il l'appelle et lui dit :
« Seigneur chevalier, sur ma parole,
c'est de la folie ce que vous faites,
quand je vous vois faire bondir mon cheval !
Descendez et rendez-le-moi,
vous pourriez vite vous en ressentir,
si vos plaies se rouvraient.
— Tais-toi, Gauvain ! répond l'autre,
prends le roussin, tu feras bien,
car tu ne peux plus compter sur ton cheval.
Je le garde pour moi, en le faisant gambader,
et je vais l'emmener comme étant à moi.
— Ah, ça ! Moi qui suis venu ici pour ton bien !
Et toi tu me ferais tout ce mal ?
Allons, n'emmène pas mon cheval,
ce serait une trahison.
— Gauvain, par ce genre d'outrage,
quoi qu'il puisse m'arriver,
je voudrais bien t'arracher le cœur
de la poitrine pour le tenir entre mes mains !
— J'ai maintenant à l'oreille le proverbe
que l'on répète, fait monseigneur Gauvain,
car on dit : Pour bien fait, col brisé !

266 vb Mas je voldroie bien savoir
7016 Por quoi tu voldroies avoir
Mon cuer et mon cheval me tous,
Qu'onques mesfaire ne [te] vous
Ne ne fis ja jor de ma vie.
7020 Ice ne cuidoie je mie
Envers toi avoir deservi,
Car mais de mes iauz ne te vi.
— Si as, Gauvains, tu me veïs
7024 La ou grant honte me feïs.
Ne te sovient il de celui
Cui tu feïs si grant henui
Que li feïs contre son pois
7028 Avec les chiens mangier un mois,
Les mains liees tres le dos?
Saiches que tu feïs que fox,
Car orendroit grant honte i as.
7032 — Iés tu donc ce Greorreas,
Qui la damoisele preïs
Par force et ton bon en feïs?
Nonporcant bien savoies tu
7036 Qu'an la terre lo roi Artu
Sunt puceles aseürees.
Li rois lor a trives donees,
Si les garde et si les conduit,
7040 Et je certes mie ne cuit
Que tu por cel forfait me haces
Ne que por ce nul mal me faces,
Se jel fis por leal jostise
7044 Qui est establie et assise

7018. Que o. mais faire. 7019. fui. 7026. Que. 7036. lo roit.

7022. C'ainc mais que sache. 7027. Qu'il li covint. 7041. mesfait. 7043. Que.

Mais je voudrais bien savoir
pourquoi tu voudrais m'arracher
le cœur et pourquoi tu m'enlèves mon cheval,
car je ne voulais pas te faire du tort
ni ne l'ai jamais voulu de ma vie.
Je ne pensais vraiment pas
avoir mérité cela de ta part.
Je ne t'ai jamais vu, que je sache !
— Mais si, Gauvain ! Tu m'as vu !
Ce fut quand tu me couvris de honte.
As-tu oublié celui
contre lequel tu t'acharnas
et que tu contraignis, tout un mois,
à manger avec les chiens,
les mains liées derrière le dos ?
Sache-le, tu as agi en sot,
car maintenant te voilà dans la honte !
— Est-ce donc toi, Greorreas,
toi qui avais pris de force
la demoiselle, pour en faire ton plaisir ?
Tu savais bien pourtant
que sur les terres du roi Arthur
les jeunes filles sont protégées.
Le roi a pour elles instauré la paix,
assurant leur défense et les prenant en sauvegarde.
Et je ne peux pas croire
que tu me haïsses pour ce dur traitement,
ni que, pour cette raison, tu me fasses aucun mal,
car je l'ai fait légitimement, selon la justice
qui est établie, avec force de loi,

267 ra Par tote la terre lo roi.
    — Gauvains, tu la preïs de moi
    La jostise, bien m'an sovient,
7048 S'est or ensi qu'il te covient
    A sosfrir ce que je ferai.
    Lo bon Guingalet en manrai,
    Que ne m'an puis or plus vangier.
7052 Au roncin lo t'estuet changier
    Dont l'escuier as abatu,
    C'autre eschange n'i avras tu. »
    Atant Georreas lo laisse
7056 Et aprés s'amie s'eslaisse,
    Qui s'an aloit grant ambleüre,
    Et il la sieut grant aleüre.
    La male pucele s'an rit
7060 Et mon seignor Gauvain a dit :
    « Hai ! Vassalx, que feroiz vos ?
    Or puet an bien dire de vos
    Que mal musarz n'est mie morz,
7064 N'il ne m'est mie desconforz
    De vos sigre, se Dex me gart,
    Ja ne torneroiz cele part
    Que je volantiers ne vos sigue.
7068 Car fust or vostre roncins igue
    C'a l'escuier tolu avez !
    Je lo voldroie, ce savez,
    Por ce que plus avreez honte. »
7072 Tantost mes sire Gauvains monte,
    Cum cil qui bien faire le sot,
    Sor lo roncin trotant et sot.

7068. vostre jumenz igue.

7050. *Seuls BC ont conservé la bonne version du nom du cheval de Gauvain* (*selon Tolkien : gallois* Gwyngalet, *blanc-hardi*). *Var.* Gringalet. **7060.** Et a m. G. dit (*mais T donne une meilleure leçon* : rist / A m. G. et dist). **7062.** *Leçon de BSTV. Autre mss :* a estros (« *décidément* »). **7073.** miauz feire ne pot. *La var. est commune à BSUV.*

sur tout le territoire du roi.
— Gauvain, la justice, c'est toi
qui l'as exercée sur moi, je ne l'oublie pas.
C'est ainsi maintenant qu'il te faut
supporter ce que je veux faire.
J'emmènerai le vaillant Guingalet,
car je ne peux pour l'heure plus me venger.
Il te faut l'échanger contre le roussin
de l'écuyer que tu as abattu,
car tu n'auras rien d'autre en échange. »
Greorreas le laisse alors
et s'élance après son amie,
qui s'en allait rapidement à l'amble.
Il part la rejoindre à vive allure.
La mauvaise jeune fille se met à rire.
Elle a dit à monseigneur Gauvain :
« Eh bien, vassal, qu'allez-vous faire ?
On peut bien dire à votre propos :
Méchant fol n'est pas mort !
Dieu me garde ! ce n'est pas chose triste
que de vous suivre !
Où que vous vous dirigiez,
je vous suivrais avec grand plaisir.
Si seulement le roussin pris à l'écuyer
était une jument !
Je le souhaiterais, comme vous le savez,
parce que vous en auriez plus de honte. »
Aussitôt monseigneur Gauvain,
n'ayant rien de mieux à faire,
enfourche le stupide roussin qui n'allait que le trot.

267 rb El roncin ot molt laide beste,
7076 Graisle ot le col, grosse la teste,
      Longues oreilles et pendanz,
      De viellece ot perduz les denz
      Et l'une levre de la boiche
7080 De .II. doiz a l'autre ne toiche.
      Les iauz ot trobles et oscurs,
      Les piez grapeus, les costez durs,
      Toz depeciez a esperons.
7084 Li roncins fu grailles et lons,
      S'ot maigre crope et torte eschine,
      Les resnes et la chevecine
      Del frain fure[nt] d'une cordele,
7088 Et descoverte fu la sele,
      Que pieça n'avoit esté nueve,
      Les estriers corz, et si les trueve
      Foibles que fichier ne s'i ose.
7092 « Ha ! certes, or vait bien la chose,
      Fait la pucele ataïneuse.
      Or sui je liee et joieuse
      D'aler quel part que vos voldroiz,
7096 Or est il bien raisons et droiz
      Que je vos sive volantiers
      .VIII. jors ou .XV. toz antiers
      Ou .III. semainnes ou un mois,
7100 C'or iestes vos bien a hernois !
      Or seez vos sor bon destrier
      Et si samblez bien chevalier
      Qui pucele doive conduire,
7104 Or prime me voil je desduire

_____

_____

7085. et longue e. **7093.** aniouse (*var. A* : ranponeuse, « *moqueuse* » ; *BC* : ataïneuse, « *querelleuse* »).

Ce roussin était une bien laide bête :
le cou grêle, la tête grosse,
de longues oreilles pendantes,
édenté de vieillesse,
les lèvres toujours ouvertes,
à deux bons doigts l'une de l'autre,
l'œil vitreux et terne,
aux pieds, des crapauds, les flancs durs,
tout déchirés par les éperons.
Le roussin était long et maigre :
croupe maigre, échine longue.
Les rênes et la têtière
de la bride, faits d'une mince corde.
Pas de couverture de selle,
laquelle n'était plus neuve depuis longtemps.
Les étriers courts, qu'il trouve
si faibles qu'il n'ose s'arc-bouter dessus.
« Ah ! oui vraiment, tout est pour le mieux,
fait la jeune fille odieuse.
Je suis remplie de joie et d'allégresse
d'aller où que vous le souhaitiez.
Il est tout à fait juste et raisonnable
que j'aie plaisir à vous suivre
huit ou quinze jours bien comptés,
voire trois semaines ou un mois,
car vous voilà en bel équipage,
et monté sur un fameux coursier !
Vous avez vraiment l'air d'un chevalier
en devoir d'escorter une jeune fille.
Je veux en tout premier me divertir

267 va De veoir voz maleürtez !
        Vostre cheval un po urtez
        Des esperons, si l'essaiez,
7108   Ne ja ne vos en esmaiez,
        Qu'il est molt roides et coranz !
        Je vos sigrai, qu'il est covanz,
        Ne je ne vos laisserai ja
7112   Tant que hontes vos avanra,
        Por voir, ne vos n'i faudrez mie. »
        Et il li respont : « Bel[e] amie,
        Vos diroiz quant que boen vos iert,
7116   Mas a damoisele n'afiert
        Que ele soit si maldisanz
        Puis que ele a passé .XV. anz,
        Se ele a soig de bien entandre.
7120   — Coment ? Volez me vos aprandre,
        Chevaliers par male avanture ?
        De vostre enseigne n'ai je cure,
        Mas alez et si vos taisiez,
7124   C'or iestes vos bie[n] aaisiez,
        Si vos voloie je veoir,
        Bien savez sor cheval seoir ! »
        Ensinc parloient amedui.
7128   Cil s'an va et cele aprés lui,
        Mas il ne set qu'il puisse faire
        De son roncin, qu'i[l] n'en puet traire
        Trot ne galoit por nule poine.
7132   O voille o non, lo pas lo moine,
        Tant l'esperone, tant lo bat,
        Mas de folie se combat,

_____

7119. aprandre.

_____

7118. .X. anz (.XV. : *BFLS*). **7119-7120.** *Leçon commune à BCSTUV. Var.*
A : Einz doit estre bien anseigniee / Et cortoise et bien afeitiee. **7126.** *BCSU.*
Autres mss : Einsi chevauchent jusqu'au soir / Et si se taisent anbedui.

au spectacle de vos malheurs !
Piquez un peu des éperons
votre cheval, faites-en l'essai,
et soyez sans inquiétude,
il fend l'air avec légèreté !
Moi, je vais vous suivre, comme convenu,
et je ne vous lâcherai pas,
jusqu'à ce que honte vous arrive.
A coup sûr, vous n'y manquerez pas. »
Il lui répond : « Ma belle amie,
vous pouvez dire ce que bon vous semble,
mais il n'est pas convenable pour une demoiselle
d'être si méchante langue,
passé l'âge de ses dix ans,
si du moins elle a le souci d'entendre au bien.
— Quoi ? Vous prétendez me faire la leçon,
chevalier de triste aventure ?
Je n'ai cure de vos enseignements.
Allez donc et taisez-vous !
Vous avez tout ce qu'il vous faut.
Je voulais vous voir ainsi.
Comme vous montez bien à cheval ! »
Ainsi se parlaient-ils tous les deux.
Il s'en va et, elle, après lui.
Mais il ne sait que faire
de son roussin, car il n'arrive pas à le mettre
au trot ni au galop, quelque peine qu'il se donne.
Bon gré mal gré, il lui faut aller au pas,
car lui donner de l'éperon,
c'est lui faire prendre un trop rude chemin,

267 vb Qu'il est tant malvais que dou pas
7136   Por voir nou remuast il pas,
    Tant se penast en nule fin.
    Ensi s'en va sor lo roncin
    Par forestz gastes et soteignes
7140   Tant que il vint a terres pleignes
    Sor une riviere parfonde,
    Ensi lee que nule fonde
    De mangonel ne de perriere
7144   Ne gitast outre la riviere,
    Ne harbeleste n'i traissist.
    De l'autre part sor l'eve sist
    Uns chastiaus trop bien compassez,
7148   Trop forz et trop riches assez,
    Je ne cuit que mentir me loise.
    Li chastiaux sor une faloise
    Fu fermez par si grant richesce
7152   Qu'onques si riche forteresce
    Ne virent oil d'ome qui vive,
    Car sor une roiche naïve
    Ot un palais si riche assis
7156   Que toz estoit de marbre bis.
    O palais fenestres overtes
    Ot bien .V^C. totes covertes
    De dames et de damoiseles,
7160   Qui esgardoient devant eles
    Les prez et les vergiers floriz.
    Les damoiseles de samiz
    Furent vestues, les plusors.
7164   Bliauz de diverses colors

7133-7137. Car s'il des esperons le bat / An un trop dur chemin (si felon trot, *A*) l'anbat / Que si li hoche la coraille / Qu'il no puet sofrir que il aille / Plus que le pas an n. f. *Cette version de T et A est plus expressive.*

ça lui secoue si bien les entrailles
qu'il est incapable, pour finir,
d'aller plus vite qu'au pas.

Ainsi s'en va-t-il sur son roussin
à travers des forêts désertes et perdues,
pour arriver enfin en plaine campagne,
au bord d'une rivière profonde,
si large que fronde,
mangonneau ni perrière
ne pourraient jeter de pierre au-delà,
non plus que n'y atteindrait un trait d'arbalète.
De l'autre côté, était sis sur l'eau
un château aux belles proportions,
remarquable de puissance et de splendeur,
je ne crois pas qu'il me soit permis de mentir.
Le château se dressait sur une falaise.
Il était si richement fortifié
que personne de vivant au monde n'a jamais vu de ses yeux
une aussi riche forteresse.
Car, sur la roche vive,
était bâti un si riche palais
qu'il était tout entier de marbre gris.
Dans le palais, des fenêtres ouvertes
se comptaient bien jusqu'à cinq cents, toutes couvertes
de dames et de demoiselles
qui regardaient devant elles
les prés et les vergers fleuris.
Les demoiselles, pour la plupart,
étaient vêtues de satin.
Des tuniques aux couleurs variées

268 ra Et dras de soie orent vestuz
        Plusors autres a or batuz.
        Issi as fenestres seoient
7168   Les puceles, si aparoient
        Li chief defors et li gent cors,
        Si que l'an les vit par defors
        Des les ceintures en amont.
7172   Et la plus male riens del mont,
        Qui mon seignor Gauvain menoit,
        Vint a la riviere tot droit,
        Puis si s'areste, si descent
7176   D'un petit palefroi baucent
        Et trueve a la rive une nes,
        Qui fu fermee a une clef
        Et estaichie a un perron.
7180   En la nef ot un aviron
        Et sor lou perron fu la clef
        De quoi fermee fu la nef.
        La damoisele en la nef entre,
7184   Qui felon cuer avoit el ventre,
        Et aprés li ses palefroiz,
        Qui ansi ot fait mainte foiz.
        « Vassax, fait ele, descendez,
7188   Et avec moi ceanz entrez
        O tot vostre cheval roncin
        Qui plus est maigres d'un poucin,
        Et desaancrez cest chalan,
7192   Que ja entreroiz en mal an
        Se vos ceste eve ne passez
        Ou se vos foïr ne poez.
        — Avoi ! Damoisele, por quoi ?

7175. descenz. 7195. *Le copiste a reporté au bas de la colonne suivante ce vers qu'il a sauté, en l'indiquant d'un trait.*

7166. *Var. T*: Les plusors toz a or batuz. 7169. Li chief luisant. 7176. Del p. 7188. aprés moi.

et des robes de soie brochées d'or
en habillaient plusieurs autres.
Ainsi se tenaient assises aux fenêtres
les jeunes filles, laissant apparaître
leurs chevelures éclatantes et leurs gracieux corps,
en sorte que du dehors on les voyait
depuis la taille jusqu'en haut.
Cependant, la plus malfaisante créature du monde,
qui entraînait monseigneur Gauvain,
est venue droit à la rivière,
puis elle s'arrête, descend
du petit palefroi tacheté
et trouve sur la rive une barque
fixée à un bloc de pierre
par une amarre cadenassée.
Il y avait un aviron dans la barque
et sur le bloc de pierre se trouvait la clef
qui servait au cadenas.
La demoiselle au mauvais cœur
monte dans la barque,
suivie de son palefroi
qui avait bien des fois fait la même chose.
« Vassal, dit-elle, mettez pied à terre
et entrez ici après moi,
avec votre roussin de cheval,
qui est maigre comme un coucou.
Puis désamarrez ce chaland,
car vous entrez en période de malheur
si vous ne passez cette eau
ou si vous ne réussissez à vous enfuir.
— Ah! ça, ma demoiselle, et pourquoi donc?

7196 — Ne veez pas ce que je voi,
Chevaliers ? Que vos fuireez
Molt tost, se vos le voieez. »
Mes sire Gauvains maintenant
7200 Torne sa chiere et voit venant
Un chevalier parmi la lande
Trestot armé, et il demande
A la pucele : « Ne vos griet,
7204 Dites moi qui est cil qui siet
Sor mon cheval que me toli
Li faus lerres que je gari
De ses plaies hui au matin.
7208 — Je te dirai, par saint Martin,
Fait la pucele, loiaument,
Mas saiches bien veraiement
Que por rien nel te deïsse
7212 Se de ton bien point i veïsse.
Mas por ce que je sui seüre
Qu'il vient por ta male avanture,
Ne lo te celerai je pas.
7216 Ce est li niés Greorreas,
Qu'i[l] envoie ça aprés toi,
Et si te dirai bien por quoi,
Des que tu lo m'as demandé.
7220 Ses oncles li a commandé
Qu'il veigne ça tant qu'il t'ait mort
Et ta teste en presant li port.
Por ce te lo je a desçandre,
7224 Se tu la mort ne vials atandre,

_____

_____

7209. Fait la p. lieemant. 7221. Qu'il te sive.

— Ne voyez-vous pas ce que je vois,
chevalier? Vous vous enfuiriez
très vite, si vous le voyiez. »
Monseigneur Gauvain tourne aussitôt
la tête et voit venir
à travers la lande un chevalier
tout en armes. « Si cela ne doit vous déranger,
demande-t-il à la jeune fille,
dites-moi qui est cet homme assis
sur mon cheval, celui que m'a volé
le traître que j'ai guéri
de ses plaies ce matin même.
— Je vais te le dire, par saint Martin,
dit la jeune fille toute joyeuse,
mais sois bien certain
que je ne te le dirais pour rien au monde
si j'y voyais pour toi le moindre avantage.
Mais, comme je suis sûre
qu'il vient pour ton malheur,
je ne t'en cacherai rien :
c'est le neveu de Greorreas.
Il l'envoie ici à ta poursuite,
et je vais te dire pourquoi,
puisque tu me l'as demandé.
Son oncle lui a ordonné
de te suivre jusqu'à ce qu'il t'ait tué
et qu'il lui fasse présent de ta tête.
C'est pourquoi je t'invite à descendre,
si tu ne veux pas attendre la mort.

268 va S'antre ceanz et si t'an fui.
    — Certes ja ne fuirai por lui,
    Damoisele,ançois l'atandrai.
7228   — Jamais voir nel vos desfandrai,
    Fait la pucele,ançois m'an tais,
    Que biaux poindres et biax eslais
    Feroiz ja devant ces puceles
7232   Qui dela sunt, jantes et beles,
    Apoïes sor ces fenestres.
    Por vos lor abelist li estres
    Et por vos venues i sunt.
7236   Orandroit grant joie feront,
    Quant el vos verront trabuischier.
    Or sanblez vos bien chevalier
    Qui a autre doie joster.
7240   — Que que il me doie coster,
    Pucele, ja n'i gainchirai,
    Mas a l'ancontre li irai,
    Que se je recovrer pooie
7244   Mon cheval, molt liez en seroie. »
    Tantost vers la lande s'an torne,
    Lo chief de son roncin atorne
    Vers celui qui par lo sablon
7248   Venoit poignant a esperon.
    Et mes sire Gauvains l'atant,
    Si s'afiche si durement
    Sor les estriers que il an ront
7252   Le senestre tot a reont,
    Et il a lo destre guerpi,
    S'atant lo chevalier ensi

7237. il. **7245.** s'atorne. **7251.** il les ront. **7252.** Li senestres.

Entre ici et fuis !
— Ah, non, je ne fuirai pas pour lui,
ma demoiselle, mais je vais l'attendre.
— Ce n'est pas moi qui jamais te l'interdirai,
fait la jeune fille, et je préfère me taire.
Qu'ils seront beaux les coups d'éperon et les galops
que vous allez montrer à ces jeunes filles,
si belles et gracieuses, qui sont là-bas
appuyées aux fenêtres !
C'est pour vous qu'elles ont plaisir à s'y tenir,
C'est pour vous qu'elles y sont venues !
Elles mèneront grande joie,
dès qu'elles vous verront faire la culbute.
Vous avez tout l'air d'un chevalier
prêt pour un combat singulier.
— Quoi qu'il doive m'en coûter,
jeune fille, je ne m'y déroberai pas,
mais j'irai à sa rencontre,
car si je pouvais récupérer
mon cheval, j'en serais très satisfait. »
Il se tourne aussitôt du côté de la lande
et dirige la tête de son roussin
vers celui qui par la grève
arrivait en piquant des deux.
Monseigneur Gauvain l'attend,
il s'arc-boute si fort
sur ses étriers qu'il rompt
tout net celui de gauche.
Il a laissé alors celui de droite
et il attend ainsi le chevalier,

268 vb Qu'onques li roncins ne se muet,
7256 Qu'esperoner tant ne lo puet
      Que il lo puisse removoir.
      « Ha ! Las, fait il, com mal seoir
      Fait sor roncin boroacier
7260 Quant en vielt d'armes esploitier ! »
      Et totes voies vers lui broiche
      Sor sun cheval qui pas ne cloiche
      Li chevaliers, et tel li done
7264 De sa lance que ele arçone
      Et peçoie tot en travers,
      Si remest en l'escu li fers.
      Et mes sire Gauvains l'asane
7268 En son escu desoz la pane,
      Si l'urte si que il li passe
      L'escu et lo hauberc en masse,
      Si l'abat el sablon menu
7272 Et tant la main, s'a retenu
      Lo cheval et saut en la sele.
      Ceste avanture li fu bele,
      S'an ot tel joie en son coraige
7276 Qu'onques en trestot son aaige
      Ne fu si liez de tant d'afaire.
      A la pucele s'an repaire,
      Qui en la nef estoit entree,
7280 Mas il ne l'i a pas trovee,
      Ne de la nef ne de celi,
      Mas ce molt li desabeli
      Quant il ensi l'avoit perdue,
7284 Qu'il ne set qu'ele est devenue.

7259. *Excellente version des seuls BCQ (var. TA : a chevalier): « de brouettier. »*

car pour le roussin il n'est pas question de bouger !
Il a beau l'éperonner,
impossible de le mouvoir !
« Hélas ! fait-il, quel malheur d'être assis
sur un roussin de charretier,
quand on souhaite briller au combat ! »
Le chevalier, cependant,
sur un cheval qui, lui, ne boîte pas,
pique vers lui et lui donne un tel coup
de lance qu'elle plie
et se brise par le milieu,
tandis que son fer reste fiché dans l'écu.
Monseigneur Gauvain de son côté le vise
juste au-dessous du bord supérieur de l'écu,
et le heurt est tel qu'il lui traverse
de part en part l'écu et le haubert
et qu'il l'abat sur le sable fin.
Il étend la main, retient au passage
le cheval et saute en selle.
Quelle belle aventure à son gré !
Il en a ressenti une telle joie au cœur
que jamais de toute sa vie
il ne s'est tant réjoui de pareille affaire.
Il revient à la jeune fille,
qui était montée dans la barque,
mais il ne l'y a pas trouvée,
pas plus elle que sa barque.
Il fut très contrarié
de l'avoir ainsi perdue,
sans savoir ce qu'elle est devenue.

269 ra Quel qu'il pansoit a la pucele,
       Si voit venir une barcele
       Que uns notoniers amenoit
7288   Et devers lo chastel venoit.
       Et quant il fu venuz au port,
       Si dist : « Sire, je vos aport
       Saluz de part ces damoiseles,
7292   Et avec ce vos mandent eles
       Que vos mon fié ne deteigniez,
       Rendez lo moi, se vos deigniez. »
       Et il respont : « Dex benoïe
7296   Tot ensamble la compaignie
       Les damoiseles et puis toi,
       Tu ne perdras ja rien par moi
       Ou tu puisses clamer droiture.
7300   De toi tort faire n'ai je cure,
       Mas quel fié me demandes tu ?
       — Sire, vos avez abatu
       Voiant moi ci un chevalier
7304   Dont je doi avoir lo destrier.
       Se vers moi ne volez mesprandre,
       Lo destrier me devez vos randre. »
       Et il respont : « Amis, cist fiés
7308   Me seroit a randre trop griés,
       Qu'a pié raler m'an convanroit.
       — Avoi ! chevaliers, orendroit
       Vos tiennent molt a desloial
7312   Et molt lo tienent a grant mal
       Les puceles que vos veez,
       Quant vos mon fié ne me randez,

7301. fiel.

7297. Des.

Tandis qu'il pensait à la jeune fille,
il voit arriver une petite barque
que dirigeait un nocher,
venant de la direction du château.
Celui-ci, dès qu'il eut atteint le port,
lui a dit : « Monseigneur, je vous apporte
le salut des demoiselles.
Elles vous demandent en même temps
de ne pas conserver la part que je possède de droit.
Rendez-la-moi, si vous y consentez. »
Il lui répond : « Que Dieu vous bénisse
ensemble, toute la compagnie
des demoiselles et puis toi-même.
Tu ne perdras rien de mon fait
à quoi tu puisses légitimement prétendre.
Ce n'est pas mon souci que de te faire du tort.
Mais quel est ce droit de possession dont tu me parles ?
— Monseigneur, vous avez abattu
ici sous mes yeux un chevalier
dont je dois avoir le coursier.
Si vous ne voulez pas me porter préjudice,
vous devez me remettre le cheval.
— Mon ami, lui répond-il, le remettre ainsi
en ta possession me serait trop pénible,
car il me faudrait repartir à pied !
— Hé là ! chevalier, elles vous tiennent
sur l'heure pour très déloyal,
ces jeunes filles que vous voyez,
et elles considèrent comme une grave faute
de ne pas me rendre ma possession,

269 rb Qu'onques n'avint ne dit ne fu

7316 C'a cest port eüst abatu
      Chevalier, por que jo seüsse,
      Que je lo cheval n'an eüsse,
      Et se je lo cheval n'an oi,

7320 Au chevalier faillir ne poi. »
      Et mes sire Gauvains li dit :
      « Amis, prenez san contredit
      Lo chevalier, et si l'aiez.

7324 — N'est pas ancor si esmaiez,
      Fait li notoniers, par ma foi.
      Vos meïsme, si cum je croi,
      Avreez que faire a lui prandre,

7328 S'il se voloit vers vos desfandre.
      Et neporcant, se tant valez,
      Prandre et amener lo m'alez,
      Si seroiz quites de mon fié.

7332 — Frere, se je descent a pié,
      Porrai me je fïer en toi
      De mon cheval garder a foi ?
      — Oïl, fait il, seürement.

7336 Jel vos garderai loiaument
      Et volantiers lo vos randrai,
      Ne ja vers vos n'an mesprandrai
      De rien tant cum je serai vis,

7340 Bien le vos creant et plevis.
      — Et je, fait il, lo te recroi
      Sor ton creant et sor ta foi. »
      Tantost de son cheval descent,

7344 Si li commande, et cil lo prant

car il n'est jamais arrivé ni on n'a dit
qu'il y eût ici sur le port, à ma connaissance,
un chevalier d'abattu
sans que j'eusse son cheval.
Et si je n'en avais le cheval,
je ne pouvais manquer au chevalier. »
Et monseigneur Gauvain lui dit :
« Mon ami, je n'y fais pas d'objection, prenez
le chevalier et qu'il soit à vous !
— Je ne le trouve pas encore si découragé,
sur ma parole ! fait le nocher.
Vous-même, à ce que je crois,
vous auriez fort à faire avant de le prendre,
s'il voulait se défendre contre vous.
Cependant, si vous êtes si valeureux,
allez le prendre et amenez-le-moi,
et vous en serez quitte avec mes droits.
— Mon frère, si je mets pied à terre,
pourrais-je te faire confiance
pour garder loyalement mon cheval ?
— Oui, fait-il, soyez tranquille.
Je vous le garderai loyalement
et je vous le rendrai bien volontiers.
Jamais de ma vie je ne serai en quoi que ce soit
coupable vis-à-vis de vous.
Vous en avez ma promesse et ma garantie.
— Eh bien, moi, fait-il, je te le confie,
sur ta promesse et ta foi. »
Il descend aussitôt de son cheval
et le remet à sa garde. L'autre le prend,

269 va Et dit qu'a foi li gardera.
　　　Et mes sire Gauvains s'en va,
　　　L'espee traite, vers celui
7348　Qui n'a mestier de plus d'enui,
　　　Qu'il estoit si navrez el flanc
　　　Que molt avoit perdu del sanc,
　　　Et mes sire Gauvains li passe.
7352　« Sire, ne sai que vos celasse,
　　　Fait cil qui molt fu esmaiez,
　　　Je sui si durement plaiez
　　　Que de pis avoir n'ai mestier.
7356　Del sanc ai perdu un sestier,
　　　Si me met en vostre merci.
　　　— Levez vos donc, fait il, de ci. »
　　　Et il se lieve a quelque poine,
7360　Et mes sire Gauvains l'an moine
　　　Au notonier, si l'an mercie,
　　　Et mes sire Gauvains li prie
　　　Qu'il li die d'une pucele,
7364　Se il en set nule novele,
　　　Que il avoit la amenee,
　　　Quel part ele en estoit alee.
　　　Et cil dit : « Sire, ne vos chaille
7368　De la pucele ou [que] ele aille,
　　　Que pucele n'est ele pas,
　　　Ainz est pire c'uns satanas,
　　　Car a cest port a fait tranchier
7372　Mainte teste de chevalier.
　　　Mas se croire m'an voleiez,
　　　Humais herbergier venreiez

────────

────────

7370. p. que S.

en affirmant qu'il le lui gardera en bonne foi.
Monseigneur Gauvain vient alors,
l'épée en main, sur celui
qui n'a pas besoin d'avoir plus de problème,
car il avait reçu au flanc une telle blessure
qu'il en avait perdu beaucoup de sang.
Monseigneur Gauvain y va cependant d'une passe.
« Monseigneur, fait l'autre rempli de crainte,
je suis, pour ne rien vous cacher,
si gravement blessé
que je n'ai pas besoin qu'il m'arrive pire.
J'ai perdu des litres de sang !
Je me mets à votre merci.
— Levez-vous donc, fait-il, pour partir d'ici. »
L'autre, non sans peine, se relève
et monseigneur Gauvain l'amène
au nocher, qui l'en remercie.
Monseigneur Gauvain prie alors celui-ci
de lui dire, à propos d'une jeune fille
qu'il avait amenée là
et s'il en sait quelque nouvelle,
où elle s'en était allée.
« Monseigneur, lui dit l'autre, où qu'elle soit allée,
ne vous souciez plus de cette jeune fille.
D'ailleurs ce n'est pas une jeune fille,
mais une chose pire que Satan,
car dans ce port elle a fait trancher
la tête à nombre de chevaliers.
Mais si vous vouliez m'en croire,
vous viendriez pour aujourd'hui vous héberger

269 vb A tel hostel cum est li miens,
7376 Qu'il ne seroit pas vostre biens
      De remenoir en cest rivaige,
      Que c'est une terre salvaige,
      Tote pleine de granz mervoilles.
7380 — Amis, quant tu lo me conseilles,
      A ton conseil me voil tenir,
      Quel que il m'en doive avenir. »
      Au los do notonier lo fait
7384 Et son cheval aprés lui trait,
      S'antre en la nef, et si s'an vont.
      A l'autre rive venu sont,
      Pres de l'eive fu li osteux
7388 Au notonier, et si fu teux
      Que descendre i poïst uns cuens,
      Et fu molt aaisiez et buens.
      Li notoniers son oste en moine
7392 Et son prison, et si demoine
      Si grant joie cum il plus puet.
      De quanque a preudome estuet
      Fu mes sire Gauvains serviz,
7396 Ploviers et faisanz et perdriz
      Et venoison ot au soper,
      Et li vin furent fort et cler,
      Blanc et vermoil, novel et viez.
7400 De son prisonier fu molt liez
      Li notoniers et de son oste.
      Tant ont maingié que l'an lor oste
      La table, et relevent lor mains.
7404 La nuit ot mes sire Gauvains

en quelque gîte semblable au mien,
car vous n'auriez pas intérêt
à rester sur cette rive.
C'est, en effet, une terre sauvage,
toute pleine d'étranges merveilles.
— Mon ami, si c'est là ton conseil,
je veux bien m'y tenir,
quoi qu'il m'en advienne. »
Il suit donc le conseil du nocher,
et, tirant derrière lui son cheval,
il monte dans la barque et ils s'en vont.
Les voilà parvenus sur l'autre rive.
Au bord de l'eau se trouvait la demeure
du nocher. Elle était digne
de voir un comte y descendre,
car elle était richement installée.
Le nocher emmène son hôte
et son prisonnier. Il ne saurait en l'occasion
faire preuve de plus de joie.
On servit à monseigneur Gauvain
tout ce qu'il fallait à un homme de sa valeur.
Pluviers, faisans, perdrix
et venaison furent apportés au repas du soir.
Il y avait des vins forts et des vins légers,
des blancs et des rouges, du vin nouveau et du vieux.
Le nocher se réjouit d'avoir
son prisonnier, ainsi que son hôte.
Le repas a bien duré avant qu'on enlève
la table et qu'ils se lavent les mains.
Ce soir-là, monseigneur Gauvain a trouvé

270 ra Hostel et hoste a sa devise,
    Qu'il prist molt en gré lo servise
    Au notonier et molt li plot.
7408 L'andemain, tantost cum il pot
    Veoir que li jors aparut,
    Si se leva si cum il dut,
    C'acostumé l'avoit ansi,
7412 Et li notoniers autresi
    Se leva por amor de lui,
    Et furent apoié andui
    As fenestres d'une tornele.
7416 La contree, qui molt fu bele,
    Esgarde mes sire Gauvains.
    Vit les forestz et vit les plains
    Et lo chastel sor la faloise.
7420 « Sire, fait il, s'il ne vos poise,
    Demander vos voil et enquerre
    Qui est sire de ceste terre
    Et de cest chastel ci elués. »
7424 Et li ostes respondi lués :
    « Sire, ne sai. — Vos ne savez?
    C'est mervoille, que dit avez
    Que del chastel estes serjanz
7428 Et si avez rantes molt granz,
    Ne ne savez qui en est sire !
    — Por voir, fait il, lo vos puis dire
    Que je ne sai ne ne soi onques.
7432 — Biax ostes, or me dites donques
    Qui desfant lo chastel et garde.
    — Sire, il i a molt bone garde,

une hospitalité et un hôte à sa convenance,
car il a trouvé bien de l'agrément au service
du nocher et il l'a apprécié.
Le lendemain, sitôt qu'il put
voir le jour paraître,
il se fit un devoir de se lever,
comme à son habitude,
et le nocher fit de même
par amitié pour lui.
Tous deux se tenaient appuyés
aux fenêtres d'une tourelle.
La contrée était fort belle
et monseigneur Gauvain la regarde.
Il voit les forêts, il voit la plaine,
et le château sur la falaise.
« Monseigneur, fait-il, si cela ne vous ennuie,
je souhaite vous demander et savoir
quel est le seigneur de cette terre
et du château que voici. »
Son hôte lui a aussitôt répondu :
« Monseigneur, je l'ignore. — Vous l'ignorez ?
Ce que vous avez dit est bien étonnant :
vous êtes au service du château,
vous en tirez de très belles rentes
et vous ne savez pas qui en est le seigneur !
— C'est vrai, fait-il, je peux vous l'affirmer :
je ne le sais pas et je ne l'ai jamais su.
— Mon cher hôte, dites-moi donc alors
qui assure la défense du château et sa garde.
— Monseigneur, il est très bien gardé ! »

270 rb .V^C. que ars que arbelestes
7436   Qui toz jors sunt de traire prestes.
　　　Se nus i voloit rien forfaire,
　　　Ja ne fineroient de traire
　　　Ne ja ne seroient lassees,
7440   Par tel engin sont compassees.
　　　Mas tant vos dirai del covine
　　　Que il i a une reïne,
　　　Molt haute dame, riche et saige,
7444   Et si est molt de haut paraige.
　　　La reïne, atot son tresor
　　　Que ele a grant d'argent et d'or,
　　　S'en vint en ce païs menoir
7448   Et si i fist ce fort menoir
　　　Si cum vos poez veoir ci,
　　　Et si amena avec li
　　　Une dame qu'ele tant aime
7452   Que reïne et fille la claime,
　　　Et cele i a une autre fille,
　　　Qui son paranté pas n'aville
　　　Ne nule honte ne li fait,
7456   Que je ne cuit que soz ciel ait
　　　Plus bele ne mielz affaitiee.
　　　Et la sale est molt bien gaitiee
　　　Par art et par anchantement
7460   Cum vos savroiz proichienement,
　　　Se vos plaist que je le vos die.
　　　Uns clers saiges d'astronomie
　　　Que la reïne i amena,
7464   En ce grant palais qui est ça

7464. *Comme le montre le mot* sale *au v. 7458, *palais* désigne tout au long
la grande salle d'apparat du château, mais au lieu qu'elle soit de plain-pied,
on y monte ici par un escalier (cf. L. Foulet, Glossary of the First
Continuation, W. Roach, éd. The Continuations, III, 2 s.v.).*

Cinq cents arcs et arbalètes
y sont toujours prêts à tirer.
Si quelqu'un cherchait à nuire,
ils ne cesseraient de tirer
sans jamais se lasser,
tant leur agencement est ingénieux.
Encore un mot sur sa situation.
Une reine s'y trouve,
une très haute dame, qui possède richesse et sagesse
et qui vient d'un très haut lignage.
La reine, avec tout son trésor
qui est immense, d'or et d'argent,
vint s'établir en ce pays.
Elle y fit faire ce puissant manoir
que vous pouvez voir ici.
Elle amena avec elle
une dame qu'elle appelle,
dans son amour pour elle, reine et fille.
Celle-ci a elle-même une fille
qui ne dépare en rien son lignage
et qui lui fait vraiment honneur,
car je ne crois pas qu'y ait, sous le ciel,
plus belle ni mieux apprise.
Quant à la grande salle, elle doit sa surveillance
à l'art des enchantements,
comme vous allez bientôt le savoir,
s'il vous plaît de me l'entendre dire.
Un clerc versé dans la science des astres,
que la reine amena ici,
a, dans ce grand palais là devant,

270 va A fait unes si granz mervoilles,
        Ainz ne veïstes les paroilles,
        Que par la foi que je vos doi,
7468   Ce sachiez vos bien de part moi
        Que chevalier n'i pot antrer
        Qui i poïst mie arester
        Demie liue vis ne sains,
7472   Qui fust de covoitise plains
        Ne qui ait en lui nul mal vice
        De losainge ne d'avarice.
        Coarz ou traïtes n'i dure,
7476   Li foimantie, li parjure,
        Cil i muerent si a delivre
        Qu'il n'i puent durer ne vivre.
        Mas il [i] a vaslez assez,
7480   De maintes terres amassez,
        Qui por armes servent leanz,
        Bien en i a plus de .V. cenz,
        Les uns barbez, les autres non,
7484   .C. qui n'ont barbe ne grenon
        Et .C. autres qui barbes poignent
        Et .C. qui reent et reoignent
        Lor barbes chascune semaigne,
7488   S'en i a .C. plus blans que laigne
        Et .C. qui vont meslant de chienes.
        Et si a dames ancïenes
        Qui n'ont ne mariz ne seignors,
7492   Ainz sunt de terres et d'enors
        Deseritees a grant tort
        Puis que lor mari furent mort,

_____

_____

7466. Qu'onques n'oïstes. 7467-7468. *Ces deux vers sont propres à B. Hilka*
ne les signale pas. 7471. Une l. 7482. jusqu'a .VC. (plus de : *BCQTV*).

établi une série de si grandes merveilles
que vous n'en avez jamais entendu de pareilles,
car il serait impossible à un chevalier qui y pénètre,
d'y rester, le temps d'une lieue,
en vie et en santé,
s'il était plein de convoitise
ou qu'il y eût en lui quelque honteux vice
d'avarice ou de mensonge.
Lâche ni traître n'y peut tenir,
non plus que les déloyaux et les parjures.
Ils y meurent promptement,
sans pouvoir tenir ni survivre.
Mais au château sont réunis nombre de jeunes gens,
venus de maints pays,
qui sont là en service pour faire leurs armes.
Ils sont bien jusqu'à cinq cents,
les uns barbus, les autres non,
cent qui n'ont barbe ni moustache,
cent autres à qui la barbe pousse
et cent qui rasent et coupent
leur barbe chaque semaine.
Il y en a cent qui sont plus blancs que laine
et cent qui commencent à grisonner !
Il y a aussi des dames de grand âge
qui n'ont plus ni maris ni seigneurs,
mais qui sont de leurs terres et de leurs domaines
injustement déshéritées,
depuis la mort de leurs maris.

270 vb Et damoiseles orphenines
7496   Et avec les does reïnes,
        Qui molt a grant henor les tienent.
        Telx genz el palais vont et vienent,
        S'atandent une grant folie
7500   Que ne porroit avenir mie,
        Qu'eles atandent que ça veigne
        Uns chevaliers qui les mainteigne,
        Qui rande as dames lor enors
7504   Et as puceles doint seignors
        Et des vaslez chevaliers face,
        Mas ainz iert mers tote de glace
        Que l'an un tel chevalier truisse
7508   Qui en cest leu remanoir puisse,
        Qu'il lo covanroit a devise
        Large et preu, san coveitise,
        Bel et hardi, franc et leal,
7512   Sanz vilenië et san mal.
        S'uns tex en i pooit venir,
        Si porroit lo païs tenir,
        Cil randroit as dames lor terres
7516   Et feroit pais des mortex guerres,
        Les puceles marïeroit
        Et les vaslez adoberoit
        Et hosteroit sanz nul relais
7520   Les enchantemanz del palais. »
        Mon seignor Gauvain ces noveles
        Plorent et molt li furent beles.
        « Ostes, fait il, alons aval,
7524   Et mes armes et mon cheval

_____

7499. S'atandez. 7512. coveitise.

_____

7496. I ra. 7510. Sage et large. 7512. sanz nul m. 7514. *Leçon de BR.*
Var. A: le palés, *CLPQTV*: le chastel.

Et puis il y a des demoiselles orphelines
vivant avec les deux reines
qui les traitent avec de très grands honneurs.
Tels sont les gens qui vont et viennent dans le palais.
Ils sont remplis d'une folle attente,
qui ne pourrait se réaliser,
car ils attendent qu'en ces lieux vienne
un chevalier qui les prenne sous sa garde,
qui rende aux dames leurs domaines,
donne aux jeunes filles des maris
et fasse chevaliers les jeunes nobles.
Mais la mer sera toute devenue de glace,
avant que l'on trouve un chevalier
capable de demeurer dans ce lieu,
car il le faudrait à la perfection
sage et généreux, sans convoitise,
beau et hardi, noble et loyal,
sans bassesse ni aucun vice.
Si un tel homme pouvait y venir,
il pourrait tenir le pays,
il rendrait aux dames leurs terres
et ramènerait à la paix les guerres mortelles,
il marierait les jeunes filles
et adouberait les jeunes gens,
il supprimerait sans plus tarder
les enchantements du palais. »
Ces nouvelles plurent à monseigneur Gauvain
et elles le réjouirent.
« Descendons, mon hôte, fait-il.
Faites-moi remettre immédiatement

271 ra Me faites san demore randre,
        Que je ne voil ci plus atandre,
        Ainz m'en irai. — Sire, quel part?
7528   Car sejornez, se Dex vos gart,
        Hui et demain et plus ancore.
        — Ostes, ce ne sera pas ore,
        Que beneoiz soit vostre ostelx!
7532   Je m'an irai, si m'aït Dex,
        Veoir les dames lai amont
        Et les mervoilles qui i sunt.
        — Taisiez, sire! Ceste folie,
7536   Se Deu plaist, ne feroiz vos mie,
        Mais creez moi, si remenez.
        — Taisiez, ostes! Vos me tenez
        Por recreant et por coart.
7540   Ja Dex n'ait puis en m'ame part
        Que je nul conseil en querrai!
        — Par foi, sire, je m'en tairai,
        Que ce seroit poine gastee.
7544   Cant li aler si vos agree,
        Vos i eroiz, dont molt m'enuie.
        S'estuet que je vos i conduie,
        C'autres conduiz, ce sachiez bien,
7548   Ne vos i vaudroit plus del mien.
        Mas un don voil de vos avoir.
        — Ostes, quel don? Jel voil savoir.
        — Ainz lo m'avrez acreanté.
7552   — Biax ostes, vostre volanté
        Ferai, mas que onte n'i aie. »
        Lors commande que l'an li traie

mes armes et mon cheval,
car je ne veux plus attendre ici.
Je vais m'en aller. — Mais où, monseigneur ?
Dieu vous protège, restez donc au repos
aujourd'hui et demain et même au-delà.
— Mon hôte, ce ne sera pas pour cette fois,
que bénie soit votre demeure !
Je m'en irai, avec l'aide de Dieu,
voir les dames qui sont là-haut
et les merveilles qui s'y trouvent.
— Taisez-vous, monseigneur ! Plaise à Dieu
que vous ne fassiez pareille folie !
Croyez-m'en, restez ici.
— Taisez-vous plutôt, mon hôte ! Vous me prenez
pour un lâche et un couard.
Que mon âme jamais ne revienne à Dieu,
si j'en crois encore aucun conseil !
— Eh bien, monseigneur, je me tairai,
car ce serait peine perdue.
Puisqu'il vous plaît tant d'y aller,
allez-y donc, mais j'en suis triste.
Il me faut cependant vous y conduire moi-même,
car aucune autre protection, sachez-le bien,
ne vous serait plus utile que la mienne.
Mais accordez-moi, je vous prie, un don.
— Lequel, mon hôte ? Je souhaite le savoir.
— J'en aurai d'abord votre parole.
— Mon cher hôte, ce que vous désirez,
je le ferai donc, pourvu que je n'y aie de honte. »
Il commande alors qu'on lui sorte

271 rb Fors de l'estable son destrier
7556 Tot atorné por chevauchier,
Et ses armes a demandees,
Et eles li sunt aportees.
Il s'arme et monte, si s'an torne,
7560 Et li notoniers se ratorne
De monter sor un palefroi,
Que conduire le vielt a foi
La ou il va contre son gré.
7564 Tant va que au pié del degré
Qui estoit devant le palais
Trueve sor un trossel de glais
Un eschacier tot sol seant,
7568 Qui avoit eschace d'argent
A neel et molt bien doree,
Et fu de leus en leus bandee
D'or et de pierres precïeuses.
7572 N'avoit mie les mains oiseuses
Li eschaciers, car il tenoit
Un canivet, si entandoit
A doler un baston de fraisne.
7576 Li eschaciers de riens n'araisne
Cels qui par devant lui s'an vont,
Ne cil un mot dit ne li ont.
Et li notoniers a lui tire
7580 Mon seignor Gauvain et dit : « Sire,
De cest eschacier que vos samble ?
— S'eschace n'est mie de tramble,
Fait mes sire Gauvains, par foi,
7584 Que molt est bel ce que je voi.

7565. au pié del p.

7564. Vont. **7566.** truevent. **7468.** *Var. T* : ou ele estoit sorargentee *(« ou recouverte d'argent »).* **7474-7475.** et si doloit / un petit bastonet de f. **7584.** m'est b.

de l'écurie son coursier
tout équipé pour chevaucher,
et il a demandé ses armes,
qui lui sont apportées.
Il s'arme, se met en selle et s'en va,
tandis que le nocher se prépare
à monter sur un palefroi,
car il entend lui faire loyale escorte
là où il ne le mène qu'à regret.
Ils finissent par arriver au bas de l'escalier
à l'entrée du palais,
où ils trouvent assis, tout seul,
sur une botte de joncs, un estropié d'une jambe,
qui avait, à la place, un pilon d'argent
niellé et tout doré,
orné, de lieu en lieu,
de cercles d'or et de pierres précieuses.
Mais ses mains ne restaient pas inactives,
car l'infirme tenait
un petit couteau, avec lequel il s'occupait
d'aplanir un bâtonnet de frêne.
L'homme à l'échasse n'adresse aucune parole
à ceux qui passent par-devant lui,
et eux ne lui ont pas dit un mot.
Le nocher tire à lui
monseigneur Gauvain et lui dit : « Monseigneur,
que vous semble de l'homme à l'échasse ?
— Son échasse n'est pas en bois de tremble,
sur ma parole, fait monseigneur Gauvain,
et le spectacle me plaît fort.

271 va - Enon Deu, fait li notoniers,
  Foi que vos doi, biax sire chiers,
  Li eschaciers est preuz et riches,
7588 Cil envers lui ne fu pas chiches
  Qui a la porte l'a assis.
  Je vos di qu'il i a assis
  Molt tres granz rantes et molt beles.
7592 Vos oïssiez ja tex noveles
  Qui vos enuiassent molt fort,
  Ne fust por ce que je vos port
  Compaignie, si vos condui. »
7596 Ensinc s'an passent amedui
  Tant qu'il sunt au palais venu,
  Dont l'antree molt haute fu
  Et les portes et hautes et beles,
7600 Que tuit li gon et les verveles
  Furent d'or fin, ce dit l'estoire.
  L'une des portes fu d'yvoire
  Bien entailliee par desus,
7604 L'autre porte fu d'ebenus,
  Autresi par desus ovree,
  Et fu chascune enluminee
  D'or et de pierre de vertu.
7608 Li pavement dou palais fu
  Verz et vermeus, indes et pers,
  De totes coleurs fu divers,
  Molt bien ovrez et bien poliz.
7612 Enmi lo palais fu uns liz
  Ou n'avoit nule rien de fust
  Ne rien nule qui d'or ne fust,

7593. enuissient. **7595-7596.** *Intervertis et signalés, le deuxième vers étant rajouté en fin de colonne.*

7587. Il est riches li e. **7588-7590.** *Ces trois vers maladroits (cf. la rime) ne sont pas signalés par Hilka et ne se retrouvent pas ailleurs.* **7591.** De m. g. rantes et de b.

— Par Dieu, fait le nocher,
sur ma parole, cher et doux seigneur,
c'est qu'il est riche, l'homme à l'échasse !
Il a de belles et bonnes rentes.
Vous entendriez déjà des nouvelles
qui vous seraient très désagréables,
si la compagnie que je vous porte
n'assurait votre sauvegarde. »
Ainsi passent-ils tous les deux
et ils arrivent au palais,
dont l'entrée était monumentale,
avec de hautes et belles portes,
dont les gonds et les verterelles
étaient, nous dit l'histoire, d'or pur.
L'un des vantaux était d'ivoire,
finement sculpté dessus,
et l'autre, d'ébène,
ouvragé dessus de même façon,
tout illuminés, chacun,
d'or et de pierres de grande vertu.
Le pavement du palais était
vert et vermeil, violet et bleu sombre.
Il avait toute la variété des couleurs,
ouvragé et poli de belle manière.
Au milieu du palais se trouvait un lit,
où il n'y avait rien en bois,
rien qui ne fût en or,

271 vb Fors que les cordes solement
7616 Qui totes estoient d'argent.
Del lit nule fable ne faz
Que a chascun des antrelaz
Ot une campane pendue.
7620 Desor lo lit ot estandue
Une grant coute de samiz,
A chascun des quepouz del lit
Ot une escharboucle fermé,
7624 Qui randoit tres si grant clarté
Cun quatre cierge bien espris.
Li liz fu sor gocez assis
Qui molt rechinnoient lor joes,
7628 Et li gocez sor .IIII. roes
Si isneles et si movanz
C'a un sol doi par tot leianz
De l'un chief jusqu'an l'autre alast
7632 Li liz qui un po lo botast.
Tex fu li liz, qui voir en conte,
Qu'onques ne por roi ne por conte
Ne fu telx faiz ne n'iert jamais.
7636 Et fu toz coverz li palais,
Del palais voil que l'an me croie
Qu'il n'i ot nule rien de croie
De marbre furent les maisieres
7640 Et par desus avoit verrieres
Si cleres, qui garde preïst,
Que par la verriere veïst
Toz ceux qui el palais antrassent
7644 Qui parmi la porte passassent.

7620. Desoz. 7623. escharbonche. 7632. vos b. 7634. Qui o. por.

7624. Qui randoient si gr. c. 7640. Au chief dessus. 7644. Et.

à la seule exception des cordes
qui étaient toutes en argent,
ce n'est pas là invention de ma part !
Et à chaque entrecroisement
était suspendue une clochette.
Sur le lit on avait étendu
une grande couverture de satin,
sur chacun des montants du lit
était fixée une escarboucle,
qui rendait une aussi grande clarté
que quatre cierges enflammés.
Le lit reposait sur des grotesques
aux joues grimaçantes,
et les grotesques eux-mêmes, sur quatre roues
si légères et si mobiles
qu'à le pousser seulement du doigt,
le lit aurait, dans tous les sens,
traversé la pièce d'un bout à l'autre.
Pour dire le vrai, c'était un lit
comme il n'en fut ni n'en sera jamais fait,
fût-ce pour un roi ou pour un comte.
Le palais était entièrement couvert de tentures.
Ce palais, il faut m'en croire,
n'était pas bâti de craie.
De marbre étaient les murs.
Tout en haut il y avait des verrières
si claires qu'en y prenant garde
on pouvait voir par la verrière
tous ceux qui entraient au palais
en franchissant la porte.

272ra Li vaurres fu pains a colors   [9e cahier]
      Des plus riches et des meillors
      Q'an saiche deviser ne faire,
7648 Mais n'en voil ore point retraire
      Ne devisser totes les choses.
      El palais ot fenestres closses
      Bien .IIII^C. et .C. overtes.
7652 Mes sire Gauvains tot a certes
      Lo palais regardant ala
      Et jus et sus et ça et la.
      Qant il ot partot esgardé,
7656 S'a lo notonier apelé
      Et dit : « Biax ostes, je ne voi
      Ceianz nule chose por coi
      Li palais face a redouter
7660 Que l'an n'i doie bien antrer.
      Or me dites que entandez
      Qant si fort lo me desfandez
      Que je n'i venisse veoir.
7664 An cel lit me voil aseoir.
         — Ha ! Biax sire, Dex vos en guart
      Que vos n'aprochez cele part,
      Que se vos i aprocheiez,
7668 De la peior mort morreiez
      Que uns chevaliers morist onques.
         — Hostes, et que ferai je donques ?
         — Coi, sire ? Ce vos dirai gei,
7672 Qant je vos voi encoraigé
      De vostre vie retenir.
      Qant vos deüstes ça venir,

7648. *Retour de la forme* mais *au début du 9e cahier* (vs. mas *des cahiers 7 et 8*).

7661-7662. Or dites qu'i entandiez / Q. si f. me desfandiez. *Après* **7664.** *om.* Et reposer un seul petit / C'onques ne vi si riche lit.

Le verre était teint des plus belles
et des meilleures couleurs
qu'on puisse faire ou décrire,
mais je ne veux rien en rapporter ici
ni non plus décrire toutes les choses.
Les fenêtres du palais étaient closes,
pour quatre cents d'entre elles, et cent étaient ouvertes.
Monseigneur Gauvain se mettait tout de bon
à regarder le palais,
ici et là, de bas en haut.
Quand il eut regardé de partout,
il interpelle le nocher
et il lui dit : « Mon cher hôte, je ne vois
en ces lieux nulle chose pour laquelle
il faille redouter le palais
au point de n'y devoir entrer.
Dites-moi donc ce que vous aviez en tête,
en me faisant si fortement défense
d'y venir voir.
Je veux m'asseoir sur ce lit
et m'y reposer un simple instant,
car jamais je n'ai vu d'aussi riche lit.
— Ah ! mon cher seigneur, Dieu vous en garde,
ne vous en approchez pas !
Car si vous en approchiez,
vous mourriez de la pire mort
dont jamais mourut un chevalier.
— Eh bien, mon hôte, que dois-je faire ?
— Quoi, monseigneur ? Je vais vous le dire,
puisque je vous vois mieux disposé
à conserver votre vie.
Quand vous étiez sur le point de venir ici,

272 rb Vos demandai en mon ostel
7676　Un don, vos ne saüstes quel.
　　　　Or vos voil je lo don requerre
　　　　Que vos railloiz en vostre terre,
　　　　Si conteroiz a vos amis
7680　Et as genz de vostre païs
　　　　Qu'un tel palais avez trovez
　　　　Qu'ainz si bes ne fu esgardez,
　　　　Ne vos ne autres ne savez.
7684　— Don diré je que Dex me het
　　　　Et que je sui honiz ensanble.
　　　　Neporquant, ostes, il me sanble
　　　　Que vos lo dites por mon bien,
7688　Mais je ne leiroie por rien
　　　　Que je el lit ne me seïsse
　　　　Et les puceles ne veïsse
　　　　Que arsoir apoïes vi
7692　Par les fenestres qui sont ci. »
　　　　Cil qui por mielz ferir recule
　　　　Li respont : « Vos n'en verroiz nule
　　　　Des puceles don vos parlez.
7696　Mais tot ansin vos an alez
　　　　Con vos estes venuz ceianz,
　　　　Que do veoir est il noianz
　　　　A vostre eus por nes une rien,
7700　Si vos voient orandroit bien
　　　　Parmi ces fenestres verrines
　　　　Les puceles et les raïnes
　　　　Et les dames, se Dex me gart,
7704　Qui sont en chambres d'autre part.

7681-7683. Que vos ne autres ne savez / Un tel p. avez t. / Ainz si b. ne
fu e. 7685. en dance (!) 7687. por mon preu. 7688. lo crerroie preu.
7700. Se.

7683. ne le set. 7693. *Var. A* : foïr (*au sens de* fouir < **fodire, en dépit du
lexique de Foerster, s.v., du verbe* fuir ?).

je vous ai, dans ma demeure, demandé
un don, vous n'avez su lequel.
Eh bien, ce que je vous demande de m'accorder
c'est de vous en retourner dans votre pays.
Vous y raconterez à vos amis
et aux gens de chez vous
que vous avez trouvé un palais si beau
qu'il n'en fut jamais vu de semblable
ni connu de vous ou d'autres.
— Autant dire que Dieu me hait
et qu'en même temps je suis déshonoré !
Pourtant, mon hôte, il me semble
que vous le dites pour mon bien,
mais je ne renoncerais pour rien au monde
à m'asseoir sur le lit,
ni à voir les jeunes filles
que je vis hier soir accoudées
aux fenêtres que voici. »
L'autre, qui recule pour mieux frapper,
lui répond : « Vous n'en verrez aucune,
de ces jeunes filles dont vous parlez,
mais repartez plutôt
comme vous êtes venu,
car pour ce qui est de les voir,
dans votre cas, il ne faut pas y compter.
Ce sont elles qui pour l'heure vous voient clairement,
à travers les verrières de ces fenêtres,
ces jeunes filles et ces reines
et ces dames, Dieu me protège,
qui sont de l'autre côté, dans leurs chambres.

272 va — Par foi, fait mes sires Gauvains,
       Ou lit me serré je au mains,
       Se je les puceles ne voi,
7708 Que je ne pans mie ne croi
       Que tes liz faiz estre deüst
       Se por ce non qu'an i geüst
       O gentis hom o gentis dame,
7712 Et je irai seoir par m'ame,
       Que que il m'en doie avenir. »
       Cil voit qu'i[l] ne se puet tenir,
       Si laisse la parole ester,
7716 Mais il n'i vost mie arester
       Ou palais tant que il lo voie
       Ou lit seoir, ainz tient sa voie
       Et dit : « Sire, de vostre mort
7720 M'anuie [molt] et poisse fort,
       C'onques nus chevaliers ne sist
       An cel lit que il ne morist,
       Que c'est li Liz de la Merveille
7724 Ou nus ne dort ne ne somoille
       Ne ne reposse ne ne siet
       Que jamais sains et sauz en liet.
       De vos est si tres granz domaiges
7728 Que ci laissiez la vie en gaiges
       Sanz [r]achat et sanz reançon.
       Quant par amor ne par tançon
       Ne vos en puis mener de ci,
7732 Dex ait de vostre ame merci,
       Que mes cuers ne porroit soffrir
       Que je vos veïsse morir. »

7720. et p. molt f. **7730.** Que.

7710. *Faudrait-il lire* : anz ? *Cf. mss RU, v. 632* : Ens ou lit dedens se gisoit.
7714. nel p. (*B* ne se p. = « *il ne peut s'en empêcher* »). **7716.** n'i velt.

Sur ma parole, fait monseigneur Gauvain,
si je ne vois les jeunes filles,
au moins m'assiérai-je sur le lit,
car je ne peux pas croire ni penser
qu'on eût fait un pareil lit,
sinon pour que vînt s'y étendre
un noble seigneur ou une noble dame,
et, sur mon âme, je vais y prendre place,
quoi qu'il doive m'en arriver ! »
L'autre voit qu'il ne peut le retenir
et il laisse là le propos.
Mais il n'entend pas rester
plus longtemps au palais pour le voir
s'asseoir sur le lit. Il reprend son chemin,
en disant : « Monseigneur, votre mort
me plonge dans le désarroi et la tristesse.
Jamais chevalier ne s'est assis
sur ce lit sans en mourir,
car c'est le Lit de la Merveille.
Celui qui s'y endort ou y sommeille,
qui s'y repose ou s'y assoit,
jamais ne s'en lèvera sain et sauf.
C'est grande pitié de vous,
qui laissez ici la vie en gage,
sans espoir de rachat ni de rançon.
Puisque je ne peux vous ramener d'ici,
ni au nom de l'amitié ni en raison de mes reproches,
que Dieu ait pitié de votre âme,
car, pour moi, je ne pourrais dans mon cœur
souffrir de vous y voir mourir. »

272 vb Atant ors do palais s'en ist,
7736   Et mes sire Gauvains s'asist
        El lit, si armez com il fu,
        Qu'il ot a son col son escu.
        En l'aseoir que il a fait,
7740   Et les cordes gietent un brait
        Et totes les campanes sonent,
        Si que tot lo palais estonent,
        Et totes les fenestres ovrent
7744   Et les merveilles se descoevrent
        Et li enchantemant aperent,
        Que par les fenestres volerent
        Carrés et saietes leianz,
7748   S'an ferirent plus de .VII^C.
        Mon seignor Gauvain an l'escu,
        Ne il ne set qui l'ot feru.
        Li enchantemanz tex estoit
7752   Que nus hom veoir ne pooit
        De quel part li carrel venoient
        Ne les archiers qui les traioient,
        Et ce poez vos bien entandre
7756   Que granz escrois ot au destandre
        Des arbeletes et des arz.
        N'i vosist estre por mil marz
        Mes sire Gauvains a cele ore,
7760   Mais les fenestres sanz demore
        Reclostrent que nus nes bota,
        Et mes sire Gauvains osta
        Les carrés qui feru estoient
7764   En son escu, et si l'avoient

7746. Qui. 7756. descendre. 7761. nel.

7748. .VIIC. *BFTV*, .VC. *autres mss.* 7750. sot.

Il est alors sorti du palais
et monseigneur Gauvain s'est assis
sur le lit, armé comme il l'était,
avec l'écu suspendu à son cou.
Dans le moment même où il s'assoit,
les cordes soudain gémissent
et toutes les clochettes tintent,
avec un bruit qui ébranle le palais tout entier,
et toutes les fenêtres s'ouvrent
et les merveilles se montrent à découvert
et les enchantements font leur apparition,
car par les fenêtres se mirent à voler
au-dedans flèches et carreaux d'arbalète,
qui furent plus de cinq cents à venir se ficher
dans l'écu de monseigneur Gauvain,
sans qu'il sût qui l'avait frappé !
L'enchantement était ainsi fait
que personne ne pouvait voir
d'où partaient les traits,
ni quels archers les décochaient.
Et vous imaginerez sans peine
le fracas que firent en se détendant
les arbalètes et les arcs.
A cet instant monseigneur Gauvain
pour un trésor n'aurait voulu y être !
Mais les fenêtres se sont aussitôt
refermées, sans que personne les poussât.
Monseigneur Gauvain se mit alors à enlever
les carreaux qui s'étaient fichés
dans son écu et qui, au reste, l'avaient

273 ra En plusors leus navré el cors
          Si que li sanz en sailloit ors.
          Ançois que les aüst toz traiz,
7768   Li resordi uns autres plaiz,
          C'uns vilains a un pel feri
          En un huis, et li huis ovri,
          Et un lions toz fameilleus,
7772   Granz et gros, fiers et vertueus
          Par l'uis ors d'une vote saut
          Et mon seignor Gauvain asaut
          Par grant fierté et par grant ire,
7776   Et tot ansin comme par cire
          Totes ses ongles li enbat
          En son escu et si l'abat
          Si qu'as genos venir lo fait,
7780   Mais il saut sus tantost et trait
          Ors do fuerre sa bone espee
          Et fiert si qu'il li a copee
          La teste et amedeus les piez.
7784   Lors fu mes sire Gauvains liez,
          Et li pié remestrent pandu
          Par les ongles a son escu
          Si que li uns parut dedanz
7788   Et li autres defors pandanz.
          Qant il ot lo lion ocis,
          Si ret ami lo lit assis,
          Et ses ostes o liee chiere
7792   Tantost vint o palais arriere,
          Si lo trova el lit seant
          Et dit : « Sire, je vos creant

7789. rot.

7772. Forz et fiers, grans et merveilleus. **7787-7788.** *C'est la bonne version que n'ont conservée ni A ni T.* **7790.** Si se rest sor. **7794.** dist.

blessé en plus d'un endroit,
si bien que le sang en jaillissait.
Avant qu'il ait pu tous les retirer,
une nouvelle épreuve a surgi,
car un manant avec un pieu
a heurté une porte et la porte s'est ouverte
et un lion tout affamé,
farouche et fort et grand à merveille,
bondit par la porte hors de son antre
et attaque monseigneur Gauvain
avec rage et férocité,
et, comme s'il se fût agi de cire,
il lui enfonce toutes les griffes
dans son écu et le force
à tomber à genoux.
Mais il se redresse aussitôt d'un bond, il tire
de son fourreau sa bonne épée
et, en le frappant, il lui a tranché
la tête et les deux pattes.
Monseigneur Gauvain s'en est alors réjoui.
Les pattes sont restées suspendues
par les griffes à son écu,
celles-ci ressortant à l'intérieur,
celles-là pendant au-dehors.
Quand il eut tué le lion,
il est revenu s'asseoir sur le lit.
Alors son hôte, le visage radieux,
est aussitôt revenu au palais,
et le trouvant assis sur le lit,
il lui a dit : « Monseigneur, je vous le garantis,

273 rb Que vos n'avez mes nule dote.
7796　Ostez vostre armeüre tote,
　　　Que les merveilles do palais
　　　Sont remeses a toz jorz mais
　　　Par vos qui i estes venuz,
7800　Et des joenes et des chenuz
　　　Seroiz serviz et enorez
　　　Ceienz, don Dex soit aorez ! »
　　　Atant vienent vallet a flotes
7804　Trestuit trop bien vetu de cotes,
　　　Si se metent tuit a genos
　　　Et dient : « Biax chiers sire dos,
　　　Nos servises vos pressantomes
7808　Com a celui que nos avomes
　　　Molt atandu et desirré,
　　　Que trop nos avoiz demoré
　　　A nostre eus, ice nos est avis. »
7812　Maintenant li uns d'aus l'a pris,
　　　Si le commence a desarmer,
　　　Et li autre vont establer
　　　Son cheval qui defors estoit.
7816　Et que que il se desarmoit,
　　　Une pucele vint leianz,
　　　Qui molt ert bele et avenanz,
　　　Sor son chief un cercelet d'or,
7820　Don li chevol estoient sor
　　　Autretant com li ors ou plus.
　　　La face ot blanche, par desus
　　　L'ot anluminee Nature
7824　D'une color vermoille et pure.

7797. Qui. 7806. Et dit : Sire b. s. d. 7810. avoit. 7811. ice m'est avis.
7813. So commencent. 7818. est. 7821. sanz plus (!).

7826. et par d.

vous n'avez plus rien à craindre.
Enlevez donc toute votre armure,
car les merveilles du palais
ont pris fin pour toujours,
grâce à votre venue.
Vous allez être servi et honoré
ici même, tant par les jeunes que par les vieux,
qu'il en soit rendu grâces à Dieu ! »
Arrivent alors des jeunes gens en foule,
tous revêtus de très belles tuniques.
Ils se mettent tous à genoux,
en disant : « Très cher et doux seigneur,
nous vous offrons nos services
comme à l'homme que nous avons
tant attendu et désiré,
car vous avez tardé à venir
à notre secours, nous a-t-il semblé. »
Aussitôt l'un d'entre eux l'a pris
et commence à le désarmer,
tandis que les autres amènent à l'écurie
son cheval resté dehors.
Pendant qu'il se désarmait,
une jeune fille est entrée,
très belle, très agréable,
portant un fin diadème d'or
sur ses cheveux aussi dorés
que l'or ou même davantage.
Elle avait la face blanche et, dessus,
Nature l'avait enluminée
d'une couleur vermeille et pure.

273 va La pucele fu molt adroite,
       Bele et bien faite, longue et droite.
       Et aprés li vinrent puceles
7828   Autres ansin gentes et beles,
       Et uns toz seus vallez i vint
       Qui une robe a son col tint
       Et cote et mantel et sercot.
7832   Pane d'ermine ou mantel ot
       Et sebelin noir comme more,
       Et la coverture desore
       Fu d'une escarlate vermoille.
7836   Mes sire Gauvains se merveille
       Des puceles qu'i[l] voit venir
       Ne ne se puet mie tenir
       Q'ancontre ele[s] ne saille an piez,
7840   Et dit : « Pucele[s], bien vaigniez ! »
       Et la premiere li encline
       Et dit : « Ma dame la raïne,
       Biax sire chiers, saluz vos mande
7844   Et a totes si nos commande
       Que por lor droit seignor vos tienent
       Et que trestuit servir vos vienent.
       Si vos promet lo mien servise
7848   Tote premiere sanz faintise,
       Et ces puceles qui ci vienent
       Trestotes por seignor vos tienent,
       Que molt desirré vos avoient.
7852   Or sont lies quant eles voient
       Lo meillor de toz les prodomes.
       Sire, n'i a plus, que nos somes

7844. si vos.

7828. assez g. **7844.** t. cestes c. *Var. T* : t. ses gens c. **7846.** totes.

C'était une jeune fille accomplie,
belle et bien faite, grande et bien droite.
A sa suite venaient d'autres jeunes filles,
vraiment belles et élégantes,
puis se présenta tout seul un jeune homme
qui portait, suspendue à son col, une tenue complète :
tunique, paletot et manteau.
Le manteau était doublé d'hermine
et de zibeline plus noire que mûre,
et recouvert par-dessus
d'une écarlate vermeille.
Monseigneur Gauvain s'émerveille
de voir venir les jeunes filles
et il ne peut s'empêcher
de se lever d'un bond à leur rencontre.
« Jeunes filles, leur dit-il, soyez les bienvenues ! »
Cependant la première s'incline devant lui,
en disant : « Ma dame la reine
vous adresse son salut, mon cher et doux seigneur,
et elle commande à toutes les jeunes filles présentes
de vous tenir pour leur seigneur légitime
et de venir, toutes, vous servir.
Je suis toute la première à vous promettre
loyalement mon service,
et les jeunes filles que voici
vous tiennent toutes pour leur seigneur.
Elles vous avaient tant désiré !
Les voici heureuses de voir
le meilleur de tous les hommes de valeur.
C'est tout, monseigneur, nous voici

273 vb De vos servir apareilliees.'
7856   A cest mot sont agenoilliees
        Trestotes et si li enclinent
        Come celes qui se destinent
        A lui servir et enorer,
7860   Et il les fait sanz demorer
        Relever et puis raseoir,
        Que molt li plaissent a veoir
        Auques por ce que beles sont
7864   Et plus por ce que eles font
        De lui lor prince et lor seignor.
        Joie a, c'onques n'ot mes greignor,
        De l'anor que Dex li a faite.
7868   Lors est la pucele avant traite
        Et dit : « Ma dame vos envoie
        Por vestir, ainz qu'ele vos voie,
        Ceste robe, que ele cuide,
7872   Comme cele qui n'est pas vuide
        De cortoisie ne de san,
        Que grant travail, que grant aan
        Et grant chalor aü aiez.
7876   Vestez la et si l'essaiez
        S'ele est bone a vostre mesure,
        Qu'aprés lo chaut de la froidure
        Se gardent cil qui saige sont,
7880   Que an an sancmesle et anfont.
        Por ce ma dame la raïne
        Vos anvoie robe d'ermine
        Que froidure mal ne vos face.
7884   Ansin com l'eive devient glace,

7866. Joie a conquis. 7875. avez.

---

prêtes à vous servir. »
A ce mot, elles se sont toutes agenouillées
et elles s'inclinent devant lui,
en femmes qui se vouent
à le servir et l'honorer.
Mais il les fait immédiatement
se relever, puis se rasseoir,
car il a grand plaisir à les regarder,
pour une bonne part parce qu'elles sont belles,
mais plus encore parce qu'elles font
de lui leur prince et leur seigneur.
L'honneur que Dieu lui a accordé
le remplit de joie, une joie qu'il n'eut jamais plus grande.
La jeune fille s'est alors avancée
et elle dit : « Ma dame, avant de vous voir,
vous envoie cette tenue
à revêtir, car elle pense,
en femme qui ne manque
ni de sagesse ni de courtoisie,
au grand tourment, à la grande fatigue,
à toute la chaleur que vous avez eus.
Mettez-la donc et essayez-la,
pour voir si elle est bien à votre taille.
Après avoir pris chaud, il est sage
de se garder d'un refroidissement,
car le sang se gèle et s'engourdit.
Ma dame la reine
vous envoie cette tenue d'hermine,
afin que vous ne preniez mal sur le froid :
comme l'eau se change en glace,

274 ra Betist li sanz et prant ensanble
　　　 Enprés lo chaut com li hom tranble. »
　　　 Et mes sire Gauvains respont
7888　 Comme li plus senez do mont :
　　　 « Ma dame la raïne saut
　　　 Cil Dex an cui nus biens ne faut
　　　 Et vos comme la bien parlant
7892　 Et la cortoisse et la vaillant !
　　　 Molt est, ce cuit, la dame saige
　　　 Qant si cortois sont si mesaige.
　　　 Ele set bien que est mestier
7896　 Et que covient a chevalier
　　　 Qant ele, la soe merci,
　　　 Robe a vestir m'envoie ci.
　　　 Mercïez l'an molt de par moi.
7900　 — Si ferai je, ce vos otroi,
　　　 Fait la pucele, volantiers,
　　　 Et vos porrez andemantiers
　　　 Vestir et esgarder les estres
7904　 De cest païs par ces fenestres,
　　　 Et porroiz se vos plaist monter
　　　 An cele tor por esgarder
　　　 Forez et plaines et rivieres
7908　 Tant que je revenré arrieres. »
　　　 Atant la pucele s'an torne,
　　　 Et mes sire Gauvains s'atorne
　　　 De la robe qui molt est riche,
7912　 A son col d'un fermoil l'afiche,
　　　 Qui pandoit a sa cheveçaille.
　　　 Or a talant que veoir aille

7888. cortois. **7890.** Cil Sire (Dex *BRS*). **7892.** et l'avenant (vaillant *BQRS*).
7904. *Noter la var.* palais *(H) ou* chastel *(LS)*, « *mal attestée mais tentante* »
(Lecoy), préférée en tout cas par Foulet pour le sens : « *les cours du château* »
(cf. infra, v. 7920 var.). **7912.** Et son c. d'un f. a.

le sang se prend et se fige,
lorsqu'on frissonne après le chaud. »
Et monseigneur Gauvain répond,
en homme le plus courtois du monde :
« Que le Seigneur en qui réside toute perfection
protège ma dame la reine
et vous-même, pour vos belles paroles,
votre courtoisie et votre grâce !
C'est une dame, je crois, de grande sagesse,
pour avoir d'aussi courtoises messagères.
Elle sait bien ce dont a besoin
un chevalier et ce qu'il lui faut,
en m'envoyant ici une tenue à revêtir
dont je lui sais gré.
Remerciez-la très fort de ma part.
— Oui, je le ferai, et de grand cœur,
soyez-en sûr, fait la jeune fille.
Vous pourrez, pendant ce temps,
vous habiller et regarder par ces fenêtres
les lieux environnants
et vous pourrez, si vous le voulez, monter
sur la tour pour contempler
les forêts, les plaines et les rivières,
en attendant que je revienne. »
La jeune fille s'en retourne alors,
tandis que monseigneur Gauvain se revêt
de ses riches habits
et qu'il ferme à son cou le manteau d'une agrafe
qui était suspendue à l'encolure.
Il éprouve maintenant l'envie d'aller voir

274rb Les estres qui en la tor sont.
7916 Entre lui et son oste i vont,
      Si s'en montent par une viz
      Encoste do palais vostiz,
      Tant que vinrent enson la tor
7920 Et virent lo païs d'antor
      Plus bel que l'en ne porroit dire.
      Mes sire Gauvains molt remire
      Les rivieres, les terres plaines
7924 Et les forez de bestes plaines,
      S'en a son oste regardé
      Et si li dist : « Ostes, par Dé,
      Ci me plaist molt a converser
7928 Por aler chacier et berser
      En ces forez ci devant nos.
      — Sire, de ce vos poez vos,
      Fait li notoniers, molt bien taire,
7932 Que j'ai oï assez retraire
      Que cil cui Dex tant ameroit
      Que l'an seignor lo clameroit
      De ceianz et droit avoé,
7936 Qu'il est establi et voé
      Que il jamais de ces maisons
      N'istroit, fust o torz o raisons.
      Por ce ne vos covient beer
7940 Ne a chacier ne a berser,
      Que ceienz avez lo sejor,
      Jamais n'en istroiz a nul jor.
      — Ostez, fait il, taissiez vos an !
7944 Que je m'en istroie do san,

_____

7920. palais _BCEFM._

_____

les aîtres de la tour.
Il s'y rend en compagnie de son hôte.
Tous deux montent par un colimaçon
attenant à la grande salle voûtée.
Parvenus au sommet de la tour,
ils virent le pays d'alentour,
qui était plus beau qu'on ne saurait dire.
Monseigneur Gauvain admire
ces eaux courantes, ces larges plaines,
ces forêts giboyeuses.
Il s'est retourné vers son hôte
et il lui a dit : « Par Dieu, mon hôte,
quel plaisir à mes yeux d'habiter ici
pour aller chasser et tirer
dans ces forêts, là, devant nous !
— Monseigneur, répond le nocher,
il vaut mieux ne pas en parler,
car j'ai entendu bien des fois répéter,
à propos de celui qui devrait à l'amour de Dieu
d'être appelé le seigneur
de ces lieux et leur vrai protecteur,
que c'est une chose fixée et bien établie,
à tort ou à raison, qu'il ne sortirait
jamais de ces maisons.
Aussi ne convient-il pas que vous ayez le désir
de chasser ou de tirer à l'arc,
car votre séjour est ici même
et jamais aucun jour vous n'en sortirez.
— N'en dites plus un seul mot, mon hôte, fait-il,
car vous me rendriez fou,

274 va   Se plus dire lo vos ooie.
        Ce saichiez bien, je ne porroie
        Jusqu'a .VII. jorz vivre ceianz
7948   Ne plus que jusqu'a .VII^{XX}. anz
        Por ce que je ne m'en issise
        Totes les foiz que je vosisse. »
        Atant an sont jus avalez,
7952   Si s'en est el palais entrez
        Molt correciez et molt pansis,
        Si se rest sor lo lit assis
        A chiere molt dolante et morne,
7956   Tant que la pucele retorne
        Qui devant esté i avoit.
        Qant mes sire Gauvains la voit,
        Si s'est encontre li dreciez
7960   Si com il estoit correciez,
        Si l'a maintenant salue[e].
        Et cele vit qu'il a muee
        La parole et la contenance,
7964   Si paroit bien a sa semblance
        Qu'il est irez d'aucune chose,
        Mais sanblant faire ne l'en osse,
        Ainz dit : « Sire, quant vos plaira,
7968   Ma dame veoir vos vanra,
        Mais li mangiers est atornez,
        Si mangeroiz qant vos vodrez
        Ou la aval ou ça amont. »
7972   Et mes sire Gauvains respont :
        « Bele, je n'ai de mangier cure,
        Li miens cuers ait male aventure

7962. Et cele dit qu'il a juré.

7951. s'an est. **7963.** *Var. AQS* : la color. **7965.** ert. **7971.** *Leçon de BFPQRU, confirmée infra par les vv. 8131—8133.*

d'en parler davantage.
Sachez-le bien, je ne pourrais,
pas plus sept jours que cent sept ans,
vivre en ces lieux,
si je n'en pouvais sortir
chaque fois que je le voudrais. »
Il est alors redescendu
et rentré dans la grande salle,
rempli de tristes pensées.
Il s'est rassis sur le lit,
la figure triste et sombre,
jusqu'au moment où revient la jeune fille
qui était auparavant venue.
Quand monseigneur Gauvain la voit,
il s'est levé à sa rencontre,
dans l'état d'affliction où il se trouvait,
et il l'a aussitôt saluée.
Elle a bien vu qu'il avait changé
de ton et d'attitude.
Il était clair, à le voir,
que quelque chose l'avait irrité.
Mais elle n'ose le lui faire paraître
et elle lui dit : « Monseigneur, quand il vous plaira,
ma dame viendra vous voir.
Mais le repas est prêt,
vous pouvez manger dès que vous le voudrez,
soit là en bas soit ici même en haut. »
Et monseigneur Gauvain lui répond :
« Belle, je ne me soucie pas de manger.
Puisse le malheur s'abattre sur moi,

274 vb Qant mangerai ne n'avrai joie
7976 Tant que je tes noveles oie
Don je me puisse resjoïr,
Que grant mestier ai de l'oïr. »
La pucele molt esmaiee
7980 S'an est maintenant repairiee,
Et la raïne a soi l'apele,
Si li demande quel novele.
« Bele niece, fait la raïne,
7984 De quel estre et de quel covine
Avez lo chevalier trové
Que Dex nos a ceienz doné ?
— Ha ! Dame, raïne enoree,
7988 De dol sui morte et acoree
Do franc seignor, do debonaire,
Que l'an n'en puet parole traire
Qui ne soit de corroz o d'ire,
7992 Ne sai por coi, nel vos puis dire,
Que no me dist ne je no sai
Ne demander ne li ossai.
Mais bien vos puis dire de lui
7996 Que la premiere foiz jehui
Lo trova[i] si bien afaitié,
Si bien parlant, si ensaignié
Q'an ne se poïst saoler
8000 De ses paroles escouter
Ne de veoir sa bele chiere.
Or est si tost d'autre meniere
Qu'il vodroit estre morz, ce cuit,
8004 Qu'il n'ot rien que ne li anuit.

7975. Que ja nul jor n'avrai mes joie.

---

si je me mets à table ou me livre à la joie
avant d'avoir entendu d'autres nouvelles
dont je puisse me réjouir,
car j'ai vraiment besoin d'en entendre ! »
La jeune fille, très émue,
s'en est aussitôt retournée,
et la reine l'appelle auprès d'elle
et lui demande de lui raconter :
« Ma chère nièce, fait la reine,
dans quelle humeur et dans quel état
avez-vous trouvé le chevalier
dont Dieu nous a gratifiés ?
— Hélas, ma dame, ma reine honorée,
j'ai le cœur brisé et je suis triste à mourir
de voir qu'on ne peut tirer
de notre noble, de notre généreux seigneur
d'autre parole que de colère et d'amertume,
et je ne sais pourquoi, je ne puis vous le dire,
car il ne me l'a pas dit ni je ne le sais,
faute d'avoir osé le lui demander.
Pourtant je peux bien vous dire à son propos
que la première fois où je l'ai vu aujourd'hui,
je l'ai trouvé d'une si parfaite éducation,
parlant un si beau langage et d'une telle sagesse
qu'on n'aurait pu se rassasier
de l'entendre parler
ni de voir son beau visage.
Et le voilà soudain si changé
qu'il en est, je crois, à souhaiter la mort,
car il n'entend rien qui ne lui soit insupportable.

275 ra — Niece, or ne vos en esmaiez,
Que il sera tost apaiez
Maintenant que il me verra.

8008 Ja si grant dol au cuer n'avra
Que tost ne l'en aie ors mise
Et joie an leu de corroz mise. »
Lors est la raïne esmeüe,

8012 Si s'en est ou palais venue
Et l'autre raïne aviau li,
Cui ses alerz molt abeli,
Et menerent bien aprés eles

8016 Dos .CL. damoiseles
Et autretant vallez au mains.
Tantost com mes sire Gauvains
Vit la raïne qui venoit

8020 Et l'autre par la main tenoit,
Ses cuers, que cuers sovent devine,
Li dist que ce est la raïne
Dom il avoit oï parler,

8024 Mais assez lo puet deviner
A ce qu'il vit les treces blanches
Qui li pandoient jusqu'as anches,
Et fu d'un dïapre vestue

8028 Blanc a flor d'or, d'oevre menue.
Qant mes sire Gauvains l'esgarde,
D'aler contre li ne se tarde,
Si la salue, et ele lui

8032 Et si li dist : « Sire, je sui
Dame aprés vos de ce palais,
La seignorie vos an lais,

8021. Ses cuers qui sovent voit devine. **8025.** blandes. **8026.** Que. **8030.** lui.
8031. lo s.

8009-8010. *Il n'y a pas de rime du même au même, il faut lire* : forsmise.
8016. *C'est le nombre exact (250 + 250, comme les 500 qu'on retrouve tout
au long de l'épisode). La leçon de A, adoptée pourtant par Hilka, ne doit pas
être retenue* : Bien .CL. d. **8021.** *Excellente leçon de TV.* **8022.** ce estoit
cele r.

— Ma nièce, n'ayez pas d'inquiétude.
Il retrouvera vite la paix,
dès qu'il me verra.
Il n'aura jamais de si grand chagrin au cœur
que je ne l'en chasse aussitôt,
pour y mettre la joie, au lieu de l'amertume. »
Alors la reine n'a plus attendu,
elle s'en est venue au palais,
accompagnée de l'autre reine,
tout heureuse d'y aller.
Elles ont amené à leur suite
deux cent cinquante demoiselles
et au moins autant de jeunes gens.
Aussitôt que monseigneur Gauvain
a vu la reine arriver,
en tenant l'autre par la main,
son cœur lui dit, car le cœur voit souvent juste,
que c'était bien la reine
dont il avait entendu parler.
Mais il avait tout lieu de le pressentir,
en voyant les tresses blanches
qui lui tombaient jusque sur les hanches.
Elle était vêtue d'une robe de brocart
blanche, brochée de fleurs d'or finement dessinées.
Monseigneur Gauvain la regarde
et se hâte de se porter à sa rencontre.
Il la salue et elle lui.
« Monseigneur, lui a-t-elle dit, je suis
après vous la dame de ce palais.
Je vous en laisse la haute dignité,

275 rb Et vos l'avez bien desraisniee.
8036 Mais estes vos de la maisniee
      Lo roi Artus? — Dame, oïl voir.
      — Qui estes vos? Jo voil savoir,
      Des chevaliers de l'eschargaite
8040 Qui ont mainte proesce faite?
      — Dame, nenil. — Bien vos an croi.
      Qui estes vos? dites lo moi,
      De ces de la Table Reonde,
8044 Qui sont li plus proissié do monde?
      — Dame, dit il, n'en oseroie
      Dire que des plus proissiez soie,
      Ne me fais mie des meillors
8048 Ne ne cuit estre des peiors. »
      Et ele li respont : « Biax sire,
      Grant cortoisie vos oi dire,
      Qui ne vos ametez lo pris
8052 Do miaux, ne do blasme lo pis.
      Mais or me dites do roi Lot,
      De sa fame quanz filz il ot.
      — Dame .IIII. — Or le[s me] nomez !
8056 — Dame, Gauvains fu li ainznez,
      Et li secons fu Agrevains
      Li orgoilleus as dures mains,
      Gaeriez et Kereés
8060 Ont non li autre dui aprés. »
      Et la raïne li redit :
      « Sire, se Damedex m'aïst,
      Ansin ont il non, ce me sanble,
8064 Car plaüst Deu que tuit ensanble

8052. Do m. do bl. ne do pis. 8054. ele ot. 8058. au d. m.

8035. Que. 8038. Et estes. 8042. Et estes.

car elle vous revient de haute lutte.
Mais êtes-vous de la maison
du roi Arthur ? — En vérité oui, ma dame.
— Et êtes-vous, je veux le savoir,
des chevaliers de la Garde,
de ceux qui ont accompli tant d'exploits ?
— Non, ma dame. — Je sais que vous dites vrai.
Mais êtes-vous, dites-le-moi,
de ceux de la Table Ronde,
qui sont les chevaliers les plus réputés du monde ?
— Ma dame, lui dit-il, je n'oserais
dire que je fasse partie des plus réputés,
mais si je ne me compte pas parmi les meilleurs,
je ne pense pas non plus être des pires.
— Mon doux seigneur, lui répond-elle,
c'est une parole d'une grande courtoisie que vous dites là,
quand vous ne vous attribuez ni le prix
de l'excellence ni le pire du blâme.
Mais dites-moi encore, au sujet du roi Lot,
combien de fils a-t-il eus de sa femme ?
— Quatre, ma dame. — Donnez-moi leurs noms !
— Ma dame, Gauvain fut l'aîné,
le second fut Agravain,
l'Orgueilleux aux rudes mains,
Gaheriet et Guerehet,
ce sont les noms des deux suivants. »
Et la reine lui dit encore :
« Dieu me protège, monseigneur,
c'est bien ainsi qu'ils s'appellent, me semble-t-il.
Plût à Dieu qu'ils fussent tous

275 va Fussent ici ensanble vos !
　　　Or me dites, conoissiez vos
　　　Lo roi Urïen ? — Dame, oïl.
8068 — Et a il a la cort nul fil ?
　　　— Dame, oïl, .II. de grant renon,
　　　Li uns mes sire Ivains a non,
　　　Li cortois, li bien afaitiez.
8072 Toz lo jor an sui plus haitiez
　　　Qant au matin veoir lo puis,
　　　Tant saige et tant cortois lo truis.
　　　Et li autres a non Vavains,
8076 Qui n'est pas ses freres germains,
　　　Por ce l'apele l'an Avoltre,
　　　Et cil toz les chevaliers oltre
　　　Qui meslee quierent a lui.
8080 Cil sont a la cort amedui
　　　Molt preu, molt saige et molt cortois.
　　　— Biax sire, fait ele, li rois
　　　Artus, commant se contient ore ?
8084 — Miauz qu'il ne fist onques ancore,
　　　Plus sains, plus legiers et plus forz.
　　　— Par foi, sire, ce n'est pas torz,
　　　Qu'il est anfes, li rois Artus,
8088 S'il a .C. anz, n'a mie plus
　　　Ne plus n'en puet il pas avoir.
　　　Mais encor voil de vos savoir
　　　Que vos me dites solemant
8092 De l'estre et do contenemant
　　　La raïne, s'il ne vos poisse.
　　　— Dame, voir, ele est tant cortoise

8083. contient il. **8084.** M. qu'ainz ne f. por voir lo di.

8075. ra non Yvains.

réunis ici avec vous !
Dites-moi maintenant, connaissez-vous
le roi Urien ? — Oui, ma dame.
— A-t-il des fils à la cour ?
— Oui, ma dame, deux, et de grand renom.
L'un s'appelle monseigneur Yvain,
le courtois, le bien appris.
J'en ai pour la journée la joie au cœur,
si le matin je peux le voir,
tant je lui trouve de sagesse et de courtoisie.
L'autre a aussi le nom d'Yvain,
mais ils ne sont pas frères de mêmes parents,
c'est pourquoi on l'appelle le Bâtard.
C'est un chevalier qui triomphe de tous ceux
qui cherchent à se battre avec lui.
Tous les deux sont à la cour
des chevaliers très vaillants, très sages et très courtois.
— Mon doux seigneur, fait-elle, et le roi
Arthur, comment va-t-il maintenant ?
— Mieux qu'il ne l'a jamais fait encore,
plein de santé, de vivacité et de force.
— Sur ma parole, monseigneur, c'est à juste titre,
le roi Arthur n'est encore qu'un enfant :
s'il a cent ans, ce n'est pas plus,
il ne peut pas en avoir plus.
Mais je veux encore apprendre de vous,
dites-le-moi seulement,
si cela ne vous ennuie, ce qu'il en est de la reine,
de sa manière d'être et de vivre.
— Vraiment, ma dame, elle a tant de courtoisie,

275 vb Et tant est bele et tant est saige

8096 Que Dex ne fist loi ne languaige
O l'an trovas[t] si bele dame.
Des que Dex la premiere fame
Ot de la coste Adam formee,

8100 Ne fu dame tant renomee,
Et ele lo doit molt bien estre :
Tot ansin com li saige mestre
Les petiz enfanz andotrine,

8104 Ansin ma dame la raïne
Tot lo mont ensaigne et aprant,
Et de li toz li biens descent
Et de li naist et de li muet.

8108 De ma dame partir ne puet
Nus qui desconseilliez en aut,
Qu'ele set bien qu'a chascun vaut.
Nus hom bien ne enor ne fait

8112 Que ma dame apris ne l[i] ait,
Nus hom n'iert si desatirez
Que de ma dame parte irez.
— Non feroiz vos, sire, de moi.

8116 — Dame, fait il, bien vos an croi,
Qu[e] ançois que je vos veïsse
Ne me chaloit que je feïsse,
Tant estoie maz et dolanz.

8120 Or sui si liez et si joianz
Que je no porroie plus estre.
— Sire, par Dé qui me fist nestre,
Fait la raïne as blanches treces,

8124 Encor dobleront vos leeces

8123. dame *(hypométrique).*

8097. *Leçon de BCLRSTU. Var. A* : sage. 8107. vient et. 8110. que chascuns vaut. *Après* 8110. *om.* Et que an doit a chascun feire / Por ce qu'ele li doie pleire. 8113. *Var. AT* : desheitiez *(la leçon de B, appuyée par PR, donne une rime plus riche).*

tant de beauté et tant de sagesse
qu'il n'est de pays créé par Dieu, de quelque langue
                              [ou religion qu'il soit,
où l'on puisse trouver une aussi belle dame.
Depuis la première femme que Dieu
forma d'une côte d'Adam,
il n'y a eu de dame si renommée,
et elle l'est à juste titre.
Tout comme un sage maître
donne science aux petits enfants,
ainsi ma dame la reine
fait-elle l'enseignement et l'éducation de tous.
C'est d'elle que descend tout le bien,
c'est elle qui en est la source et qui l'inspire.
Personne, en quittant ma dame,
ne partira sans avoir trouvé le réconfort,
car elle sait la valeur de chacun
[et ce qu'il faut faire
pour devoir à chacun être agréable.]
Personne n'agit selon le bien et l'honneur
sans que ce soit ma dame qui le lui ait appris.
Personne ne se trouvera si mal en point
sans quitter ma dame rasséréné.
— Ce ne sera pas non plus le cas pour vous, monseigneur,
                              [avec moi.

— Ma dame, fait-il, j'en ai bien la certitude,
car avant de vous voir
je n'avais plus de goût à rien,
tant j'étais triste et abattu,
et maintenant j'éprouve tant de joie et de gaieté
que je ne pourrais en avoir plus.
— Monseigneur, au nom de Dieu qui m'a fait naître,
dit la reine aux blanches tresses,
vos joies en seront encore redoublées,

276 ra Et croistra vostre joie adés,
Ne ce ne vos faura ja mes.
Et quant vos estes bax et liez,
8128 Li mangiers est apareilliez,
Si mangeron quant vos plaira
En tel leu qui bons vos sera :
Se vos plaist, ceianz mangeroiz,
8132 Et se vos plaist, vos an vanroiz
Es chambres la desoz mangier.
— Dame, je ne quier ja changier
Por nule chanbre ce palais,
8136 Que l'an m'a dit que onques mais
Chevaliers n'i manja ne sist.
— Non, sire, qui puis en issist
Ne qui vis i demorast mie
8140 Une liuee ne demie.
— Dame, donc [i] mangerai gié,
Se vos m'an donez lo congié.
— Je vos doig, sire, volantiers,
8144 Et vos seroiz toz li premiers
Chevaliers qui i mangera. »
Atant la raïne s'an va,
Si li laisse de ses puceles
8148 Bien .C. et .L. de[s plus] beles,
Qui ou palais o lui mangerent,
So servirent et losangerent
De quant que li vint a talant.
8152 Vallet servirent plus de .C.
Au mangier, don li un estoient
Tuit blanc et li autre melloient

8137. Onques nus ch. n'i sist. 8139. vis n'i d.

8131. Ceisus. 8152. « *Valet* » *désigne ici les nobles en service, même quand ils ne sont plus jeunes, puisqu'ils attendent toujours leur adoubement* (cf. *supra*, v. 7479 ss).

votre bonheur ne cessera de croître
sans plus jamais vous abandonner.
Puisque vous voilà ragaillardi et heureux,
le repas est prêt,
nous mangerons dès qu'il vous plaira
et dans l'endroit où bon vous semblera.
A votre gré vous pourrez manger ici en haut,
à votre gré encore vous pourrez venir
manger là en dessous dans mes appartements.
— Ma dame, je ne souhaite changer
cette grande salle contre nulle autre pièce,
car l'on m'a dit qu'aucun chevalier jamais
ne s'y est assis pour y manger.
— Non, monseigneur, aucun qui en ressortît
vivant ou qui le restât,
le temps d'une lieue ou même moitié moins.
— Ma dame, j'y prendrai donc mon repas,
si vous m'en donnez la permission.
— Je le fais, monseigneur, bien volontiers.
Vous serez absolument le premier
chevalier à y avoir mangé. »
La reine alors s'en va,
en lui laissant bien cent cinquante
de ses jeunes filles, parmi les plus belles,
pour manger avec lui dans le palais,
le servir et lui tenir de joyeux propos,
attentives à ses moindres désirs.
Parmi les hommes en service, plus de cent servaient
au repas, les uns avaient
les cheveux tout blancs et d'autres

276 rb De chienes et li autre non,
8156   Li autre barbe ne grenon
       N'avoient, et de ces li dui
       A genos furent devant lui,
       Si servoit li uns do taillier
8160   Et li autres do vin baillier.
       Mes sire Gauvains coste a coste
       Fist delez lui seoir son oste,
       Et li mangiers ne fu pas corz,
8164   Qu'il dura plus qu[e] un des jorz
       Antor Natevité ne dure,
       Qu'il fu nuiz sarree et oscure,
       Et molt i ot arz gros tortiz
8168   Ainz que li mangiers fust feniz.
       Sor le mangier ot molt paroles,
       Et molt ot dances et caroles
       Aprés mangier, ainz qu'il cochassent.
8172   Tuit de joie faire se lassent
       Por lor seignor que il ont chier.
       Et quant il vost aler couchier,
       Si jut el Lit de la Merveille.
8176   Un oroillier desoz l'oroille
       Une des puceles li mist,
       Qui a aise dormir li fist.
       Et l'andemain au resveillier
8180   Li ot an fait apareillier
       Robe d'ermine et de samit.
       Li notoniers devant son lit
       Vint au matin, sel fist lever
8184   Et vestir et ses mains laver.

8165. Q'antor.

---

grisonnaient et d'autres pas.
D'autres encore n'avaient de barbe
ni de moustache et deux d'entre eux
se tenaient à genoux devant lui,
l'un chargé de découper
et l'autre de verser le vin.
Monseigneur Gauvain fit asseoir son hôte
côte à côte près de lui,
et le repas ne fut pas bref.
Il dura plus que ne dure
une des journées aux environs de Noël.
Il faisait déjà nuit épaisse et noire
et l'on avait allumé bon nombre de grosses torches
que le repas n'était toujours pas fini.
Il y eut au cours du repas bien des paroles échangées,
il y eut encore bien des danses et des rondes
après le repas, avant qu'ils ne se fussent couchés.
Tous s'évertuent à ce qu'il y ait de la joie
en l'honneur de leur seigneur bien-aimé.
Quand il voulut aller se coucher,
il s'étendit sur le Lit de la Merveille.
Une des jeunes filles lui glissa
sous la tête un oreiller
qui le fit doucement s'endormir.

Le lendemain, à son réveil,
on lui avait fait préparer
une tenue en hermine et en satin.
Le nocher vint au matin
au pied de son lit, et le fit se lever,
s'habiller et se laver les mains.

276 va A son lever fu Clarïanz,
  La proz, la gente, l'avenanz,
  La saige, la bien anparlee.
8188 Puis s'an est an sa chanbre antree
  Devant la raïne, s'aiole,
  Qui li demande, si l'acole :
  « Niece, foi que vos me devez,
8192 Est vostre sire ancor levez ?
  — Oïl, dame, molt a grant piece.
  — Et ou est il, ma bele niece ?
  — Dame, an la tornele en ala,
8196 Ne sai se puis en desvala.
  — Niece, je voil aler a lui,
  Et, se Deu plaist, n'avra mes hui
  Se bien non et joie et leesce. »
8200 Tantost la raïne se drece,
  Qui talant a que a lui aut.
  Tant va qu'ele le vit en haut
  As fenestres d'une tornele
8204 Ou esgardoit une pucele
  Et un chevalier tot armé,
  Qui venoient parmi lo pré.
  Que que il ert an son esgart,
8208 Atant ez vos de l'autre part
  Les .II. raïnes coste a coste.
  Mon seignor Gauvain et son oste
  Ont a[s] deus fenestres trovez.
8212 « Sire, bien seiez vos levez !
  Font les raïnes amedeus,
  Cil jorz vos soit liez et joeus,

8185. mangier. **8190.** Et li d. **8201-8202.** que aille a lui / Ainz ne fina, si vint a lui. **8206.** Qu'il. **8211.** veüz. **8212.** venuz.

8185. *BSQ. Autres mss* : Clarissanz. **8186.** La p. la bele. **8188.** an la c. **8206.** aval un p.

A son lever se trouvait Clariant
la vaillante, la belle, la charmante jeune fille
aux si bonnes et sages paroles.
Puis elle est entrée dans la chambre
où est la reine, sa grand-mère,
qui lui demande en la prenant dans ses bras :
« Ma nièce, dites-moi de bonne foi,
votre seigneur est-il présentement levé ?
— Oui, ma dame, et depuis longtemps.
— Et où est-il, ma jolie nièce ?
— Ma dame, il est monté dans la tourelle.
Je ne sais s'il en est depuis redescendu.
— Ma nièce, je veux aller à lui
et, s'il plaît à Dieu, il ne connaîtra en ce jour
que bonheur, joie et allégresse. »
La reine se met aussitôt debout,
désireuse de le rejoindre.
Elle a fini par le trouver en haut,
aux fenêtres d'une tourelle,
d'où il regardait venir
sur la pente d'une prairie une jeune fille,
accompagnée d'un chevalier tout en armes.
Pendant qu'il était là à regarder,
voici que viennent à l'autre bout
les deux reines côte à côte.
Elles ont trouvé aux fenêtres
monseigneur Gauvain avec son hôte.
« Monseigneur, nous vous souhaitons le bonjour,
disent ensemble les deux reines.
Que cette journée soit pour vous un jour de joie et de gaieté,

276 vb   Ce dont icil glorïeus pere,
8216   Qui de sa fille fist sa mere !
         — Grant joie, dame, vos doint cil
         Qui en terre anvoia son fil
         Por essaucier crestïenté !
8220   Mais s'il vos vient a volanté,
         Venez jusqu'a ceste fenestre
         Et si me dites qui puet estre
         Une pucele qui vient ci,
8224   S'a un chevalier aviau li,
         Qui porte un escu de quartiers.
         — Jo vos dirai molt volantiers,
         Fait la dame qui les esgarde,
8228   Ce est cele cui mal feus arde,
         Qui arsoir vint avec vos ça.
         Mais de li ne vos chaille ja,
         Que trop est estoute et vilaine.
8232   Do chevalier que ele maine
         Vos pri je qu'il ne vos rechaille,
         Qu'il est, bien lo sachoiz senz faille,
         Sor toz chevaliers corageus.
8236   Sa bataille n'est mie a geus,
         Que maint chevalier a ce port
         A, voient moi, conquis et mort.
         — Dame, fait il, je voil aler
8240   A la damoisele parler,
         Si vos an demant lo congié.
         — Sire, ne place Dé que gié
         De vostre mal congié vos doigne !
8244   Laissiez aler an sa besoigne

8217. vos fist cil. **8219.** sainte c. *(hypermétrique)*. **8224.** Ja un c. a. lui.
8226. Sire fait ele.

---

puisse ainsi vous l'accorder le glorieux Père
qui de sa fille a fait sa mère !
— Qu'il vous comble de joie, ma dame, Celui
qui a envoyé son Fils sur la terre
pour exalter la chrétienté !
Mais, si vous y consentez,
venez jusqu'à cette fenêtre
et dites-moi qui peut être
la jeune fille que je vois venir,
et avec elle un chevalier
qui porte un écu écartelé.
— Je vais volontiers vous le dire,
fait la dame en les regardant.
C'est elle, qu'elle aille brûler en enfer !
qui hier soir vint ici avec vous.
Mais ne vous occupez plus d'elle,
elle est trop arrogante et trop indigne.
Quant au chevalier qu'elle emmène,
je vous prie de ne pas y penser non plus.
A coup sûr sachez-le, c'est un chevalier
plus que tout autre courageux.
Se battre avec lui n'est pas un jeu,
car il a, sous mes yeux, ici sur le port,
vaincu et tué nombre de chevaliers.
— Ma dame, fait-il, je souhaite aller
parler à la demoiselle,
je vous en demande la permission.
— Monseigneur, ne plaise à Dieu que moi
je vous permette de faire votre malheur !
Laissez donc aller à son affaire

277 ra   La damoisele anïeuse.
       Ja, se Deu plaist, por tel oiseuse
       N'istroiz fors de vostre palais.
8248   Vos n'an devez issir jamais,
       Se nos tort ne nos volez faire.
       — Avoi ! Raïne debonaire,
       Or m'avez vos molt esmaié.
8252   Je me tanroie a mal paié
       Do palais se je n'en issoie,
       Et sachiez bien, je ne porroie
       Vivre si grant tans prisoniers.
8256   — A ! Dame, fait li notoniers,
       Laissiez li faire tot son boen.
       Ja no retenez malgré soen,
       Qu'il en porroit de doel morir.
8260   — Et je l'an laiserai issir,
       Fait la raïne, par covant
       Que se Dex de mal lo desfant,
       Que il revaigne ancor anuit.
8264   — Dame, fait il, ne vos anuit,
       Je revenré se j'onques puis.
       Mais un doin vos demant et ruis,
       Se vos plaist et vos commandez,
8268   Que vos mon non ne demandez
       Devant .VII. jorz, si ne vos griet.
       — Et je, sire, puis qu'il vos siet,
       M'an sofferrai, fait la raïne,
8272   C'avoir ne voil vostre haïne,
       Si fust ce la chose premiere
       Don je vos feïsse priere

8251. esmaiee. **8252.** paiee. **8268.** me d. **8273.** Ne f.

8253. se ja n'en. **8254-8255.** Ne place Deu que ja i soie / Einsi longuemant p. **8262.** de mort (de mal : *BQ*).

la demoiselle détestable.
Jamais, si Dieu le veut, pour de pareilles futilités
vous ne sortirez de votre palais.
D'ailleurs vous n'en devez jamais sortir,
si vous ne voulez nous faire du tort.
— Eh ! ma noble reine,
vous me mettez dans l'inquiétude.
Je serais, à mes yeux, bien mal loti
si je ne devais jamais sortir du palais.
Ne plaise à Dieu que j'y sois jamais
ainsi longuement prisonnier !
— Ah ! ma dame, fait le nocher,
laissez-le faire ce que bon lui semble.
N'allez pas le retenir malgré lui,
car il pourrait bien en mourir de tristesse.
— Je le laisserai donc partir,
fait la reine, à la condition
qu'il revienne ce soir même,
si Dieu le protège de la mort.
— Ma dame, fait-il, soyez sans inquiétude,
je reviendrai, si jamais je le puis,
mais il y a un don que je vous prie et vous demande
si c'est là votre plaisir et votre volonté,   [de m'accorder,
c'est de ne pas me demander mon nom
avant sept jours, si ce n'est pas vous ennuyer.
— Eh bien, monseigneur, si cela vous convient,
je m'en abstiendrai, fait la reine,
car je ne veux pas encourir votre haine.
C'est pourtant la première chose
dont je vous aurai prié,

277 rb   Que vostre non me deïssiez,
8276   Se desfandu ne m'aüssiez. »
        De la tornele ansin descen[den]t,
        Et vallet vienent qui li ten[den]t
        Ses armes por armer son cors,
8280   Et son cheval li ont trait ors,
        Et il i monte toz armez,
        Si s'an est jusqu'au port alez,
        Et li notoniers aviau lui,
8284   Si antrent an la nef andui
        Et si naigerent tant a brive
        Qu'i[l] sont venu a l'autre rive,
        Et mes sire Gauvains s'en ist.
8288   Et li autres chevaliers dist
        A la pucele sanz merci :
        « Amie, cist chevaliers ci,
        Qui vient armez encontre nos,
8292   Dites moi, conoissiez lo vos ? »
        Et la pucele dit : « Nanil,
        Mais je sai bien que ce est cil
        Qui ier m'amena ceste part. »
8296   Et cil respont : « Se Dex me gart,
        Autrui n'aloie je querant.
        Paor an ai aü molt grant
        Qu'il ne me fust eschapez,
8300   Que chevaliers de mere nez
        Ne passa lo pont de Galvoie,
        Se tant m'avient que je lo voie
        Et que je devant moi lo truisse,
8304   Que il aillors vanter se puisse

8282. Si est jusqu'a la porte. **8292.** conseilliez. **8295.** m'anvoia.

8284. la nef *BTV. Var. A* : an un batel. **8301.** *BCH. Autres mss* : les porz.
8304. Que ja.

de me dire votre nom,
si vous ne me l'aviez défendu. »
C'est ainsi qu'ils descendent de la tourelle.
Des jeunes gens accourent pour lui tendre
ses armes et l'aider à s'en armer.
Ils lui ont sorti son cheval,
sur lequel il monte tout armé.
Puis il s'en est allé jusqu'au port,
en compagnie du nocher.
Tous deux montent dans la barque
et ils ont fait rame en se hâtant
de parvenir sur l'autre rive.
Monseigneur Gauvain en sort,
tandis que l'autre chevalier a dit
à la jeune fille sans pitié :
« Mon amie, voyez ce chevalier
qui vient armé à notre rencontre.
Dites-moi, le connaissez-vous ?
— Non, lui dit la jeune fille,
mais je sais bien que c'est lui
qui hier m'amena par ici. »
Et il lui répond : « Dieu me protège,
c'est lui et personne d'autre que je cherchais.
J'ai eu bien peur
qu'il ne m'eût échappé,
car il n'y a jamais eu en ce monde de chevalier
ayant franchi les Passages de Gauvoie,
si tant est que je le voie
et que je le trouve devant moi,
qui puisse ailleurs se vanter

277va Qu'il soit de ce païs venuz.
    Cil iert bien pris et retenuz,
    Des que Dex veoir lo me laisse. »
8308 Tantost li chevaliers s'eslaisse,
    Sanz desfïence et sanz menace,
    Lo cheval point, l'escu embrace.
    Et mes sire Gauvains s'adrece
8312 Vers lui, sel fiert si qu'il lo blece
    El braz et el costé molt fort,
    Mais ne fu pas navrez a mort,
    Que si bien se tint li auberz
8316 Que n'i pot pas passer li ferz,
    Fors que [de] la pointe an somet
    Plain doi ou flanc passer li fet,
    So porte a terre, et il relieve
8320 Et voit son sanc, qui molt li grieve,
    Que par lo braz et par lo flanc
    Li corroit sor lo haubert blanc.
    Si li cort a l'espee sore,
8324 Mais [l]assez fu en petit d'ore
    Si qu'il ne se puet sostenir,
    Ainz l'estuet a merci venir.
    Et mes sire Gauvains en prant
8328 La fïence et puis [si] lo rant
    Au notonier, qu'il l'atandoit.
    Et la male pucele estoit
    De son palefroi descendue.
8332 Il vint a li, si la salue
    Et dit : « Remontez, bele amie,
    Si ne vos laisserai je mie,

8326. Ainz lo fait *(corr. d'après MP).*

8320. *Var. T*: dont molt li grieve *(« il s'en inquiète »).* 8329. qui l'a.
8334. Ci.

d'être revenu de ce pays.
Lui aussi sera retenu prisonnier,
maintenant que Dieu me laisse le voir. »
Sans un mot de défi ni de menace,
le chevalier s'élance aussitôt,
piquant des deux, l'écu au bras.
Monseigneur Gauvain se dirige aussi
vers lui et lui porte un tel coup qu'il le blesse
grièvement au bras et au côté,
mais la blessure ne fut pas mortelle,
car le haubert a si bien résisté
que le fer n'a pu le traverser,
sauf d'un bon doigt dont il lui a enfoncé
au flanc la pointe qui est au sommet.
Il le renverse à terre. L'autre se relève
et voit son sang, qui le fait souffrir,
jaillissant de son bras et de son côté
pour couler sur son haubert blanc.
Il court pourtant sur lui l'épée à la main,
mais il s'est épuisé en peu de temps,
sans plus pouvoir se soutenir,
et il lui faut demander grâce.
Monseigneur Gauvain reçoit
sa parole, puis le remet
au nocher, qui attendait cela.
Cependant la jeune fille mauvaise était
descendue de son palefroi.
Il est venu à elle et il la salua,
en lui disant : « Remontez, ma belle amie,
je ne vous laisserai pas ici,

277 vb Einz vos amanrai aviau moi
8336 Outre cele eve par sordoi.
— Ha ! Ha ! fait ele, chevaliers,
Molt vos faites et bauz et fiers !
Vos aüssiez bataille assez
8340 Se mes amis ne fust quassez
De viez plaies qu'il a aües.
Molt fussent vos bordes chaües,
N'aüsiez or mie tant gengle,
8344 Plus fussiez muz que raz en angle.
Mais or me reconoissiez voir :
Cuidez vos miax de lui valoir
Por ce que abatu l'avez ?
8348 Sovant avient, bien lo savez,
Que li foibles abat lo fort.
Mais se vos laisseiez cel port
Et ansanble moi veneiez
8352 Vers cel aubre, si feïssiez
Une chose que mes amis,
Que vos avez an la nef mis,
Faissoit por moi quant je voloie,
8356 Adonc por voir tesmoigneroie
Que vos vaureiez mielz que il,
Ne ne vos avroie mais vil.
— **P**or aler, fait il, jusque la,
8360 Pucele, ne lairé je ja
Que vostre volanté ne face. »
Et ele dit : « Ja Dé ne place
Que je retorner vos en voie ! »
8364 Atant se metent a la voie,

8343. mie or.

8336. *Ou passer doi. La leçon de B présente un mot rare* : par sordoi,
« furtivement », « à la dérobée » (Foerster). *Plaisanterie de Gauvain*
(cf. 8342) ? **8337.** *Leçon de BRTUV. Var. A* : Haï *(ironique)*. **8344.** que maz.

mais je vous emmènerai avec moi
de l'autre côté de cette eau où je dois passer.
— Hé, là ! chevalier, fait-elle,
vous vous faites bien hardi et orgueilleux !
Mais vous auriez eu fort à faire,
si mon ami n'était brisé
par les anciennes blessures qu'il a reçues.
Vos plaisanteries seraient vite tombées,
vous n'auriez pas fait tant de boniments,
mais vous seriez plus muet que si vous étiez échec et mat !
Mais avouez-moi la vérité.
Croyez-vous valoir mieux que lui,
parce que vous l'avez abattu ?
Il arrive souvent, vous le savez bien,
que le faible triomphe du fort !
Mais si vous vouliez laisser ce port
pour venir ensemble avec moi
vers cet arbre là-bas, et faire
une chose que mon ami,
qui est maintenant dans la barque,
faisait pour moi à ma volonté,
alors il serait vrai, j'en témoignerais,
que vous avez plus de valeur que lui
et je n'aurais plus de mépris pour vous.
— S'il ne s'agit que d'aller jusque-là, jeune fille,
fait-il, je ne manquerai certes pas
de faire ce que vous demandez.
— A Dieu ne plaise, dit-elle alors,
que je vous voie en revenir ! »
Ils se mettent alors en chemin,

278 ra Cele devant et cil aprés,
  Et les puceles do palais
  Et les dames lor chevox tirent,
8368 Si se depiecent et desirent
  Et dient : « A ! lasses chaitives,
  Or mes por coi somes nos vives
  Qant nous veons aler celui
8372 A la mort et a son anui
  Qui nostre sire devoit estre ?
  La male pucele l'adestre,
  Si l'en maine la deputaire
8376 La don chevaliers ne repaire.
  Lasses, com somes acorees,
  Qui si buer esteiens or nees,
  Que Dex anvoié nos avoit
8380 Celui qui tant de bien savoit,
  Celui an cui ne failloit rien,
  Ne hardemanz ne autre bien. »
  Ensin celes lor dol faissoient
8384 Por lor seignor qu'eles veoient
  Sivre la male damoisele.
  Soz l'aubre vienent cil et cele,
  Et quant il furent venu la,
8388 Mes sire Gauvains l'apela :
  « Pucele, fait il, or me dites
  Se je puis encor estre quites.
  Se il vos plaist que plus an face,
8392 Ainz que je perde vostre grace,
  Lo ferai je se onques puis. »
  Et la pucele li dist puis :

8378. ors. **8386.** Desoz l'a. et cil et cele.

8380. toz les biens.

elle en tête et lui derrière,
tandis que les jeunes filles du palais
ainsi que les dames s'arrachent les cheveux,
se lacèrent et se déchirent,
en disant : « Hélas ! malheureuses,
pourquoi sommes-nous encore en vie,
quand nous voyons aller
à la mort et au tourment
l'homme qui devait être notre seigneur ?
La jeune fille mauvaise à sa droite le guide,
elle l'emmène, la misérable,
là d'où nul chevalier ne réchappe.
Hélas ! Comme nous avons le cœur brisé,
nous qui avions cru à notre bonne étoile,
quand Dieu nous avait envoyé
un homme qui était accompli en tous biens,
un homme à qui rien ne manquait,
ni le courage ni aucune autre vertu. »
Ainsi menaient-elles grand deuil
de voir leur seigneur
suivre la demoiselle mauvaise.
Ils parviennent, elle et lui, sous l'arbre.
Et quand ils furent venus là,
monseigneur Gauvain l'a interpellée :
« Jeune fille, lui dit-il, dites-moi donc
si je peux dès à présent m'en tenir pour quitte.
S'il vous plaît que j'en fasse davantage,
plutôt que de perdre vos bonnes grâces,
je le ferai, si jamais je le puis. »
La jeune fille lui a dit après :

278 rb   « Veez vos or ce gué parfont
8396   Don les rives si autes sont ?
    Mes amis passer i soloit
    Qant je voloie, et si m'aloit
    Coillir des flors que vos veez
8400   An ces aubres et an ces prez.
    — Pucele, commant i passoit ?
    Je ne sai pas o li guez soit,
    L'aive est trop parfonde, ce dot,
8404   Et la rive trop haute partot,
    Si qu'an n'i porroit avaler.
    — Vos n'i ossereiez aler,
    Fait la pucele, bien lo sai.
8408   Onques certes ne me pansai
    Que vos tant de cuer aüssiez
    Que vos passer i deüssiez,
    Que ce est li Guez Perilleus
8412   Que nus se trop n'est coraigeus
    N'osse passer por nule paine. »
    Tantost jusqu'a la rive maine
    Mes sire Gauvains son cheval
8416   Et voit l'aive parfonde aval
    Et la rive contremont droite,
    Mais la riviere fu estroite.
    Qant mes sire Gauvains la voit,
8420   Si dist que ses chevaux estoit
    Tressailliz par plus grant fossé,
    Et si li avoit an conté
    Et oï l'ot an pluseurs leus
8424   Que cil qui do Gué Perilleus

8397. i voloit. 8417-8418. *Intervertis.* 8418. Et la riviere. 8424. lo G.

8398-8401. *Ce passage manque dans* FHLMQT *comme dans* A. 8410. *Var.* osissiez (deüssiez : BCU). 8412. *Seuls* T *et* A *donnent* : merveilleus, *qui est meilleur à la rime. Hilka adopte cependant* corageus, *qui est la leçon générale.* 8420. dit. 8420-8423. avoit / Maint greignor fossé tressailli / Et panse qu'il avoit oï / Dire et conter an plusors leus.

« Voyez-vous ce gué profond
dont les rives sont si hautes ?
Mon ami le passait volontiers,
quand je le souhaitais, et il allait
me cueillir des fleurs que vous voyez
sur ces arbres et dans ces prés.
— Jeune fille, comment faisait-il pour passer ?
Je ne vois pas où peut être le gué.
L'eau est, je le crains, trop profonde
et la rive trop haute de partout.
Il n'y aurait pas moyen d'y descendre.
— Je le sais bien, fait la jeune fille,
vous n'oseriez pas y aller.
Jamais vraiment il ne m'est venu à l'idée
que vous auriez assez de cœur
pour devoir y passer.
C'est en effet le Gué Périlleux
que nul, s'il n'est lui-même de grande merveille,
n'ose à aucun prix passer. »
Aussitôt monseigneur Gauvain
mène son cheval jusqu'au bord.
Il voit en contrebas l'eau qui est profonde
et, remontant tout droit vers le haut, la rive.
Mais la rivière n'était pas large.
En la voyant, monseigneur Gauvain
s'est dit que son cheval
avait sauté maint fossé plus large,
et puis n'avait-il pas entendu
dire et conter en plusieurs lieux
qu'au Gué Périlleux, l'homme

278 va Porroit passer l'eve parfonde,
     Il avroit tot lo pris do monde.
     Lors s'esloigne de la riviere
8428 Et vient toz les granz sauz arriere
     Por saillir outre, mes il faut,
     Qu'il ne prist mie bien lo saut,
     Ainz sailli tot ami lo gué,
8432 Et ses chevaux a tant noé
     Qu'il prist terre de .IIII. piez,
     Si s'et por saillir affichiez,
     Si se lance si que il saute
8436 Sor la rive qui molt fu haute.
     Qant a la terre fu venuz,
     Si s'et toz coiz en piez tenuz,
     C'onques ne se pot removoir,
8440 Ançois covint par estovoir
     Descendre mon seignor Gauvain,
     Qui molt trova son cheval vain.
     Et il est descenduz tantost
8444 Et s'a talant que il li ost
     La sele, et il li a ostee
     Et por essuier acostee.
     Qant li penés li fu ostez,
8448 L'eve do dos et des costez
     Et des james li abat jus,
     Puis met la sele et monte sus,
     Si s'en vet lo passet petit
8452 Tant que un soel chevalier vit,
     Qui gibeoit d'un esprevier.
     El champ devant lo chevalier

8428. *TA encore réunis* : les granz (toz les) galoz. **8447.** *Var. A* : li peitraus
(« le harnais du poitrail »), *mais la bonne version est sans doute conservée par
B et CTU* (paniaus). *Le panneau désigne le coussin qui protège le cheval du
bois de la selle.*

qui pourrait en franchir l'eau profonde
aurait acquis toute la gloire du monde ?
Il s'écarte alors de la rivière,
puis revient au grand galop
pour la franchir d'un bond, mais c'est manqué,
faute d'avoir bien pris son élan,
et il est retombé au beau milieu du gué !
Mais son cheval, à force de nager,
a touché terre des quatre pieds.
Il y a pris appui pour sauter
et, d'un seul élan, il bondit
sur la rive pourtant fort haute.
Retombant sur le sol,
il y reste debout, immobile,
sans plus pouvoir bouger,
et il a bien fallu
que monseigneur Gauvain descende de cheval,
tant il l'a vu épuisé.
Il a aussitôt mis pied à terre,
avec l'intention de lui ôter
la selle. Ce qu'il a fait,
en la posant sur le côté pour qu'elle sèche.
Quand le panneau fut enlevé,
il a fait tomber l'eau
qu'il avait sur le dos, les flancs et les pattes,
puis il remet la selle, monte dessus
et s'en va au petit pas,
lorsqu'il a aperçu un chevalier, tout seul,
en train de chasser à l'épervier.
Dans le champ, en avant du chevalier,

278 vb Avoit .III. chenez a oisiaus.

8456 Li chevaliers estoit plus biax
Q'an ne pooit dire de boche.
Qant mes sire Gauvains l'aproche,
So salua et si li dist :

8460 « Biax sire, cil Dex qui vos fist
Biau sor tote [autre] creature
Vos doint joie et bone aventure ! »
Et cil fu de respondre isniax :

8464 « Tu iés li bons, tu es li biax,
Mais di moi, si ne te dessiee,
Commant tu as sole laissiee
La male pucele de la.

8468 Sa compaignie o en ala ?
— Sire, fait il, uns chevaliers,
Qui porte un escu de quartiers,
La menoit quant je l'ancontrai.

8472 — Et qu'an feïs ? — D'armes l'outrai.
— Et que devint li chevaliers ?
— Mené l'en a un notoniers,
Qu'il dist qu'il lo devoit avoir.

8476 — Certes, biax frere, il [vos] dist voir,
Et la pucele fu m'amie,
Mais ensin ne fu ele mie
Qu'ele onques me vosist amer,

8480 N'ami ne me daignoit clamer,
C'a un soen ami la toli
Qu'ele soloit mener o li,
Si l'ocis, et li en menai

8484 Et do servir molt me penai.

―――――――

8471. en lo trovai. 8479. ne vosist. 8481. soel. 8482. Cele soloit aler a li.
8483. et lui.

―――――――

8476. dist. *Après* 8480. *om.* N'onques se force ne li fis / Ne la beisai ce vos
plevis / N'onques ne fist point de mon buen / Car je l'amoie maugré suen.

il y avait trois petits chiens pour la chasse aux oiseaux.
Le chevalier était plus beau
qu'on ne trouverait de mots pour le dire.
En s'approchant de lui, monseigneur Gauvain
l'a salué et lui a dit :
« Mon cher seigneur, que Dieu qui vous a fait
plus beau que toute autre créature
vous donne joie et bonne chance ! »
L'autre fut prompt à répondre :
« C'est toi qui as la beauté et qui as l'excellence.
Mais dis-moi, si tu le juges bon,
dans quelles conditions tu as laissé seule,
de l'autre côté, la jeune fille mauvaise.
Où est passée sa compagnie ?
— Monseigneur, fait-il, un chevalier
qui porte un écu écartelé
la conduisait quand je l'ai rencontrée.
— Et qu'as-tu fait de lui ? — J'ai triomphé de lui aux armes.
— Et qu'est devenu ce chevalier ?
— Un nocher l'a emmené,
en me disant qu'il devait être à lui.
— Assurément, mon doux frère, il vous a dit vrai.
Cette jeune fille était mon amie,
mais elle ne l'était pas au sens
où elle eût jamais voulu m'aimer
ni daigné m'appeler son ami.
[Jamais, sauf à le prendre de force,
je n'eus de baiser, je vous le jure,
jamais elle ne fit rien de ce que j'eusse désiré.
Si je l'aimais en effet, c'était malgré elle,]
car je la ravis à un ami qu'elle avait,
dont elle se faisait d'ordinaire accompagner
et que je tuai, tandis qu'elle, je l'emmenai
et je mis toute ma peine à la servir.

279 ra Mais servises mestier n'i ot,
     Que au plus tost qu'ele onques pot
     De moi laissier acoison quist
8488 Et de celui son ami fist
     Cui orandroit tolue l'as,
     Que chevaliers n'est mie a guas,
     Ainz est molt proz, si m'aïst Dex,
8492 Et si ne fu il onques tex
     Que il onques venir ossast
     En leu ou trover me cuidast.
     Mais tu as hui faite tel chose
8496 Que nus chevaliers faire n'osse
     Et por ce que faire l'ossas,
     Lo pris et lo los do mont as
     Par ta grant proesce conquis.
8500 Quant el Gué Perilleus saillis,
     Molt te vint de grant ardemant,
     Et saiches bien veraiemant
     C'ainz mes chevalier n'en issi.
8504 — Sire, fait il, don me manti
     La damoisele, qui me dist
     Et por voir acroirre me fist
     C'une foiz i passoit lo jor
8508 Ses amis por la soe amor.
     — Ce dist ele, la reneiee?
     Ha! Car i fust ele neiee,
     Que molt est plaine de deiable,
8512 Qant ele vos dist si grant fable!
     Ele vos het, ne puis neier,
     Si vos voloit faire neier

8500. Car. 8505. qu'il.

8490. Qui.

Mais mon service n'y valut rien,
car sitôt qu'elle le put,
elle chercha une occasion de me quitter
et elle fit son ami de celui
à qui tu l'as ravie aujourd'hui même.
Ce n'est pas un chevalier pour rire,
par Dieu, il est au contraire très valeureux !
Il ne l'a pourtant pas été au point
de jamais oser venir
là où il pensât me trouver.
Mais toi, tu as fait aujourd'hui
ce qu'aucun chevalier n'ose faire,
et, pour avoir osé le faire,
tu as conquis par ta grande prouesse
la gloire et l'honneur du monde.
Tu as été animé d'un grand courage
pour sauter au Gué Périlleux,
et, sache-le en toute vérité,
jamais chevalier n'en est ressorti.
— Mais alors, monseigneur, fait-il, elle m'a menti
la demoiselle, qui m'a dit
et m'a fait croire comme si c'était vrai
qu'une fois par jour, pour l'amour d'elle,
y passait son ami.
— Elle t'a dit cela, la renégate ?
Ah ! Que ne s'y est-elle noyée !
C'est une possédée du diable,
pour vous avoir raconté de pareilles fables !
Elle vous déteste, c'est indéniable,
elle voulait vous noyer

279 rb En l'aive bruiant et parfonde,
8516 Li deiables cui Dex confonde !
     Mais or bailleras ça ta foi,
     Si me pleviras et je toi
     Que se rien demander me viax,
8520 Ou soit ma joie o soit mes diax,
     Que ja por rien ne celerai
     La verité, se je la sai,
     Et tu ensin me rediras,
8524 Que ja por rien n'en mentiras,
     Tot quant que je vodrai savoir,
     Se tu m'en sez dire lo voir. »
     Fait ont andui ceste fïence,
8528 Et mes sire Gauvains commance
     A demander premieremant :
     « Sire, fait il, je vos demant
     D'une cité que je voi la
8532 Cui ele est et quel non ele a.
     — Frere, fait il, de la cité
     Te diré je bien verité,
     Que ele est si quitemant moie
8536 Que il n'est home cui rien en doie.
     Je ne taig rien se de Dé non,
     Si a Orcaneles a non.
     — Et vos commant ? — Giromelanz.
8540 — Sire, molt proz et molt vaillanz
     Iestes, je l'ai bien oï dire,
     Et de molt grant terre estes sire.
     Et commant a non la pucele
8544 De cui nule bone novele

8521. Que je. **8524.** Que tu.

---

au plus profond de cette eau qui gronde,
la diablesse que Dieu détruise !
Mais, allons, donne-moi ta parole
et prenons cet engagement réciproque :
si tu veux me demander quoi que ce soit,
que j'en aie joie ou tristesse,
pour rien au monde je ne t'en cacherai
la vérité, si je la connais.
Toi, de même, tu me diras,
sans en mentir d'un mot,
tout ce que je voudrai savoir,
si tu peux m'en dire la vérité. »
Ils se sont tous deux donné leur parole.
C'est monseigneur Gauvain qui commence,
en posant une première question.
« Monseigneur, fait-il, je vous le demande,
cette cité que je vois là-bas,
à qui est-elle et quel est son nom ?
— Mon frère, dit-il, sur cette cité
je vais bien te dire la vérité,
elle est à moi en toute indépendance,
car je n'en suis redevable à personne.
Je ne la tiens que de Dieu.
Son nom, c'est Orcaneles.
— Et le vôtre, quel est-il ? — Guiromelant.
— Monseigneur, je l'ai bien entendu dire,
vous êtes de grande prouesse et de grande vaillance,
et le maître d'un très grand territoire.
Et quel est le nom de la jeune fille
dont il n'est jamais dit de bien

279 va   N'est contee ne pres ne loig,
       Si con vos l'en portez tesmoig?
       — Jo puis bien, fait il, tesmoignier
8548   Qu'ele fait bien a esloignier,
       Que trop est male et desdaignose.
       Et por ce a non Orgoillouse
       De Norgres ou ele fu nee,
8552   S'an fu molt petite aportee.
       — Et ses amis, commant a non,
       Qui est alez en la prisson,
       Voille il ou non, au notonier?
8556   — Amis, sachiez do chevalier
       Qu'il est chevaliers merveilleus,
       Et si a non li Orgoilleus
       De la Roche a l'Estroite Voie,
8560   Et garde les porz de Galvoie.
       — Et commant a non li chastiax
       Qui tant par est et genz et biax,
       La d'outre don je vig jehui,
8564   Et s'i manjai ersoir et bui?»
       A cest mot li Giromelanz
       S'est trestornez comme dolanz
       Et si s'en commance a aler.
8568   Et il lo prist a apeler :
       « Sire, sire, parlez a moi,
       Si vos manbre de vostre foi ! »
       Et li Giromelanz s'areste,
8572   An travers li torne la teste
       Et dit : « L'ore que je te vi
       Et que je foi t'oi voir plevi

8551. Logres. *Var.* Nogres *EMQT*, Norgres *BR.* **8574.** je ma f. te p.

en aucun endroit, proche ou lointain,
ainsi que vous-même en témoignez?
— Oui, fait-il, je peux bien témoigner
qu'elle mérite bien qu'on se tienne loin d'elle,
elle a trop de malice et de mépris.
C'est pourquoi son nom, c'est l'Orgueilleuse
de Logres, le pays où elle est née
et d'où elle fut apportée toute petite.
— Et son ami, quel est son nom,
l'homme qui est allé, bon gré mal gré,
en prison chez le nocher?
— Mon ami, sachez-le, ce chevalier
est un chevalier de grande merveille,
il s'appelle l'Orgueilleux
de la Roche à l'Etroite Voie,
et il garde les Passages de Gauvoie.
— Et quel est le nom du château
qui a tant d'allure et de beauté,
là-bas, de l'autre côté, dont j'arrive aujourd'hui
et où j'ai mangé et bu hier soir?»
A ces mots le Guiromelant,
soudain triste, se détourne
et commence à s'en aller.
Et lui se mit à l'appeler:
«Monseigneur, monseigneur, répondez-moi,
rappelez-vous votre parole!»
Le Guiromelant s'arrête,
tourne de travers la tête
et lui dit: «Que l'heure où je t'ai vu
et où je t'ai engagé ma foi

279 vb Soit la honie et la maudite !

8576 Va t'an, je te clain ta foi quite
Et tu me raquites la moie,
Que de la d'outre te cuidoie
Novele demander aucune,

8580 Mais tu sez autant de la lune
Con tu sez do chastel, ce cuit.
— Sire, fait il, je gui anuit,
Por voir, el Lit de la Merveille

8584 A cui nus liz ne s'aparoille,
Que nus hom ne vit son paroil.
— Par Dé, fait il, molt me merveil
Des noveles que tu me diz.

8588 Or m'est il solaz et deliz
De tes mançonges escouter,
Q'ansin orroie je conter
Un fableior com je fais toi.

8592 Tu es juglerres, bien lo voi,
Mais je cuidoie que tu fuses
Chevaliers et que tu aüsses
De la fait aucun vaiselaige.

8596 Et neporquant or me fai saige
Se nule proesce i feïs
Et quel chose tu i veïs. »
Et mes sire Gauvains li dist :

8600 « Sire, quant je m'assis el lit,
El palais ot molt grant tormante,
N'ai talant que je vos an mante,
Que les cordes do lit crïerent

8604 Et unes campanes sonerent,

Réclame en bas de page : IX' qui as cordes do lit.

soit maudite et haïe !
Va-t'en, je te tiens quitte de ta parole,
et toi, tiens-moi quitte de la mienne,
car je pensais apprendre quelque nouvelle
justement sur ce pays qui est au-delà,
mais tu en sais sur ce château, je crois,
autant que tu peux en savoir de la lune.
— Monseigneur, fait-il, j'ai couché cette nuit,
c'est la vérité, dans le Lit de la Merveille,
auquel nul autre lit ne peut se comparer,
car personne n'en vit de semblable.
— Par Dieu, fait-il, je m'émerveille
de t'entendre dire ces nouvelles.
Mais c'est un vrai plaisir et un réconfort
d'écouter tes mensonges,
car je t'écoute exactement
comme j'écouterais les fables d'un bon conteur.
Tu es un jongleur, je le vois bien,
moi qui te croyais chevalier
et qui pensais que tu eusses,
là d'où tu viens, fait acte de vaillance.
Fais-moi cependant savoir
si tu y as montré quelque prouesse
et ce que tu as pu y voir. »
Alors monseigneur Gauvain lui a dit :
« Monseigneur, quand je me suis assis sur le lit,
il se fit au palais une immense tourmente,
je vous le dis en toute bonne foi,
car les cordes du lit se sont mises à crier
et l'ensemble des clochettes à retentir,

280 ra Qui as cordes do lit pandoient,
      Et les fenestres qui estoient
      Closes, tot par eles s'ovrirent,
 8608 Et an mon escu me ferirent
      Carrés et saietes dereses,
      Et s'i sont les ongles remeses
      D'un lïon molt fier et cresté
 8612 Qui longuemant avoit esté
      En une chanbre enchaaignez.
      Li lïons me fu amenez
      Et feri si en mon escu
 8616 Qu'as ongles retenuz i fu
      Si que il nes an pot retraire.
      Se vos cuidez que il n'i paire,
      Veez ancor les ongles ci,
 8620 Que la teste, la Dé merci,
      Li trancha[i] et les piez ensanble.
      De ces ansaignes que vos sanble ? »
      Li Giromelanz a ce mot
 8624 Vint a terre plus tost qu'il pot,
      Si s'agenoille et les mains joint
      Et li prie que li pardoint
      La folie qu'il li a dite.
 8628 « Je vos an clam, fait il, tot quite,
      Mais remontez. » Et il remonte
      Et de sa folie a grant honte
      Et dit : « Sire, se Dex me gart,
 8632 Ne cuidoie que nule part,
      Ne pres ne loig estre deüst
      Jusqu'a .C. anz cil qui eüst

8606. ovroient. 8607. Et tot par e. s'en o. 8617. puet. 8620. li departi.
8632. Je. 8634. .C. corz ou que il fust.

8609. ereses. *Après* 8614. *om.* ABLSQ : Qu'uns vilains aler le leissa / Li lions
vers moi s'esleissa. 8630. Qui.

suspendues qu'elles étaient aux cordes,
et les fenêtres qui étaient
closes se sont d'elles-mêmes ouvertes
et sur mon écu sont venus me frapper
carreaux d'arbalète et flèches acérées
et y sont restées les griffes
d'un lion féroce, à la crinière hérissée,
qu'on tenait depuis longtemps
enchaîné dans une chambre.
On m'amena le lion,
[un manant le lâcha
et le lion bondit sur moi],
en se jetant sur mon écu,
où ses griffes restèrent prises,
sans qu'il pût les en retirer.
Si vous croyez qu'il n'y paraît pas,
voyez plutôt, les griffes y sont encore,
car Dieu merci, je lui tranchai
tout ensemble la tête et les deux pattes.
Les signes que voici, qu'en pensez-vous ? »
A ces mots le Guiromelant
a mis sans plus tarder pied à terre,
il s'agenouille et, les mains jointes,
il le prie de lui pardonner
ses folles paroles.
« Je vous en tiens quitte sans réserve, lui répond-il.
Remontez à cheval. » L'autre se remet en selle,
honteux d'avoir follement parlé,
et il lui dit : « Monseigneur, Dieu me protège,
je ne pensais pas qu'il dût y avoir nulle part au monde,
que ce fût ici ou ailleurs,
d'ici cent ans, un homme qui obtînt

280rb L'anors qui vos est avenue.

8636 Mais de la raïne chenue
Me dites se vos la veïstes
Et se vos point li enqueïstes
Qui ele est et dom ele vint.

8640 — Onques, fait il, ne m'en sovint,
Mais je la vi et s'i parlai.
— Et je, fait il, lo vos dirai,
Qu'ele est mere lo roi Artu.

8644 — Foi que doi Dé et sa vertu,
Li rois Artus, si com je panz,
N'ot mere passé a lonc tanz,
Qu'il a bien .LX. anz passez,

8648 Mien esçïent, [et] plus assez.
— Si est voir, sire, ele est sa mere.
Quant Uter Pandragon son pere
Fu mis an terre, si avint

8652 Que la raïne Yguerne vint
En cest païs, si aporta
Tot son tressor et si ferma
Sor cele roche ce chastel

8656 Et lo palais si riche et bel
Con deviser oï vos ai.
Et si veïstes, bien lo sai,
L'autre raïne, l'autre dame,

8660 La grant, la bele qui fu fame
Lo roi Lot et mere celui
Qui males voies taigne ancui,
Mere Gauvain. — Gauvain, voir, sire,

8664 Conois je bien et bien os dire

8638. Et que se vos li e. **8639.** Dom ele est. **8650.** Que au tans. **8657.** oïr.

---

l'honneur qui vous est échu.
Mais parlez-moi de la reine aux cheveux blancs.
Est-ce que vous l'avez vue ?
Lui avez-vous demandé
qui elle est et d'où elle est venue ?
— A aucun moment, fait-il, je n'y ai pensé,
mais je l'ai vue et j'ai parlé avec elle.
— Eh bien, moi, fait-il, je vais vous le dire.
C'est la mère du roi Arthur.
— Par la foi que je dois à Dieu le Tout-Puissant,
le roi Arthur, que je sache,
n'a plus de mère depuis longtemps,
car il a bien soixante ans passés,
à ma connaissance, et même plus.
— C'est pourtant vrai, monseigneur, c'est sa mère.
Lorsque son père, Uter Pandragon,
fut mis en terre, ce fut alors
que la reine Yguerne vint
dans ce pays, en emportant
tout son trésor, et elle fit bâtir,
sur le rocher là-bas, ce château fort,
ainsi que le palais si riche et si beau
que je vous ai entendu me décrire.
Vous avez vu aussi, je le sais,
l'autre reine, l'autre dame,
grande et belle, qui fut la femme
du roi Lot et la mère de celui
à qui je souhaite d'aller à sa perte,
la mère de Gauvain. — Gauvain, monseigneur,
je le connais bien, vraiment, et je peux vous dire

280 va Qu'il n'ot mere, icil Gauvains,
        Bien a .XX. anz a tot lo mains.
        — Si a, sire, n'en dotez ja.

8668   Aprés sa mere s'en vint ça
        Anchargiee de vif enfant,
        De la tres bele, de la grant
        Damoisele qui est m'amie

8672   Et suer, no vos celerai mie,
        Celui cui Dex grant honte doint,
        Que, voir, il n'en porteroit point
        De la teste, se jo tenoie,

8676   Et je au desore en venoie,
        Si con je taig vos ci alués,
        Que je li trancheroie lués.
        Ja ne l'en aideroit sa suer

8680   Que ne li traisisse lo cuer
        Do vantre a mes mains, tant lo az.
        — Ne l'amez pas si con je faz,
        Fait mes sire Gauvains, par m'ame !

8684   Se je amoie pucele o dame,
        Por la soe amor ameroie

8686   Tot son linaige et serviroie.

1   — Vos avez droit, bien m'i acort   Ms. A (éd. Lecoy)
        Mes quant de Gauvain me recort
        Comant ses peres ocist le mien,

4   Je ne li puis voloir nul bien ;
        Et il meïsmes de ses mains
        Ocist de mes cosins germains
        Un chevalier vaillant et preu.

8   Onques ne poi venir an leu

8676. Se je. **8680.** tranchasse.

8682. Vos n'amez pas. *La var.* ne l'a. *est particulière à BHQ. Après*
8686., *importante lacune de 48 vers propre à B. Le vers 8687 est visiblement
refait d'après* : Nenil, sire, se congié non (Hilka, 8825). *Nous reproduisons
le texte du ms. A dans l'édition Lecoy, dont la couleur dialectale reste proche
de celle du ms. B (dialectes de l'Est) et qui sert de base à l'édition critique
de Hilka.*

que cela fait bien vingt ans au moins
que le Gauvain en question n'a plus de mère !
— Il l'a toujours, monseigneur, n'en doutez pas.
Elle est venue ici à la suite de sa mère,
alors qu'elle était enceinte d'une enfant bien vivante,
la très belle, la grande
demoiselle qui est mon amie
et la sœur, pour tout dire,
de celui que Dieu veuille couvrir de honte !
Lui, vraiment, il ne sauverait pas
sa tête si je le tenais
comme je vous tiens ici même,
et qu'il tombât en mon pouvoir,
car je la lui trancherais à l'instant !
Toute l'aide de sa sœur ne saurait m'empêcher
de lui arracher le cœur
de la poitrine avec mes mains, tant je le hais !
— Vous n'aimez pas comme je fais,
sur mon âme, dit monseigneur Gauvain !
Si moi, j'aimais une jeune fille ou une dame,
j'aimerais par amour pour elle
tout son lignage, et je le servirais.
— Vous avez raison et c'est aussi mon avis,
mais quand je pense à Gauvain,
à la façon dont son père a tué le mien,
je suis incapable de lui vouloir du bien.
Lui-même, au reste, a de ses propres mains
tué l'un de mes cousins germains,
un chevalier plein de vaillance et de prouesse.
Mais je n'ai jamais pu trouver l'occasion

De lui vangier en nule guise.
Mes or me feites un servise,
Que vos ailliez a ce chastel,
12 Si me porteroiz cest anel
A m'amie, si li bailliez.
Por moi voel que vos i ailliez,
Si li dites que ge me fi
16 Et croi tant an l'amor de li
Qu'ele voldroit mialz que ses frere
Gauvains fust morz de mort amere
Que ge eüsse nes blecié
20 Le plus petit doi de mon pié.
M'amie me salueroiz
Et cest anel li bailleroiz
De par moi, qui sui ses amis. »
24 Lors a mes sire Gauvains mis
L'anel an son plus petit doi
Et dit : « Sire, foi que vos doi,
Amie avez cortoise et sage,
28 Et si est mout de haut parage,
Et bele et gente et debonere,
Se ele otroie ensi l'afere
Com vos ici m'avez conté. »
32 Et cil dit : « Sire, grant bonté

de le venger d'aucune façon.
Mais rendez-moi donc un service,
qui est d'aller à ce château.
Vous y apporterez de ma part l'anneau que voici
à mon amie. Donnez-le-lui.
Je vous demande d'y aller en mon nom,
pour lui dire que j'ai en son amour
tant de confiance et de certitude
que je la sais capable de préférer voir son frère,
Gauvain, mourir d'amère mort,
plutôt que je ne sois blessé
au plus petit doigt de mon pied.
Pour moi vous saluerez mon amie
et vous lui donnerez cet anneau
de la part de celui qui est son ami. »
Monseigneur Gauvain a mis alors
l'anneau à son petit doigt
et il lui dit : « Monseigneur, je vous le dis de bonne foi,
elle est bien votre amie, elle si courtoise et si sage,
et qui est de très haute naissance,
et belle et gracieuse, et généreuse,
si elle s'accorde avec vous
sur tout ce dont vous m'avez parlé. »
L'autre lui dit : « Monseigneur, je vous suis obligé

Me feroiz, ce vos acreant,
Se vos mon anel an presant
Me portez a m'amie chiere,
36 Que ge l'aim mout de grant meniere.
Ge le vos guerredonerai
Et de ce chastel vos dirai
Le non que demandé m'avez.
40 Li chastiax, se vos nel savez,
A non la Roche del Chanpguin.
Maint boen drap vermoil et sanguin
I taint an et mainte escarlate,
44 S'an i vant an mout et achate.
Or vos ai dit ce que vos plot,
Que ne vos ai manti de mot,
Et vos me ravez dit mout bien.
48 Demanderoiz me vos plus rien ?
8687 — Nenil, sire, se congié non. »
8688 Et cil dit : « Sire, vostre non
Me direz vos s'il ne vos poisse,
Ainz que de moi partir vos loise. »
Et mes sire Gauvains li dist :
8692 « Sire, se Damedex m'aïst,
Mes nons ne vos sera celez,
Je sui cil que vos tant haez,

8687. Nus ne l'aime autant se je non. 8693-8694. *Intervertis.*

---

41. *Var. HMPSQ* : de Sanguin. 8693. vos iert ja c.

de la grande bonté que vous me faites,
quand vous allez pour moi offrir
cet anneau à mon amie si chère,
pour qui j'éprouve un aussi grand amour.
Je saurai vous en récompenser,
et je vais vous dire le nom
de ce château, comme vous me l'avez demandé.
Si vous l'ignorez, le château
s'appelle la Roche de Champguin.
On s'y occupe de teindre mainte écarlate
et mainte belle étoffe vermeille ou couleur de sang,
et on y vend, on y achète beaucoup.
Voilà, je vous ai dit ce que vous souhaitiez,
sans vous mentir d'un mot,
vous aussi vous m'avez très bien répondu.
Me demanderez-vous encore autre chose ?
— Non, monseigneur, sinon de prendre congé de vous. »
Et l'autre d'ajouter : « Monseigneur, votre nom,
dites-le moi, si cela ne vous ennuie pas,
avant que je ne vous laisse me quitter. »
Et monseigneur Gauvain lui a dit :
« Monseigneur, aussi vrai que Dieu me soit en aide,
mon nom jamais ne vous sera caché,
c'est moi l'homme que vous haïssez tant,

280 vb Je sui Gauvains. — Gauvains es tu ?
8696   — Voire, li niés lo roi Artu.
        — Par foi, dont iés tu molt hardiz
        Et molt fos, quant ton non me diz,
        Si saiz que je te hé de mort.
8700   Or m'anuie et poisse molt fort
        Que je n'ai mon hiaume lacié
        Et l'escu au col enbracié,
        Que se je fusse armez ensin
8704   Con tu es, ce saiches de fi,
        La teste orandroit te tranchasse,
        Que ja por rien ne t'esparnaisse.
        Mais se tu voloies atandre,
8708   je iroie mes armes panre,
        Si venroie a toi combatre,
        S'amanroie homes .III. o quatre
        Por esgarder nostre bataille,
8712   Et se tu vels, autremant aille,
        Que jusqu'a .VII. jorz atandrons
        Et au septoisme jor vanrons
        En cete place tot armé,
8716   Et tu aies lo roi mandé
        Et la raïne et sa gent tote,
        Et je ramanrai ci ma rote
        De tot mon reiaume assanblee,
8720   Si n'iert mie faite en enblee
        Nostre bataille, ainz la verront
        Tuit cil qui venu i seront.
        — Sire, fait mes sire Gauvains,
8724   Volantiers m'en feïsse a mains,

8696. Voire Gauvains li rois A. 8724. me feïsse au mains.

8707. m'osoies. 8718. ravrai. 8722. *Leçon de BCHRTV. Après 8722. Lacune de 10 vers*, Que bataille de si prodomes / Si com l'an dit que nos dui somes / Ne doit an pas feire en aguet / Einz est bien droiz que il i ait / Dames et chevaliers assez / Et quant li uns sera lassez / Que toz li mondes le savra / .M. tanz plus d'enor i avra / Li vainquerre que il n'avroit / Quant nus fors lui ne le savroit.

c'est moi Gauvain. — C'est toi Gauvain?
— Oui, le neveu du roi Arthur.
— Ma parole, te voilà bien hardi
et bien fou de me dire ton nom,
quand tu sais que je te hais à mort.
Je suis bien contrarié et au regret
de ne pas avoir mon heaume lacé
ni l'écu qu'on porte au cou passé au bras,
car si j'étais armé
ainsi que tu l'es, sois-en assuré,
je te trancherais sur l'heure la tête,
sans t'épargner pour rien au monde.
Mais si tu osais m'attendre,
j'irais chercher mes armes
pour venir te combattre
et j'amènerais trois ou quatre de mes hommes,
pour assister à notre combat.
Mais si tu le veux, il en ira autrement.
Nous attendrons sept jours
et le septième jour nous reviendrons
en ce même lieu, avec toutes nos armes.
Toi, tu auras fait venir le roi,
la reine et tous leurs gens,
moi, j'aurai rassemblé ici la troupe
des hommes de tout mon royaume.
Ainsi n'aura-t-il pas lieu à la dérobée,
notre combat, mais y assisteront
tous ceux qui y seront venus,
[car un combat entre deux hommes d'honneur
tels que nous le sommes à ce qu'on dit,
ne doit pas ressembler à un guet-apens,
mais il est juste qu'il s'y trouve
nombre de dames et de chevaliers.
Et quand l'un de nous sera las du combat,
au vu et au su de tout le monde,
le vainqueur en aura mille fois plus d'honneur
qu'il n'en aurait
si personne, à part lui, ne le savait.]
— Monseigneur, fait Gauvain,
je m'en serais volontiers passé,

281 ra S'il peüst estre et vos pleüst
  Que ja bataille n'i eüst,
  Que se je rien mesfait vos ai,
8728 Molt volantier l'adrecerai
  Par vos amis et par les miens,
  Si que il soit raison et biens. »
  Et cil dit : « Je ne puis savoir
8732 Quel raison il i puisse avoir
  S'a moi combatre ne t'en oses.
  J'ai devisees does choses,
  Si feras quel que tu voldras :
8736 Se tu oses, tu m'atandras
  Et je irai mes armes querre,
  Ou tu manderas en ta terre
  Tot ton pooir jusqu'a set jors,
8740 Car a Pentecoste iert la cors
  Lo roi Artu en Orcanie,
  Bien en ai la novele oïe,
  N'il n'i a mas que .II. jornees.
8744 Lo roi et ses genz atornees
  I porra trover tes messaiges.
  Envoie i, si feras que saiges,
  C'uns jors de respit .C. solz vaut. »
8748 Et cil respont : « Se Dex me saut,
  La iert la corz san nule dote,
  La verité en savez tote,
  Et je vos plevi de ma main
8752 Que j'i anvoierai demain,
  Ou ainz que je dorme de l'uel.
  — Gauvains, fait il, et je te vuel

8744. et sa gent assamblees. 8752. je i revanrai.

8728. l'amanderai (adrecerai : *B(C)EM, au sens de « faire droit à »*).

s'il pouvait se faire et qu'il vous semblât bon
que ce combat n'eût pas lieu,
car si je vous ai causé le moindre tort,
je vous en ferai volontiers réparation,
par l'entremise de vos amis et des miens,
selon l'équité et la raison. »
Mais l'autre lui dit : « Je ne vois pas
de quelle raison il pourrait s'agir,
si tu n'oses pas te battre avec moi.
Je t'ai proposé deux partis.
A toi de choisir celui que tu voudras.
Si tu l'oses, tu attendras ici
que j'aille chercher mes armes,
ou alors tu convoqueras tous les hommes
de ta terre d'ici à sept jours.
A la Pentecôte doit se tenir la cour
du roi Arthur en Orcanie,
j'en ai bien appris la nouvelle,
et d'ici c'est à moins de deux jours de route.
Ton messager pourra y trouver
le roi et ses gens déjà tout équipés.
Choisis d'y envoyer quelqu'un, tu agiras avec sagesse.
Comme on dit : un jour de délai, cent sous de gagnés ! »
Et lui de répondre : « Sur mon âme,
la cour, c'est certain, sera là-bas,
vous en savez bien la vérité.
Et je vous fais le serment
que j'y enverrai quelqu'un dès demain,
ou même avant que je ne m'endorme.
— Gauvain, fait-il, je veux quant à moi

281 rb Mener au meillor pont del monde,
8756　Ceste eve est [si] roide et parfonde
　　　Que passer n'i puet riens qui vive
　　　Ne saillir jusqu'a l'autre rive. »
　　　Et mes sire Gauvains respont :
8760　« Je n'i querrai ne gué ne pont
　　　Por rien nule qui m'i aveigne.
　　　Ainz que a malvaistié lo teigne
　　　La damoisele felonesse,
8764　Li atendrai je sa promesse,
　　　Si m'an irai tot droit a li. »
　　　Lors point et ses chevax sailli
　　　Outre l'aive delivrement,
8768　Que point n'i ot d'anconbrement.
　　　Quant devers li passer lo voit
　　　La pucele qui tant l'avoit
　　　De sa parole sormené,
8772　Si a son cheval aresné
　　　A l'arbre et vint vers lui a pié,
　　　Si a cuer et talant changié,
　　　Que molt matement lo salue
8776　Et dit qu'ele li est venue
　　　Merci crier come mesfaite,
　　　Que por li a grant peine traite.
　　　« Biaus sire, fet ele, or m'escoute !
8780　Por quoi j'ai esté si estoute
　　　Vers toz les chevaliers del mont
　　　Qui aprés eux menee m'ont,
　　　Te voil dire, s'il ne t'enuie.
8784　Cil chevaliers, cui Dex destruie,

8779. Por Deu, biau sire, or m'e.

8775. *Leçon de* BETV. *Var.* A : maintenant. **8779.** or escoute.

te mener à un pont qui est le meilleur du monde.
Cette eau est si rapide et profonde
qu'aucun être vivant ne peut la passer
ni atteindre, en sautant, l'autre rive. »
Mais monseigneur Gauvain lui répond :
« Je n'irai chercher ni pont ni gué,
quoi qu'il puisse m'advenir.
Plutôt que d'entendre la demoiselle perfide
me l'imputer à lâcheté,
je tiendrai ce que je lui ai promis,
et je m'en irai tout droit vers elle. »
Il pique alors son cheval qui a bondi
par-dessus l'eau avec vivacité,
sans le moindre embarras.
Quand la jeune fille qui l'avait tant
maltraité en paroles
le voit passer de son côté,
elle a attaché par les rênes son cheval
à l'arbre et elle est venue vers lui à pied.
Son cœur n'est plus le même, ni son humeur.
Elle le salue avec humilité
et lui dit qu'elle est venue
lui demander pardon, en femme coupable,
car à cause d'elle il a enduré une longue épreuve.
« Mon doux seigneur, fait-elle, écoute donc
la raison pour laquelle j'ai montré tant d'arrogance
envers tous les chevaliers du monde
qui m'ont emmenée à leur suite.
Je veux te le dire, si tu en as la patience.
Ce chevalier, que Dieu confonde,

281 va Qui [de] la d'outre a vos parla,
         S'amor en moi mal emploia,
         Qu'il m'ama et je haï lui,
8788   Car il me fist si grant henui
         Qu'il ocist, no celerai mie,
         Celui cui je estoie amie.
         Despuis ai esté si musarde
8792   C'onques ne me prenoie garde
         Cui j'alasse contraliant,
         Ainz lo faisoie a esciant,
         Por ce que trover en volsisse
8796   Un si ireus que jou feïsse
         A moi irier et corrocier
         Por moi trestote depecier,
         Que pieç'a volsisse estre ocise.
8800   Biax sire, or pran de moi jostise
         Tel que jamais nule pucele
         Qui de moi saiche la novele
         N'ost dire a nul chevalier honte.
8804 — Bele, fait il, a moi que monte
         Que je de vos jostise face?
         Ja lo fil Damedeu ne place
         Que vos de moi henui aiez.
8808   Mas or montez, ne delaiez,
         S'irons jusqu'a cel chastel fort.
         Veez lo notonier au port
         Qui nos atant por passer outre.
8812 — Vostre volanté d'outre en outre
         Ferai, sire », dist la pucele.
         Lors est montee sor la sele

_____

8796. irié.

8785. a toi p. *Après* 8790. *Lacune de 12 vers* : Puis me cuida tant d'enor
faire / Qu'a s'amor me cuida atraire / Mes onques rien ne li valut / Que
au plus tost que il me lut / De sa conpeignie m'anblai / Et au chevalier
m'assanblai / Cui tu me ras gehui tolue / Dont il ne m'est a une alue /
Mes de mon premerain ami / Quant morz de lui me departi / Ai si
longuemant esté fole / Et si estoute de parole / Et si vilainne et si musarde.

qui t'a parlé là-bas, de l'autre côté,
a eu tort de placer en moi son amour,
car il m'aimait et je le haïssais.
Le mal qu'il m'a fait,
je ne te le cacherai pas, fut de tuer
un homme de qui j'étais l'amie.
[Puis il pensa qu'à force d'égards pour moi,
il m'amènerait à l'aimer.
Mais ce fut peine perdue,
car dès que l'occasion me le permit,
je lui faussais compagnie
pour me joindre au chevalier
auquel tu m'as aujourd'hui enlevée,
ce dont je me moque comme d'une prune !
Mais pour mon premier ami,
quand la mort nous sépara,
j'ai depuis si longtemps perdu la raison,
je suis devenue si injurieuse en paroles,
si indigne et si sotte]
que peu m'importait de savoir
qui je tourmentais,
je le faisais au contraire à dessein
dans l'espoir d'en trouver un
de si prompt à irriter que je réussirais
à provoquer sa fureur et sa colère
pour qu'il me mît en pièces,
car je voulais depuis longtemps être tuée !
Cher seigneur, inflige-moi donc un châtiment
tel que jamais aucune jeune fille,
en entendant parler de moi,
n'osera plus dire de honte à un chevalier !
— Belle, fait-il, qu'ai-je à faire
de vous infliger un châtiment ?
Ne plaise au fils de Dieu, Notre Seigneur,
que je vous fasse du mal !
Remettez-vous en selle, sans tarder,
et nous irons jusqu'à ce château fort.
Voyez le nocher sur le port,
il nous attend pour la traversée.
— Monseigneur, dit la jeune fille, j'accomplirai
de bout en bout votre volonté. »
Elle s'est alors mise en selle

281 vb Dou petit palefroi crenu,
8816 Si sunt au notonier venu,
       Qui outre l'eve les en moine,
       Que ne li fu travail ne poine.
       Et les dames venir lo voient
8820 Et les puceles, qui avoient
       Por lui grant corroz demené.
       Por lui estoient forsené
       Trestuit li vaslet dou palais,
8824 Or font tel joie qu'onques mais
       Ne fu nule si granz amprise.
       Devant lo palais fu asise
       La reïne por lui atandre,
8828 Et ot fait ses puceles prandre
       Main a main totes por dancier
       Et por grant joie commancier.
       Contre lui grant joie commancent,
8832 Chantent et carolent et dancent,
       Et i[l] vient et descent entre eles.
       Les dames et les damoiseles
       Et les deus reïnes l'acolent
8836 Et de grant joie a lui parolent,
       Si li desarment a grant feste
       James et braz et piez et teste.
       De cele qu'il ot amenee
8840 Ront molt grant joie demenee,
       Et tuit et totes la servirent
       Por lui, qui por li rien n'en firent.
       El palais a joie s'an vont,
8844 Par leanz tuit assis se sunt,

8824. Et f. **8829.** m. et m. **8833.** et dancent.

---

sur le petit palefroi aux longs crins,
et ils ont rejoint le nocher
qui les emmène de l'autre côté de l'eau,
sans la moindre fatigue ni peine.
Les dames le voient venir,
ainsi que les jeunes filles qui avaient
montré tant de chagrin pour lui.
Pour lui, tous les hommes du palais
semblaient tout égarés.
Les voilà qui mènent si grande joie
que jamais on n'en montra de pareille.
Devant le palais se tenait assise
la reine, à l'attendre.
Elle avait fait se donner la main
à toutes ses jeunes filles pour danser
et commencer la fête.
Pour l'accueillir, leur joie commence,
avec des chants, des rondes et des danses.
Mais le voici. Il descend de cheval au milieu d'elles.
Les dames et les demoiselles
et les deux reines sont à son cou
et lui adressent de joyeux propos.
En lui faisant fête, on le désarme,
jambes et bras, pieds et tête.
Celle qu'il avait amenée
est aussi reçue avec de grands signes de joie.
Tous et toutes se sont mis à la servir,
mais c'est pour lui, car pour elle on n'en eût rien fait.
Dans la joie on va au palais.
Par toute la salle les voilà tous assis,

282 ra Et mes sire Gauvains a prise
      Sa seror et si l'a assise
      Lez lui, el Lit de la Mervoille,
8848 Si li dit en bas et consoille :
      « Damoisele, je vos aport
      Un anel d'or d'outre ce port
      Don l'esmaraude molt verdoie.
8852 Uns chevaliers la vos envoie
      Par amor et si vos salue
      Et dit que vos iestes sa drue.
      — Sire, fait ele, jel croi bien,
8856 Mas se je l'ain de nule rien,
      C'est de loig que s'amie sui,
      Qu'onques ne me vit ne je lui,
      S'outre cele eve ne lo vi.
8860 Mas il m'a, la soe merci,
      S'amor donee de piece a
      Et si ne vint onque deça,
      Mas si messaige m'ont priee
8864 Tant que je li ai otroiee
      M'amor, n'an mantiroie mie.
      De plus ne sui ancor s'amie.
      — Ha ! bele, ja s'est il vantez
8868 Que vos voldroiez mielz assés
      Que morz fust mes sire Gauvains
      Qui est vostre frere germains
      Qu'il eüst mal en son artoil.
8872 — Avoi ! Sire, molt me mervoil
      Comment il dit si grant folie.
      Par Deu, je nou cuidoie mie

8862. Et se. **8865.** Que je.

et monseigneur Gauvain, prenant
sa sœur, la fait asseoir
près de lui, sur le Lit de la Merveille.
Il lui dit tout bas en confidence :
« Ma demoiselle, je vous apporte
de l'autre rive un anneau d'or
dont verdoie l'émeraude.
Un chevalier vous l'envoie
par amour et vous salue,
en disant que vous êtes l'amie de son cœur.
— Monseigneur, dit-elle, je le crois volontiers,
mais si je l'aime en rien,
c'est de loin que je suis son amie,
car jamais il ne m'a vue, ni moi lui,
si ce n'est par-delà cette eau.
Mais il m'a donné son amour,
et je lui en rends grâces, depuis longtemps.
Il n'est pourtant jamais venu de ce côté-ci,
mais ses messagers m'ont fait tant de prières
que je lui ai accordé
mon amour, c'est vrai.
Mais, de plus je ne suis encore son amie.
— Ah, très belle, il a été jusqu'à prétendre
que vous préféreriez de beaucoup
voir mort monseigneur Gauvain,
qui est votre frère de même sang,
plutôt qu'il eût blessure à l'orteil !
— Ça, monseigneur, je suis très étonnée
qu'il ait pu dire une aussi grande folie.
Par Dieu, je ne pensais pas

282 rb Qu'il fust si mal affaitiez.
8876 Or s'i est il molt mal gaitiez
Qui ceste chose m'a mandee.
Lasse ! Il ne set se je sui nee,
Mes freres, c'onques ne me vit.
8880 Li Giromelanz a mesdit,
Que, par m'ame, je nel voldroie
Sa pesance ne que la moie. »
Quel que il dui ensi parloient,
8884 Et les dames les escoutoient,
Mes la vielle reïne sist
Delez sa fille, si li dist :
« Bele fille, que vos est vis
8888 De cel seignor qui est assis
Lez vostre fille et lez ma niece ?
Conseillié a a li grant piece,
Ne sai de quoi, mas molt me siet,
8892 Ne n'est pas droiz que il nos griet,
Que de grant hautece li vient
Quant a la plus bele se tient
Et a la mielz vaillant qui soit
8896 En cest palais, et si a droit.
Et plaüst Deu que il l'eüst
Esposee et tant li pleüst
Con fist a Heneas Lavine !
8900 — Ma dame, fait l'autre reïne,
Dex li doint si metre en son cuer
Qu'il soient come frere et suer
Et qu'il l'aint tant et ele lui
8904 C'une chose soient andui. »

8876. Or est il m. m. e[n]gigniez. **8890.** a lui.

8885. Et. **8895.** la plus sage. **8901.** m. son c.

qu'il pût manquer ainsi d'éducation.
Il s'est montré très imprudent,
en m'adressant pareil message.
Hélas ! Il ignore même que je suis née,
mon frère, car il ne m'a jamais vue.
Le Guiromelant en a parlé à tort
car, sur mon âme, je ne voudrais
pas plus son infortune que la mienne. »
Tandis qu'ils parlaient tous deux ainsi,
les dames restaient attentives,
et la vieille reine vint s'asseoir
auprès de sa fille et elle lui dit :
« Ma fille chère, que pensez-vous
de ce seigneur qui est assis
à côté de votre fille, de ma petite-fille ?
Il lui a parlé un long moment en confidence,
je ne sais de quoi, mais cela me plaît
et nous n'avons pas de raison de nous en affliger,
car c'est la noblesse de son cœur
qui le retient auprès de la plus belle
et de la plus sage qui soit
en ce palais, et il a raison.
Plût à Dieu qu'il l'eût
épousée et qu'elle lui plût
autant que Lavine à Enée !
— Ma dame, dit l'autre reine,
fasse Dieu qu'il y dispose son cœur
en sorte qu'ils soient comme frère et sœur
et qu'il l'aime tant, et elle lui,
que tous deux ne soient plus qu'un ! »

282 va En sa preiere entant la dame
　　　　Qu'il l'aint et qu'il la preigne a fame,
　　　　Qu'ele ne reconoist son fil.
8908　Cum suer et frere estoient il,
　　　　Que d'autre amor point n'i avra
　　　　Quant li uns de l'autre savra
　　　　Qu'ele est sa suer et il ses frere,
8912　Et si avra joie la mere
　　　　Autre que ele n'i entant.
　　　　Et mes sire Gauvains a tant
　　　　Parlé a sa seror la bele
8916　Que il se lieve et si apele
　　　　Un vaslet que il vit a destre,
　　　　Celui qui plus li sambla estre
　　　　Vistes et preus et servisables
8920　Et plus saiges et plus raisnables
　　　　De toz les vaslez de la sale.
　　　　A une chambre s'an avale
　　　　Et li vaslez sous aprés lui.
8924　Quant il furent aval endui,
　　　　Si li dit : « Vaslet, je te cuit
　　　　Molt preu, molt saige, molt bien duit.
　　　　Se je un mien consoil te di,
8928　De celer molt bien te chasti,
　　　　Por ce que tu i oies preu.
　　　　Envoier te voil en un leu
　　　　Ou grant joie te sera faite.
8932　— Sire, mielz eüsse je treite
　　　　La langue par desoz la goule
　　　　C'une parole tote sole

8920-8921. *Intervertis et signalés en marge par a, b.*

8908. seront. **8925.** dist. **8926.** *Var. A* : mout vezié et mout recuit *(« habile et malin »).* **8929.** aies.

Ce qu'entend la dame par sa prière,
c'est qu'il l'aime et qu'il la prenne pour femme,
car elle ne reconnaît pas son fils.
Ils seront bien comme frère et sœur,
sans qu'il soit question d'autre amour,
quand chacun saura de l'autre
qu'elle est sa sœur et lui son frère,
et la mère en éprouvera une joie
tout autre qu'elle n'en attend.
Monseigneur Gauvain est resté
à parler avec sa sœur, qui est si belle.
Pour finir, il se lève et interpelle
un jeune homme qu'il a vu sur sa droite,
celui qui lui a paru avoir,
parmi tous les jeunes gens de la salle,
le plus de vivacité, de courage, d'aptitude à servir,
de sagesse et de raison.
Il va dans une chambre d'en bas
avec le jeune homme seul à sa suite.
Quand ils furent descendus,
il lui a dit : « Jeune homme, je te crois
vertueux, sage et instruit.
Si je te confie un secret,
je t'avertis de bien le garder pour toi,
dans ton propre intérêt.
Là où je veux t'envoyer
tu seras accueilli avec joie.
— Monseigneur, je préférerais me voir arracher
la langue de la gorge,
plutôt que de laisser s'échapper

282 vb Me fust de la boiche volee
8936 Que volsissiez que fust celee.
— Frere, fait il, dons iras tu
Droit a la cort lo roi Artu,
Que je ai non Gauvains, ses niés.
8940 La voie n'est longue ne griés,
Que a la cité d'Orcanie
A li rois sa cort establie
A tenir a la Pentecoste.
8944 Et se la voie rien te couste
Jusque la, si t'an tien a moi.
Quant tu vendras devant lo roi
Molt corrocié lo troveras,
8948 Et quant tu lo salueras
De part moi, molt avra grant joie,
Et n'i avra un sol qui l'oie
La novele qui liez n'an soit.
8952 Au roi diras, foi qu'il me doit,
Qu'il est mes sire et je ses hom,
Qu'il ne laist por nule acoison
Que je ne lo truise au quint jor
8956 De la feste soz ceste tor
Loigié aval la praerie,
Et si ameint tel compaignie
Cum a sa cort avra venue
8960 De haute gent et de menue,
Que j'ai une bataille enprise
Vers un chevalier qui ne prise
Ne moi ne lui qui gaires vaille.
8964 C'est li Giromelanz san faille,

_____

_____

8938. A mon seignor le r. A. **8955.** *Leçon de BHMRTUV. Var. A* : einz
le q. j.

de ma bouche un seul mot
que vous voudriez garder secret.
— Eh bien, mon ami, fait-il, tu iras
chez le roi Arthur mon seigneur.
Je suis en effet Gauvain, son neveu.
La route n'est pas longue, ni difficile,
puisque c'est dans la cité d'Orcanie
que le roi a décidé de tenir sa cour
à la Pentecôte.
Si le voyage te coûte quelque chose
jusque-là, tu peux t'en remettre à moi.
Quand tu arriveras devant le roi,
tu le trouveras de sombre humeur,
mais quand tu l'auras salué
de ma part, il en aura une très grande joie,
et pas un seul ne manquera, en apprenant
la nouvelle, d'en être réjoui.
Tu diras au roi, sur la foi qu'il me doit,
car il est mon seigneur et je suis son homme,
qu'il ne manque sous aucun prétexte
de se trouver, au cinquième jour
de la fête, installé au pied de cette tour,
dans le bas de la prairie,
et qu'il y soit accompagné
de tous ceux qui seront venus à sa cour,
les humbles comme les grands,
car j'ai entrepris de me battre
avec un chevalier qui ne nous estime
lui ou moi rien qui vaille !
Il s'agit du Guiromelant, c'est bien lui,

283 ra Qui lo het de mortel haïne.

Autel diras a la reïne

Que ele i veigne par la foi

8968 Qui doit estre entre li et moi,

Qui est et ma dame et m'amie,

Et ele nou laissera mie,

Puis qu'ele en savra les noveles,

8972 Et les dames et les puceles

Qui a sa cort seront le jor

I amoint por la soe amor.

Mas d'une chose ai grant peor

8976 Que tu n'aies tel chaceor

Qui tost te porte jusque la. »

Et cil li respont que il l'a

Grant et isnel et fort et boen,

8980 Que il panra comme lo suen

Et ce n'i faut sele ne frains.

« Par foi, fait mes sire Gauvains,

Vaslez, tu iés bien a hernois.

8984 Or va, que li sire des rois

Te doint bien aler et venir

Et la droite voie tenir. »

Ansi lo vaslet en envoie

8988 Et jusqu'a l'eve le convoie

Et si commande au notonier

Que il lo face outre naigier.

Li notoniers lo fist passer,

8992 C'onques ne l'i covint lasser,

Qu'il avoit naigeors assez.

Li vaslez est oltre passez,

_____

_____

8965. me (le *BMTV*). **8974.** la moie a. **8980.** manra. *Après* **8980.**, *lacune de 8 vers* : Ce fet il ne me poise pas / Et li vaslez eneslepas / Vers unes estables l'an mainne / Et si an tret·fors et amainne / Chaceors forz et sejornez / Don li uns estoit atornez / Por chevauchier et por errer / Qu'il l'ot fet de novel ferrer / Ne n'i failloit s. ne f.

qui me hait d'une haine mortelle.
Tu diras de même à la reine
qu'elle y vienne, au nom de la foi
que nous devons nous porter elle et moi,
elle qui est ma dame et mon amie,
et elle n'y manquera pas,
dès qu'elle en saura les nouvelles.
Et qu'elle amène avec elle, par amour pour moi,
les dames et les demoiselles
qui se trouveront ce jour-là à sa cour.
Mais je m'inquiète d'une chose,
que tu n'aies de cheval de chasse
assez rapide pour t'y mener au plus vite. »
L'autre lui répond qu'il en a un,
bon et vigoureux, grand et rapide
qu'il prendra comme le sien propre.
[« Je n'y vois pas d'inconvénient », fait-il.
Le jeune homme aussitôt
l'emmène vers une écurie.
Il en fait sortir et lui amène
de bons chevaux de chasse bien reposés,
dont l'un se trouvait équipé
pour être monté et faire route,
car il l'avait fait ferrer de neuf]
et il ne lui manquait ni selle ni bride.
« Ma parole, dit monseigneur Gauvain,
te voilà pourvu d'un bon harnais, jeune homme.
Va donc, et que le Seigneur de tous les rois
te donne bonne route à l'aller comme au retour
et qu'Il te conduise en droite ligne ! »
Ainsi fait-il partir le jeune homme,
en l'accompagnant jusqu'à l'eau,
où il commande au nocher
de le transporter sur l'autre bord.
Le nocher l'a fait passer
sans se donner de fatigue,
car il ne manquait pas de rameurs.
Parvenu de l'autre côté,

283 rb Qui vers la cité d'Orcanie
8996   A la droite voie acoillie,
    Car qui set voie demander
    Par tot lo monde puet aler.
    Et mes sire Gauvains s'an torne
9000   Vers lo palais ou il sejorne
    A grant joie et a grant desduit,
    Ou il l'aiment totes et tuit.
    Et la reïne fist estuves
9004   Et baigs chaufer a .V^C. cuves,
    S'i fist toz les vaslez entrer
    Por baignier et por estuver,
    Et l'an lor ot robes taillies
9008   Qui lor furent apareillies
    Quant il furent del baig issu.
    Li drap furent a or tissu
    Et les penes furent d'ermines.
9012   Au mostier jusqu'aprés matines
    . Li vaslet en estant veillerent,
    Qu'onques ne s'i agenoillerent.
    Au matin mes sire Gauvains
9016   Chauça a chascun de ses mains
    L'esperon destre et ceint l'espee,
    Et si li dona la colee.
    Lors ot il compaignie viaux
9020   De .V^C. chevaliers noviaux.
    Et li vaslez a tant herré
    Qu'il est venuz a la cité
    D'Orcanie ou li rois tenoit
9024   Cort tel cum au jor avenoit.

9023. estoit.

---

le jeune homme a suivi la route
qui va directement à la cité d'Orcanie,
car il suffit de savoir demander
pour aller son chemin par le monde entier.
Monseigneur Gauvain s'en retourne
vers le palais, où il reste au repos
parmi les distractions et dans la joie.
Il y est aimé de tous et de toutes.
La reine a préparé les salles de bains
et fait chauffer l'eau dans cinq cents baquets,
où elle fit entrer tous les hommes
pour s'y baigner à l'eau chaude.
On leur avait taillé des vêtements
qui les attendaient tout prêts
à la sortie du bain.
Les étoffes en étaient tissées d'or
et les fourrures en étaient d'hermine.
Dans l'église, jusqu'après matines,
les hommes veillèrent debout,
sans jamais s'être agenouillés.
Au matin, monseigneur Gauvain
de ses mains chaussa à chacun d'eux
l'éperon droit et leur ceignit l'épée,
puis il leur donna l'accolade.
Il fut alors en compagnie d'au moins
cinq cents chevaliers nouveaux.

Le jeune homme a poursuivi sa route
jusqu'au moment où il est venu à la cité
d'Orcanie où le roi tenait
une cour digne de ce grand jour.

283 va Et li contret et li ardant
        Qui lo vallet vont regardant,
        Dient : « Cil vient a grant besoig,
9028 Je cuit qu'il aporte de loig
        Estranges noveles a cort.
        Molt trovera et mu et sort
        Lo roi, tel chosse porra dire,
9032 Qu'il est molt plains de doel et d'ire.
        Et qui est il qui lo savra
        Consoil doner quant il avra
        Oï do mesaige com iert ?
9036 Di va ! font il, que nos afiert
        A parler do consoil lo roi ?
        Nos deüssien estre an esfroi
        Et esmaié et esperdu
9040 Qant nos avons celui perdu
        Qui por Dé toz nos revestoit
        Et dun toz li biens nos venoit
        Par aumone et par charité. »
9044 Ensin par tote la cité
        Mon seignor Gauvain regretoient
        Les povres genz qui molt l'amoient.
        Et li vallez outre s'an va,
9048 S'a tant alé que il trova
        Lo roi seant an son palais,
        Entor lui .C. contes palais
        Et .C. dus et .C. rois assis.
9052 Li rois fu mornes et pansis,
        Qant il vit sa grant baronie
        Et de son nevo n'i vit mie,

─────────────

9025-9026. Tenoit il et toute la gent / Vont molt lo v. r.

─────────────

Il y avait là les estropiés et les ardents,
qui regardent venir le jeune homme,
en disant chacun : « En voilà un qui est pressé !
Je crois qu'il vient de loin,
apportant à la cour nouvelles d'ailleurs.
Il va trouver le roi bien muet et bien sourd,
selon ce qu'il aura à lui dire,
car il est plein de tristesse et de colère.
Et où est-il l'homme qui saura
lui donner conseil, quand il aura
appris du messager ce qu'il en est ?
Allons, bon ! font-ils, qu'avons-nous à faire
de parler du Conseil royal ?
Nous devrions plutôt être dans l'effroi,
l'inquiétude et le désespoir
d'avoir perdu celui
qui pour Dieu nous donnait vêtements
et dont nous venait tout bien
par aumône et par charité. »
Ainsi, par toute la ville,
les pauvres gens regrettaient-ils
monseigneur Gauvain qu'ils aimaient tant.
Mais le jeune homme passe outre,
poursuivant jusqu'à ce qu'il eût trouvé
le roi siégeant dans sa grande salle,
entouré de cent comtes palatins,
de cent ducs et de cent rois, également assis.
Le roi devint sombre et pensif,
quand il vit la belle assemblée des grands
et qu'il n'y vit pas son neveu.

283 vb Si s'et pasmez de grant destrece.
9056   Au relever fu sanz parece
        Cil qui premiers i pot venir,
        Que tuit lo corrent sostenir.
        Et ma dame Lore seoit
9060   En une loiges, si ooit
        Lo duel qu'an demaine an la sale.
        De la loge jus en avale,
        S'est a la raïne venue
9064   Ensin comme tote esperdue,
        Et quant la raïne la voit,
        Si li demande qu'ele avoit.

        Explicit li romanz de Perceval.

De grande détresse, il tombe évanoui.
On a fait diligence pour le relever,
c'est à qui y parvient le premier,
car tous se précipitent pour le soutenir.
Cependant ma dame Lore était assise
dans une galerie, d'où elle entendait
la douleur qui monte de la salle.
Elle descend de la galerie
et elle a couru à la reine,
tout éperdue qu'elle était.
La reine l'aperçoit
et lui demande ce qu'elle avait.

Ici s'achève le roman de Perceval.

Index des noms propres

Acensïon, *la fête de l'Ascension*, 2880.

Adam, *le premier homme*, 8099.

Agrevains li Orgoilleus, *frère de Gauvain*, 4698, 8057.

Aguingeron, *sénéchal de Clamadieu*, 1962 ... 2721.

Alixandres, *Alexandre le Grand*, 14, 56.

Amors, *l'Amour personnifié*, 4801.

Arrabe, *l'Arabie*, 3101.

Artu (lo roi -), *le roi Arthur*, 284, 418, 798 ... 865, 1041, 1316, 1326, 2254, 2292, 2317, 2634, 2694, 2727, 3890 ... 4002, 4862, 6160, 7036, 8037, 8087, 8643, 8645, 8696, 8741, 8938.

Assalon, *Absalon, fils de David*, 4722.

Ban de Gomorret (roi), 439.

Barut, *Beyrout*, 2990.

Bel Repaire, *château de Blanchefleur*, 2326, 2346, 2627, 3061.

Blancheflor, *l'amie de Perceval*, 2357, 2852.

Breton, *les Bretons*, 4252.

Cardo(e)il, *Carlisle, résidence du roi Arthur (rattachée au pays de Galles)*, 330, 797.

Carlïon, *Caerleon, résidence du roi Arthur (Monmouthshire)*, 3937, 4089, 4538.

Chastel Orgoilleus, 4619, 4653.

Chevalier Vermoil (li Vermaus Chevaliers de la foret de Guingueroi, *ou* Quingueroi), 909, 1022, 4061-4062.

Chevalier Vermoil, *nom donné par Clamadeu à Perceval*, 2536.

Clamadeu (-ex, -és) des Illes, 1963 ... 2847.

Clarïanz, *sœur de Gauvain*, 8185.

Cotatatre, *moyen anglais "Scottewabre" (le Firth of Forth)*, 3613.

Crestïens, *Chrétien de Troyes*, 7, 60.

Criator (lo-), *le Créateur*, 167, 625, 952.

Deu, Damedeu (Dé, Dex, Deux, etc.), *Dieu, le Seigneur Dieu*, 34 ... 9041 ; Sire Rois, 2928.

Dinasdaron (en Guales), *résidence du roi Arthur*, 2672, 2693.

Escalibor, *épée de Gauvain*, 5828.

Escavalon (roi d'-), 435, 4721, 5243-5244.

Espee aus Estranges Ranges, 4642.

Felipes (de Flandres), *Philippe, comte de Flandres, né en 1143, croisé en 1190 et mort en Orient en 1191*, 13, 51.

Fortune, 4578, 4583.

Gaeriez, *frère de Gauvain*, 8059.

Galvoie, *Galloway, région du sud-ouest de l'Écosse (ici, pays imaginaire)*, 6522, 8301, 8560.

Gaste Foret, 2897.

Gauvain, *neveu d'Arthur*, 4020, 4281...4479, 4648...4888, 4981, 5019, 5095...5303, 5407...5876, 5966...6140, 6437...7072, 7173...7417, 7521, 7580...8056, 8161, 8210, 8287...9045.

Giromelanz, *Guiromelant, l'ami de la sœur de Gauvain*, 8539...8623, 8880, 8964.

Gornemant de Goort, *l'oncle de Blanchefleur et le maître de Perceval*, 1506, 1850.

Graal, 4665, 6141, 6327, 6351, 6357.

Grece, 3101.

Greorreas, 7032, 7055, 7216.

G(u)ales, G(u)alois, 229, 237, 465, 567, 573, 4069.

G(u)arin (lo fil Berte), *l'hôte de Gauvain à Tintagel*, 5158...5203.

Gué Perilleus, 8411, 8424, 8500.

Guiflez (li filz Do), *Girflet, chevalier de la Table Ronde*, 2825, 4651.

Guingalet, *cheval de Gauvain (gallois gwyngalet, "blanc-hardi")*, 6135, 7050.

Guing(u)e(n)bresil, *Guinganbresil*, 4679, 4685, 4727, 5960, 5997, 6031, 6062, 6217.

Heneas, *le Troyen Enée, héros du* Roman d'Eneas, 8899.

Inde, 1562.

I(v)onez, *Yonet ou Yvonet, au service de Perceval, puis de Gauvain*, 873...1195, 5618.

Jhesu Cri(s)t, *Jésus-Christ*, 545, 6181, 6186.

Juif, 546, 6218.

Kaadins, *Kaerdin, chevalier de la Table Ronde*, 4655.

Kereés, *Guerrehés, frère de Gauvain*, 8059.

Keu (Kex, *etc.*), *frère de lait et sénéchal d'Arthur*, 966... 1233, 2258, 2636...2820, 3897...4048, 4206...4505.

Lance, *la Lance qui saigne*, 4667, 6039, 6092, 6124, 6327.

Lavine, *Lavinie, fille de Latinus, héroïne du* Roman d'Eneas, 8899.

Limoges, *Limoges*, 3014.

Lit de la Merveille, 7723, 8175, 8583, 8847.

Logres (li realmes de -), *l'Angle-terre, royaume d'Arthur*, 6097.

Loire, *le fleuve*, 1266.

Lombardie, 5873.

Lore (ma dame -), *dame de la compagnie de la reine*, 9059.

Lot (roi), *père de Gauvain*, 8053, 8661.

Mece (*var.* Venece, Venice), *Venise*, 3102.

Melïanz de Liz, 4755...5461.

Mont Esclaire, 4636.

Mont Dolereus, 4654.

Natevité, *la Noël*, 8165.

Nature, 359, 1430-1431, 1434, 7823.

Novele Loi, *le Nouveau Testa-ment*, 6182.

Orcaneles, 8538.

Orcanie, *résidence du roi Arthur ; les îles Orcades, pays de Gauvain par son père, le roi Lot*, 8741, 8941, 8995, 9023.

Orgoilleus (de la Lande), 3751, 3766, 3845, 3865, 3979.

Orgoilleus de la Roche a l'Estroite Voie, 8558-8559.

Orgoilleuse de Norgres, *l'Orgueilleuse de Logres*, 8550-8551.

Pasque, *la Pâque*, 6432.

Pavie, 6574.

Pentecoste, *la Pentecôte*, 2724, 8740, 8943.

Perceval (lo Galois), 3513... 3557, 3678...3735, 3833, 3851, 3927, 4098... 4260, 4375 ... 4657, 6142-6143, 6228... 6433-6434.

Pucele as Manches Petites, *fille cadette de Thibaut de Tintagel*, 4917, 5365.

Rion (roi -, li rois des Illes), 809-810.

Roche   del   Chanpguin, 8686/41.

Roi Pescheor, 3458, 4584, 6298, 6343.

Rome (l'empire de -), 12, 1630, 2629, 2719.

Sagremor (Desreez, *"Démesuré"*), *chevalier de la Table Ronde*, 4154-4155... 4209.

Saint Abraan, *le patriarche Abraham*, 2904.

Saint Davi, *le roi David, le psalmiste*, 4068.

Saint Esperit(e), *le Saint Esprit*, 5004, 6203.

Saint Martin, 7208.

Saint Pere (l'apostre), *saint Pierre*, 2151, 4183.

Saint Richier, 1857.

Sainte Trinité, 6556.

Sainz Polz, *saint Paul*, 47.

Salveor (le -), *le Sauveur*, 166, 3434.

Seignor (nostre -, pour *"Dieu"*), 533, 557, 6409.

Table Reonde, 8043.

Tiebaut (de Tintagueil), *Thibaut de Tintagel*, 4765 ... 4919.

Tintagueil, *Tintagel en Cornouailles*, 4814, *(voir également Thibaut)*.

Trabuchés, *Trébuchet, forgeron de l'épée donnée par le Roi Pêcheur à Perceval*, 3617.

Traedené, *Traé d'Anet*, 4758, 4761.

Urïen (roi), *père d'Yvain*, 8067.

Uter Pandragon, *père d'Arthur*, 417, 8650.

Valdone (li destroit de -), *nom des montagnes de Svardon, Nord du pays de Galles*, 292.

Vavains (Avoltre, *"l'adultérin"*), *Yvain le Bâtard, demi-frère d'Yvain*, 8075.

Venredi, *le Vendredi Saint*, 6430.

Vierge Dame, *la Vierge Marie*, 6202, 6209.

Yguerne, *mère d'Arthur*, 8652, la raïne as blanches treces, 8123.

Yvains, *chevalier de la Table Ronde, héros du Chevalier au lion de Chrétien*, 2826, 8070.

Table

Avant-propos 7
Préface 9
Argument du *Conte du Graal* 16
Remarques sur la présente édition 17
Indications bibliographiques 23

CHRÉTIEN DE TROYES, LE CONTE DU GRAAL

Prologue 27
La Veuve Dame et les mauvais Anges 31
La Demoiselle de la Tente et le Chevalier Vermeil 67
Gornemant et Blanchefleur 111
Le Roi Pêcheur et la cousine de Perceval 221
La Demoiselle de la Tente et l'Orgueilleux de la Lande 269
Le Sang sur la neige et Gauvain 301
La Demoiselle Hideuse et Guinganbrésil 331
Le Tournoi de Tintagel et la Jeune Fille
aux Petites Manches 345
Le Roi chasseur et la Demoiselle d'Escavalon 401
Les pénitents et l'ermite 437
Les Passages de Gauvoie et la Demoiselle Odieuse 457
Le nocher et les Reines mortes 505
La Demoiselle Odieuse et Guiromelant 573

Index des noms propres 638

Achevé d'imprimer en septembre 2007, au Danemark sur Presse Offset par
NØRHAVEN, Viborg
N° d'éditeur : 87388
Dépôt légal 1ʳᵉ publication : novembre 1990
Édition 10 – septembre 2007
LIBRAIRIE GÉNÉRALE FRANÇAISE – 31, rue de Fleurus – 75278 Paris cedex 06

30/4525/9